QUIMIOMETRIA
Conceitos, Métodos e Aplicações

UNIVERSIDADE ESTADUAL DE CAMPINAS

Reitor
MARCELO KNOBEL

Coordenadora Geral da Universidade
TERESA DIB ZAMBON ATVARS

Conselho Editorial

Presidente
MÁRCIA ABREU

ANA CAROLINA DE MOURA DELFIM MACIEL – EUCLIDES DE MESQUITA NETO
MÁRCIO BARRETO – MARCOS STEFANI
MARIA INÊS PETRUCCI ROSA – OSVALDO NOVAIS DE OLIVEIRA JR.
RODRIGO LANNA FRANCO DA SILVEIRA – VERA NISAKA SOLFERINI

Márcia Miguel Castro Ferreira

QUIMIOMETRIA
Conceitos, Métodos e Aplicações

EDITORA UNICAMP

FICHA CATALOGRÁFICA ELABORADA PELO
SISTEMA DE BIBLIOTECAS DA UNICAMP
DIRETORIA DE TRATAMENTO DA INFORMAÇÃO

F413q   Ferreira, Márcia Miguel Castro, 1951-
Quimiometria – Conceitos, Métodos e Aplicações / Márcia Miguel Castro Ferreira – Campinas, SP: Editora da Unicamp, 2015.

1. Quimiometria. 2. Química analítica. 3. Química – Métodos estatísticos. 4. Calibração. 5. Sistemas de reconhecimento de padrões. I. Título.

	CDD	543.0072
		543
		536.5
ISBN 978-85-268-1063-1		001.534

Índices para catálogo sistemático:

1. Quimiometria   543.0072
2. Química analítica   543
3. Química – Métodos estatísticos   543.0072
4. Calibração   536.5
5. Sistemas de reconhecimento de padrões   001.534

Copyright © by Márcia Miguel Castro Ferreira
Copyright © 2015 by Editora da Unicamp

2ª reimpressão, 2020

Opiniões, hipóteses e conclusões ou recomendações expressas neste livro são de responsabilidade da autora e não necessariamente refletem a visão da Editora da Unicamp.

Direitos reservados e protegidos pela lei 9.610 de 19.2.1998.
É proibida a reprodução total ou parcial sem autorização, por escrito, dos detentores dos direitos.

Foi feito o depósito legal.

Direitos reservados a

Editora da Unicamp
Rua Sérgio Buarque de Holanda, 421 – 3º andar
Campus Unicamp
CEP 13083-859 – Campinas – SP – Brasil
Tel./Fax: (19) 3521-7718 / 7728
www.editoraunicamp.com.br vendas@editora.unicamp.br

*Aos meus pais: Danyra de Oliveira e Souza Miguel
e Fuad Miguel*

AGRADECIMENTOS

É um dever que neste caso se reveste de satisfação agradecer à University of Washington (Seattle, USA), que me recebeu generosamente para um pós-doutoramento em quimiometria em 1993 e manteve abertas suas bibliotecas onde este livro foi em grande parte escrito durante os períodos de licença sabática, licença-prêmio e férias. Um agradecimento póstumo especial é devido ao professor Bruce Kowalski (1942--2012), um dos fundadores da quimiometria, em cujo laboratório, CPAC, estão as raízes mais antigas deste trabalho. Agradeço também a todos os meus alunos, colegas, orientandos, pós-docs e visitantes que ao longo de 18 anos mantiveram um ambiente entusiasmado na busca de novos rumos da quimiometria no LQTA, cujo financiamento devo à Unicamp, Fapesp e CNPq.

Finalmente, e de uma maneira muito especial, eu agradeço ao meu esposo Wilson, que me acompanhou e apoiou incondicionalmente durante todo esse percurso.

SUMÁRIO

PREFÁCIO 13

1 — INTRODUÇÃO 15
   1.1 Considerações históricas 15
   1.2 Organização do livro 27

2 — PREPARAÇÃO DOS DADOS PARA ANÁLISE 29
   2.1 Introdução 29
   2.2 Organização dos dados 30
   2.3 Visualização dos dados 37
   2.4 Pré-tratamento dos dados 43
      2.4.1 Transformação dos dados 46
          2.4.1.1 Técnicas de alisamento 46
          2.4.1.2 Técnicas de correção da linha de base ... 61
          2.4.1.3 Outras Transformações Importantes 68
      2.4.2 Pré-Processamento dos dados 90

3 — ANÁLISE EXPLORATÓRIA DOS DADOS 107
   3.1 Introdução 107
   3.2 Análise de Componentes Principais – PCA 110
      3.2.1 Introdução 110
      3.2.2 Fundamentos matemáticos 116
      3.2.3 Rotações 145
      3.2.4 Rotação varimax 146

3.3 Análise de Agrupamentos por Métodos
Hierárquicos – HCA 153
    3.3.1 Introdução 153
    3.3.2 Fundamentos matemáticos 155
    3.3.3 Exemplo 175
3.4 Distância de Mahalanobis 184
3.5 Exemplos 202
    3.5.1 Análise exploratória de amostras de água
    mineral 202
    3.5.2 Atividade antiviral de inibidores da
    protease HIV-1 215
    3.5.3 Determinação dos teores de minerais em sucos
    de frutas 222
    3.5.4 Efeito de diferentes nucleófilos e solventes na
    reatividade de α-acil-enaminocetonas 231
    3.5.5 Prazo de validade de produtos à base de
    tomate 238

4 – CALIBRAÇÃO – MÉTODOS DE REGRESSÃO 251
4.1 Introdução 251
    4.1.1 Considerações gerais 255
4.2 Calibração univariada. Regressão linear 261
    4.2.1 Figuras de mérito 278
4.3 Por que usar calibração multivariada? 306
4.4 Métodos de regressão multivariada (Calibração) ... 312
    4.4.1 Regressão pelo Método dos Quadrados Mínimos
    Clássico – CLS 314
    4.4.2 Regressão pelo Método dos Quadrados Mínimos
    Inverso – ILS 328
    4.4.3 Regressão pelo método das Componentes
    Principais – PCR 339
    4.4.4- Regressão pelo Método dos Quadrados
    Mínimos Parciais – PLS 346
    4.4.5 Conclusões 356
4.5 Validação dos modelos de regressão multivariada ... 359
    4.5.1 Detecção de amostras anômalas 360

4.5.2 Escolha do número de fatores no modelo 370
4.6 Previsão 378
4.7 Figuras de mérito 380
4.8 Seleção de variáveis 399

5 – MÉTODOS DE CLASSIFICAÇÃO OU MÉTODOS SUPERVISIONADOS DE RECONHECIMENTO DE PADRÕES 405

5.1 Introdução 405
5.2 Métodos de classificação 407
5.3 Análise Discriminante Linear – LDA 409
5.4 Método dos k-ésimos Vizinhos mais Próximos – k-NN 411
    5.4.1 Exemplo – Atividade biológica do lapachol e derivados contra o carcinossarcoma W-256 415
5.5 Figuras de mérito 424
5.6 Método *Soft Independent Modeling of Class Analogy* – SIMCA 428
    5.6.1 Figuras de mérito 451
5.7 Análise discriminante pelo método de quadrados mínimos parciais – PLS-DA 460
    5.7.1 Exemplo – Classificação de extratos de tumores cerebrais usando a espectroscopia de ressonância magnética nuclear de próton de alta resolução e o método PLS-DA 464

ÍNDICE 487

PREFÁCIO

A quimiometria é a área que emergiu da necessidade de extrair informação química que de outra forma estaria soterrada na avalanche de dados produzidos pela moderna instrumentação.

Este livro é o resultado da experiência adquirida durante mais de uma década lecionando a disciplina de quimiometria, não somente no IQ–Unicamp, mas também em outras Universidades do Estado de São Paulo, do Brasil e do exterior. Nele serão apresentados os métodos mais utilizados e que considero mais importantes e úteis da quimiometria. A experiência adquirida em trabalhos relacionados a questões provenientes diretamente da indústria de alimentos, cosméticos, indústria pesada de alumínio e química medicinal também foi motivadora deste trabalho.

A escolha dos tópicos, métodos e exemplos apresentados foi ditada por diretrizes acadêmicas, mas também e fundamentalmente pela utilização prática da quimiometria em todas as áreas de interação de que participei.

Diversas abordagens da quimiometria que se sobrepõem em vários aspectos, mas que são distintas em outras situações, surgiram na década de 1970. Dentre estas, talvez a mais bem-sucedida e que exerceu grande influência no seu desenvolvimento foi liderada pelo Center for Process Analytical Chemistry (CPAC), da University of Washington, sob a direção de Bruce Kowalski. Este texto, de certa forma, alinha-se a essa escola, com a qual iniciei na área com um pós-doutoramento no início dos anos 1990.

Quanto a seu aspecto acadêmico, o texto é fruto dos trabalhos de pesquisa realizados no Laboratório de Quimiometria Teórica e Aplicada (LQTA)–IQ–Unicamp, por alunos de mestrado, doutorado e pós-doutorado, desenvolvidos sob minha orientação nos últimos 16 anos.

O texto se dirige, portanto, àqueles que pretendem adquirir conhecimento teórico fundamental e desenvoltura técnica para aplicar a quimiometria a diversos campos do conhecimento e da indústria, bem como desenvolver e/ou aperfeiçoar técnicas que se fizerem necessárias para a abordagem de novas questões.

Vários métodos serão apresentados em detalhes junto com seus respectivos algoritmos e uma série de exemplos será discutida para que o(a) leitor(a) possa acompanhar passo a passo todas as etapas de uma análise multivariada de dados. Uma novidade introduzida e amplamente discutida neste texto que ainda não se encontra disponível em livros desta área é a validação dos modelos com figuras de mérito. Em particular, as figuras de mérito dos métodos de regressão e de classificação serão introduzidas e exemplificadas.

Ao final, o leitor que estudar este texto estará capacitado para efetuar a análise exploratória dos dados e para construir modelos de regressão e de reconhecimento supervisionado de padrões.

CAPÍTULO 1

INTRODUÇÃO

1.1 Considerações históricas

Ao ouvir a palavra "química", imediatamente vem à nossa mente um laboratório equipado com reagentes e vidraria específica, e um profissional de avental e óculos de segurança realizando experimentos. Isso porque a química é uma ciência experimental. Acontece que essa era a realidade até algumas décadas atrás quando a grande maioria dos problemas químicos era resolvida pelos métodos tradicionais de via úmida (titulações, pesagens, precipitações e uso de reagentes específicos), como exemplificado na Figura 1. O tratamento dos dados obtidos

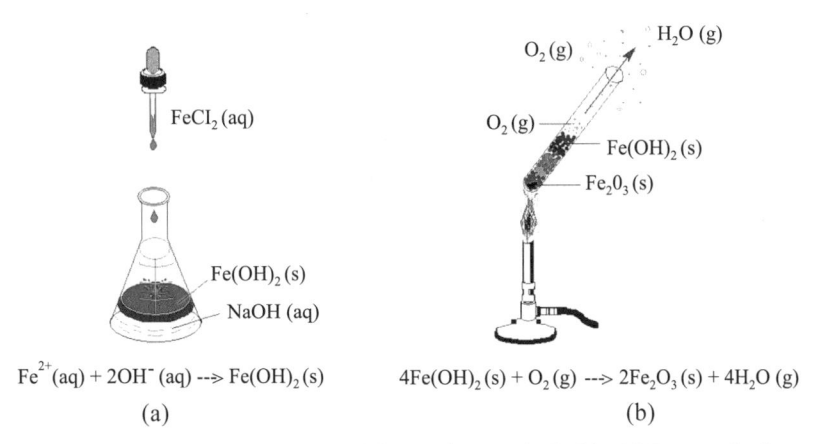

$Fe^{2+}(aq) + 2OH^-(aq) \dashrightarrow Fe(OH)_2(s)$
(a)

$4Fe(OH)_2(s) + O_2(g) \dashrightarrow 2Fe_2O_3(s) + 4H_2O(g)$
(b)

Figura 1 – Procedimento de rotina em laboratório, por via úmida. (a) Reação de cloreto de Fe II com NaOH, formando um precipitado de hidróxido de Fe II de cor verde; (b) Oxidação do hidróxido de Fe II produzindo óxido de Fe III e vapor d'água.

experimentalmente era relativamente simples, e os métodos matemáticos elementares de análise univariada se mostravam adequados e suficientes.

Graças ao desenvolvimento da química teórica (química quântica) e, mais tarde, dos instrumentos eletrônicos e óticos, a química sofreu mudanças drásticas e hoje é muito mais abrangente, englobando a química computacional. Com o desenvolvimento da informática, no que diz respeito tanto à área de *hardware* quanto à de *software*, e com a facilidade de acesso aos computadores, hoje é possível determinar, com simulações de dinâmica molecular, se o caminho de uma dada reação química é favorável ou não do ponto de vista termodinâmico. Também é possível em estudos de QSAR (*Quantitative Structure-Activity Relationships*) relacionar propriedades moleculares e estruturais, calculadas por métodos quânticos, à atividade biológica de um conjunto de compostos, com o objetivo de estimar a atividade biológica de novos compostos antes de sintetizá-los no laboratório.

O grande avanço tecnológico na área instrumental ocorrido nos últimos 50 anos atingiu todas as áreas da ciência e especialmente a química. Espectrômetros e cromatógrafos foram introduzidos como instrumentos de análises de rotina nos laboratórios analíticos, ocasionando um enorme crescimento na quantidade e na variedade de dados experimentais produzidos. Para ter uma ideia da ordem de grandeza da quantidade de dados que podem ser gerados em um único experimento moderno, basta observar que um espectro digitalizado contém em média cerca de 2.000 comprimentos de onda, e os resultados de uma única corrida num cromatógrafo com um detector com arranjo de diodos facilmente atingem 500.000 dados (4,0 Mbytes de informação digital).

Todavia, esses instrumentos não produzem diretamente informações com significado químico para a interpretação imediata, mas sim uma enorme profusão de sinais, números ou curvas, como exemplificado na Figura 2. "*O que fazer com esta avalanche de dados?*". Para que esses dados tenham alguma utilidade para o conhecimento químico da matéria, ou do procedimento, é necessário que eles sejam transformados e interpretados adequadamente, o que não é uma tarefa nem simples sob o ponto de vista conceitual, nem fácil, sob o ponto de vista tacional. Na linguagem da química da década de 1960, tinha-se uma enorme quantidade de matéria bruta (numérica) e faltavam os meios para extrair dela as pepitas preciosas de informação, uma comparação não de todo improcedente, se adiantarmos que uma das técnicas mais modernas para esse fim se denomina muito apropriadamente de "mineração de dados"[1].

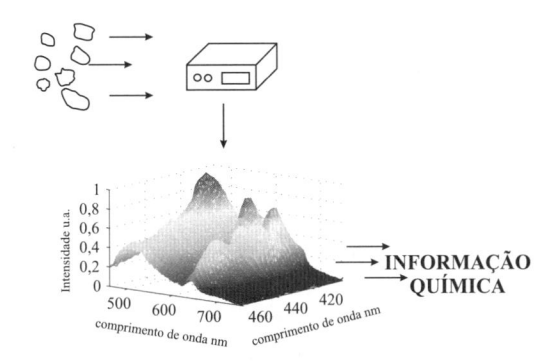

Figura 2 – Procedimento de rotina em laboratórios modernos de análise.

Parafraseando uma conhecida citação da análise de dados, o químico de meio século atrás estava se afogando em um oceano de dados e sedento de informação e, possivelmente, deveria se perguntar: "Que tipo de informação se pode extrair de tais resultados utilizando a tradicional análise univariada que até então era adequada e suficiente?". O que estava por vir mostraria que os instrumentos de laboratório teriam que ser necessariamente interfaciados aos computadores, e os laboratórios, rapidamente modificados para incluir, explícita ou implicitamente, os métodos e meios computacionais.

A busca por ferramentas matemáticas e estatísticas capazes de converter grandes conjuntos de dados no máximo de informação útil foi a causa principal do surgimento e rápido desenvolvimento da quimiometria.

Pode-se dizer que uma mudança radical nesse cenário se deu com Jurs, Kowalski, Isenhour e Reilly. Esse grupo de pesquisadores publicou

---

1 Do inglês: *data mining*.

uma sequência de artigos na revista *Analytical Chemistry* em 1969[2,3,4,5], dando um enfoque totalmente inovador ao tratamento dos dados químicos, a partir dos quais os químicos vislumbraram o grande potencial dos métodos multivariados.

A designação "quimiometria" foi usada pela primeira vez em 1971 pelo químico orgânico Svante Wold. No editorial do primeiro exemplar do *Journal of Chemometrics*, Kowalski, Brown e Vandeginste relatam a origem dessa palavra:

> Depois da minha dissertação em janeiro de 1971, eu estava escrevendo um projeto de pesquisa para nossa Agência de Fomento à Pesquisa, quando meu amigo Ingebert Taljedal sugeriu que se eu tivesse um BOM nome para o que pretendia fazer, então eu teria o dinheiro, caso contrário, provavelmente, não. Achei o comentário estranho, mas segui o conselho do amigo mais experiente e que eu admirava. Ele me disse para pensar em três alternativas durante o final da semana, que ele selecionaria a melhor delas na segunda-feira. Depois de muito pensar, eu tinha as três sugestões: "Análise de Dados Químicos", "Computadores na Química" e, com alguma hesitação, "Quimiometria". Ingebert imediatamente disse "*Kimiometri*", e assim foi. Batizei nosso pequeno grupo de pesquisa (eu e meu estudante de pós-graduação, M. Sjostrom) como "Grupo de Quimiometria", em sueco *Kemometri-gruppen*. Começamos, então, a colocar esse nome nos nossos artigos e, a partir daí, correu tudo bem, exatamente como Ingebert havia predito. No outono de 1973 encontrei Bruce Kowaski em uma conferência em Tucson, no Arizona, e disse a

---

2 Jurs, P. C.; Kowalski, B. R. e Isenhour, T. L. 'Computerized Learning Machines applied to Chemical Problems. Molecular Formula Determination from Low Resolution Mass Spectrometry', *Anal. Chem.* **41** (1969) 21-27.

3 Jurs, P. C.; Kowalski, B. R.; Isenhour, T. L. e Reilly, C. N. 'Computerized Learning Machines applied to Chemical Problems. An Investigation of Convergence Rate and Predictive Ability of Adaptive Binary Pattern Classifiers', *Anal. Chem.* **41** (1969) 690-695.

4 Kowalski, B. R.; Jurs, P. C.; Isenhour, T. L. e Reilly, C. N. 'Computerized Learning Machines applied to Chemical Problems. Multicategory Pattern Classification by Least Squares', *Anal. Chem.* **41** (1969) 695-700.

5 Jurs, P. C.; Kowalski, B. R.; Isenhour, T. L. e Reilly, C. N. 'Computerized Learning Machines applied to Chemical Problems. An Investigation of Combined Patterns from Diverse Analytical Data Using computerized Learning Machine', *Anal. Chem.* **41** (1969) 1949-1953.

ele que eu estava fazendo quimiometria. Fiquei muito orgulhoso quando ele gostou do nome e, depois disso, iniciamos juntos a Sociedade de Quimiometria em 10 de Junho de 1974, quando eu estava visitando Bruce Kowalski por algumas semanas[6].

O próprio Wold foi o autor do primeiro trabalho que menciona a palavra "quimiometria", publicado na revista sueca *Kemisk Tidskrift* em 1972. Dois anos mais tarde ele publicou um segundo artigo[7] explicando seu ponto de vista sobre a abrangência da área que ele denominou de *Kimiometri*, e que em português viria a ser mais tarde, "quimiometria". As primeiras páginas desses dois artigos originais estão reproduzidas no primeiro exemplar do *Journal of Chemometrics*[8]. Em junho desse mesmo ano, durante a sua visita ao grupo de B. Kowalski nos Estados Unidos, ambos fundaram a *International Chemometric Society*, cuja função principal seria viabilizar a comunicação e fortificar o elo entre a matemática aplicada, a estatística e as aplicações na área de química.

No ano seguinte apareceu pela primeira vez o termo *Chemometrics* na literatura de língua inglesa com a publicação do artigo baseado na palestra feita por Kowalski[9] na conferência Chemical Applications of Pattern Recognition[10], na qual ele se referiu à quimiometria como um conjunto de métodos apropriados para a obtenção de informações significativas, sob o ponto de vista químico, a partir de um conjunto de dados. Nesse mesmo artigo ele apresenta uma visão geral do estado atual dessa nova área (1975) e das futuras aplicações de métodos quimiométricos à química em geral, e também lança oficialmente o primeiro pacote computacional de quimiometria chamado ARTHUR. Esse pacote continha uma coleção de programas de reconhecimento de padrões, escritos na

---

6 Traduzido do editorial de Kowalski, B. R.; Brown, S. e Vandeginste, B. *J. Chemom.* **1** (1987) 1-2.
7 Wold, S. 'Kemometri - kemi och tillampad matematik', *Svensk Naturventenskap* 201, (1974).
8 Shepherd, P. T. 'Retrospective', *J. Chemom.* **1** (1987) 3-6.
9 Kowalski, B. R. 'Chemometrics: Views and Propositions', *J. Chem. Inf. Comp. Sci.* **15** (1975) 201-203.
10 *Workshop* promovido pela National Science Foundation, Washington, D.C., Maio 1-2, 1975.

linguagem Fortran, disponibilizado para ser executado em computadores VAX II/780. Deve-se chamar a atenção para o fato de que esse artigo foi publicado no periódico *Journal of Chemical Information and Computer Sciences*, e não em alguma revista tradicional de química analítica. Esta é uma evidência da resistência inicial por parte dos químicos analíticos em aceitar a incorporação dos novos métodos de análise de dados, não apenas pela sua novidade, mas também porque eram bem mais complexos que os usuais.

Uma introdução histórica não poderia deixar de citar dois trabalhos que tiveram um grande impacto na quimiometria: o de Kowalski e Bender[11], que é considerado oficialmente como o primeiro trabalho na área de quimiometria, e o de Lawton e Sylvestre[12], publicado em 1971. Este último precedeu por um ano o de Kowalski e Bender, e desempenhou um papel importante na fundamentação da metodologia da quimiometria, sendo amplamente citado até hoje, embora nem sempre reconhecido por sua importância histórica. Vários artigos na literatura podem ainda ser citados como fontes de informações valiosas para a história da Quimiometria; dentre eles, citaremos dois que contêm entrevistas muito interessantes com os fundadores da área[13,14].

Em 1976 foi organizado o Simpósio Chemometrics: Theory and Application, patrocinado pela Divisão Computers in Chemistry, da *American Chemical Society*, do qual resultou o primeiro livro dedicado especificamente à quimiometria[15]. Esse livro contém várias contribuições significativas com respeito ao desenvolvimento de metodologia e apli-

---

11 Kowalski, B. R. e Bender, C. 'Pattern Recognition. A powerful Approach to Interpreting Chemical Data', *J. Am. Chem. Soc.* **94** (1972) 5632-5639.
12 Lawton, W. e Sylvestre, E. 'Self Modeling Curve Resolution', *Technometrics* **13** (1971) 617-633.
13 Geladi, P. e Esbensen, K. 'The Start and the Early History of Chemometrics: Selected Interviews, Part 1', *J. Chemom.* **4** (1990) 337-354.
14 Geladi, P. e Esbensen, K. 'The Start and the Early History of Chemometrics: Selected Interviews, Part 2', *J. Chemom.* **4** (1990) 389-412.
15 Kowalski, B. R. ed. *Chemometrics: Theory and Application*. ACS Symp. Ser., 52, American Chemical Society, Washington, D.C., 1977.

cações, dentre as quais podemos citar: Otimização de experimentos[16], ARTHUR[17], Análise Fatorial[18], SIMCA[19], QSAR[20] etc.

A revista científica *Analytica Chimica Acta* foi a primeira a introduzir, em 1977, uma seção especial designada de Computer Techniques and Optimization, exclusivamente dedicada aos métodos tipicamente quimiométricos. Essa seção foi naturalmente extinta em 1982, quando a quimiometria já havia se tornado uma área consolidada e amplamente aceita.

Em 1980 a revista *Analytical Chemistry* substituiu o título "Statistical and Mathematical Methods in Analytical Chemistry", em sua revisão bianual, por "Chemometrics".

Finalmente, em 1987, foram lançados dois jornais dedicados exclusivamente à área de quimiometria: o *Journal of Chemometrics* e o *Chemometrics and Intelligent Laboratory Systems* e, com isso, em menos de duas décadas, o reconhecimento dessa nova área da química já estava concretizado no meio científico.

---

16 Deming, S. N. e Morgan, S. L. 'Advances in the Application of Optimization Methodology in Chemistry', em: Kowalski, B. R. ed., *Chemometrics: Theory and Application*. ACS Symp. Ser., 52, American Chemical Society, Washington, D. C., 1977. Cap. 1, 1-13.

17 Harper, A. M.; Duewer, D. L.; Kowalski, B. R. e Fascing, J. L. 'ARTHUR, and Experimental Data Analysis: The Heuristic Use of Polyalgorithm', em: Kowalski, B. R. ed., *Chemometrics: Theory and Application*. ACS Symp. Ser., 52, American Chemical Society, Washington, D. C., 1977. Cap. 2, 14-52.

18 Malinowski, E. R. 'Abstract Factor Analysis – A Theory of Error and Its Application to Analytical Chemistry', em: Kowalski, B. R. ed., *Chemometrics: Theory and Application*. ACS Symp. Ser., 52, American Chemical Society, Washington, D. C., 1977. Cap. 3, 53-72.

19 Wold, S. e Sjöström, M. 'A Method for Analyzing Chemical Data in Terms of Similarity and Analogy', em: Kowalski, B. R. ed., *Chemometrics: Theory and Application*. ACS Symp. Ser., 52, American Chemical Society, Washington, D. C., 1977. Cap. 12, 243-282.

20 Stuper, A. J. Brugger, W. E. e Jurs, P. C. 'A Computer System for Structure-Activity Studies Using Chemical Structure Information Handling and Pattern Recognition Techniques', em: Kowalski, B. R. ed., *Chemometrics: Theory and Application*. ACS Symp. Ser., 52, American Chemical Society, Washington, D. C., 1977. Cap. 9, 165-191.

Em 1984, Kowalski relata no prefácio do livro *Chemometrics, Mathematics and Statistics in Chemistry*[21] que a pressa em encontrar métodos matemáticos que fossem aplicáveis aos dados químicos levou a uma desordenada profusão de trabalhos na literatura, causando, inicialmente, uma falta de padronização na notação e na terminologia, que divergia daquela utilizada por estatísticos, matemáticos e engenheiros. Como é de esperar, com isso ocorreu um enorme desperdício de esforços e muitos "redescobrimentos da roda", quase sempre pelo método menos eficaz. Embora a importância da interação dos químicos com os matemáticos e estatísticos tivesse sido enfatizada desde a fundação da Sociedade de Quimiometria, dez anos antes, ainda assim, a ausência de uma coordenação científica fez com que se perdesse tempo, com o desconhecimento e até mesmo a reinvenção rudimentar de métodos de análise que já haviam sido aperfeiçoados em outras áreas havia vários anos.

No Brasil, a necessidade de padronização na terminologia ainda é evidente, e isso se deve, principalmente, à falta de literatura disponível em português, o que este livro pretende sanar em parte.

É interessante observar que Kowalski também teve um papel igualmente pioneiro e de destaque na introdução da quimiometria no Brasil, como consequência de sua visita ao Instituto de Química da Universidade Estadual de Campinas, Unicamp, ao final do ano de 1980, a convite de Roy Bruns, que na época iniciava suas atividades nessa área[22]. Naquela oportunidade, Kowalski lecionou um curso de quimiometria, talvez o primeiro na América Latina, que, de uma forma ou de outra, pode ser considerado a origem primitiva deste livro. Mais tarde, surgiram vários outros grupos no Brasil e na América Latina.

Passada a euforia e a confusão do crescimento desordenado inicial, a quimiometria progressivamente amadureceu e foi sendo disseminada por todo o mundo, tornando-se uma interface vigorosa entre a química

---

21 Kowalski, B. R. em: Kowalski, B. R. ed. *Chemometrics. Mathematics and Statistics in Chemistry*, Kowalski B. R. ed. NATO ASI Series. Serie C: Mathematical and Physical Sciences. Vol. 138. D. Reidel Publishing Company, Dordrecht, Holland, 1984, vii-viii.

22 Scarminio, I. S. Tese de Mestrado, Universidade Estadual de Campinas, UNICAMP, Brasil (1981).

e muitas outras áreas, tais como a estatística, a matemática aplicada, as ciências computacionais e biológicas. Hoje, a quimiometria se encontra com terminologia específica em aproximadamente 50 idiomas[23], e as atividades de pesquisa continuam se multiplicando dia a dia. Rapidamente ela se tornou uma linguagem química com dois dialetos principais: a análise dos dados e o planejamento e otimização de experimentos. Este último se desenvolveu a partir da necessidade de planejar os experimentos adequadamente para que seus dados resultantes contivessem as informações desejadas do sistema em estudo, com um mínimo de esforço e custo.

É importante frisar que a organização e a análise de uma grande massa de dados não é, obviamente, um problema apenas da química, mas de qualquer atividade científica ou técnica que lida com medidas, tais como a astrofísica, a física de partículas, as geociências, as ciências sociais, a biologia molecular, a genética molecular, a neurociência, a meteorologia e as ciências ambientais. Para o tratamento de massivos arranjos de dados provenientes de todas essas áreas, surgiram novas áreas de ciências computacionais, tais como *data mining*[24], *knowledge discovery*[25] e *statistical learning*[26], com as quais a quimiometria tem muitos e profundos interesses comuns, que não podem ser perdidos de vista pelo profissional dessa área, sob o risco de se tornar obsoleto.

Provavelmente, há na literatura tantas definições da palavra "quimiometria" quantos quimiometristas; citaremos então algumas, proferidas por seus praticantes mais proeminentes, sendo a primeira delas a definição original da Sociedade de Quimiometria:

---

23 Kiralj, R. e Ferreira, M. M. C. 'The Past, Present and Future of Chemometrics Worldwide: Some Etymological, Linguistic and Bibliometric Investigations', *J. Chemom.* **20** (2006) 247-272. http://marcia.iqm.unicamp.br/chemometrilinguistics.html (acessado em março de 2015).
24 Freitas, A. A. '*Data Mining and Knowledge Discovery with Evolutionary Algorithms*', Spinger-Verlag, Berlin, 2002.
25 Fayyad, U. M.; Piatetsky-Shapiro, G.; Smyth, P. e Uthurusamy, R. eds. '*Advances in Knowledge Discovery and Data Mining*', AAAI PRESS, Menlo Park, CA, USA, 1996.
26 Hastie, T.; Tibishrani, R. e Friedmann, J. '*The Elements of Statistical Learning: Data Mining, Inference, and Prediction*', Springer Series in Statistics; Springer, New York, 2001.

A quimiometria é a aplicação de ferramentas matemáticas e estatísticas à química[9].

Quimiometria é a aplicação de estatística à análise de dados químicos (de química orgânica, analítica ou de química medicinal) e o planejamento de experimentos químicos e simulações[27].

Quimiometria é a disciplina química que usa métodos matemáticos e estatísticos para:
a) planejar ou otimizar procedimentos experimentais; e
b) extrair o máximo da informação química relevante, através da análise dos dados[28].

Quimiometria é todo o processo no qual os dados (por exemplo, os números em uma tabela) são transformados em informações para a tomada de decisões[29].

Quimiometria é o que os quimiometristas fazem[30].

Quimiometria é o uso de métodos matemáticos e estatísticos para o tratamento, a interpretação e previsão de dados químicos[31].

Quimiometria é a disciplina química que usa a matemática, a estatística e a lógica formal para:
a) planejar ou otimizar procedimentos experimentais;
b) extrair o máximo da informação química relevante, através da análise dos dados; e
c) obter conhecimento sobre sistemas químicos[32].

---

27 IUPAC Compendium of Chemical Terminology – the Gold Book. http://goldbook.iupac.org/CT06948.html (acessado em setembro de 2014).
28 Kowalski, B. R. 'Chemometrics', *Chem. Ind.* **22** (1978) 882.
29 Beebe, K. R.; Pell, R. J. e Seasholtz; M. B. *Chemometrics: A Practical Guide*; Wiley: New York, 1998.
30 Quimiometrista anônimo.
31 Malinowski, E. R. *Factor Analysis in Chemistry*, 2ª ed., John Wiley & Sons: New York, 1991.
32 Massart, D. L.; Vandeginste, B. G. M.; Buydens, L. M. C.; de Jong, S.; Lewi, P. J. e Smeyers-Verbeke, J. *Handbook of Chemometrics and Qualimetrics: Part A*, Elsevier, Amsterdam, 1997.

Devido à interdisciplinaridade da quimiometria, uma nova definição foi proposta recentemente por Chrétien[33]: "Quimiometria é a administração e processamento de informações de natureza química".

Concluindo, é consenso geral hoje que a quimiometria é uma intersecção de três grandes áreas, tal como representado na Figura 3.

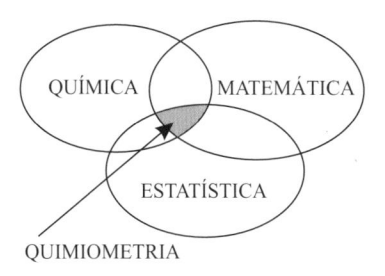

Figura 3 – Interdisciplinaridade da quimiometria.

No âmbito da química, poderíamos incluir também a engenharia química, na qual a quimiometria hoje já se encontra muito disseminada.

Após a publicação do primeiro livro, em 1977[15], vários outros livros de quimiometria foram publicados na década seguinte e, a partir do novo milênio, esse número cresceu vertiginosamente. Abaixo são citados, em ordem cronológica, apenas os primeiros livros publicados e que ainda são considerados excelentes referências (alguns deles já foram reeditados) para o tratamento de dados multivariados.

1. Malinowski[34], E. R. e Howery, D. G. *Factor Analysis in Chemistry*, John Wiley & Sons: New York, 1980. Este livro já está em sua terceira edição.

2. Lewi, P. J. *Multivariate Data Analysis in Industrial Practice*, Wiley, Chichester, 1982.

---

33 Chrétien, J. R. '*Boosting Chemometrics in Europe*', *Chemom. Intell. Lab. Syst.* **67** (2003) 1-2.
34 Edmund R. Malinowski derivou, em sua tese de doutorado, as equações para a aplicação da Análise Principal de Fatores a problemas químicos e físicos. A primeira aplicação foi publicada em 1966: Funke, P. T.; Malinowski, E. R.; Martire, D. E. e Pollara, L. Z. 'Application of Factor Analysis to the Prediction of Activity Coefficients of Nonelectrolytes', *Separation Sciences* **1** (1966) 661- 676.

3. Sharaf, M. A.; Illman, D. L. e Kowalski, B. R. *Chemometrics*, Wiley-Interscience: New York, 1986.

4. Massart, D. L.; Vandeginste, B. G. M.; Deming, S. N.; Michotte, Y. e Kaufman, K. Chemometrics: a Textbook, Elsevier, Amsterdam, 1988.

5. Martens, H. e Naes, T. *Multivariate Calibration*, Wiley, Chichester, 1989.

6. Brereton, R. G. *Chemometrics. Applications of Mathematics and Statistics to Laboratory Systems*, Ellis Howood, Chichester, 1990.

7. Meloun, M.; Miitky, J. e Forina, M. *Chemometrics for Analytical Chemistry*, Volumes 1 e 2, Ellis Howood, Chichester, 1992.

8. Massart, D. L.; Vandeginste, B. G. M.; Buydens, L. M. C.; de Jong, S.; Lewi, P. J. e Smeyers-Verbeke, J. *Handbook of Chemometrics and Qualimetrics: Part A* e *Part B*; Data Handling In Science and Technology, Volumes 20A e 20B, Elsevier, Amsterdam, 1997.

9. Beebe, K. R.; Pell, R. J.; Seasholtz; M. B. *Chemometrics: A Practical Guide*, J. Wiley, New York, 1998.

10. Kramer, R. *Chemometrics Techniques for Quantitative Analysis, Marcel Dekker*, New York, 1998.

Vários pacotes computacionais comerciais e de domínio público foram desenvolvidos e estão disponíveis aos usuários da quimiometria: PLS_Toolbox (Eigenvector Res. Inc.)[35], PIROUETTE (Infometrix, Inc.)[36], UNSCRAMBLER (CAMO Inc.)[37], SIMCA (Umetrics)[38], e NWAY Toolbox[39], além de vários outros.

Apesar de a quimiometria ser um instrumento atual e essencial na química analítica, ela não está subordinada a essa tradicional área da química, nem quanto aos problemas que aborda e muito menos com respeito às suas técnicas e teorias. Uma enorme quantidade de trabalhos

---

35 www.eigenvector.com
36 www.infometrix.com
37 www.camo.com
38 www.umetrics.com
39 www.models.kvl.dk/source

de quimiometria está espalhada por toda a vasta literatura química, o suficiente para estabelecer a sua natureza multidisciplinar.

Uma área de atuação bem-sucedida da quimiometria é a química medicinal e computacional, com os estudos de QSAR (*Quantitative Structure-Activity Relationships*), que são úteis para o planejamento de novos fármacos. A quimiometria tem se mostrado útil também nas indústrias química, farmacêutica e de alimentos, que já utilizam instrumentos analíticos *on-line* para o controle de qualidade e a tomada de decisões. Mais recentemente, a quimiometria marca a sua presença na área médica, para o tratamento de imagens e nos estudos de metabolômica, auxiliando na busca e identificação de marcadores de doenças.

1.2 Organização do livro

Para que a análise de um conjunto de dados seja bem-sucedida, deve-se seguir um roteiro constituído de uma sequência de etapas, que inclui a organização e a preparação dos dados, uma análise exploratória desses dados e, dependendo do interesse final do estudo, a construção de modelos de classificação (qualitativos) ou de regressão (quantitativos). Com o objetivo de cobrir todas essas etapas, este livro está organizado da seguinte maneira:

O capítulo 2 ensina ao analista como organizar, visualizar e prétratar os dados, preparando-os para a análise. As técnicas apresentadas nesse capítulo fornecem a base necessária para que o leitor possa conduzir com propriedade a análise dos seus dados.

O capítulo 3 trata da análise exploratória dos dados. Nesse capítulo são introduzidos e discutidos os conceitos básicos da análise de componentes principais (PCA) e de agrupamentos por métodos hierárquicos (HCA). Ambos são métodos não supervisionados de reconhecimento de padrões, e o primeiro deles é um dos esteios fundamentais da quimiometria. Esses métodos são utilizados a seguir, na construção dos modelos de calibração e de classificação.

O capítulo 4 introduz e discute os métodos de regressão, também conhecidos como métodos de calibração multivariada, destinados aos estudos em que se propõe obter uma relação quantitativa empírica entre um conjunto de dados e uma propriedade de interesse. Iniciaremos com a regressão univariada para introduzir a notação matricial e as figuras de mérito. A seguir, destacaremos os métodos inversos de regressão linear múltipla (MLR), de regressão por componentes principais (PCR) e de regressão por quadrados mínimos parciais (PLS). Esse capítulo termina com a apresentação em detalhes das figuras de mérito para os métodos multivariados e uma breve discussão do problema de seleção de variáveis.

Os métodos supervisionados de reconhecimento de padrões do K-ésimo vizinho mais próximo (KNN) e SIMCA (*Soft Independent Modelling of Class Analogy*), que são utilizados para a construção de modelos qualitativos ou de classificação, são tratados no capítulo 5. A seguir, mostramos o potencial do método de regressão PLS na construção de modelos de classificação através do método de análise discriminante – PLS (PLS-DA). Nesse capítulo também enfatizamos o cálculo das figuras de mérito.

Em todos os capítulos, vários exemplos de diferentes subáreas da química são discutidos com o objetivo de fornecer ao leitor uma visão abrangente da quimiometria. Os exemplos são todos atuais e reais, incluindo dados oriundos da indústria, da química medicinal e de metabolômica.

Uma tabela de dados por mais extensa que seja quase nunca explicita gratuitamente as informações químicas procuradas. Para extrair dela essas informações é necessário que procedimentos quimiométricos sejam empregados para transformá-la em formato apropriado a uma interpretação química relevante.

Ressalte-se todavia que a intuição e o conhecimento químico são insubstituíveis nessa etapa conclusiva.

CAPÍTULO 2

PREPARAÇÃO DOS DADOS PARA ANÁLISE

2.1 Introdução

Um constante desafio na química é apresentado na forma de problemas que envolvem a identificação, a quantificação e a análise estrutural de substâncias químicas (compostos e elementos). A cada novo problema, é necessário decidir que direção tomar para obter uma resposta satisfatória quanto a esses aspectos. Por exemplo, é provável que uma doença em uma planta esteja associada às diferenças nas composições químicas entre as folhas de plantas sãs e doentes. Entretanto, na maioria das vezes, não é uma tarefa fácil traduzir um cenário vago como esse em uma questão química específica. A tradução adequada do problema em estudo em termos químicos, antes de trabalhar na sua solução, é que nos poderá assegurar que ele será resolvido de maneira satisfatória. Inicialmente, é necessário identificar quais são as informações mais relevantes para solucionar o referido problema. Somente então as decisões quanto à escolha das melhores condições para chegar a um bom termo serão tomadas. E, para entender as características essenciais do sistema em estudo, é necessário fazer experimentos. Isso envolve, por exemplo, a seleção das ferramentas, dentre as disponíveis (*i.e.*, instrumentos), daquelas que poderiam ser utilizadas na coleta das informações realmente desejadas, garantindo, assim, a qualidade e a confiabilidade das análises. Para que os dados adquiridos sejam úteis, a sua aquisição deve se dar de maneira adequada, para evitar o desperdício de tempo e recursos. Obviamente, a análise dos dados depende da sua qualidade em geral, mas não necessariamente uma maior variedade nem sua precisão garantem resultados mais eficientes, se eles não forem apropriados para análise posterior. Enfim, durante a sua aquisição não se pode perder de vista o tratamento ao qual os dados serão submetidos posteriormente. A obtenção dos dados é somente uma etapa, ainda que importante e essencial, para chegar ao objetivo de resolver o problema em questão. A seguir, eles (espectros, cromatogramas etc.) deverão ser interpretados e modelados usando as técnicas quimiométricas.

2.2 Organização dos dados

Medir um sinal significa registrar a magnitude da resposta de um instrumento em função de uma variável determinada pelo domínio da medida. Por exemplo, em espectroscopia, o sinal da fotomultiplicadora ou do arranjo de diodos é medido no domínio da frequência. Isso quer dizer que a posição de um pico é determinada pelo número de onda ou pelo comprimento de onda, que chamaremos aqui de *variável* e que é comumente designada como *variável independente*[1], por analogia com a análise univariada. Em cromatografia, o sinal do detector é medido no domínio do tempo e a variável nesse caso é o tempo de retenção. Já na voltametria, a intensidade de corrente em um eletrodo é medida como uma função do potencial, que é a variável. Esses sinais nos dão informações indiretas sobre o sistema em estudo e devem ser traduzidos em informações de natureza química, tais como a identificação e quantificação de substâncias em uma amostra.

Uma vez coletados, os dados são organizados em um arranjo ordenado de linhas e colunas, constituindo uma matriz **X**, denotada sempre por uma letra maiúscula em negrito, em que cada linha corresponde a uma amostra i (objeto, mistura ou composto)[2], como mostrado na equação 1, na qual $i = 1, 2, 3, ..., I$ e $j = 1, 2, 3, ..., J$.

---

1 A expressão "variável independente" nem sempre é adequada, especialmente em se tratando de dados instrumentais, quando as variáveis são, por natureza, inter-relacionadas.
2 Os termos "amostras" e "objetos" serão utilizados indistintamente.

$$\mathbf{X} = \begin{bmatrix} \mathbf{x}_1^T \\ \mathbf{x}_2^T \\ \vdots \\ \vdots \\ \mathbf{x}_I^T \end{bmatrix} = \begin{bmatrix} x_{11} & x_{12} & \cdots & \cdots & x_{1J} \\ x_{21} & x_{22} & \cdots & \cdots & x_{2J} \\ \vdots & \vdots & \ddots & & \vdots \\ \vdots & \vdots & & \ddots & \vdots \\ x_{I1} & x_{I2} & \cdots & \cdots & x_{IJ} \end{bmatrix} = \begin{bmatrix} \mathbf{x}_1 & \mathbf{x}_2 & \cdots & \cdots & \mathbf{x}_J \end{bmatrix} \quad (1)$$

Cada amostra i é associada ao respectivo vetor-linha[3], $\mathbf{x}_i^T$ (letra minúscula, negrito), cujos elementos são os J valores das medidas feitas para descrever suas propriedades. Esse vetor pode ser associado a um ponto no espaço de dimensão J, ou seja,

$$\mathbf{x}_i^T = \begin{bmatrix} x_{i1} & x_{i2} & x_{i3} & \cdots & x_{iJ} \end{bmatrix}.$$

Cada coluna $\mathbf{x}_j$ da matriz $\mathbf{X}$ se refere a uma variável, ou seja, a uma medida j realizada para todas as amostras e que também pode ser associada a um vetor ou a um ponto no espaço de dimensão I, em que

$$\mathbf{x}_j = \begin{bmatrix} x_{1j} \\ x_{2j} \\ \vdots \\ x_{Ij} \end{bmatrix}.$$

Portanto, uma representação compacta da matriz de dados é dada por $\mathbf{X}(I \times J)$, com um total de I linhas (amostras) e J colunas (variáveis), cujo elemento x_{ij} é a resposta para a variável j referente à amostra i.

---

3 Ao se referir a um vetor qualquer $\mathbf{a}$ com K elementos, deve-se ter sempre em mente uma representação matricial na forma de coluna $\mathbf{a} = \begin{bmatrix} a_1 \\ \vdots \\ a_K \end{bmatrix}$. Nesse caso, a matriz linha $\mathbf{a}^T = [a_1 \ \ldots \ a_K]$ é a transposta da matriz coluna $\mathbf{a}$.

As variáveis podem ser quantitativas ou qualitativas. São quantitativas quando assumem qualquer valor numérico ao longo de uma escala contínua, como por exemplo: a) as respostas de um espectrômetro (instrumento multicanal), *i.e.*, as intensidades registradas nos diferentes comprimentos de onda; b) as medidas de um cromatógrafo (instrumento de separação), *i.e.*, as intensidades registradas em diferentes tempos de retenção ou as áreas dos picos correspondentes aos constituintes químicos; c) os resultados de uma instrumentação eletroquímica (potenciometria ou voltametria), *i.e.*, as medidas de potenciais em eletrodos seletivos para íons no caso da potenciometria ou as intensidades de correntes para os diferentes potenciais na voltametria; d) os resultados de parâmetros moleculares estruturais obtidos de cálculos teóricos de química quântica.

Já as variáveis qualitativas são categóricas e podem assumir somente certos valores discretos definidos. Podemos citar como exemplo os sabores amargo, insípido e doce, ao serem representados pelos valores –1, 0 e 1, respectivamente.

Matematicamente, a matriz $\mathbf{X}(I \times J)$ pode ser interpretada de duas maneiras diferentes, cada linha ou cada coluna como sendo um vetor. No primeiro caso, teremos um arranjo de I pontos (vetores), cada um representando uma amostra, em um espaço real de dimensão J, $\boldsymbol{R}^J$, onde cada variável (cada medida feita em uma amostra) corresponde a um eixo do sistema de coordenadas. O espaço gerado pelos vetores-linhas é chamado de "espaço-linha". Portanto, o espaço-linha da matriz $\mathbf{X}$ é o subespaço do $\boldsymbol{R}^J$ gerado pelas linhas da matriz. A dimensão do espaço-linha é denominada de posto da matriz $\mathbf{X}$, que é no máximo igual ao menor valor entre I e J, $\min\{I, J\}$, se ela for de posto completo (de posto máximo)[4].

A segunda maneira de visualizar a matriz $\mathbf{X}$ é representando cada coluna como um ponto ou um vetor no espaço de dimensão I, $\boldsymbol{R}^I$, onde

---

4 Posto de uma matriz de dados é o número de linhas ou colunas independentes na matriz. A determinação do posto matemático de uma matriz obtém-se reduzindo-a à forma escalonada (*i.e.*, na forma de uma escada) por uma eliminação de Gauss e contando-se o número de linhas diferentes de zero.

cada amostra corresponde a um eixo do sistema de coordenadas. Denomina-se "espaço-coluna" o subespaço do R^I gerado por esses vetores. A dimensão do espaço-coluna é a mesma do espaço-linha e igual ao posto de **X**.

Como ilustração, representaremos graficamente a matriz **X**(3 × 2), que contém as concentrações em mmol L^{-1} (Conc) de um reagente e as respectivas temperaturas em °C (Temp), medidas em três experimentos diferentes: exp1, exp2 e exp3.

$$\begin{array}{c} & \text{Conc} \quad \text{Temp} \\ \mathbf{X} = \begin{array}{c}\text{exp1}\\\text{exp2}\\\text{exp3}\end{array} & \begin{bmatrix} 1 & -1 \\ 3 & 4 \\ 5 & 6 \end{bmatrix} \end{array}$$

Essa matriz tem resultados de três amostras (objetos) nas linhas: exp1, exp2 e exp3, e duas variáveis nas colunas: Conc e Temp. Cada linha tem apenas duas coordenadas, $\mathbf{x}_1^T = \begin{bmatrix} 1 & -1 \end{bmatrix}$, $\mathbf{x}_2^T = \begin{bmatrix} 3 & 4 \end{bmatrix}$ e $\mathbf{x}_3^T = \begin{bmatrix} 5 & 6 \end{bmatrix}$. Portanto, cada amostra será representada por um ponto ou um vetor no espaço R^2, conforme indicado na Figura 1a, em que o vetor foi indicado apenas para o exp1. O espaço das linhas de **X** (espaço-linha) é o subespaço de R^2 gerado por $\{\mathbf{x}_1^T, \mathbf{x}_2^T, \mathbf{x}_3^T\}$. Como esses vetores não são colineares, o espaço-linha é o próprio espaço bidimensional.

Analisando agora as variáveis, cada coluna tem três coordenadas, $\mathbf{x}_1 = \begin{bmatrix} 1 \\ 3 \\ 5 \end{bmatrix}$ e $\mathbf{x}_2 = \begin{bmatrix} -1 \\ 4 \\ 6 \end{bmatrix}$ e, portanto, cada uma delas corresponderá a um vetor ou ponto no espaço R^3 (Figura 1b). O espaço-coluna de **X** é o subespaço do R^3, gerado pelos dois vetores-colunas (Conc e Temp), que neste caso tem dimensão dois, ou seja, é um plano.

No gráfico da Figura 1a, do espaço formado pelas linhas de **X**, pode ser vista a relação entre as amostras, *i.e.*, a similaridade e a dissimilaridade entre elas. No gráfico da Figura 1b pode-se ver a relação entre as duas variáveis desse conjunto de dados. Se os dois vetores na Figura 1b fossem colineares a partir da origem, o espaço-coluna seria unidimensional.

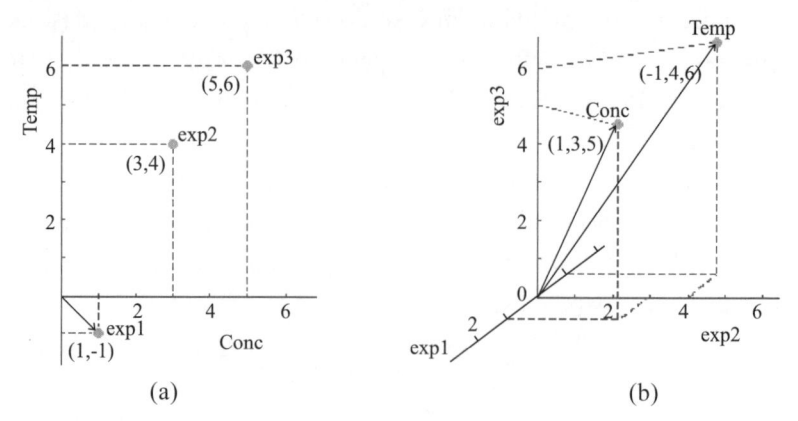

Figura 1 – (a) Representação gráfica dos pontos-linhas da matriz **X** e do vetor-linha do experimento 1 no espaço R^J, $J = 2$. (b) Representação gráfica dos pontos-colunas da matriz **X** no espaço R^I, $I = 3$.

Durante a organização dos dados, o analista deve estar sempre preparado para lidar com matrizes em que alguns elementos estejam ausentes, o que na prática ocorre com certa frequência. Isso pode acontecer por mau funcionamento de um instrumento de análise, devido ao mau tempo, porque alguém ficou doente ou mesmo porque os dados não foram digitados corretamente. Havendo dados faltantes, a primeira providência a ser tomada é verificar se essas falhas estão distribuídas ao acaso ou se elas apresentam algum padrão identificável.

O ideal é que o analista encontre um remédio para tratar os dados faltantes que não introduza tendências na análise posterior. Se eles não ocorrem aleatoriamente, a única opção é um tratamento de modelagem especificamente planejado. Qualquer outra solução neste caso introduziria tendências no resultado final da análise dos dados. Vamos abordar aqui somente os remédios que se aplicam às falhas aleatoriamente distribuídas.

O tratamento mais simples e direto para resolver esse problema é eliminar as linhas ou colunas contendo os dados ausentes, deixando somente as amostras cujos dados estejam completos. No entanto, essa solução é aplicável quando o número de amostras for suficientemente grande para permitir a exclusão daquelas que são indesejáveis. O ideal é encontrar um remédio alternativo em que um valor estimado seja atribuído ao valor faltante antes do início da análise. Existem várias formas disponíveis na literatura para atribuir valores estimados a dados faltantes e elas também podem ser aplicadas em dados espúrios, que se encontram extraordinariamente fora da expectativa. Vamos nos concentrar aqui nos métodos mais utilizados pelos químicos.

Os dados faltantes ou espúrios podem ser estimados usando o restante dos dados. Suponhamos que o valor x_{ij} da variável j na amostra i esteja ausente na matriz de dados ou que ele se apresente absurdamente maior que o esperado para uma amostra regular. Apresentaremos três métodos que podem ser usados para estimar x_{ij} a partir do restante dos dados.

No primeiro, o valor faltante x_{ij} é tomado como o valor médio (ou a mediana)[5] obtido(a) para a variável em questão incluindo todas as amostras restantes. A justificativa para essa escolha é que, por ser uma estimativa do valor esperado, a média em princípio não adiciona nova informação à matriz **X** e, portanto, não influenciaria na análise posterior dos dados. Uma inconveniência desse método é que ele não é otimizado, uma vez que a estrutura de correlação dos dados não foi considerada. A outra desvantagem é que, para uma dada variável, os dados faltantes terão todos eles o mesmo valor.

O segundo método usa uma ponderação dos k vizinhos mais próximos da amostra i que contém o dado faltante. Neste caso, encontram-se as k amostras que não têm dados faltantes e que estão mais próximas de i. Estima-se, então, o valor x_j para a variável j a partir dos valores $x_{1j}, ..., x_{kj}$ dessas k amostras usando uma média simples, ou uma média ponderada quando a contribuição de cada amostra é ponderada com base na similaridade do seu perfil com o da amostra i. A análise de agrupamentos por métodos hierárquicos, que será vista em detalhes no capítulo 3, pode ser utilizada neste caso para indicar as amostras mais próximas e o grau de similaridade de cada uma delas com a amostra i. Outra alternativa seria utilizar um grupo de amostras que se sabe *a priori* que tenham características semelhantes àquelas das amostras com dado faltante. Por exemplo, sabendo que uma amostra com dado faltante faz

---

5 Mediana é o valor que separa a metade inferior das amostras da metade superior.

parte de um grupo que foi preparado com um determinado tipo de material, é natural estimar esse dado faltante utilizando somente as amostras do grupo.

O terceiro é um método iterativo que faz uso da análise de componentes principais (ou da decomposição por valores singulares, SVD), que será explicada com maiores detalhes no capítulo 3. Em linhas gerais o método funciona da seguinte maneira: seleciona-se um valor inicial para o dado faltante x_{ij} (por exemplo, o valor médio), aplica-se a análise de componentes principais aos dados completos e, então, selecionam-se as primeiras A componentes principais que são significativas. A seguir, reconstrói-se a matriz original de dados com apenas essas A componentes, produzindo uma estimativa para o dado faltante x_{ij}. Repete-se todo o processo até que a diferença entre duas estimativas do dado faltante convirja para um valor arbitrário suficientemente pequeno.

A comparação do desempenho computacional desses três métodos indica que o uso do valor médio tem a vantagem de ser o mais simples e o mais fácil de implementar, porém é o método de acurácia mais baixa. Os outros dois métodos são mais elaborados e em geral produzem melhores resultados. O método dos k vizinhos mais próximos em geral apresenta melhor desempenho, especialmente com o acréscimo na quantidade de dados faltantes. O terceiro método é interessante porque os dados faltantes são substituídos por valores que têm resíduos iguais a zero e, portanto, não terão influência alguma na análise posterior dos dados.

Os dois últimos métodos mencionados funcionam bem quando a quantidade de dados faltantes ou espúrios é relativamente alta. Por exemplo, matrizes com 50 – 100 amostras podem ser analisadas, caso tenham de 10% a 20% de dados faltantes, desde que não estejam faltando segundo algum padrão sistemático[6].

Para encerrar este tópico a respeito dos dados faltantes, não poderíamos deixar de mencionar o uso dos métodos de interpolação, apesar de não serem tão populares na química. Os métodos de interpolação

---

6 Erikssom, L.; Johansson, E.; Kettaneh-Wold, N. e Wold, S. *Multi and Megavariate Data Analysis Principles and Applications*, UMETRICS AB Sweden, 2001.

assumem que o valor de qualquer dado intermediário estimado depende dos valores vizinhos conhecidos. O método mais simples é a interpolação linear, no qual se ajusta uma reta entre os dois valores conhecidos e estima-se o que falta, desde que seja intermediário. Esse método deve ser utilizado com cuidado porque qualquer flutuação na inclinação da reta pode afetar drasticamente o resultado estimado. A interpolação polinomial é uma extensão da linear quando se adicionam termos quadráticos ou de ordem superior. Uma extensão do ajuste com polinômios é o uso de vários deles para conectar diferentes segmentos dos dados. Essa é a ideia do método de interpolação com *splines*. Os dados são divididos em segmentos que são identificados pelo ponto inicial e final, que são chamados de nós. Os dados entre dois nós são ajustados com um polinômio de baixo grau (quadrático ou cúbico) e, ao final, as curvas geradas entre os nós são unidas, formando uma curva contínua e de contorno suave, que passa por todos os pontos dos dados.

Devido à limitação dos procedimentos analíticos, não é possível medir baixas concentrações com precisão e é comum encontrarmos resultados divulgados por laboratórios analíticos como "abaixo do limite de detecção" juntamente com o valor do limite de detecção, LOD. O que fazer nestas situações em que os valores das concentrações estão na faixa limite de detecção-quantificação? Estes valores são conhecidos na literatura como censurados e na prática são substituídos por um valor constante (desde que em número pequeno) que pode ser LOD, LOD/$\sqrt{2}$, LOD/2 ou zero, sendo que LOD/$\sqrt{2}$ é o mais recomendado.

2.3 Visualização dos dados

Uma vez organizados na forma de uma matriz, é muito importante visualizar os dados por meio de gráficos e verificar como estão distribuídos antes de iniciar qualquer análise. A seguir, veremos alguns exemplos ilustrativos.

Os dados representados graficamente na Figura 2 se referem aos espectros na região do infravermelho próximo de 26 amostras de café cru ($I = 26$), adquiridos com um espectrômetro equipado com acessório de refletância difusa[7]. As variáveis são os números de onda na faixa de 4.500 – 10.000 cm^{-1}, com resolução de 4 cm^{-1} (j = 4.500, 4.502, ..., 10.000). As intensidades estão representadas em unidade de absorbância log(1/R). Note-se que os espectros apresentam deslocamentos e inclinação na linha de base consideráveis, que são característicos de espectros de refletância difusa.

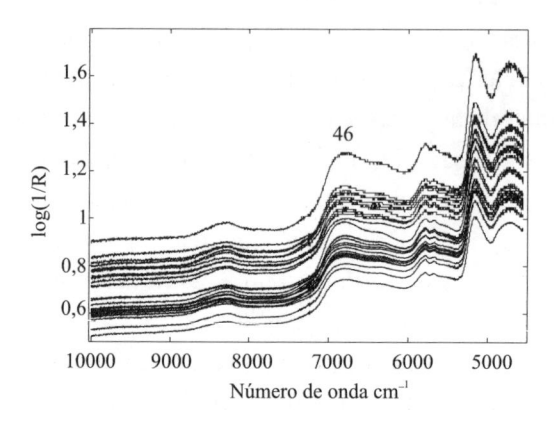

Figura 2 – Espetros de amostras de café cru na região do infravermelho próximo. As intensidades estão expressas em unidades logarítmicas da reflectância.

Temos, neste caso, mais de duas mil variáveis medidas para cada amostra (J = 2.750), resultando numa matriz de dimensões **X** = (26 × 2.750). Será que é necessário fazer tantas medidas por amostra?

Fazendo um gráfico das intensidades medidas em dois comprimentos de onda distintos para as 26 amostras, verifica-se uma alta associação existente entre estas duas variáveis (j = 4.880 e 4.890 cm^{-1} na Figura 3), ou seja, uma delas é praticamente função linear da outra.

---

[7] Morgano, M.; Faria, C. G.; Ferrão, M. F.; Bragagnolo, N. e Ferreira, M. M. C. 'Determinação de Proteína em Café Cru por Espectroscopia NIR e Regressão PLS', *Ciência e Tecnologia de Alimentos* **25** (2005) 25-31.

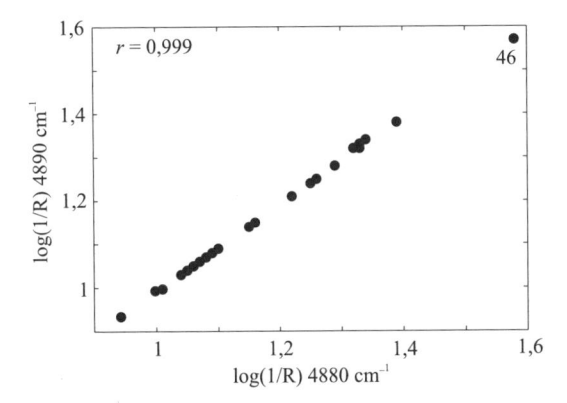

Figura 3 – Gráfico das intensidades em dois comprimentos de onda diferentes. A alta correlação entre as variáveis indica que elas fornecem a mesma informação.

O coeficiente de correlação[8], r, é um parâmetro estatístico que representa o grau de associação entre as duas variáveis. Duas variáveis são correlacionadas, se as mudanças em uma delas são associadas com as mudanças na outra. Em outras palavras, quando uma variável sofre uma mudança, sabemos como a outra também se altera. O coeficiente de correlação varia entre -1 e $+1$. Uma alta correlação positiva ou negativa (coeficiente de correlação próximo de $+1$ ou -1, respectivamente) indica que as duas variáveis são colineares e contêm informações redundantes. Por outro lado, uma baixa correlação (próxima de zero) indica que as variáveis contêm informações distintas e complementares. Um coeficiente de correlação negativo entre as variáveis significa que, quando os valores da primeira crescem, os valores da segunda decrescem e vice-versa. Altas correlações entre variáveis aparecem automaticamente quando temos matrizes com valores de $J \gg I$, uma vez que neste caso temos muito mais medidas do que objetos, e a maioria dessas medidas devem ser redundantes. O alto coeficiente de correlação entre as intensidades dos dois comprimentos de onda no gráfico da Figura 3 ($r =$

---

8 O coeficiente de correlação entre duas variáveis x e y é dado pela expressão

$$r = \frac{\sum_{i=1}^{I}(x_i - \bar{x})(y_i - \bar{y})}{\sqrt{\sum_{i=1}^{I}(x_i - \bar{x})^2}\sqrt{\sum_{i=1}^{I}(y_i - \bar{y})^2}}.$$

0,999) indica que as duas variáveis em questão contêm essencialmente a mesma informação, *i.e.*, são colineares.

Um fato que chama a atenção, tanto na Figura 2 quanto na Figura 3, é a amostra 46, cujo espectro se apresenta bem deslocado do restante, que é relativamente mais homogêneo. É importante ter em mente que essa amostra tem um comportamento diferenciado e que deve ser acompanhada com atenção durante a análise dos dados. Caso necessário, ela deverá ser excluída e a análise, refeita.

Nos estudos de QSAR[9] (relações quantitativas entre a estrutura química e a atividade biológica), procuramos por propriedades estruturais de uma série de compostos análogos que estejam bem correlacionadas com as respostas biológicas em questão. No exemplo da Figura 4a, o coeficiente de correlação entre a atividade biológica, representada por −log IC, e uma propriedade estrutural P de uma série de compostos é +0,84. Essa correlação aparentemente alta ocorre devido à presença dos compostos A e B que têm um comportamento diferenciado em relação aos outros da série. Excluindo-os, a propriedade P não está mais tão bem correlacionada com o −log IC quanto parecia, e o coeficiente de correlação cai para +0,43 (veja Figura 4b). Já na Figura 4c, P não apresenta uma distribuição uniforme. Com apenas três valores, essa propriedade não é capaz de distinguir adequadamente os compostos em questão, apesar do alto coeficiente de correlação ($r = -0,85$) com −log IC. Esse exemplo nos alerta para o fato de que os coeficientes de correlação devem ser usados com muita cautela e, além disso, nos mostra que a visualização dos dados antes da análise é de suma importância, pois a distribuição inapropriada de P seria imediatamente detectada. A Figura 4d mostra uma propriedade com comportamento satisfatório para um estudo de QSAR. Os pontos se encontram homogeneamente distribuídos na forma de elipses, indicando que essa distribuição é normal ou quase normal.

---

9 Do inglês: *Quantitative Structure-Activity Relationships*.

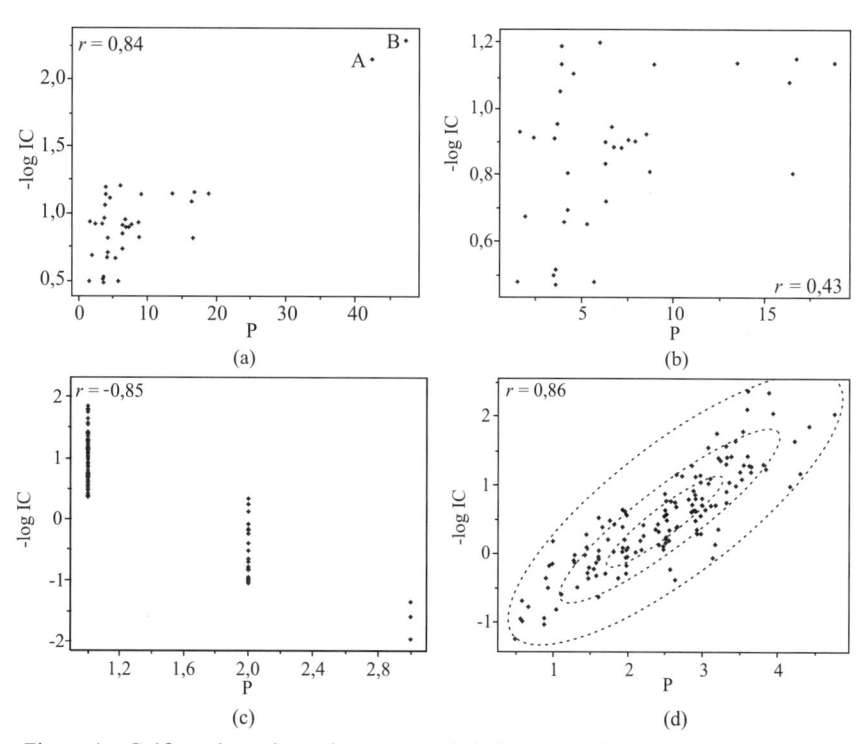

Figura 4 – Gráficos dos valores de uma propriedade estrutural P *versus* a atividade biológica dada por –log IC. (a) Para um conjunto de dados contendo dois compostos com comportamento diferenciado. (b) Para o conjunto de dados anterior após a exclusão dos compostos A e B, indicando a queda no coeficiente de correlação entre essas duas variáveis. (c) Para uma propriedade que se constitui de apenas três valores para todos os compostos. (d) Para um conjunto de dados com distribuição adequada, indicando que a variável P é de boa qualidade.

Embora as três propriedades apresentem aproximadamente o mesmo coeficiente de correlação com a atividade biológica, após a visualização dos dados concluímos que apenas a última delas seria adequada para um estudo de QSAR.

Outra maneira de visualizar os dados é apresentada na Figura 5, que contém uma série de gráficos bivariados de amostras de seis tipos diferentes de embutidos de peru, que foram analisados por espectrometria de emissão óptica com fonte de plasma acoplado indutivamente (ICP-OES). As variáveis são as concentrações de quatro elementos minerais: Mg, P, Na e K[10]. Cada tipo de embutido é representado por um símbolo diferente, para facilitar a visualização.

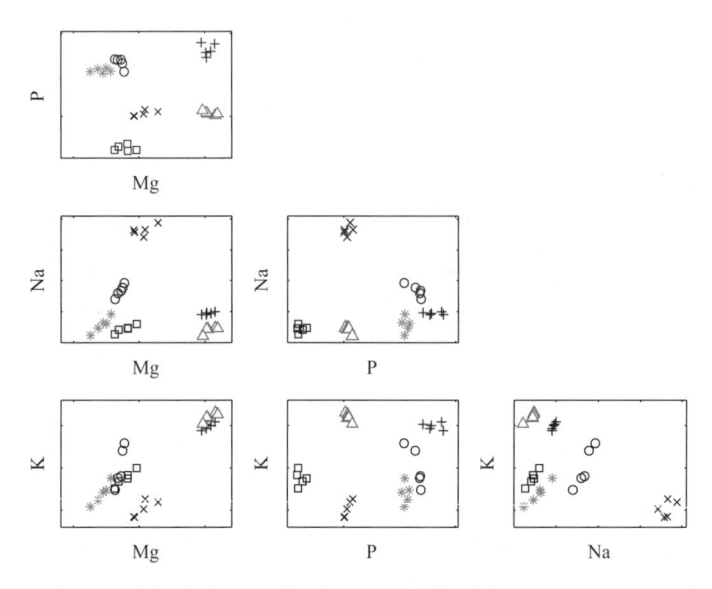

Figura 5 – Gráficos bivariados (variáveis *versus* variáveis) das concentrações de quatro elementos químicos presentes em seis tipos de embutidos de peru.

É possível identificar agrupamentos de amostras nesses gráficos bidimensionais. Vejamos, por exemplo, o gráfico das variáveis Mg × P. Nele se pode observar que as amostras de vários tipos de embutido estão satisfatoriamente discriminadas, o que não acontece com o gráfico das variáveis Mg × K. Essa análise de gráficos bivariados é muito útil quando se deseja fazer uma seleção de variáveis, como, por exemplo, nos estudos de SAR (relações estrutura-atividade).

Nesse exemplo se observa certa correlação entre as variáveis Mg e K ($r = 0,83$). No entanto, o coeficiente de correlação entre P e Mg deve ser próximo de zero, uma vez que os grupos se encontram dispersos no gráfico ($r = 0,09$), indicando que não existe correlação entre essas duas variáveis e que elas contêm informações independentes.

---

10 Ferreira, M. M. C.; Morgano, M. A.; Queiroz, S. C. N. e Mantovani, D. M. B. 'Relationships of the Mineral and Fatty Acid Contents in Processed Turkey Meat', *Food Chemistry* **69** (2000) 259-265.

Como um último exemplo, é apresentada na Figura 6 uma secção dos cromatogramas dos voláteis de grãos de café arábica torrados extraídos por microextração em fase sólida (SPME). Observa-se que há um deslocamento significativo dos picos no eixo das abscissas (nos tempos de retenção). Se as áreas dos picos são as variáveis da matriz **X**, isso não se constitui num problema quando os dados forem analisados. No entanto, se as variáveis são os próprios tempos de retenção, os cromatogramas devem ser alinhados antes de qualquer análise porque, para extrair as informações dos dados, as variações observadas nas amostras devem expressar atributos semelhantes.

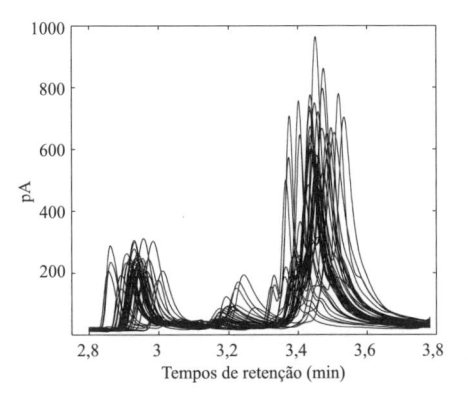

Figura 6 – Expansão de uma secção dos cromatogramas de 50 amostras de café torrado mostrando os deslocamentos nos tempos de retenção.

2.4 Pré-tratamento dos dados

Uma vez que os dados experimentais foram organizados na forma de matriz, eles devem, se necessário, ser pré-tratados antes da análise quimiométrica. Esse é um procedimento muito importante em qualquer análise e, em geral, vários métodos são testados para garantir que o pré-tratamento mais adequado seja utilizado.

O objetivo do pré-tratamento é reduzir as variações indesejáveis que não foram removidas durante a aquisição dos dados e que não serão eliminadas naturalmente durante a análise, mas que podem influenciar os resultados finais. No entanto, qualquer tipo de tratamento deve ser feito com cuidado e criteriosamente, para não distorcer, comprometer ou até mesmo inutilizar os resultados da análise. Há dois tipos de pré--tratamento: um deles é aplicado às amostras (às linhas da matriz de dados), e o outro, às variáveis (às colunas de **X**). Com o objetivo de discriminá-los, chamaremos o primeiro deles de "transformação" e o outro de "pré-processamento", conforme descrito na Figura 7.

PRÉ-TRATAMENTOS DOS DADOS	
TRANSFORMAÇÃO	PRÉ-PROCESSAMENTO
↓	↓
Aplicado às amostras (Linhas da matriz **X**)	Aplicado às variáveis (Colunas da matriz **X**)

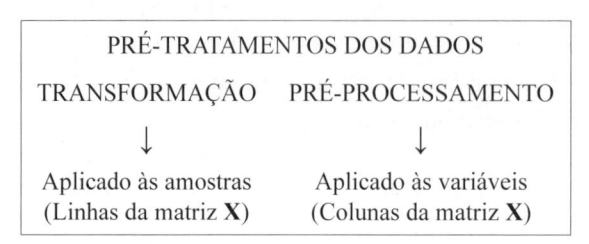

Figura 7 – Quadro indicativo dos pré-tratamentos dos dados.

Os sinais registrados por um instrumento apresentam duas contribuições. Uma delas é o sinal verdadeiro, que contém as informações sistemáticas sobre o sistema em estudo e que corresponde à contribuição determinística do sinal. A outra é uma contribuição estocástica, correspondente às variações indesejadas, que denominaremos de ruído. Para exemplificar, vamos comparar os espectros de duas alíquotas de uma mesma amostra. Teoricamente eles deveriam ser idênticos, mas, ao subtrairmos um do outro, observaremos uma flutuação em torno de uma linha horizontal. Essa flutuação descreve a contribuição estocástica (ruído aleatório) e é constituída de uma mistura de erros experimentais, de medida, de amostragem e de outras fontes de variabilidade. O ruído pode ser reduzido, mas não eliminado, e é caracterizado em geral por ser de alta frequência em relação à do sinal verdadeiro. Como o sinal do valor do ruído pode ser negativo ou positivo, pode-se reduzi-lo quando se adicionam medidas repetidas. Essa é a razão por que fazemos replicatas de um experimento no laboratório e registramos o valor médio como resultado. Por esse mesmo motivo os espectros na espectroscopia com transformada de Fourier são registrados repetidamente e, então, adicionados.

Além do ruído aleatório, o sinal medido pode conter também fontes de variação de baixa frequência que são indesejáveis, *i.e.*, informações sistemáticas que não estão relacionadas com o processo que está sendo investigado. O deslocamento constante na linha de base de um espectro (no eixo das ordenadas)[11], causado pelo instrumento ou mesmo pela própria amostra, é uma variação sistemática indesejável. O deslocamento variável (inclinação) na linha de base[12], que ocorre com frequência em espectros de reflectância difusa na região do infravermelho médio ou próximo (como na Figura 2), também pode ser indesejável. Outros exemplos são os deslocamentos no eixo das abscissas (das variáveis) como as variações nos tempos de retenção mostrados na Figura 6, as variações nos deslocamentos químicos de espectros de ressonância magnética nuclear induzidas por mudanças no pH ou, ainda, os deslocamentos na frequência causados por mudanças drásticas na temperatura.

A Figura 8 apresenta um resumo das contribuições existentes nos sinais medidos, nos quais assumimos *a priori* que elas são aditivas. Além da informação de interesse relacionada ao problema químico, os sinais podem conter variações indesejadas de origem determinística ou aleatória, que irão depender do tipo de instrumento utilizado e das condições experimentais.

```
                    SINAL MEDIDO
                         ↓
CONTRIBUIÇÃO DETERMINÍSTICA + CONTRIBUIÇÃO ESTOCÁSTICA
              ↓                            ↓
       Sinal verdadeiro              Ruído aleatório
Informação relevante + Informação indesejada
```

Figura 8 – Quadro ilustrativo das contribuições existentes no sinal medido experimentalmente.

A seguir, discutiremos os métodos mais utilizados para a transformação e o pré-processamento dos conjuntos de dados, juntamente com algumas ilustrações. Serão considerados, primeiramente, os métodos aplicados às amostras.

---

11 Do inglês: *offset*.
12 *Bias*: viés, vício, tendência.

2.4.1 Transformação dos dados

Nesta seção, abordaremos os métodos de pré-tratamento em que as linhas da matriz de dados são preparadas para a análise. Cada amostra é pré-tratada individualmente, usando-se a mesma regra para todas elas.

Existem várias técnicas matemáticas comuns que podem ser aplicadas com o objetivo de reduzir tanto as variações aleatórias quanto as informações sistemáticas indesejáveis que não foram removidas durante a aquisição dos dados, mas que poderão mascarar as informações que são relevantes para o sistema em estudo. A componente aleatória (ruído experimental) pode ser reduzida por meio das técnicas de alisamento[13]. Já as variações sistemáticas podem ser eliminadas ou reduzidas por meio de correções da linha de base e de outros tipos de transformações. A seguir discutiremos com mais detalhes as técnicas de alisamento e, em seguida, várias outras transformações que podem ser aplicadas às amostras antes da análise dos dados.

Com o interfaceamento dos instrumentos analíticos aos computadores, vários desses tratamentos já fazem parte dos equipamentos modernos de análise, de modo que, durante a aquisição dos dados, várias dessas transformações matemáticas podem ser automaticamente aplicadas.

É importante ter um bom entendimento dos dados que estão sendo analisados e das informações finais desejadas, para fazer a escolha acertada do pré-tratamento a ser aplicado. Deve-se ter sempre uma razão específica bem como uma justificativa plausível ao selecionar e aplicar um determinado tipo de transformação. Transformações não devem ser aplicadas apenas com os fins em mente; os meios e as suas interpretações fazem parte da análise.

2.4.1.1 Técnicas de alisamento

O alisamento, que pode ser feito pelo próprio instrumento com o auxílio de métodos matemáticos durante a coleta dos dados ou pelo analista antes da análise dos dados, é também conhecido na literatura como

---

13 Do inglês: *smoothing*.

alisamento feito com o uso de filtros digitais. Ele tem grande aplicação nas áreas de espectroscopia e cromatografia, para a redução da componente aleatória dos dados e o consequente aumento da razão sinal/ruído do sinal analítico, S/R[14]. Além disso, o alisamento pode ser usado para destacar pequenos picos que estão mascarados numa linha de base em que o ruído é alto e também como um método de compressão dos dados. As técnicas de alisamento mais comuns consideram um pequeno segmento ou uma "janela" do espectro, que se desloca percorrendo-o integralmente. O processo inicia-se definindo uma faixa com um número ímpar de comprimentos de onda adjacentes (uma janela ou um segmento) em que as intensidades para todos eles são usadas para determinar uma única resposta, que será atribuída ao centro da janela. A seguir, a janela se move e o processo é repetido, percorrendo, assim, todo o espectro. Com o aumento da janela, maior será a quantidade de ruído filtrado. Por outro lado, o tamanho da janela pode causar uma mudança drástica na forma do espectro, como será exemplificado mais adiante. O alisamento pela média e o alisamento pela média móvel são os dois tipos de alisamentos feitos com essa metodologia e eles diferem entre si apenas pela maneira como a janela se desloca ao longo do espectro. Outro tipo de transformação frequentemente empregado para aumentar a razão S/R utiliza uma metodologia completamente diferente, com filtros de Fourier, a qual alisa o espectro como um todo, de uma única vez. Nesse método o espectro é transformado para o espaço de Fourier, multiplicado por uma função de apodização e, então, transformado novamente no espectro de interesse químico.

Deve-se ter sempre em mente que, com todas as vantagens, o alisamento deve ser feito com bastante cuidado, para evitar um superalisamento, que pode distorcer ou eliminar características importantes do espectro.

---

14 A razão S/R é normalmente definida como a razão entre a intensidade de um sinal analítico e a raiz do erro quadrático médio (raiz da variância associada ao sinal).

Alisamento pelo método da média

Esse tipo de alisamento é indicado para os casos em que se deseja aumentar a razão S/R, acompanhada de uma compressão dos dados, pois ocorre uma redução no número de variáveis (J) de cada amostra. Como já mencionamos, o processo envolve a seleção e o deslocamento de uma janela móvel ao longo de todo o espectro. Uma janela de tamanho ($2m + 1$) contém ($2m + 1$) variáveis designadas por $-m, -m+1, \cdots, -1, 0, 1, \cdots, m - 1, m$ e cujo centro se localiza no zero. A resposta alisada, x_{alis}, e que será atribuída ao centro da janela, é uma simples média aritmética das respostas das ($2m + 1$) variáveis da respectiva janela.

$$x_{alis} = \sum_{k=-m}^{+m} c_k x_k = \frac{1}{(2m+1)} \sum_{k=-m}^{+m} x_k \quad \text{já que} \quad c_k = \frac{1}{(2m+1)}. \quad (2)$$

O processo é repetido para a janela seguinte, que contém as variáveis que vão de $2m + 2$ até $4m + 2$, e assim por diante, até que todo o espectro tenha sido alisado. Como resultado, além do alisamento, houve um decréscimo no número de variáveis que era originalmente J e foi reduzido para o número inteiro mais próximo de $J/(2m + 1)$.

A seguir ilustraremos como é feito o alisamento utilizando a curva simulada da Figura 9a, descrita por 300 variáveis ($J = 300$) e com ruído aleatório adicionado. A Figura 9b mostra uma ampliação da parte inicial da curva, que inclui as 30 primeiras variáveis e, em destaque está a janela de 7 pontos ($m = 3$), que foi selecionada para percorrer toda a curva. A seguir, calcula-se a média das respostas (das intensidades) que compreendem as variáveis de número 1 a 7 ($-m$ a $+m$). Essa é a primeira resposta alisada, x_{alis}, e será alocada no centro da janela, *i.e.*, as respostas das 7 primeiras variáveis foram substituídas por um único valor médio, que é representado na Figura 9b por ∗. A janela se move e o processo é repetido para as variáveis de número 8 a 14, referentes ao intervalo selecionado na Figura 9c, e assim por diante, até que toda a curva tenha sido percorrida. A Figura 9d mostra a curva alisada representada pelos pontos isolados e superposta à curva original, antes da adição do ruído (representada pela linha contínua). O pico mais alargado da curva tem

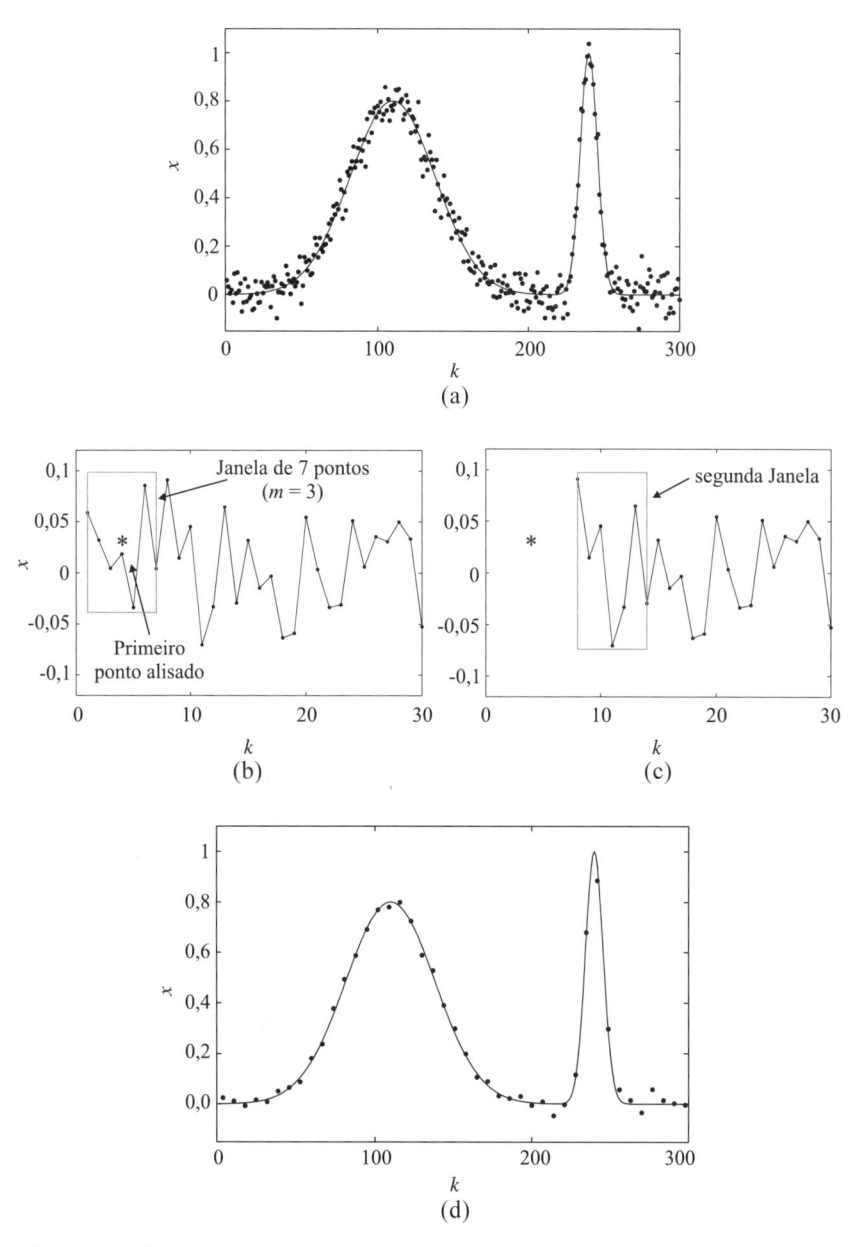

Figura 9 – Alisamento pela média. (a) Sinal original simulado, com e sem ruído adicionado. (b) Parte inicial da curva indicando a janela móvel de 7 pontos ($m = 3$) e a primeira resposta alisada, (∗), no centro da janela. (c) Gráfico mostrando a primeira resposta alisada, bem como a segunda janela. (d) Sinal alisado indicado pelos pontos superpostos ao sinal original sem ruído.

características bem semelhantes ao original, indicando que houve um acréscimo real na relação S/R[15]. Já o pico mais estreito se apresenta distorcido, pois houve uma perda de resolução, que é característica de um superalisamento. Conclui-se, então, que o tamanho da janela é um fator crucial e deve ser selecionado cuidadosamente, para que não haja perda de informação. Com esse alisamento, houve uma compressão nos dados, pois as 300 variáveis iniciais foram reduzidas a apenas 43.

A Figura 10 mostra os resultados do alisamento pela média, em um exemplo real de um espectro originalmente com 3.351 variáveis (Figura 10a), e os espectros alisados utilizando janelas de 11 e 31 pontos ($m = 5$ e $m = 15$) nas Figuras 10b e 10c, respectivamente. Nos espectros alisados, o eixo das abscissas contém o número da variável ao invés do número de onda, para evidenciar o decréscimo no número de variáveis. Com um alisamento de 11 pontos ($m = 5$) o número de variáveis do espectro original foi reduzido de 3.351 para 305 no espectro alisado e, para a janela de 31 pontos ($m = 15$), esse número caiu para 108. A perda de resolução no espectro alisado com uma janela muito grande é visível. A estrutura fina do espectro praticamente desapareceu; a intensidade máxima do pico mais intenso decresceu, apesar de a área sob o pico permanecer inalterada. Pode-se chegar ao extremo de selecionar uma janela grande o suficiente para eliminar o sinal de interesse, restando apenas o espectro de fundo[16]. Para evitar o superalisamento, deve-se iniciar com uma janela menor e aumentá-la gradativamente, mantendo a atenção na forma e abertura de algum pico estreito do espectro, pois é aquele que primeiro sofrerá distorções.

---

15 A média é muito utilizada para aumentar a relação S/R. Neste caso, S é o sinal médio ($S_{médio} = \frac{1}{2m+1}\sum_{i=1}^{2m+1} S_i$) e R é a raiz da variância associada ao sinal médio. Como a variância, σ^2, é aditiva e a mesma para cada medida, para ($2m+1$) medidas a variância total é $(2m+1)\sigma^2$. Portanto, S/R $= \dfrac{S_{médio}}{\frac{1}{2m+1}\sqrt{(2m+1)\sigma^2}} = \sqrt{2m+1}\dfrac{S_{médio}}{\sigma}$.

16 Do inglês: *background*.

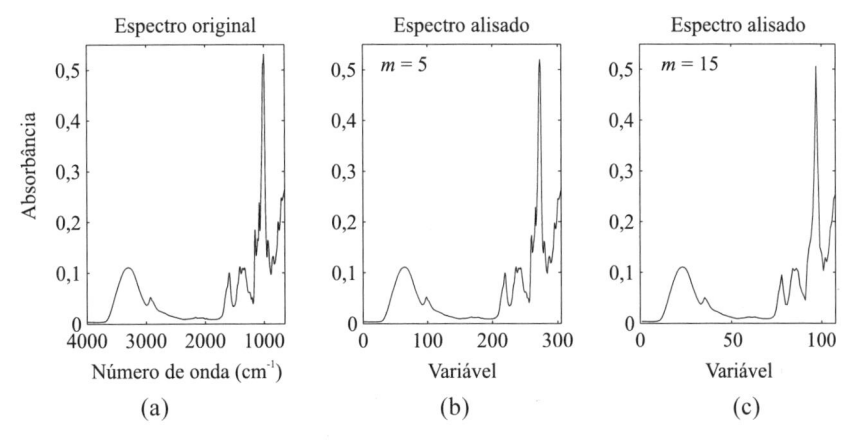

Figura 10 – Espectro original e espectros alisados pela média: (a) Corresponde ao espectro original (4.000 - 650 cm^{-1}, com resolução de 2 cm^{-1}; um incremento de 1 cm^{-1}). (b) Espectro alisado com uma janela de 11 pontos, j = 1, 2, ..., 305. (c) Espectro alisado com uma janela de 31 pontos, j = 1, 2, ..., 108.

O quadro abaixo contém uma rotina para o alisamento pela média na linguagem do MATLAB.

```
% Essa rotina faz o alisamento pela média
% X é a matriz a ser alisada (amostras nas linhas)
% Xalis é a matriz alisada
% o tamanho da janela é dado por 2m + 1
X = X';
Xalis = [];
[J,I] = size(X);
    for j = 1: round(J / (2 * m + 1) - 0.5)
        Xalis = [Xalis ; mean(X((j - 1) * 2 * m + j : j * 2 * m + j, :))];
    end
% para a última janela
    if (J - (j * 2 * m + j)) > 2 * m / 2
        Xalis = [Xalis ; mean(X(j * 2 * m + j : J, :))];
    end
Xalis = Xalis';
```

Alisamento pelo método da média móvel

O alisamento feito pela média móvel funciona da mesma maneira que o alisamento pela média, com uma janela móvel percorrendo todo o espectro e o valor central da janela sendo substituído pela resposta média como indicado na expressão 2. A diferença neste caso é que a janela se desloca de uma em uma variável, percorrendo todo o espectro. A cada deslocamento, apenas a intensidade à esquerda é excluída e uma nova é incluída à direita. A Figura 11 ilustra o alisamento pela média móvel, da mesma curva simulada utilizada anteriormente (Figura 9) e com a mesma janela de 7 pontos ($m = 3$) percorrendo todo o espectro contendo ruído. Neste caso, o valor médio das intensidades das 7 primeiras variáveis substitui a resposta correspondente ao centro, e a janela se move descartando a primeira intensidade e adicionando uma nova no final. A grande diferença deste método comparado ao anterior é que neste caso o espectro alisado contém basicamente o mesmo número de variáveis que o original (*i.e.*, não houve compressão dos dados). Esta metodologia não permite o alisamento do início e do final do espectro, pois as respostas alisadas são alocadas no centro das janelas. Neste caso, com uma janela de 7 pontos, os 3 pontos iniciais e os 3 finais não são alisados. Nos casos de as intensidades iniciais e finais serem zero, a perda desses pontos não irá afetar o espectro alisado e nem a análise posterior, mas nem sempre este é o caso.

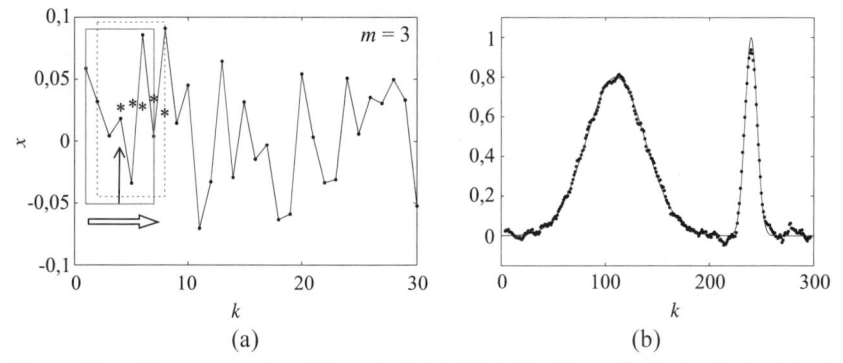

Figura 11 – Alisamento pela média móvel. (a) Primeiras 30 variáveis do sinal original indicando as duas primeiras janelas móveis e os respectivos pontos alisados, ∗. Os três primeiros pontos não foram alisados. (b) Sinal alisado indicado por pontos sobrepostos ao sinal original sem ruído.

Na literatura, há variações desses dois métodos de alisamento que acabamos de ver. Por exemplo, a média das respostas no centro de cada janela pode ser substituída pela mediana. Pode-se também considerar o ajuste de um polinômio, que é o método conhecido na literatura como de Savitzky-Golay[17,18].

Alisamento pelo método de Savitzky-Golay

A diferença entre o alisamento pela media móvel e o de Savitzky--Golay é que, ao invés de calcular uma média simples entre os pontos da janela, usa-se uma média ponderada, em que os pesos são obtidos por um ajuste polinomial. A ideia é bem simples. Basta ajustar um polinômio de grau n às respostas da primeira janela, que contém $(2m+1)$ pontos, indicados aqui como $k = -m, -m+1, \cdots, -1, 0, 1, \cdots, m-1, m$, onde $k = 0$ representa o seu centro. A seguir, a resposta no ponto central da janela é substituída pelo valor do polinômio ajustado. A janela se move como no método da média móvel, e o valor do polinômio é calculado no novo centro. O processo se repete até que todas as janelas tenham sido alisadas.

O filtro de Savitzky-Golay depende de dois parâmetros: do número de pontos da janela (m à esquerda e m à direita do centro) e do grau do polinômio ajustado, n. A seguir veremos um exemplo de como se faz o alisamento com o método de Savitzky-Golay.

O polinômio de grau n a ser ajustado aos dados da primeira janela tem a seguinte expressão geral:

$$x_k = a_0 + a_1 k + a_2 k^2 + \ldots + a_n k^n, \qquad k = -m, \cdots, 0, \cdots, +m. \qquad (3)$$

Supondo que um polinômio de grau 2 ($n = 2$) e uma janela de tamanho 5 ($m = 2$) sejam adequados para o alisamento, a fórmula geral da equação acima, que é válida para cada ponto da janela, se torna

$$x_k = a_0 + a_1 k + a_2 k^2, \qquad k = -2, -1, 0, 1, 2. \qquad (4)$$

---

17 Savitzky, A. e Golay, M. J. E. 'Smoothing and Differentiation of Data by Simplified Least Squares Procedures', *Anal. Chem.* **36** (1964) 1627-1639.
18 Gorry, P. A. 'General Least-Squares Smoothing and Differentiation by the Convolution (Savitzky-Golay) Method', *Anal. Chem.* **62** (1990) 570-573.

Como são 5 pontos na janela, a resposta observada em cada um deles é representada como:

1º ponto: $x_{-2} = a_0 + a_1(-2) + a_2(-2)^2$;
2º ponto: $x_{-1} = a_0 + a_1(-1) + a_2(-1)^2$;
ponto central: $x_0 = a_0 + a_1(0) + a_2(0)^2$;
4º ponto: $x_1 = a_0 + a_1(1) + a_2(1)^2$;
5º ponto: $x_2 = a_0 + a_1(2) + a_2(2)^2$.

Escrevendo esse sistema de equações na forma matricial, tem-se:

$$[\mathbf{x}] = [\mathbf{M}] [\mathbf{a}]$$

$$\begin{bmatrix} x_{-2} \\ x_{-1} \\ x_0 \\ x_1 \\ x_2 \end{bmatrix} = \begin{bmatrix} 1 & -2 & 4 \\ 1 & -1 & 1 \\ 1 & 0 & 0 \\ 1 & 1 & 1 \\ 1 & 2 & 4 \end{bmatrix} \begin{bmatrix} a_0 \\ a_1 \\ a_2 \end{bmatrix}. \tag{5}$$

Os valores x_{-2}, x_{-1}, x_0, x_1 e x_2 são conhecidos (os resultados experimentais de cada ponto da janela), e o ajuste é feito com uma regressão polinomial; os coeficientes a_0, a_1, e a_2 são determinados por quadrados mínimos, que, em termos matriciais, são estimados pela equação abaixo:

$$\hat{\mathbf{a}} = (\mathbf{M}^T\mathbf{M})^{-1}\mathbf{M}^T\mathbf{x} \quad \text{onde} \quad (\mathbf{M}^T\mathbf{M})^{-1} = \frac{1}{35}\begin{bmatrix} 17 & 0 & -5 \\ 0 & 7/2 & 0 \\ -5 & 0 & 5/2 \end{bmatrix} \quad \text{e}$$

$$\hat{\mathbf{a}} = \frac{1}{35}\begin{bmatrix} -3 & 12 & 17 & 12 & -3 \\ -7 & -7/2 & 0 & 7/2 & 7 \\ 5 & -5/2 & -5 & -5/2 & 5 \end{bmatrix}\begin{bmatrix} x_{-2} \\ x_{-1} \\ x_0 \\ x_1 \\ x_2 \end{bmatrix}. \tag{6}$$

Finalmente,

$$a_0 = \frac{1}{35}(-3x_{-2} + 12x_{-1} + 17x_0 + 12x_1 - 3x_2),$$

$$a_1 = \frac{1}{35}\left(-7x_{-2} - \frac{7}{2}x_{-1} + 0x_0 + \frac{7}{2}x_1 + 7x_2\right), \quad (7)$$

$$a_2 = \frac{1}{35}\left(+5x_{-2} - \frac{5}{2}x_{-1} - 5x_0 - \frac{5}{2}x_1 + 5x_2\right).$$

É visível que os coeficientes são combinações lineares dos resultados experimentais de cada ponto da janela. Uma vez obtidos os coeficientes, podem-se encontrar os valores estimados para cada ponto da janela.

$\hat{\mathbf{x}} = \mathbf{M}\hat{\mathbf{a}}$

$$\hat{\mathbf{x}} = \frac{1}{35}\mathbf{M}\begin{bmatrix} -3 & 12 & 17 & 12 & -3 \\ -7 & -\frac{7}{2} & 0 & \frac{7}{2} & 7 \\ 5 & -\frac{5}{2} & -5 & -\frac{5}{2} & 5 \end{bmatrix}\begin{bmatrix} x_{-2} \\ x_{-1} \\ x_0 \\ x_1 \\ x_2 \end{bmatrix} =$$

$$= \frac{1}{35}\begin{bmatrix} 31 & 9 & -3 & -5 & 3 \\ 9 & 13 & 12 & 6 & -5 \\ -3 & 12 & 17 & 12 & -3 \\ -5 & 6 & 12 & 13 & 9 \\ 3 & -5 & -3 & 9 & 31 \end{bmatrix}\begin{bmatrix} x_{-2} \\ x_{-1} \\ x_0 \\ x_1 \\ x_2 \end{bmatrix}$$

resultando em

$$\hat{x}_{-2} = \frac{1}{35}(31x_{-2} + 9x_{-1} - 3x_0 - 5x_1 + 3x_2),$$

$$\hat{x}_{-1} = \frac{1}{35}(9x_{-2} + 13x_{-1} + 12x_0 + 6x_1 - 5x_2),$$

$$\hat{x}_0 = \frac{1}{35}(-3x_{-2} + 12x_{-1} + 17x_0 + 12x_1 - 3x_2), \quad (8)$$

$$\hat{x}_1 = \frac{1}{35}(-5x_{-2} + 6x_{-1} - 12x_0 + 13x_1 + 9x_2),$$

$$\hat{x}_2 = \frac{1}{35}(3x_{-2} - 5x_{-1} - 3x_0 + 9x_1 + 31x_2).$$

O valor alisado dessa primeira janela corresponde ao valor do polinômio no ponto central. Está claro que esse valor é uma média ponderada dos valores experimentais no 1º, 2º, 3º, 4º e 5º pontos da janela em que os pesos são $-\frac{3}{35}$, $+\frac{12}{35}$, $+\frac{17}{35}$, $+\frac{12}{35}$ e $-\frac{3}{35}$, respectivamente. A seguir, o processo é repetido após descartar o primeiro ponto dessa janela e incluir o seguinte, até que todos os pontos sejam alisados. Esse mesmo procedimento pode ser aplicado a qualquer tamanho de janela e grau de polinômio.

A Figura 12 mostra a mesma curva simulada e com ruído adicionado, que foi usada nos exemplos anteriores e que aqui será alisada pelo método de Savitzky-Golay (Figura 12a). Os resultados obtidos para alisamentos com parâmetros distintos estão nas Figuras 12b e 12c.

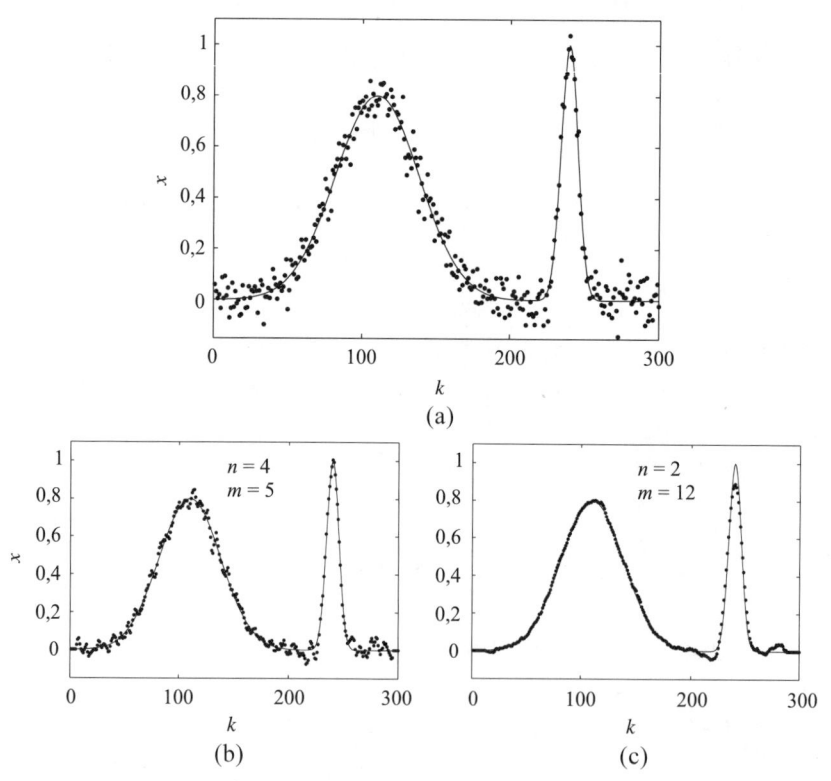

Figura 12 – (a) Sinal simulado sem ruído (linha contínua) e com ruído adicionado. (b) O sinal original sem ruído e o sinal alisado pelo método de Savitzky-Golay com um polinômio de 4º grau e uma janela de 11 pontos ($m = 5$). (c) O resultado do alisamento com um polinômio de 2º grau e uma janela de 25 pontos ($m = 12$).

Tanto o número de pontos na janela quanto o grau do polinômio utilizado no alisamento afetam o resultado do alisamento. Com um polinômio de baixo grau, filtra-se mais ruído, mas por outro lado, o risco de distorção no sinal é maior. Convém lembrar aqui que o alisamento pela média móvel equivale ao uso particular de um polinômio de grau zero. O aumento da janela também causa um decréscimo no ruído, mas a distorção do sinal aumenta significativamente. Um polinômio de alto grau tende a se ajustar melhor aos dados e a descrever melhor a variação do sinal, mas com certeza modela o ruído. Portanto, a distorção do sinal e a remoção do ruído são menores. Alisamentos feitos com um polinômio de baixo grau e uma janela grande só são aconselháveis quando a razão S/R for mais importante do que preservar a forma do sinal. Já os alisamentos feitos com uma janela pequena e um polinômio de alto grau são úteis quando a preservação na forma do espectro é mais importante do que a razão S/R. É óbvio que não haverá alisamento no espectro quando o tamanho da janela for uma unidade menor do que o grau do polinômio porque um polinômio de grau n vai ajustar perfeitamente $n - 1$ pontos. Resumindo, deve haver um compromisso entre a redução do ruído e a distorção do sinal; ambos estão intimamente ligados ao grau do polinômio e ao tamanho da janela.

Alisamento com filtros de Fourier

Essa transformação também pode ser utilizada para aumentar a relação S/R. Um espectrômetro IR registra a transmitância correspondente a um comprimento de onda de cada vez. Por outro lado, um espectrômetro com transformada de Fourier, FTIR, registra um interferograma que contém informação de todos os comprimentos de onda emitidos pela fonte na região do infravermelho, e não é trivial interpretar diretamente os dados registrados. Esse interferograma é o resultado da transformada de Fourier do espectro no domínio físico (que pode ser tempo, comprimento de onda ou outra variável) e, portanto, dizemos que ele representa o espectro no domínio da frequência[19]. Para obter um

---

19 Vários autores se referem a esse domínio como domínio de Fourier e ao domínio do espectro interpretável, como domínio da frequência, o que é incorreto, uma vez que o domínio de Fourier é o domínio da frequência.

espectro interpretável (constituído de picos caracterizados pela posição, abertura e forma), o interferograma deve ser transformado para transmitância ou absorbância, em função do comprimento de onda, por uma transformação inversa de Fourier denotada por $\mathcal{F}^{-1}$. Portanto, consideramos o espectro de interesse químico como o sinal medido no domínio físico. O problema é que nesse domínio o sinal de interesse e o ruído coexistem (Figura 13a), mas no domínio da frequência o sinal de interesse é representado por um conjunto de baixas frequências e o ruído, por um conjunto de altas frequências, como mostrado na Figura 13b. Portanto, no alisamento com filtros de Fourier, os espectros são transformados do domínio físico para o domínio da frequência pela transformação de Fourier $\mathcal{F}$ e a seguir o interferograma é multiplicado por uma função de apodização $A(k)$ que irá remover as componentes de alta frequência no início e no final do interferograma, deixando as baixas frequências intactas. Seleciona-se uma frequência de corte, a partir da qual todos os coeficientes de Fourier são igualados a zero. Neste caso, a função de apodização é retangular e tem valores iguais a 1,0 na parte central do interferograma, onde está o sinal de baixa frequência e valores iguais a zero para as frequências restantes. O resultado é, então, transformado de volta para o domínio físico por intermédio da transformação inversa de Fourier, recuperando, assim, o sinal analítico alisado[20,21]. Esse alisamento é denominado "filtragem" e, como foram retidas apenas as componentes de baixa frequência, esse filtro é denominado filtro passa-baixa. O resultado obtido após a transformação é um espectro com razão S/R maior, uma vez que o ruído do espectro original foi consideravelmente reduzido.

---

20 Bracewell, R. N. *The Fourier Transform and its Applications*, McGraw-Hill, NY, 1986.
21 Strang, G. *Introduction to Applied Mathematics*, Wellesley, Mass., 1986.

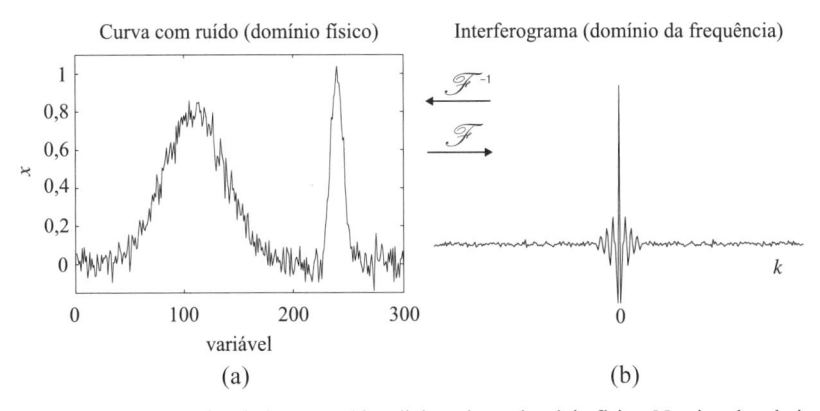

Figura 13 – (a) Pico simulado com ruído adicionado no domínio físico. No eixo das abcissas está indicando o número da variável, j = 1, 2, ..., 300. (b) O respectivo interferograma no domínio da frequência.

A Figura 14 ilustra o alisamento feito com um filtro de Fourier na curva da Figura 13a. A Figura 14a contém o interferograma e a respectiva função de apodização retangular, $A(k) = \begin{cases} 1 & |k| \leq 100 \\ 0 & |k| > 100 \end{cases}$, em que $A(k)$ = 1 para os valores de k no intervalo $-100 \leq k \leq 100$ e igual a zero para os valores iniciais e finais. O mesmo foi feito para uma frequência de corte igual a 30 (Figura 14c). Os dois gráficos da direita (Figuras 14b e 14d) mostram os respectivos sinais alisados no domínio físico (linha contínua), sobrepostos ao sinal original representado por pontos. Na Figura 14c utilizou-se uma faixa menor do interferograma, ou seja, de frequências k, e a razão S/R do pico alisado (Figura 14d) é maior do que no caso anterior (da Figura 14b) e o filtro usado foi mais eficiente.

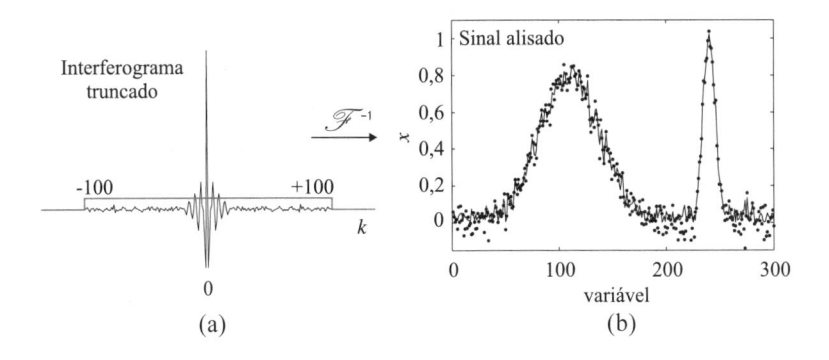

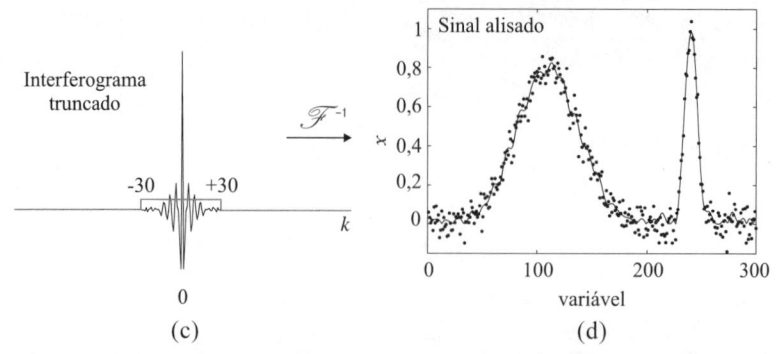

Figura 14 – Alisamento feito com filtros de Fourier. (a) e (c) Interferogramas e as respectivas funções de apodização retangulares. As frequências de corte correspondem a 100 e 30, respectivamente. (b) e (d) Picos alisados no domínio físico em linhas contínuas e o pico com ruído indicado por pontos. A variável j varia de 1 a 300 no eixo das abcissas.

Nem sempre o sinal e o ruído estão bem separados no domínio de Fourier. No caso de estarem sobrepostos, uma função de apodização retangular não é suficientemente adequada, pois ela decresce abruptamente para zero. Em tais situações, é aconselhável aplicar uma função que decresce suavemente para frequências maiores, como, por exemplo, uma função triangular ou uma exponencial, $e^{-\beta|k|}$ para $\beta > 0$.

Concluindo nossa discussão sobre os alisamentos em geral, sugerimos que, ao se aplicar uma técnica de alisamento, deve-se sempre usar de cautela, pois pode haver uma perda na resolução e, como o conteúdo de informação do espectro é determinado por sua resolução, um espectro alisado pode conter menos informação que o original. Esse é o preço a ser pago pelo acréscimo na razão S/R. Em geral, espectros com uma boa razão S/R não devem ser alisados, pois a pequena redução no nível de ruído pode não compensar a perda na informação espectral.

A seguir discutiremos outras transformações que podem ser aplicadas às amostras com o objetivo de lidar com as variações sistemáticas indesejáveis para a análise dos dados e para a interpretação dos resultados.

Se, ao subtrair os espectros de duas alíquotas de uma mesma amostra, nós observarmos uma distribuição horizontal constituída apenas de ruído, já saberemos de antemão que não há outra fonte de variabilidade nos dados. Por outro lado, se houver tendências na linha de base ou mesmo a presença de picos ao subtrairmos os dois espectros, com certeza existe alguma fonte de variabilidade não controlada no experimento. Essas variações indesejadas devem ser eliminadas ou reduzidas. Examinando a forma das variações ocorridas e sua similaridade entre as diferentes amostras, é possível ter uma ideia da necessidade de pré-tratar os dados e da transformação mais adequada.

2.4.1.2 Técnicas de correção da linha de base

Derivadas

Um problema instrumental ou de amostragem pode deslocar um espectro como um todo, de um valor constante positivo ou negativo em relação ao zero de absorbância, *i.e.*, pode haver um deslocamento constante da linha de base (no eixo das ordenadas). Esse deslocamento pode ser corrigido tomando-se a primeira derivada do espectro. Como a primeira derivada de uma constante é zero, após a correção o espectro resultante estará deslocado para o zero de absorbância. Caso o espectro apresente uma inclinação da linha de base à medida que decresce o número de onda, essa variação sistemática também pode ser corrigida tomando-se a segunda derivada. O pré-tratamento com derivadas é bastante comum quando se analisam espectros de refletância difusa, em que os problemas de deslocamento e inclinação da linha de base geralmente ocorrem.

Lembrando que a derivada de uma função em um ponto qualquer da curva é a inclinação da reta tangente à curva naquele ponto, a derivada de um pico terá, então, dois lobos: um positivo, relativo ao lado esquerdo, e outro negativo, relativo ao lado direito do pico. Os máximos, positivo e negativo da derivada, correspondem aos pontos de inflexão do pico original. No ponto de intensidade máxima, a inclinação da reta tangente é nula e, portanto, a derivada é igual a zero.

Uma maneira simples de calcular derivadas é através da diferença entre dois valores sucessivos de absorbâncias, como indicado na equação 9, uma vez que os intervalos de comprimento de onda ($\Delta\lambda = \delta$) são constantes.

$$2\delta \frac{dA}{d\lambda}(\lambda_j) \cong \Delta A(\lambda_j) = A_{\lambda_j+\delta} - A_{\lambda_j-\delta} \qquad (9)$$

A derivada da primeira derivada, ou seja, a segunda derivada, também é muito útil, pois nos dá informação sobre a curvatura ou a concavidade de uma curva. No ponto de inflexão, a concavidade é zero e no topo do pico onde a absorbância é máxima, ela tem seu máximo negativo, de maneira que o gráfico da segunda derivada se assemelha mais com o pico original do que o da primeira derivada, facilitando a interpretação dos resultados. A equação 10 indica como o cálculo da segunda derivada pode ser efetuado pelo método da diferença, sendo δ um pequeno intervalo de comprimentos de onda.

$$(2\delta)^2 \frac{d^2 A}{d\lambda^2}(\lambda_j) \cong \Delta^2 A(\lambda_j) = A_{\lambda_j+\delta} + A_{\lambda_j-\delta} - 2A_{\lambda_j} \qquad (10)$$

Esse método de calcular a derivada por diferença é simples, mas tem uma grande desvantagem. Primeiro, o número de variáveis do espectro derivado é menor do que o original, e uma das consequências é que o máximo de um pico no espectro original não vai ser igual a zero no espectro da primeira derivada ou coincidir com um mínimo no espectro da segunda derivada. Esse método só vai funcionar bem para espectros de alta resolução.

É importante chamar a atenção para o fato de que a relação entre a área abaixo de um pico do espectro e a concentração é preservada quando se toma a derivada. Isso quer dizer que os detalhes espectrais necessários para correlacionar as absorbâncias com as concentrações não são alterados, e a correspondência quantitativa entre o espectro e a concentração permanece válida. A equação 11 mostra que a primeira derivada da absorbância em cada comprimento de onda é proporcional à concentração (as definições dos termos da equação 11 estão na equação 16, quando introduziremos a lei de Beer).

$$A_\lambda = \alpha_\lambda lc \Rightarrow \frac{dA_\lambda}{d\lambda} = lc \frac{d\alpha_\lambda}{d\lambda} \qquad (11)$$

O uso da segunda derivada também preserva a informação da área do pico e, portanto, a correspondência quantitativa entre as medidas espectrais e os valores das concentrações é novamente preservada.

O gráfico na Figura 15a mostra a representação gráfica de um sinal simulado ao qual foram adicionados uma inclinação constante a e um deslocamento b. Não foi adicionado ruído aleatório a esse pico, pois o enfoque aqui é ilustrar o que acontece quando se faz o uso das derivadas. Os dois gráficos seguintes contêm as respectivas derivadas. Note-se que as escalas das curvas derivadas e da original são totalmente distintas.Há um decréscimo significativo nos valores do sinal das derivadas, representados no eixo das ordenadas. A curva resultante da primeira derivada

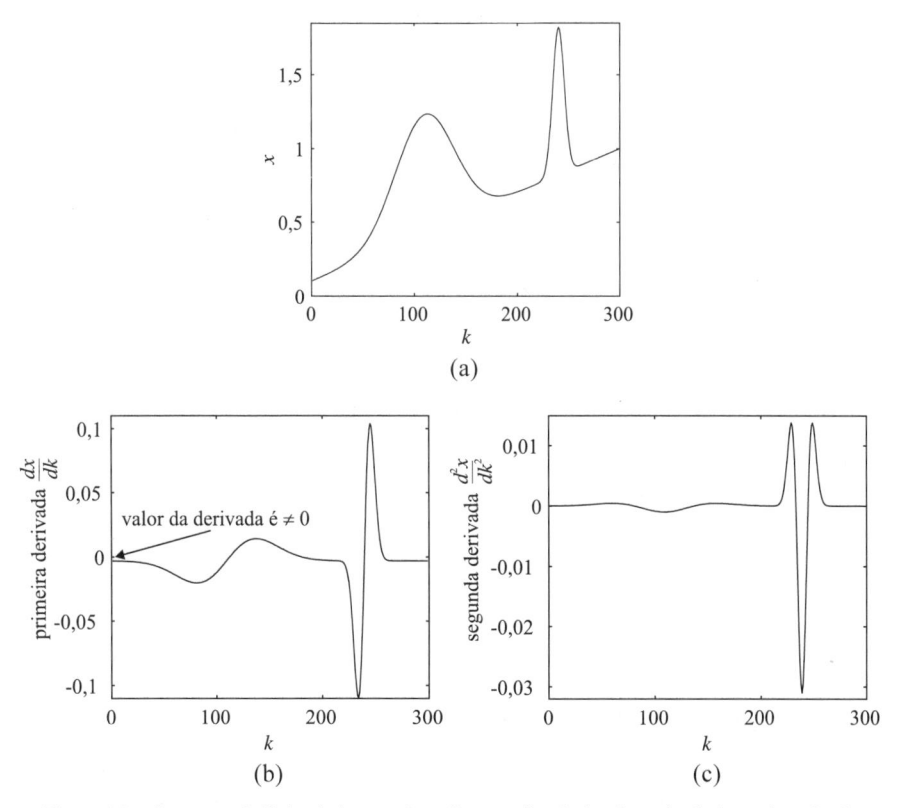

Figura 15 – Correção da linha de base pela aplicação das derivadas calculadas pelo método da diferença. (a) Foram adicionados à curva uma inclinação e um deslocamento de linha de base. (b) Resultado da aplicação da primeira derivada, corrigindo os deslocamentos da linha de base. (c) Resultado da aplicação da segunda derivada, onde foram corrigidos ambos, o deslocamento e a inclinação constante na linha de base.

é apresentada no gráfico 15b, no qual se deve notar que ela apresenta um deslocamento constante da origem, correspondente à inclinação a adicionada na curva original. O gráfico da direita (Figura 15c) mostra os resultados após a aplicação da segunda derivada, quando o deslocamento e a inclinação da linha de base foram ambos eliminados. Como mencionado anteriormente, além de o espectro derivado apresentar um sinal bem menos intenso do que o original, a primeira derivada de um pico apresenta dois lobos e a segunda derivada, três lobos. A redução do sinal e o aumento no número de lobos induzem a um decréscimo progressivo da razão S/R.

O método mais popular utilizado para o cálculo de derivadas de um sinal é o método de Savitsky-Golay, que já foi introduzido em seção anterior[17,18].

O método de Savitzky-Golay é um filtro de média móvel em que se faz o ajuste, por quadrados mínimos, de um polinômio de grau n aos $(2m + 1)$ pontos da janela móvel (ou segmento). Vimos anteriormente como determinar, de maneira simples, os pesos de cada ponto, para determinar o valor do polinômio no ponto central da janela móvel.

Agora, veremos como essa metodologia pode ser implementada também para calcular numericamente a derivada de um espectro.

Como cada ponto da curva é expresso na forma polinomial (ver equação 3), obtém-se a derivada diretamente da expressão analítica do polinômio. A primeira derivada de x em relação a k é dada pela expressão

$$\frac{dx}{dk} = a_1 + 2a_2 k + \cdots + na_n k^{n-1}. \tag{12}$$

Como o interesse é no ponto central da janela, $\left(\dfrac{dx}{dk}\right)_{k=0} = a_1$, isso quer dizer que os pesos para determinar a primeira derivada no ponto central da janela móvel dependem somente de a_1. Para exemplificar, utilizaremos o polinômio de segundo grau e a janela de tamanho 5 ($m = 2$) vistos anteriormente (equações 4-7).

Substituindo a_1 da equação 7 na expressão da derivada, tem-se:

$$\left(\frac{dx}{dk}\right)_{k=0} = a_1 = \frac{1}{35}\left(-7x_{-2} - \frac{7}{2}x_{-1} + 0x_0 + \frac{7}{2}x_1 + 7x_2\right),$$

$$\left(\frac{dx}{dk}\right)_{k=0} = \frac{1}{10}\left(-2x_{-2} - 1x_{-1} + 0x_0 + 1x_1 + 2x_2\right). \tag{13}$$

A segunda derivada é calculada de maneira semelhante. Derivando o polinômio, obtém-se:

$$\left(\frac{d^2x}{dk^2}\right)_{k=0} = 2a_2 = 2\frac{1}{35}\left(+5x_{-2} - \frac{5}{2}x_{-1} - 5x_0 - \frac{5}{2}x_1 + 5x_2\right),$$

$$\left(\frac{d^2x}{dk^2}\right)_{k=0} = \frac{1}{7}\left(+2x_{-2} - 1x_{-1} - 2x_0 - 1x_1 + 2x_2\right). \tag{14}$$

Essa é a expressão polinomial para o cálculo da derivada no centro da janela móvel.

A primeira derivada da curva da Figura 9 foi calculada pelo método de Savitzky-Golay, e os resultados obtidos para janelas de tamanhos diferentes e polinômios de diferentes graus são mostrados na Figura 16. As figuras mostram a primeira derivada calculada para a curva com ruído adicionado superposta à respectiva derivada calculada para a curva original sem ruído adicionado (a verdadeira derivada). As mesmas considerações feitas na seção de alisamento com filtros de Savitzky-Golay se aplicam aqui. A primeira derivada apresentada na Figura 16a foi calculada com polinômio de baixo grau ($n = 2$) e uma janela de 11 pontos. A curva derivada contém um nível de ruído considerável devido ao pequeno tamanho da janela, que assim foi escolhido para evitar distorção no pico mais estreito e intenso. Aumentando o tamanho da janela (Figura 16b), o ruído é atenuado, no entanto o pico mais estreito sofre considerável deformação. Aumentando o grau do polinômio (Figura 16c), menos ruído é filtrado, aumentando, assim, o grau de ruído da curva resultante, mas, por outro lado, a derivada do pico mais estreito se ajusta melhor à curva verdadeira. Um bom balanço para o cálculo das derivadas é a utilização de polinômios de grau mais alto e janelas de maior tamanho.

O nível de ruído é mantido razoável e a distorção do sinal não é tão significativa.

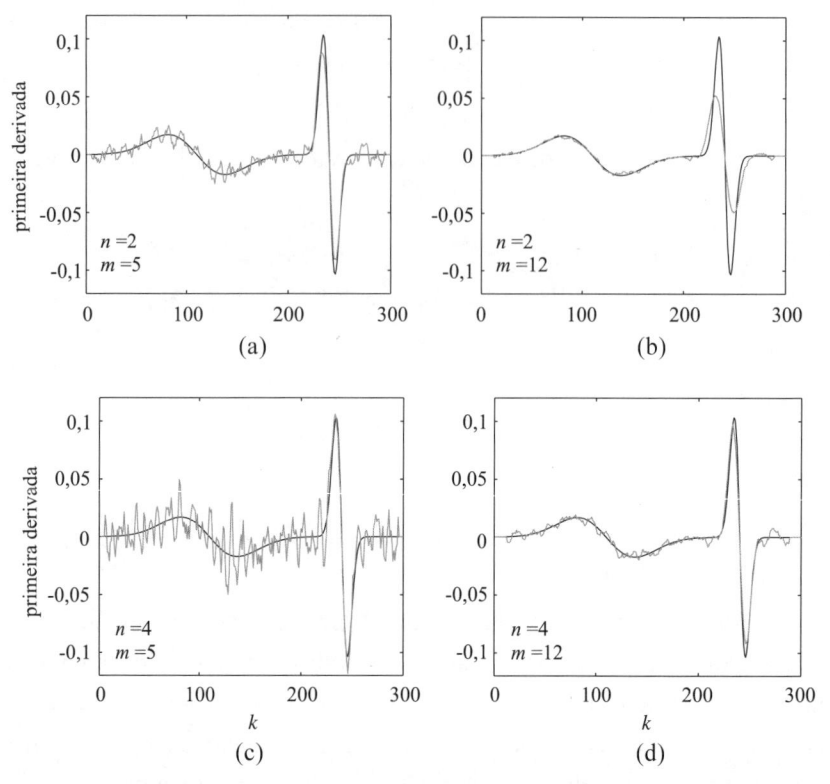

Figura 16 – Derivadas da curva da Figura 9 sem ruído adicionado e com ruído adicionado utilizando janelas de tamanhos diferentes e polinômios de diferentes graus. No eixo das abscissas está indicado o número da variável j = 1, 2, ..., 300. (a) Primeira derivada obtida com uma janela de 11 (m = 5) pontos e um polinômio de grau 2 (n = 2). (b) Curva derivada com janela de 25 (m = 12) pontos e polinômio de grau 2 (n = 2). (c) Curva derivada com janela de 11 (m = 5) pontos e polinômio de grau 4 (n = 4). (d) Curva derivada com janela de 25 (m = 12) pontos e polinômio de grau 4 (n = 4).

Com o exemplo acima ficou claro que a grande desvantagem do método de Savitzky-Golay é o decréscimo progressivo da razão sinal/ruído durante o cálculo das derivadas, podendo chegar ao extremo de produzir resultados inaceitáveis. O analista deve decidir se a remoção do deslocamento e/ou da inclinação da linha de base por esses métodos compensa o decréscimo na razão sinal/ruído. Esse efeito poderá afetar a qualidade da análise posterior, por exemplo, prejudicando a acurácia de um modelo de calibração.

Um deslocamento constante da linha de base (sem viés) de um conjunto de espectros pode ser corrigido sem o uso de derivadas, subtraindo um valor arbitrário de cada um deles, independentemente. Por exemplo, pode-se utilizar o valor de uma intensidade média relativa a uma região dos espectros constituída apenas de linha de base. Na curva da Figura 9 o valor a ser subtraído de cada ponto poderia ser a média das 30 variáveis finais. Essa transformação é representada na equação 15, em que $\bar{x}_{271-300}$ é a resposta média das 30 últimas variáveis.

$$x_{j(\text{corrigido})} = x_j - \bar{x}_{271-300}, \qquad j = 1, 2, ..., J. \qquad (15)$$

Outra metodologia que pode ser utilizada para a correção de linha de base sem o uso de derivadas consiste em ajustar uma função à linha de base. Essa função é, então, subtraída de todos os espectros originais, removendo simultaneamente a inclinação e o deslocamento da linha de base. Normalmente a função usada consiste de uma série de segmentos lineares. Um problema a ser enfrentado é que nem sempre é simples encontrar os pontos corretos da linha de base para a obtenção de uma função que seja paralela à linha de base e se ela não for perfeita, introduz-se uma variância nos dados, que pode ser pior do que aquela que estamos tentando remover. Além disso, é muito pouco provável que todos os espectros do conjunto tenham a mesma curvatura e inclinação da linha de base, e se uma única função for utilizada, os resultados poderão ser comprometidos. O ideal seria ajustar uma função para cada espectro, o que, todavia, pode ser impraticável para um conjunto grande de amostras.

Em resumo, o uso de derivadas, em geral, é o método que se mostra mais apropriado para correções de linha de base dos espectros. Seu cálculo não envolve o uso subjetivo das funções paralelas e nem introduz grande quantidade de variância nos dados. A única desvantagem, como já mencionamos, é o decréscimo indesejável da razão S/R, mas, se ela for alta, isso não constituirá um problema. Caso contrário, com uma razão S/R baixa, o uso das derivadas pode ser inconveniente e, nesse caso, é mais aconselhável fazer o ajuste de curvas.

Além da remoção de variações sistemáticas na linha de base, o uso de derivadas pode ser muito útil como uma forma de melhorar a resolução de picos parcialmente sobrepostos (uma forma de deconvolução) e, além disso, para estimar com segurança a posição dos picos. O ponto onde a primeira derivada cruza a linha de base e a segunda derivada tem um máximo negativo indica a posição de um pico.

2.4.1.3 Outras Transformações Importantes

Logaritmo

O logaritmo pode ser aplicado com o objetivo de linearizar os dados e a escolha da base logarítmica; seja ela a base decimal (Log_{10}) ou qualquer outra, não afetará a interpretação qualitativa dos resultados. Por exemplo, em espectroscopia a resposta medida é a razão da intensidade que deixa a amostra, I, pela intensidade incidente na amostra, I_0[22], que é a intensidade de luz quando a amostra não está presente. Essa razão é a transmitância $T = I/I_0$. O decréscimo na intensidade de luz passando através de uma amostra homogênea transparente não é linear, como exemplificado no esquema da Figura 17.

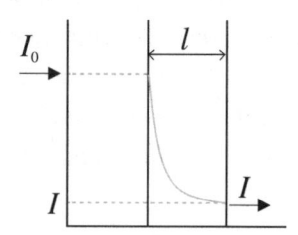

Figura 17 – Representação esquemática do decréscimo na intensidade de luz incidente, I_0, ao atravessar uma cela de caminho ótico igual a l. A luz deixa a amostra com intensidade I menor que I_0 porque parte foi absorvida pela amostra.

---

22 I_0 também é designado como intensidade de fundo.

A relação entre a intensidade de luz absorvida pela amostra e a sua concentração é dada pela lei de *Beer-Lambert*, $A_\lambda = \alpha_\lambda lc$, onde A_λ é a absorbância num dado comprimento de onda, α_λ é o respectivo coeficiente de absortividade molar, l é o caminho ótico e c a concentração. A absorbância apresenta uma relação logarítmica com a transmitância, indicada na equação 16.

$$A_\lambda = -\log T_\lambda = -(\log I/I_0)_\lambda \quad \text{e} \quad T_\lambda = 10^{-\alpha_\lambda lc}. \tag{16}$$

Fazendo uma transformação logarítmica da transmitância, é possível obter uma relação linear entre a intensidade de luz e a concentração. Além das técnicas de transmitância, há também as técnicas de reflectância, que diferem das primeiras porque o feixe de luz incidente é refletido ao invés de passar pela amostra. Da mesma maneira, uma transformação logarítmica da reflectância, R_λ, conduz a uma relação linear com a concentração: $A_\lambda = -\log R_\lambda$.

Outro exemplo semelhante se refere ao decaimento da intensidade de emissão de uma amostra de um radioisótopo que segue a seguinte lei exponencial: $I = I_0 e^{-kt}$, onde I_0 é a intensidade inicial e k é a constante de velocidade de decaimento. Essa equação também pode ser reescrita na forma logarítmica como $\ln(I) = \ln(I_0) - kt$, onde se observa a relação linear entre $\ln(I)$ e o tempo.

Em estudos de QSAR se deseja obter uma relação funcional f entre uma série de descritores estruturais e a atividade biológica da forma: *atividade* = f(*descritores*). Os resultados da resposta biológica são expressos em geral como a dose efetiva (*ED*) ou a concentração molar inibitória (*IC*) necessária para produzir um efeito biológico predeterminado e, então, são transformados para a forma logarítmica durante a construção dos modelos de regressão. Há uma razão teórica para essa transformação, se fizermos uma analogia com a energia livre de Gibbs, $\Delta G = -RT\ln K$, onde a atividade biológica é semelhante a ΔG, e K, aos vários descritores como, por exemplo, o coeficiente de partição octanol/água, dado pela razão entre a concentração do soluto na fase orgânica e na fase aquosa. Outro ponto a ser considerado é que, em geral, o intervalo dos valores da resposta biológica é de várias ordens de magnitude e a transformação logarítmica reduz a heterogeneidade da variação na atividade biológica. Ainda com respeito aos estudos de QSAR, ocorre com frequência a necessidade de aplicar transformações aos descritores (variáveis), com o objetivo de atenuar as tendências não lineares. As transformações logarítmicas, de potência, ou mesmo gaussiana estão entre as mais comuns para esses casos. Essas transformações também têm a função de reduzir a assimetria das distribuições.

Normalização

Nessa transformação, os valores de cada uma das variáveis de uma dada amostra *i* são divididos por um fator de normalização, como, por exemplo, pela norma dessa amostra, representada por $\|\mathbf{x}_i\|$. Assim, todas as amostras estarão em uma escala predeterminada. A expressão 17 indica a transformação de normalização feita em cada elemento de uma linha da matriz de dados:

$$x_{ij(norm)} = \frac{x_{ij}}{\|\mathbf{x}_i\|}, \qquad j = 1, 2, ..., J. \qquad (17)$$

As normas mais utilizadas são:

$\|\mathbf{x}_i\|_\infty = \max_{1 \leq j \leq J} |x_{ij}|$ denominada de norma *sup*, ou norma infinita, l_∞;

$\|\mathbf{x}_i\|_1 = \sum_{j=1}^{J} |x_{ij}|$ denominada de norma um, l_1; \qquad (18)

$\|\mathbf{x}_i\|_2 = \sqrt{\sum_{j=1}^{J} x_{ij}^2}$ que é a norma Euclideana ou norma dois, l_2.

Quando os dados são normalizados pela norma *sup*, a resposta máxima de cada uma das amostras se torna igual a 1. A norma um, l_1, é dada pela soma dos valores absolutos das variáveis da amostra *i*, que corresponde à área sob a curva definida pelos dados da i-ésima amostra. Com a norma l_2, o fator de normalização é a norma Euclideana, $i.e.$, o comprimento do vetor definido pelos dados da i-ésima amostra. Após essa normalização, cada espectro terá comprimento igual a 1.

O pico com maior razão m/e em espectrometria de massa em geral é normalizado. Hoje, isso pode ser feito automaticamente pelo próprio instrumento durante a aquisição dos dados, utilizando-se a norma infinita quando o fragmento mais abundante for igualado a 1 ou 100. As intensidades dos outros picos são, então, expressas como uma fração ou porcentagem desse fragmento. Ao normalizar um espectro pela norma 1, a área sob a curva se torna igual a um.

As normas l_1 e l_2 são úteis para remover variações sistemáticas, em geral associadas com o tamanho da amostra ou quando a concentração absoluta das amostras não pode ser facilmente controlada. Por exemplo, quando o volume de injeção no cromatógrafo, ou a quantidade precisa de material num extrato biológico sofre variações, mas as proporções relativas de cada constituinte químico podem ser medidas, os efeitos dessas variações são corrigidos normalizando-se cada amostra para área ou comprimento unitário, como apresentado na Figura 18. O objetivo dessa normalização é igualar a magnitude de cada amostra. Ela remove a informação da distância de cada amostra à origem dos dados, mas preserva a direção. Essa transformação é indicada quando se quer reter somente a informação que qualitativamente distingue uma amostra da outra e remover toda a informação que poderia discriminar duas amostras de composição idêntica, mas com concentrações diferentes. Para efeito de ilustração, a Figura 18a apresenta os dados originais de um conjunto de amostras de apenas duas variáveis e a Figura 18b mostra os resultados quando todas as amostras foram normalizadas pelas normas l_1 e l_2. Após a normalização pela norma l_1, todas elas estão distribuídas ao longo de um quadrado, enquanto, ao serem normalizadas pela norma l_2, elas se distribuem ao longo de um círculo de raio unitário. Nesse exemplo, os dados foram centrados na média, apenas para facilitar a visualização.

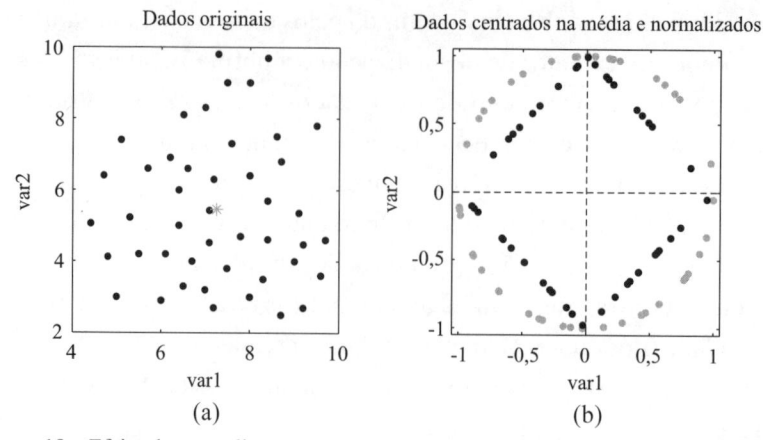

Figura 18 – Efeito da normalização em um conjunto de 44 amostras bivariadas. (a) Antes do pré-tratamento. (b) Distribuição das mesmas amostras após a normalização pelas normas l_1 (na forma de um quadrado) e l_2 (em um círculo).

Outro fator de normalização bastante comum é o valor de uma determinada variável j_o da amostra i, $\left|x_{ij_o}\right|$. Ele é útil quando se adiciona um padrão externo de concentração conhecida. A intensidade de cada variável relativa a este padrão fornece uma medida de quantificação absoluta, por exemplo, na análise de dados de ressonância magnética nuclear.

Um fator de normalização menos frequente, mas que pode ser utilizado é a amplitude[23], Amp_i, que é dada pela diferença entre as respostas máxima e mínima da i-ésima amostra:

$$Amp_i = \max_{1 \leq j \leq J} x_{ij} - \min_{1 \leq j \leq J} x_{ij}. \tag{19}$$

Com essa transformação, a variação máxima das respostas da amostra i é unitária.

Transformação de Kubelka-Munk

Quando um feixe de luz incide numa superfície perfeitamente lisa, ocorre a reflexão especular e ele é refletido numa única direção e no mesmo plano, como mostrado pelas linhas contínuas na representação

---

23 Do inglês: *range*.

esquemática da Figura 19. Se a rugosidade da superfície for maior que o comprimento de onda da luz incidente, ocorre a reflexão difusa, e a luz é espalhada esfericamente em todas as direções. Essa luz refletida (difusamente espalhada) é enviada para o detector. Bandas que são fracas em espectros de transmitância em geral se tornam mais intensas em espectros de reflectância difusa, e os espectros são mais ricos em informação. No entanto, o espalhamento de luz é um fenômeno extremamente complicado e, na maioria dos casos, causa deslocamentos na absorbância, mas que podem ser corrigidos.

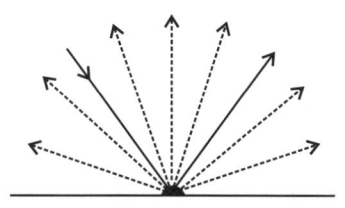

Figura 19 – Representação esquemática da reflexão difusa. Reflexão da luz incidente numa amostra perfeitamente lisa (linha contínua) e o espalhamento da luz refletida de uma amostra rugosa (linhas tracejadas).

Mesmo com boas práticas de preparação de amostra (tamanho, diluição, homogeneidade, empacotamento), o espectro de reflectância difusa pode ter um aspecto diferente do espectro equivalente de transmitância. A transformação de Kubelka-Munk pode ser aplicada ao espectro de reflectância para compensar essas diferenças e para linearizar espectros de amostras que apresentam espalhamento.

A equação original de Kubelka-Munk[24] relaciona a reflectância difusa absoluta com o coeficiente de espalhamento, s, e a absortividade molar, k, mas na prática, a reflectância absoluta foi substituída pela reflectância relativa (em relação a um padrão). A razão k/s é proporcional à quantidade de espécies absorventes na amostra. Uma versão corrigida da função original da equação de Kubelka-Munk é apresentada na equação 20. Essa equação, que define uma relação linear entre a intensidade espectral relativa e a concentração, é mais sofisticada que a simples

---

24 Kubelka, P. e Munk, F. 'Ein Beitrag zur Optik der Farbanstriche', *Zeits. Techn. Physik.* **12** (1931) 593-601.

transformação logarítmica, $-\log R_\lambda$, comentada anteriormente, se bem que utilizada com menor frequência.

$$\left[\frac{(1-R_{\lambda_1})^2}{2R_{\lambda_1}}\right] = \frac{k}{s} \propto \text{concentração} \qquad (20)$$

Uma discussão detalhada da teoria de Kubelka-Munk pode ser encontrada na literatura[25].

Correção multiplicativa de espalhamento – MSC[26]

A transformação MSC (*multiplicative scatter correction*) é usada para corrigir efeitos de espalhamento aditivos e multiplicativos na absorbância. Esses efeitos de espalhamento são causados por fenômenos físicos, como mudanças no caminho ótico, na sensibilidade do detector e do amplificador, variações na temperatura e na pressão e, diferenças no tamanho e na forma das partículas sólidas (pós e grãos), bem como de emulsões e dispersões, e não têm a ver com a composição das amostras.

Esses efeitos aditivos e multiplicativos de espalhamento são dependentes do comprimento de onda e devem ser removidos, pois constituem fontes de variabilidade irrelevante para o problema. Eles podem ser entendidos fazendo-se um gráfico do espectro de uma dada amostra *versus* um espectro ideal, em cada comprimento de onda. Na prática, o espectro "ideal" pode ser o espectro de uma das amostras do conjunto de dados, ou o espectro médio $\mathbf{x}_m$. A Figura 20a apresenta o gráfico das absorbâncias de cada comprimento de onda do espectro médio de 89 amostras, que foi tomado como o espectro "ideal", *versus* dois espectros individuais do conjunto de dados. A amostra representada em cinza-claro espalha mais que o espectro médio (em preto), enquanto a outra (em cinza-escuro) espalha menos. Os efeitos de espalhamento são removidos

---

25 Kortum, G. *Reflectance Spectroscopy*, Springer, NY, 1969.
26 Isaksson, T. e Naes, T. 'The Effect of Multiplicative Scatter Correction (MSC) and Linearity Improvement in NIR Spectroscopy', *Appl. Spectrosc.* **42** (1988) 1273-1284.

deslocando e escalando cada espectro para que ele se ajuste ao espectro "ideal". Os parâmetros de deslocamento corrigem os efeitos aditivos, enquanto os parâmetros de escalamento corrigem os efeitos multiplicativos, e ambos os efeitos podem ser estimados simultaneamente por meio de uma simples regressão linear.

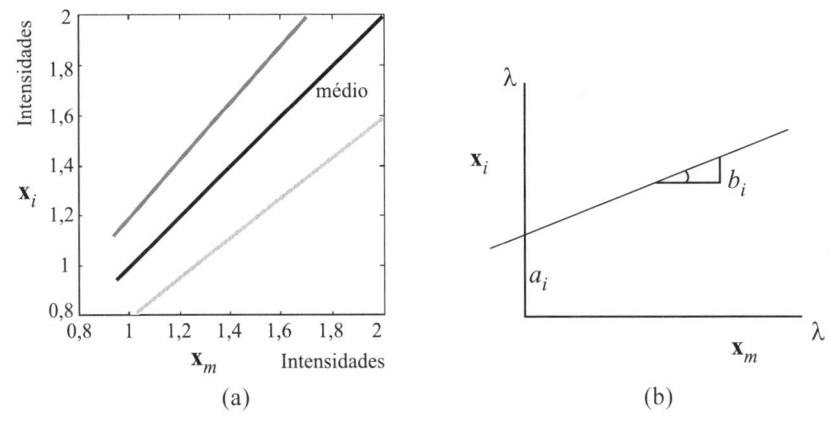

Figura 20 – (a) Gráfico das intensidades do espectro médio *versus* espectros de amostras individuais para mostrar os efeitos de espalhamento. (b) Representação da regressão linear do *i*-ésimo espectro original no espectro médio, para calcular simultaneamente os parâmetros de correção, *a* e *b*.

Essa correção não se aplica somente aos espectros na região do infravermelho próximo, NIR, mas pode ser útil para outros tipos de espectros. Variações no caminho ótico, na temperatura e na pressão podem causar efeitos similares em espectros Raman e na região do UV-VIS. Inclusive, essa é a razão por que vários autores dão uma conotação mais geral a essa correção, denominando-a de "correção multiplicativa de sinal".

Do ponto de vista algébrico, cada espectro i ($i = 1, 2, ..., I$) é visto aqui como um vetor-coluna ($\mathbf{x}_i$), que pode ser escrito como uma função linear do espectro médio através da equação 21, com a_i e b_i, considerados constantes para todos os comprimentos de onda da amostra i.

$$\mathbf{x}_i = a_i \mathbf{1} + b_i \mathbf{x}_m + \mathbf{e}_i \tag{21}$$

Os coeficientes a_i e b_i são estimados por quadrados mínimos fazendo-se a regressão de cada espectro i no espectro médio, conforme mostrado na Figura 20b. O espectro corrigido (dos efeitos de espalhamento), $\mathbf{x}_{i\,msc}$, é obtido subtraindo-se o termo constante a_i da absorbância em cada comprimento de onda do espectro original, $\mathbf{x}_i$, para corrigir os efeitos aditivos, e dividindo-se o resultado pelo coeficiente angular, b_i, para corrigir os efeitos multiplicativos. A equação 22 descreve todo o procedimento, em termos matriciais, para a correção do espectro da i-ésima amostra.

$$\begin{bmatrix} \vdots \\ \mathbf{x}_i \\ \vdots \\ \vdots \end{bmatrix} = \begin{bmatrix} 1 & \vdots \\ \vdots & \mathbf{X}_m \\ \vdots & \vdots \\ 1 & \vdots \end{bmatrix} \begin{bmatrix} a_i \\ b_i \end{bmatrix}, \quad \begin{bmatrix} a_i \\ b_i \end{bmatrix} = \left(\mathbf{X}_m^T \mathbf{X}_m\right)^{-1} \mathbf{X}_m^T \begin{bmatrix} \vdots \\ \mathbf{x}_i \\ \vdots \\ \vdots \end{bmatrix} \quad \text{e}$$

$$\begin{bmatrix} \vdots \\ \mathbf{x}_{i\,msc} \\ \vdots \\ \vdots \end{bmatrix} = \frac{1}{b_i} \left(\begin{bmatrix} \vdots \\ \mathbf{x}_i \\ \vdots \\ \vdots \end{bmatrix} - \begin{bmatrix} a_i \\ \vdots \\ \vdots \\ a_i \end{bmatrix} \right).$$

(22)

Incluímos também no quadro a seguir, a rotina em linguagem do MATLAB para o cálculo do espectro corrigido. Note-se que os coeficientes da regressão (a_i e b_i) estão dispostos numa matriz ($2 \times I$).

```
[I,J] = size(X);
Xm = [ones(J,1) mean(X)'];
% Xm é uma matriz de duas colunas, em que a primeira
% delas tem todas as suas entradas unitárias (1's)
coef = inv(Xm' * Xm) * Xm' * X';
Xmsc = (X' - ones(J,1) * coef(1,:)) ./ (ones(J,1) * coef(2,:));
Xmsc = Xmsc';
```

Utilizaremos o conjunto de espectros de amostras de café da Figura 2, com um número maior de amostras, para ilustrar o efeito da transformação MSC nos espectros originais. O resultado pode ser visto na

Figura 21, na qual é visível que a maior fonte de variância entre as amostras é oriunda de espalhamento.

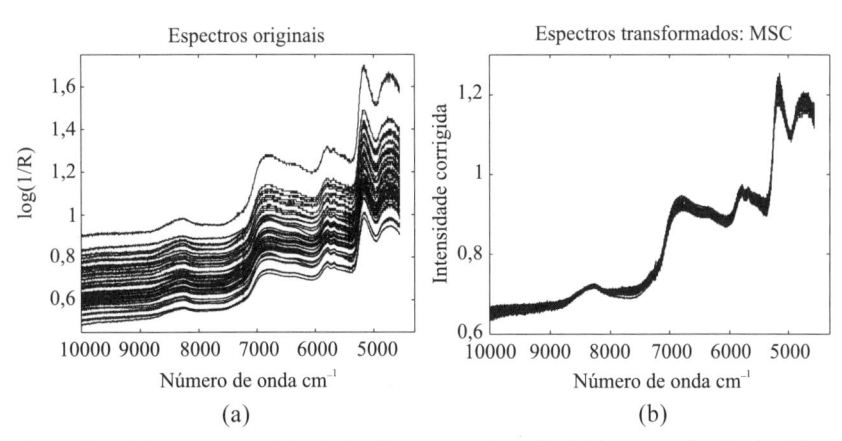

Figura 21 – (a) Espectros originais de 45 amostras de café obtidos por reflectância difusa na região do infravermelho próximo. (b) Espectros corrigidos pela transformação MSC.

Comparando esse pré-tratamento com o das derivadas, ambos corrigem deslocamentos na linha de base, mas a derivada segunda corrige a inclinação na linha de base, o que não ocorre com MSC. Por outro lado, as derivadas não removem efeitos multiplicativos, enquanto MSC, sim. Portanto, esses pré-tratamentos removem efeitos de diferentes naturezas e podem até ser aplicados um após o outro. A vantagem de usar MSC em relação ao uso da derivada é a preservação da forma original do espectro, o que facilita a interpretação dos resultados, embora não haja correção na inclinação da linha de base. Isso se deve ao fato de que a transformação MSC utiliza a projeção dos espectros no espectro "ideal", que possui essa mesma tendência. Ao usar dados tratados por MSC na construção de modelos de calibração, deve-se estar atento, pois se a ou b estiverem correlacionados com a propriedade de interesse, a correção MSC poderá remover informações importantes da matriz original dos dados, $\mathbf{X}$.

Padronização normal de sinal – SNV[27]

A transformação SNV[28], como a MSC, corrige efeitos aditivos e multiplicativos e é apropriada para remover interferências de espalhamento e de tamanho de partícula sólida. Ambos os métodos têm uma formulação matemática muito semelhante, diferindo apenas na definição dos parâmetros a e b. No método SNV, a_i é o valor médio das intensidades do i-ésimo espectro, $\bar{x}_i$, e b_i é o desvio-padrão, s_i[29], das intensidades desse espectro, como representado na equação 23. Na realidade, esse pré-tratamento corresponde a autoescalar cada linha da matriz original dos dados.

$$\begin{bmatrix} \vdots \\ \mathbf{x}_{i\,snv} \\ \vdots \\ \vdots \end{bmatrix} = \frac{1}{s_i} \left(\begin{bmatrix} \vdots \\ \mathbf{x}_i \\ \vdots \\ \vdots \end{bmatrix} - \begin{bmatrix} \bar{x}_i \\ \vdots \\ \vdots \\ \bar{x}_i \end{bmatrix} \right) \quad \text{onde} \tag{23}$$

$$\bar{x}_i = \frac{1}{J}\sum_{j=1}^{J} x_{ij} \quad \text{e} \quad s_i = \sqrt{\sum_{j=1}^{J}(x_{ij} - \bar{x}_i)^2}.$$

A Figura 22 contém os mesmos espectros das amostras de café após a correção pelo método SNV. Note-se como os resultados são semelhantes aos obtidos na Figura 21 pelo método MSC que acabamos de ver.

---

[27] Barnes, R. J.; Dhanoa, M. S. e Leister, S. J. 'Standard Normal Variate Transformation and De-trending of near-Infrared Diffuse Reflectance Spectra', *Appl. Spectrosc.* **43** (1989) 772-777.

[28] Do inglês: *Standard Normal Variate*.

[29] Nesse cálculo do desvio-padrão não foi feita a divisão por $\sqrt{(J-1)}$, para manter a magnitude dos valores no espectro transformado semelhante à do original.

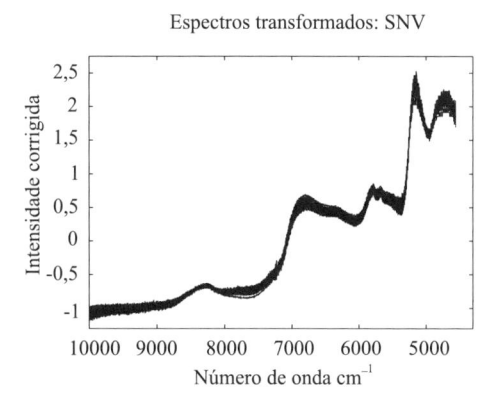

Figura 22 – Espectros das amostras de café corrigidos pela transformação SNV.

O exemplo que mostraremos a seguir ilustra o efeito de algumas das transformações vistas neste capítulo. O conjunto de dados contém os espectros de reflectância difusa de 42 amostras de produtos de tomate[30], registrados na região do infravermelho próximo, na faixa de 4.000 cm^{-1} a 10.000 cm^{-1} com resolução de 8 cm^{-1}, e está representado graficamente na Figura 23 ($\mathbf{X}$ = (42 × 1.557). O ruído experimental é significativamente mais alto nas regiões de 4.000 cm^{-1} a 5.500 cm^{-1} e de 6.300 cm^{-1} a 7.300 cm^{-1}, devido à baixa intensidade de radiação infravermelha atingindo o detector (notem-se os elevados valores de log(1/R)). Esse efeito foi mais pronunciado nos espectros das amostras contendo baixos teores de sólidos de tomate (quanto menor a quantidade de material particulado, maior o caminho ótico efetivo). Além disso, os espectros apresentam um deslocamento e uma inclinação na linha de base originados pelas diferenças na quantidade de material insolúvel particulado e nas dimensões das suas partículas. Quanto maior o número de partículas, e quanto menor seu tamanho, maior o espalhamento e, consequentemente, menor o caminho óptico. Assim, amostras contendo maior concentração de sólidos de tomate e, portanto, de material particulado, apresentam menores desvios das linhas de base.

---

30 Pedro, A. M. K. e Ferreira, M. M. C. 'Non-Destructive Determination of Solids and Carotenoids in Tomato Products by Near Infrared Spectroscopy and Multivariate Calibration', *Anal. Chem.* **77** (2005) 2505-2511.

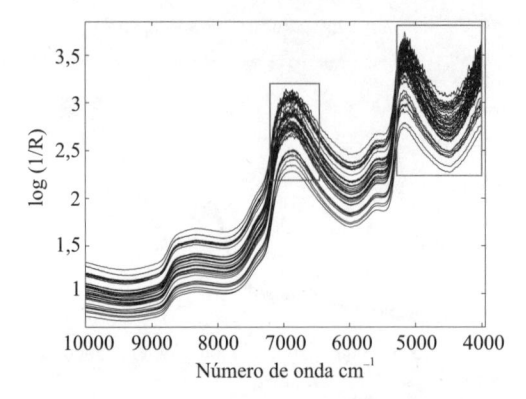

Figura 23 – Espectros de 42 amostras de produtos de tomate obtidos por refletância difusa na região do NIR. Em destaque estão as regiões com ruído mais intenso.

Sugere-se tomar as derivadas dos espectros para eliminar os deslocamentos constantes da linha de base (primeira derivada) e as suas inclinações (segunda derivada). Em princípio, ambos os problemas seriam resolvidos simultaneamente. Os resultados obtidos com a aplicação das duas derivadas aos espectros são mostrados na Figura 24, onde é evidente que houve uma redução drástica dos sinais. As intensidades, que nos espectros originais estavam na faixa de de 0,8 a 3,7, com aplicação das derivadas se restringem às faixas de –4,0 a 2,0 × 10^{-2} para a primeira e –4,0 a 2,0 10^{-3} para a segunda derivada. Outro fato que se observa é o acréscimo significativo do ruído, nas regiões de 4.000 cm^{-1} a 5.500 cm^{-1} e de 6.300 cm^{-1} a 7.300 cm^{-1}, com o uso desta metodologia.

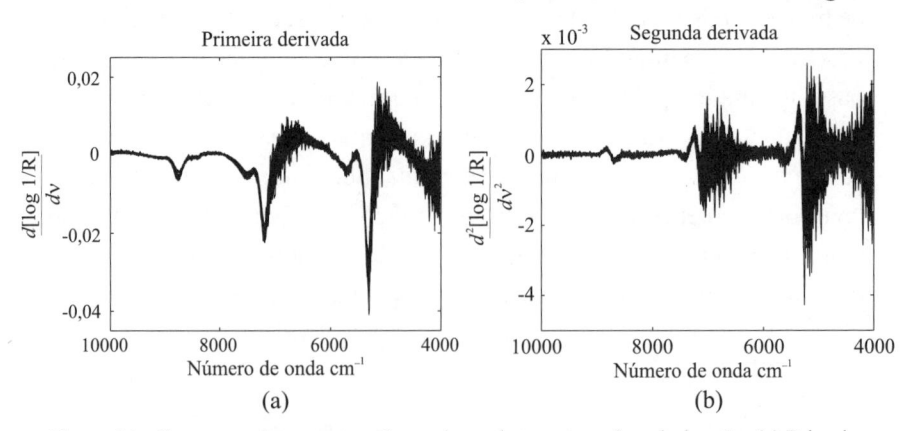

Figura 24 – Espectros das amostras de produtos de tomate após a derivação. (a) Primeira derivada. (b) Segunda derivada. As derivadas foram calculadas pelo método de Savitzky-Golay usando uma janela de 11 pontos ($m = 5$) e um polinômio de segundo grau ($n = 2$).

Esses resultados podem ser melhorados aumentando a razão S/R com um alisamento aplicado aos dados originais antes da aplicação das derivadas. Para isso foi usado o método da média com uma janela de 11 pontos ($m = 5$), e alguns dos espectros resultantes estão na Figura 25b para ilustrar o efeito do alisamento. Com esse alisamento, o número de variáveis foi reduzido para 142. É visível o acréscimo na relação S/R, especialmente nas duas regiões onde o ruído era mais intenso (ver Figura 25a). A forma geral do espectro não sofreu alteração e, portanto, não houve perda significativa de informação com essa transformação.

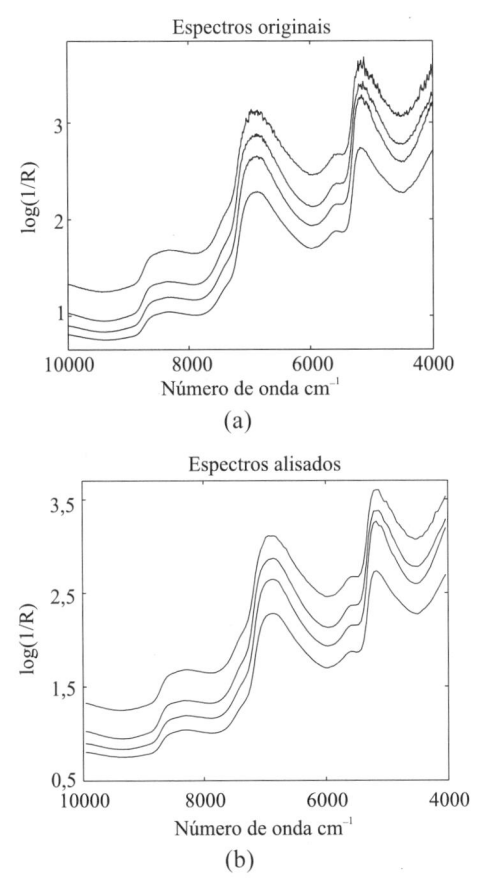

Figura 25 – (a) Alguns dos espectros originais de produtos de tomate. (b) Espectros alisados pela média usando uma janela de 11 pontos.

Após o alisamento, os espectros foram, então, derivados para a correção dos efeitos de linha de base, e os resultados da Figura 26 podem ser comparados aos da Figura 24 antes da aplicação do alisamento. Esse exemplo mostra a importância do uso correto das transformações.

Primeira derivada

(a)

Segunda derivada

(b)

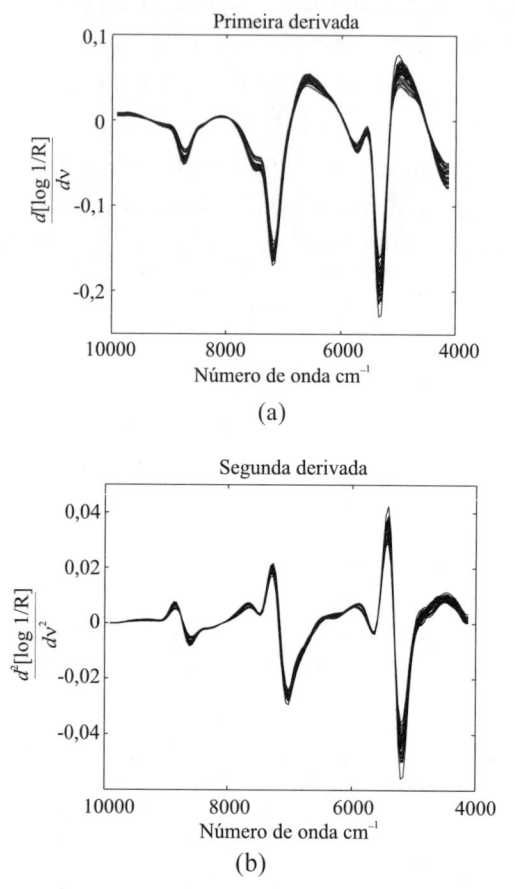

Figura 26 – Espectros das amostras de produtos de tomate derivados, após o alisamento pela média, quando o número de variáveis foi reduzido a 142. (a) Primeira derivada. (b) Segunda derivada. As derivadas foram calculadas pelo método de Savitzky-Golay usando uma janela de 7 pontos ($m = 3$) e um polinômio de segundo grau ($n = 2$).

As duas outras transformações a serem consideras são as correções MSC e SNV. Aplicando-se agora ambos os métodos aos espectros alisados (pelo método da média com uma janela de 11 pontos ($m = 5$)), obtemos os resultados mostrados na Figura 27. A forma dos espectros transformados é muito semelhante nos dois casos. O deslocamento da linha de base foi em grande parte removido, enquanto a inclinação da linha de base permanece. A diferença nos resultados dos dois pré-tratamentos se encontra nos valores das intensidades corrigidas.

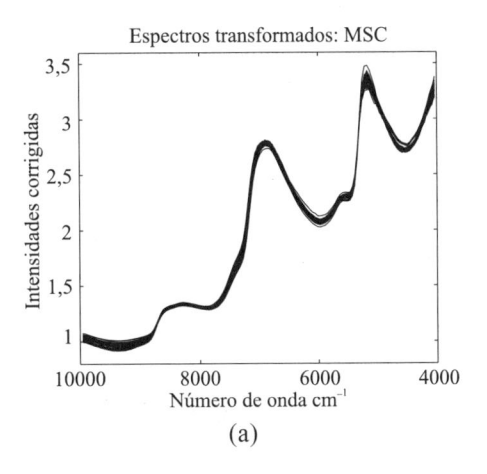

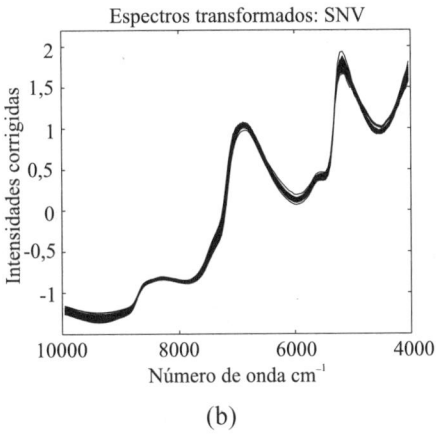

Figura 27 – (a) Espectros das amostras de produtos de tomate corrigidos pela correção multiplicativa de espalhamento MSC. (b) Espectros corrigidos pela padronização normal SNV.

Já foi comentado anteriormente que as correções MSC e SNV corrigem efeitos aditivos e multiplicativos. No entanto as derivadas corrigem efeitos aditivos, mas não os multiplicativos. Na Figura 28 apresentamos os espectros das amostras de produtos de tomate após o alisamento e a combinação de ambas as transformações: a primeira derivada calculada pelo método de Savitzky-Golay usando uma janela de 7 pontos ($m = 3$) e um polinômio de segundo grau ($n = 2$), e a seguir, a correção multiplicativa de sinal. Ao calcular a primeira derivada, as contribuições aditivas na absorbância causadas pelo espalhamento de luz são eliminadas e a inclinação da linha de base é reduzida a um efeito aditivo (deslocamento constante na linha de base). Esse efeito aditivo e os efeitos multiplicativos são removidos ao se aplicar a correção MSC. Comparando as Figuras 28a e 28b, nota-se que, com a combinação dos dois pré-tratamentos, houve maior remoção de variabilidade indesejada.

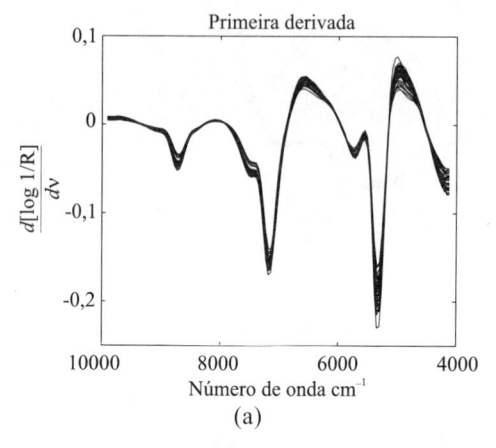

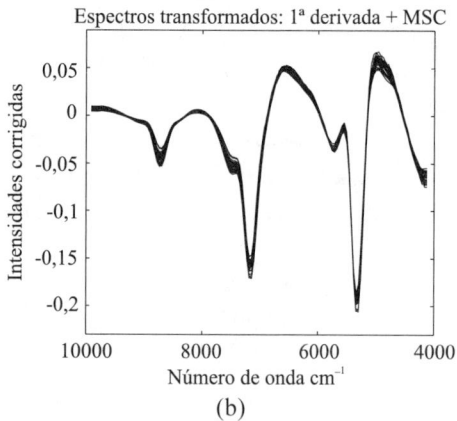

Figura 28 – (a) Espectros das amostras de produtos de tomate, após o alisamento pela média e o cálculo da primeira derivada. (b) Combinação dos seguintes pré-tratamentos: primeira derivada e a seguir, a correção MSC.

Duas metodologias que estão se tornando populares nos pré-tratamento dos dados são a correção ortogonal de sinal, OSC, e a transformação de ondaleta (*wavelet*). Não é nosso objetivo discutir em detalhes esses dois métodos, mas apenas dar uma breve introdução e citar algumas referências básicas para o leitor interessado.

Correção ortogonal de sinal – OSC

A transformação OSC (*orthogonal signal correction*) foi introduzida recentemente como uma alternativa à correção MSC para melhorar a capacidade preditiva de modelos de calibração[31], embora já tenha sido utilizada anteriormente em outras técnicas espectroscópicas. Esse método está fundamentado na ideia de que grande parte da variação sistemática presente na matriz de dados, **X**, tem baixa correlação com a propriedade de interesse e, portanto, tem pouco ou nenhum valor preditivo. Assim sendo, é desejável que a variância ortogonal à propriedade de interesse seja removida do conjunto de dados.

O algoritmo original determinava os sinais ortogonais por meio de um algoritmo iterativo que emprega alternadamente uma ortogonalização e uma etapa de regressão. Posteriormente, foi proposta uma metodologia totalmente diferente, que determina as componentes ortogonais do sinal diretamente, resolvendo um problema de autovalores, e com a vantagem de corrigir os dados antes de fazer a regressão[32].

O interessante dessa correção espectral é que, ao remover as variações ortogonais, a complexidade do modelo (número de fatores no modelo) tende a diminuir, mas a sua capacidade preditiva permanece inalterada. Novas melhorias no método OSC foram introduzidas para relaxar a restrição de ortogonalidade, com o objetivo de produzir modelos menos complexos e mais preditivos (com melhor capacidade preditiva)[33,34].

Transformação de ondaleta (*wavelet*) – TW

A transformada de ondaletas (TW) teve seu florescimento na Química no final da década de 1980. Tal como a transformada de Fourier, esta é uma transformação que fornece informações nos domínios do

---
31 Wold, S.; Antti, H.; Lindgren, F. e Öhman, J. 'Orthogonal signal correction of near-infrared spectra', *Chemom. Intell. Lab. Syst.* **44** (1998) 175-185.
32 Fearn, T. 'On orthogonal signal correction', *Chemom. Intell. Lab. Syst.* **50** (2000) 47-52.
33 Westerhuis, J. A.; de Jong, S. e Smilde, A. K. 'Direct orthogonal signal correction', *Chemom. Intell. Lab. Syst.* **56** (2001) 13-25.
34 Feudale, R. N.; Tan, H. e Brown, S. D. 'Piecewise orthogonal signal correction', *Chemom. Intell. Lab. Syst.* **63** (2002) 129-138.

tempo (que é o domínio físico descrito anteriormente) e da frequência. Uma ondaleta é definida como uma família de funções (um conjunto de base de ondaletas) derivadas por translação e expansão/contração, enquanto na transformada de Fourier as funções de base são funções trigonométricas (senos e cosenos). A TW é o resultado da projeção do sinal original nessas funções de base. Existe uma grande variedade de funções de base de ondaletas comparadas às de Fourier. A característica mais marcante da TW é a propriedade de localização, tanto no domínio físico quanto no da frequência, enquanto a transformada de Fourier é localizada somente no domínio da frequência (ver Figura 13). Na TW, um sinal complexo pode ser particionado em componentes com diferentes frequências. Por exemplo, um espectro que é composto pelo sinal químico de interesse, de linha de base (espectro de fundo) e de ruído aleatório, pode ser decomposto como $WT(\mathbf{x}) = \mathbf{x}_f(\text{sinal}) + \mathbf{x}_f(\text{ruído}) + \mathbf{x}_f(\text{linha de base})$, onde $\mathbf{x}_f$ indica o espectro transformado no domínio da frequência. Sendo possível identificar cada uma dessas contribuições, o método da TW pode ser utilizado para a remoção daquelas que são indesejáveis. A informação da linha de base pode ser encontrada nas frequências mais baixas, enquanto o ruído é caracterizado pelas frequências mais altas.

Portanto, essa transformação pode ser utilizada para minimizar simultaneamente os efeitos de ruídos (eliminando as frequências altas) e os desvios tendenciosos da linha de base (removendo as frequências mais baixas indesejadas), mas a aplicação mais interessante é como um método de compressão de dados. Nesse caso, os coeficientes das funções de base que não são significativos não são considerados, de modo que o sinal pode ser representado por uma pequena fração dos coeficientes derivados. Para uma descrição mais detalhada do método, o leitor deve consultar a literatura[35,36,37].

---

35 Massart, D. L.; Vandeginste, B. G. M.; Buydens, L. M. C.; de Jong, S. ; Lewi, P. J. e Smeyers-Verbeke, J. *Handbook of Chemometrics and Qualimetrics: Part B*, Elsevier, Amsterdam, 1997.

36 Walczak, B. e Massart, D. L. 'Noise suppression and signal compression using the wavelet packet transform', *Chemom. Intell. Lab. Syst.* **36** (1997) 81-94.

37 Alsberg, B. K.; Woodward; A. M. e Kell, D. B. 'An introduction to wavelet transforms for chemometricians: A time-frequency approach', *Chemom. Intell. Lab. Syst.* **37** (1997) 215-239.

Correção de deslocamentos ao longo da linha de base[38]

Até este momento, não comentamos a respeito dos deslocamentos que podem ocorrer no eixo das abscissas, que são muito comuns em cromatografia e em ressonância magnética nuclear (RMN), mas que podem ocorrer também na espectroscopia, devido às variações drásticas na temperatura. Esses deslocamentos devem ser eliminados ou reduzidos, pois, como já mencionamos anteriormente, para a análise os dados, as variáveis devem descrever cada uma o mesmo atributo.

Em primeiro lugar, a cromatografia será usada como exemplo, se bem que o método que enfatizaremos aqui pode ser aplicado para alinhar espectros de RMN. Um aspecto importante a ser considerado quando se analisam diretamente os cromatogramas (os perfis de eluição) é o deslocamento de picos que ocorre com frequência, em decorrência de variações na temperatura, idade da coluna, pequenas variações na composição da fase móvel e diferentes maneiras de injeção da amostra. O pré-tratamento aplicado a fim de corrigir esses deslocamentos é o alinhamento dos picos dos cromatogramas. Várias técnicas de alinhamento foram propostas na literatura. Dentre elas encontram-se os métodos *Correlation Optimized Warping* (COW)[39,40,41,42,43], *Dynamic Time Warping* (DTW)[44,45] e *Parametric Time Warping* (PTW)[42,46].

---

38 Do inglês: *drifts*.
39 Do inglês: *Correlation Optimized Warping*.
40 Nielsen, N. P. V.; Carstensenb, J. M. e Smedsgaard, J. 'Aligning of single and multiple wavelength chromatographic profiles for chemometric data analysis using correlation optimized warping', *J. Chromatogr. A* **805** (1998) 17-35.
41 Pravdova, V.; Walczak, B. e Massart, D. L. 'A comparison of two algorithms for warping of analytical signals', *Anal. Chim. Acta* **456** (2002) 77-92.
42 Tomasi, G.; van den Berg, F. e Andersson, C. 'Correlation optimized warping and dynamic time warping as preprocessing methods for chromatographic', *J. Chemom.* **18** (2004) 231-241.
43 Skov, T.; van der Berg, F.; Tomasi, G. e Bro, R. 'Automated alignment of chromatographic data', *J. Chemom.* **20** (2006) 484-497.
44 Wang, C. P. e Isenhour, T. L. 'Time-warping algorithm applied to chromatographic peak matching gas chromatography/Fourier transform infrared/mass spectrometry', *Anal. Chem.* **59** (1987) 649-654.
45 Kassidas, A.; MacGregor, J. F. e Taylor, P. A. 'Synchronization of Batch Trajectories Using Dynamic Time Warping', *AIChE J.* **44** (1998) 864-875.
46 Eilers, P. H. C. 'Parametric Time Warping', *Anal. Chem.* **76** (2004) 404-411.

O método COW é o mais popular para o alinhamento de picos cromatográficos, espectroscópicos e de ressonância magnética nuclear, e o algoritmo se encontra disponível na página www.models.kvl.dk/source/. Esse método foi proposto no final da década de 1990 e está descrito em detalhes nas referências mencionadas na página anterior. Ele alinha um cromatograma desalinhado e representado por $\mathbf{x}_d$ a um cromatograma de referência designado por $\mathbf{x}_r$. Nesse caso, $\mathbf{x}_r$ pode ser o cromatograma médio, ou aquele que apresentar um perfil de eluição com os picos adequadamente resolvidos.

Ambos os vetores, $\mathbf{x}_d$ e $\mathbf{x}_r$, são divididos em um número $N = J/M$ de janelas (segmentos), em que J é o número total de variáveis (tempos de retenção) e M é o número de variáveis em cada janela do cromatograma. Durante o alinhamento, os pontos iniciais e finais do vetor desalinhado $\mathbf{x}_d$ e do vetor de referência $\mathbf{x}_r$ são coincidentes e permanecem fixos durante todo o procedimento.

Cada janela de $\mathbf{x}_d$ é alinhada com a respectiva janela de $\mathbf{x}_r$. Seu tamanho será alongado ou comprimido ajustando um parâmetro de flexibilidade, "*slack*", que permite variar a posição do ponto final da janela. A quantidade de pontos dessa janela de $\mathbf{x}_d$ será equalizada à de $\mathbf{x}_r$ tomando-se adequadamente pontos extraídos de uma interpolação linear. O processo é repetido para todas as outras janelas do cromatograma.

É necessário definir dois parâmetros que são responsáveis pela qualidade do alinhamento. O primeiro deles é o número de janelas, N, e o segundo é o parâmetro de distorção, s, que define todas as possíveis deformações, ou seja, as posições finais de cada janela. A qualidade do alinhamento está diretamente ligada à razão entre esses parâmetros (s/N), que pode ser entendida como a flexibilidade do alinhamento.

A posição da extremidade final de cada janela é definida pelo parâmetro s, tal que cada uma pode ser alongada ou encurtada de $-s$ a $+s$ pontos, com exceção dos pontos inicial e final do cromatograma, que já haviam sido fixados. Por exemplo, se s for igual a dois, existem cinco possíveis pontos finais de uma janela: $-2, -1, 0, 1$ e 2. Supondo que o parâmetro de distorção s seja igual a -2, a janela é comprimida de duas variáveis e, para $s = +2$, ela é estendida de duas variáveis.

A Figura 29 apresenta um fragmento dos cromatogramas, compreendendo os tempos de retenção de 2,8 a 3,8 minutos, dos voláteis de grãos de café arábica torrados, extraídos por microextração em fase sólida (SPME), antes e após o alinhamento[47]. Os cromatogramas foram divididos em dez janelas ($N = 10$) e o parâmetro de distorção foi definido como sendo igual a um ($s = 1$) antes da aplicação do método COW.

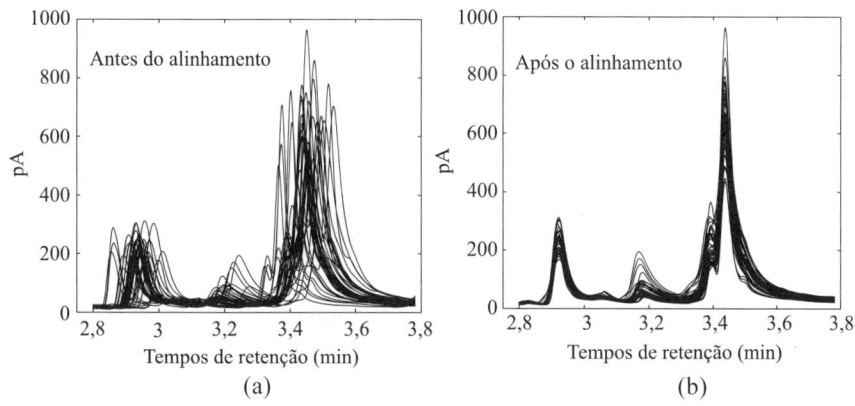

Figura 29 – Gráficos de uma secção dos cromatogramas dos voláteis de grãos torrados de café arábica e extraídos por SPME. (a) Antes do alinhamento. (b) Após o alinhamento feito com o método COW para $N = 10$ e $s = 1$.

Fazendo algumas considerações a respeito dos desalinhamentos que ocorrem nos espectros de RMN (nos deslocamentos químicos), eles surgem mesmo em uma análise padronizada, pois algumas regiões dos espectros são mais ou menos sensíveis às interações intermoleculares, pH e temperatura, além das variações instrumentais. Além dos pré-tratamentos com os métodos COW e DTW, existem na literatura outros métodos que podem ser aplicados com êxito. Dentre eles, podemos citar os métodos *Correlation-shifting*[48] (coshift) e *Interval-correlation--shifting*[49] (icoshift).

---

47 Ribeiro, J. S.; Augusto, F.; Salva ,T. J. G.; Thomaziello, R. A. e Ferreira M. M. C. 'Prediction of sensory properties of Brazilian Arabica roasted coffees by headspace solid phase microextraction-gas chromatography and partial least squares', *Anal. Chim. Acta* **634** (2009) 172-179.
48 Winning, H.; Larsen, F. H., Bro, R. e Engelsen, S. B. 'Quantitative analysis of NMR spectra with Chemometrics', *J. Mag. Res.* **190** (2008) 26-32.
49 Savorani, F.; Tomasi, G. e Engelsen, S. B. 'Icoshift: A versatile tool for the rapid alignment of 1D NMR spectra', *J. Mag. Res.* **202** (2010) 190-202.

Uma maneira bem simples de fazer a correção nos espectros de RMN é dividir o espectro em janelas e somar as intensidades pertencentes a cada uma delas, de maneira semelhante ao alisamento pela média, proposto na seção 2.4.1.1. Essa metodologia é conhecida na literatura como *bining* ou *bucketing* e além de contornar os problemas de desalinhamento também filtra ruídos. Entretanto o uso de janelas uniformes pode causar a separação de picos ou características espectrais em diferentes janelas, recriando uma imprecisão nos dados. Além disto, pode mascarar mudanças potencialmente significativas de picos de baixa intensidade, quando próximos de sinais intensos. Foi proposto recentemente na literatura o método de *buckets* otimizados, no qual o tamanho de cada janela é variável. Este método produz melhores resultados, uma vez que elimina a divisão de picos em múltiplas janelas e retém a informação espectral[50]. O algoritmo se encontra disponível na página do laboratório de Quimiometria Teórica e Aplicada (www.lqta.unicamp.br).

2.4.2 Pré-Processamento dos dados

Acabamos de ver os pré-tratamentos mais comuns aplicados às amostras. Agora, vamos considerar aqueles aplicados às variáveis, *i.e.*, a cada uma das colunas da matriz de dados. Esse é um procedimento de rotina importante em qualquer análise quimiométrica.

Centragem dos dados na média

Para centrar os dados na média, primeiro calcula-se o valor médio de cada coluna da matriz de dados e, a seguir, esse valor é subtraído de cada um dos valores da respectiva coluna, tal como mostra a expressão 24.

$$x_{ij(cm)} = x_{ij} - \bar{x}_j \tag{24}$$

onde $\bar{x}_j = \dfrac{1}{I}\sum_{i=1}^{I} x_{ij}$ é a média da *j*-ésima coluna dos dados.

---

50 Sousa S. A. A.; Magalhães A. e Ferreira, M. M. C. 'Optimized bucketing for NMR spectra: three case studies', *Chemom. Intell. Lab. Syst.* **122**, (2013) 93-102.

O resultado desse pré-processamento é apenas uma translação de eixos para o valor médio de cada um deles e, consequentemente, a estrutura dos dados é totalmente preservada.

Escalamento pela variância

Nos métodos de escalamento, os dados são divididos por um fator de escala que é uma medida da dispersão dos dados. A expressão 25 mostra como os dados são escalados pela variância. Os elementos de cada uma das variáveis (colunas de **X**) são divididos pelo fator de escala que é o seu respectivo desvio-padrão.

$$x_{ij(v)} = \frac{x_{ij}}{s_j} \tag{25}$$

onde $s_j^2 = \frac{1}{I-1}\sum_{i=1}^{I}(x_{ij} - \bar{x}_j)^2$ é a variância da j-ésima variável (o quadrado do desvio-padrão).

Autoescalamento[51]

O autoescalamento implica subtrair de cada elemento de uma coluna da matriz de dados o valor médio da respectiva coluna e dividir o resultado pelo desvio-padrão dessa coluna, de acordo com a expressão 26. Em resumo, cada coluna da matriz de dados é centrada na média e escalada pelo desvio-padrão.

$$x_{ij(a)} = \frac{x_{ij} - \bar{x}_j}{s_j} \tag{26}$$

Note-se que o escalamento pela variância e o autoescalamento tornam os dados adimensionais, ou seja, com valores invariantes com respeito à unidade utilizada originalmente.

---

51 Há autores que utilizam o termo "autoescalonamento" em quimiometria, mas esse termo não é adequado neste contexto, uma vez que ele é empregado na teoria de matrizes para designar outra operação.

Existem extensões do autoescalamento que usam diferentes fatores de escala. Vamos citar três delas:

1) Escalamento de Pareto que, ao invés do desvio-padrão, utiliza a raiz quadrada do desvio-padrão como fator de escala e $x_{ij(P)} = \dfrac{x_{ij} - \bar{x}_j}{\sqrt{s_j}}$ (note que os dados pré-processados deixam de ser adimensionais).

2) Escalamento segundo a estabilidade da variável (conhecido como VAST – *variable stability*). Neste caso, o enfoque é nas variáveis que não apresentam grande variação (designadas variáveis estáveis) e os fatores de escala são dois: o desvio padrão e o coeficiente de variação que é definido como $cv = s_j/\bar{x}_j$. O resultado dos dados pré-processados neste caso é dado pela expressão $x_{ij(VAST)} = \dfrac{x_{ij} - \bar{x}_j}{s_j \times cv}$.

3) Escalamento por nivelamento, no qual o fator de escala é o valor médio (ou a mediana) que não é uma medida de dispersão como em todos os outros casos, mas de tamanho e então $x_{ij(nivel)} = \dfrac{x_{ij} - \bar{x}_j}{\bar{x}_j}$.

Escalamento pela amplitude[52]

Nesse pré-processamento, o fator de escala é a amplitude e os dados são escalados como indicado na equação 27:

$$x_{ij(amp)} = \dfrac{x_{ij} - x_{j(min)}}{x_{j(max)} - x_{j(min)}}, \qquad (27)$$

onde $x_{j(min)} = \min\limits_{1 \leq j \leq J} |x_{ij}|$ e $x_{j(max)} = \max\limits_{1 \leq j \leq J} |x_{ij}|$.

No caso em que $x_{ij} = x_{j(min)}$, o valor escalado pela amplitude é igual a zero e, para $x_{ij} = x_{j(max)}$, o valor escalado será $x_{ij(amp)} = 1,0$. Após o escalamento, todos os valores da matriz de dados variam no intervalo de zero a um. Obviamente, quando todos os valores de uma coluna forem constantes, $x_{j(min)} = x_{j(max)}$, esse pré-processamento será inócuo.

---

52 Do inglês: *range scaling*.

Preparação dos dados para análise

A seguir, usando um exemplo numérico bem simples, ilustraremos como os pré-processamentos mais usados são efetuados e qual o efeito de cada um deles no conjunto de dados.

Tomaremos como exemplo, a matriz de dados representada na Figura 30.

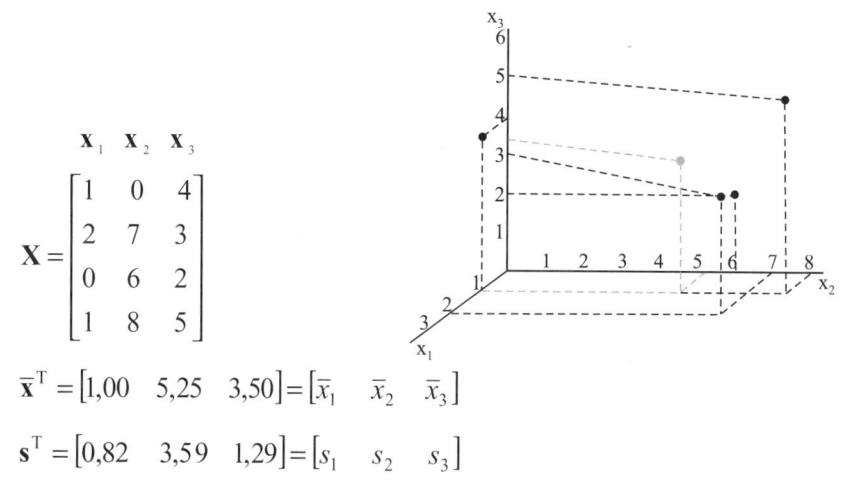

$$\mathbf{X} = \begin{bmatrix} & \mathbf{x}_1 & \mathbf{x}_2 & \mathbf{x}_3 \\ & 1 & 0 & 4 \\ & 2 & 7 & 3 \\ & 0 & 6 & 2 \\ & 1 & 8 & 5 \end{bmatrix}$$

$$\bar{\mathbf{x}}^T = \begin{bmatrix} 1{,}00 & 5{,}25 & 3{,}50 \end{bmatrix} = \begin{bmatrix} \bar{x}_1 & \bar{x}_2 & \bar{x}_3 \end{bmatrix}$$

$$\mathbf{s}^T = \begin{bmatrix} 0{,}82 & 3{,}59 & 1{,}29 \end{bmatrix} = \begin{bmatrix} s_1 & s_2 & s_3 \end{bmatrix}$$

Figura 30 – Representação matricial e gráfica de um conjunto de três medidas feitas para cada uma das quatro amostras. $\bar{\mathbf{x}}^T$ e $\mathbf{s}^T$ são os vetores da média e do desvio-padrão, respectivamente. O ponto cinza indica o ponto médio (centroide) do conjunto de dados.

Observe que $\bar{\mathbf{x}}^T$ é um vetor-linha contendo as médias das colunas de $\mathbf{X}$ e o vetor $\mathbf{s}^T$, que também é um vetor-linha, contém o desvio-padrão de cada coluna. O gráfico 3D da Figura 30 mostra os quatro objetos e o ponto médio (em cinza) do conjunto de dados, dado pelo vetor cujas coordenadas são $(\bar{x}_1;\ \bar{x}_2;\ \bar{x}_3)$. Essas informações podem ser resumidas graficamente, na forma de gráficos de barras. Na Figura 31a, a primeira barra corresponde à primeira variável, $\mathbf{x}_1$, cujos valores variam entre zero e 2, com um valor médio $\bar{x}_1 = 1{,}00$. A segunda barra referente à variável $\mathbf{x}_2$ tem valores entre zero e 8, com um valor médio $\bar{x}_2 = 5{,}25$, enquanto os valores de $\mathbf{x}_3$ variam entre 2 e 5 com valor médio $\bar{x}_3 = 3{,}50$. No gráfico (b) da mesma figura estão representados os valores médios de cada variável em cinza e os desvios-padrão de cada uma delas: $s_1 = \pm\, 0{,}82$ para $\mathbf{x}_1$, $s_2 = \pm\, 3{,}59$ para $\mathbf{x}_2$ e $s_3 = \pm\, 1{,}29$ para $\mathbf{x}_3$.

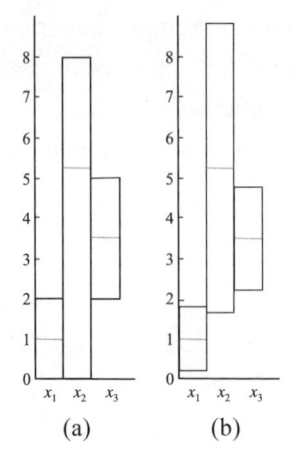

Figura 31 – Gráfico de barras de cada uma das variáveis. As linhas horizontais cinza se referem aos valores médios de cada variável. (a) Faixa de variação de cada variável. (b) Intervalo do desvio-padrão de cada variável.

Para centrar os dados na média, o valor médio de cada coluna é subtraído dos respectivos elementos da coluna, usando a equação 24 ou a rotina escrita na linguagem do *software* MATLAB, apresentada no quadro abaixo. Geometricamente, esse procedimento equivale a fazer uma translação do sistema de eixos ao longo do vetor (1,00; 5,25; 3,50) para o centro (ponto médio) do conjunto de dados. A distância entre as amostras não foi alterada, como mostra a Figura 32, na qual as amostras podem ser visualizadas no espaço original e com a origem centrada na média (representada pelo ponto cinza). Em termos matriciais, a centragem dos dados na média equivale a realizar as operações indicadas na equação 28.

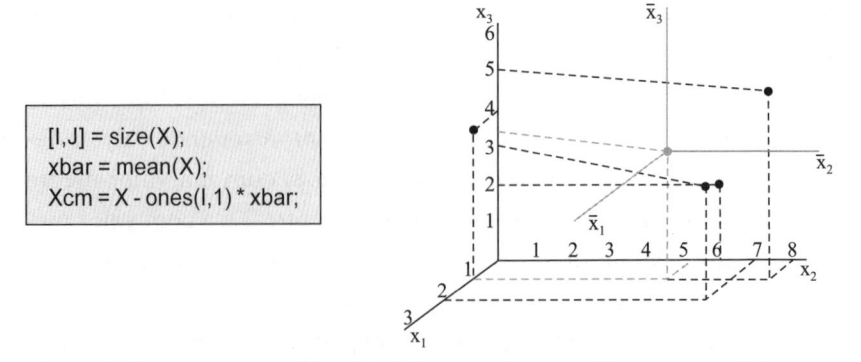

```
[I,J] = size(X);
xbar = mean(X);
Xcm = X - ones(I,1) * xbar;
```

Figura 32 – Representação gráfica dos dados centrados na média, no espaço-linha.

$$\mathbf{X}_{cm} = \mathbf{X} - \mathbf{1} * \bar{\mathbf{x}}^T = \mathbf{X} - \begin{bmatrix} 1,0 \\ 1,0 \\ 1,0 \\ 1,0 \end{bmatrix} \begin{bmatrix} 1,00 & 5,25 & 3,50 \end{bmatrix}$$

(28)

$$\mathbf{X}_{cm} = \begin{bmatrix} 1 & 0 & 4 \\ 2 & 7 & 3 \\ 0 & 6 & 2 \\ 1 & 8 & 5 \end{bmatrix} - \begin{bmatrix} 1,0 & 5,25 & 3,5 \\ 1,0 & 5,25 & 3,5 \\ 1,0 & 5,25 & 3,5 \\ 1,0 & 5,25 & 3,5 \end{bmatrix} = \begin{bmatrix} 0,0 & -5,25 & 0,5 \\ 1,0 & 1,75 & -0,5 \\ -1,0 & 0,75 & -1,5 \\ 0,0 & 2,75 & 1,5 \end{bmatrix}$$

A Figura 33 apresenta o gráfico de barras para os dados centrados na média. Esse procedimento pode ser interpretado como o deslocamento de cada uma das barras até que os valores médios (indicados em cinza na Figura 31) coincidam com o zero (eixo das abscissas na Figura 31a). O tamanho de cada uma delas se manteve intacto.

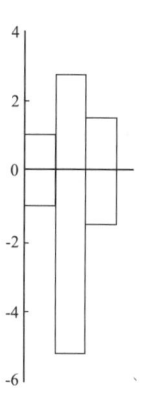

Figura 33 – Gráficos de barra para os dados centrados na média.

Se os dados originais são escalados pela variância, cada elemento da matriz original será dividido pelo desvio-padrão da respectiva coluna, segundo a expressão dada na equação 25. A seguir apresentamos, na caixa de texto, os comandos para serem utilizados no *software* MATLAB e, na equação 29, uma sequência de operações matriciais efetuadas para escalar os dados pela variância. Os elementos da matriz diagonal são os desvios-padrão de cada uma das variáveis, como indicado pelo vetor, $\mathbf{s}^T$, na Figura 30.

```
s = sqrt(sum(Xcm .^ 2) / (I - 1));
%ou
s = std(X);
Xv = X ./ (ones(I,1) * s)
% o símbolo './' indica que os respectivos elementos
% de cada matriz serão divididos entre si.
```

$$\mathbf{X}_v = \begin{bmatrix} 1 & 0 & 4 \\ 2 & 7 & 3 \\ 0 & 6 & 2 \\ 1 & 8 & 5 \end{bmatrix} \begin{bmatrix} 1/0{,}82 & 0{,}00 & 0{,}00 \\ 0{,}00 & 1/3{,}59 & 0{,}00 \\ 0{,}00 & 0{,}00 & 1/1{,}29 \end{bmatrix} = \begin{bmatrix} 1{,}22 & 0{,}00 & 3{,}10 \\ 2{,}45 & 1{,}95 & 2{,}32 \\ 0{,}00 & 1{,}67 & 1{,}55 \\ 1{,}22 & 2{,}23 & 3{,}87 \end{bmatrix},$$

(29)

$$\overline{\mathbf{x}}_v^T = \begin{bmatrix} 1{,}22 & 1{,}46 & 2{,}71 \end{bmatrix} \quad \text{e} \quad \mathbf{s}_v^T = \begin{bmatrix} 1{,}0 & 1{,}0 & 1{,}0 \end{bmatrix}.$$

A escala foi tomada em unidades de variância (variância unitária), tal como mostrado no vetor de desvio-padrão, $\mathbf{s}_v^T$, das colunas de $\mathbf{X}_v$. Note-se que, com esse pré-processamento, o valor médio de cada coluna mudou e também o tamanho de cada barra. A variável $\mathbf{x}_1$, que antes apresentava valores entre zero e dois, agora varia entre zero e 2,45, tendo sido alongada (Figura 34a). A variável $\mathbf{x}_2$, que tinha valores entre zero e 8, agora varia de zero a 2,23 e, portanto, foi bastante comprimida. Outra observação a ser feita é que agora todas as barras da Figura 34b têm o mesmo desvio-padrão, $s_v = \pm 1{,}0$ e, portanto, o mesmo tamanho.

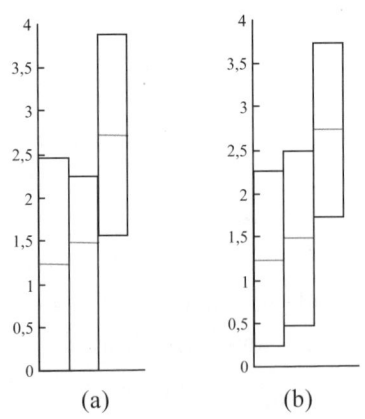

Figura 34 – Gráficos de barra para os dados escalados pela variância. (a) Faixa de variação de cada variável escalada. (b) Intervalo do desvio-padrão de cada variável. Todos eles variando de –1,0 a 1,0.

A matriz de dados também pode ser escalada para $1 / (I - 1)$ unidades de variância. Neste caso, $\mathbf{X}_v$ é ligeiramente diferente. Na caixa de texto abaixo estão os comandos para o *software* MATLAB e na equação 30, a matriz pré-processada e os respectivos vetores da média, $\bar{\mathbf{x}}_v^T$, e do desvio-padrão, $\mathbf{s}_v^T$. A soma das variâncias neste caso é 1,0 e no anterior é igual ao número de variáveis.

```
Xv = X ./ (ones(I,1) * std(X) * sqrt(I - 1))
% o símbolo './' indica que os respectivos elementos
% de cada matriz serão divididos entre si.
```

$$\mathbf{X}_v = \begin{bmatrix} 0,71 & 0,00 & 1,79 \\ 1,41 & 1,13 & 1,34 \\ 0,00 & 0,96 & 0,89 \\ 0,71 & 1,29 & 2,24 \end{bmatrix}, \quad \begin{aligned} \bar{\mathbf{x}}_v^T &= \begin{bmatrix} 0,71 & 0,84 & 1,57 \end{bmatrix}, \\ \mathbf{s}_v^T &= \begin{bmatrix} 0,58 & 0,58 & 0,58 \end{bmatrix}. \end{aligned} \quad (30)$$

Os respectivos gráficos de barra estão na Figura 35.

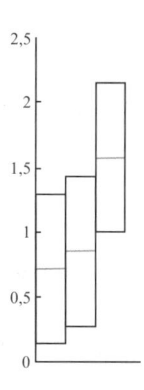

Figura 35 – Gráfico de barras para os dados escalados pela variância. Os intervalos dos desvios-padrão são todos iguais, mas em escala de $1 / (I - 1)$ unidades de variância. A variável $\mathbf{x}_3$ está centrada em 1,57 e o desvio-padrão é $\pm 0,58$.

Para autoescalar os dados, vamos centrá-los na média e escalar pelo desvio-padrão utilizando a equação 26 do texto. Como nos casos anteriores, as caixas de texto apresentam os comandos para o *software* MATLAB, e as equações 31 e 32 contêm os resultados do autoescalamento dos dados.

```
Xa = Xcm ./ (ones(I,1) * s);
% o símbolo './' indica que os respectivos elementos
% de cada matriz serão divididos entre si.
```

$$\mathbf{X}_a = \begin{bmatrix} 0,00 & -1,46 & 0,39 \\ 1,23 & 0,49 & -0,39 \\ -1,23 & 0,21 & -1,16 \\ 0,00 & 0,77 & 1,16 \end{bmatrix}, \quad \begin{aligned} \bar{\mathbf{x}}_a^T &= [0,0 \quad 0,0 \quad 0,0], \\ \mathbf{s}_a^T &= [1,0 \quad 1,0 \quad 1,0]. \end{aligned} \tag{31}$$

ou, quando escalado para $1/(I-1)$ unidades de variância:

```
Xa = Xcm ./ (ones(I,1) * s * sqrt(I - 1));
% o símbolo './' indica que os respectivos elementos
% de cada matriz serão divididos entre si.
```

$$\mathbf{X}_a = \begin{bmatrix} 0,00 & -0,84 & 0,22 \\ 0,71 & 0,28 & -0,22 \\ -0,71 & 0,12 & -0,67 \\ 0,00 & 0,44 & 0,67 \end{bmatrix}, \quad \mathbf{s}_a^T = [0,58 \quad 0,58 \quad 0,58]. \tag{32}$$

A Figura 36a mostra o intervalo de variação de cada variável dos dados autoescalados para variância unitária (–1,23 a 1,23; –1,46 a 0,77 e –1,16 a 1,16). A Figura 36b mostra a faixa de variação do desvio-padrão de cada uma das variáveis dos dados autoescalados com média zero e desvio-padrão ±1,0. A Figura 36c é idêntica à Figura 36b, exceto pelo fato de que cada variável foi escalada para variância igual a $1/(I–1)$. Nesse caso, a faixa de variação do desvio-padrão de cada variável é ± 0,58 e a soma das variâncias é 1,00.

(a) (b) (c)

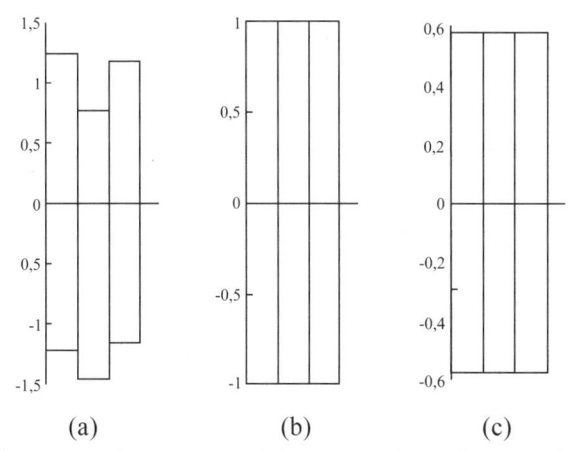

Figura 36 – Gráficos de barra para os dados autoescalados. (a) Intervalos de variação das variáveis centradas na média e escaladas para variância unitária; (b) Intervalo do desvio-padrão de cada variável (± 1,0); (c) Intervalo do desvio-padrão de cada variável normalizado para $1/(I-1)$.

A escolha adequada do pré-tratamento é essencial para o sucesso de qualquer análise multivariada de dados.

Quando as variáveis têm diferentes unidades ou quando a faixa de variação dos dados é grande, recomenda-se o autoescalamento, igualando o impacto de cada uma delas. Assim, minimizamos o efeito (a influência) de uma variável dominante em análises posteriores. Em estudos de QSAR, o autoescalamento é o procedimento universal. O pré--processamento mais frequente quando se trabalha com dados espectrais é a centragem dos dados na média. O efeito causado pelo escalamento pela variância é que todos os comprimentos de onda terão igual peso, não importando se eles representam um pico, um espalhamento ou simplesmente um ruído de linha de base; consequentemente, esse pré-processamento não é aconselhável. Para um conjunto de espectros não centrados na média, a direção de maior variância ao redor da origem é a do espectro médio. Se os dados estiverem centrados na média, a direção de maior variância ao redor da média pode ser outra e, em geral, ela é coincidente com a de maior variância interna dos dados. Essa é uma das razões pelas quais se recomenda centrar os dados na média ao construir modelos de calibração com dados de espectroscopia; outra razão é que o intercepto do modelo (o termo constante) será eliminado. Temos um modelo mais simples e interpretável, uma vez que o número de parâmetros a serem estimados é menor. Embora os espectros pré-processados não pareçam interpretáveis, o único efeito causado foi uma possível redução nos deslocamentos da linha de base devido à translação. A variância interna dos dados não foi alterada com a centragem dos dados na média.

Nos estudos de metabolômica e proteômica, o autoescalamento não é recomendado para dados ruidosos de LC-MS e RMN. O escalamento de Pareto é mais apropriado quando os picos mais intensos são menos suscetíveis ao ruído. Este escalamento reduz a importância de valores altos, mas não tão drasticamente quanto no anterior, fazendo com que a estrutura dos dados se mantenha parcialmente inalterada. Também é comum o uso do escalamento segundo a estabilidade da variável (VAST), uma vez que a inclusão do coeficiente de variação no fator de escala dá uma maior importância aos metabólitos com altos desvios-padrão. Já o escalamento por nivelamento é o mais apropriado para identificar, por exemplo, biomarcadores relativamente abundantes.

Finalmente, todos esses métodos de pré-tratamento são sensíveis à presença de amostras anômalas, que têm um comportamento diferenciado do restante do conjunto[53]. O escalamento pela amplitude é o método mais sensível, porque a presença de uma amostra com comportamento atípico aumenta a faixa de variação e pode deslocar as demais amostras para o lado oposto àquela. Isto ocorre porque somente duas amostras são usadas para o cálculo da amplitude, ao contrário dos outros escalamentos que utilizam todas as medidas no cálculo do desvio-padrão.

Para nos auxiliar na escolha do pré-processamento mais adequado, vamos considerar alguns exemplos.

Os valores da Tabela 1 se referem às concentrações (em partes por mil, 0/00) de alguns dos nutrientes encontrados em amostras de água do mar coletadas na região de Cabo Frio, no litoral norte de São Paulo, durante uma expedição feita no verão de 1986. Nessa tabela estão sendo consideradas também a temperatura em graus centígrados (Temp) e a

---

53 Do inglês: *outliers*.

salinidade em partes por mil (Sal 0/00) das amostras de água[54]. Na Figura 37a pode-se visualizar uma tendência geral para cada uma das variáveis da Tabela 1.

Tabela 1 – Concentrações de nutrientes (0/00), salinidade (0/00) e Temperatura (°C) das amostras de água

	NO_2^-	NH_3	N_2	PO_4^{3-}	SiO_2	O_2	Temp	Sal
	0,00	1,20	1,48	0,02	1,64	106,00	23,50	35,92
	0,09	0,50	0,85	0,02	0,43	110,20	22,74	35,25
	0,01	0,40	0,71	0,07	0,61	111,83	20,98	35,28
	0,00	0,10	0,29	0,12	0,68	96,48	16,63	35,43
	0,06	0,10	0,29	0,36	2,44	81,00	15,35	35,49
	0,31	1,00	2,34	0,47	5,02	76,42	15,57	35,65
	0,01	0,30	0,54	0,00	1,25	104,50	22,00	35,49
	0,07	0,50	0,65	0,04	0,43	100,68	21,99	35,32
	0,06	0,50	0,70	0,08	2,92	96,48	19,74	35,82
	0,04	0,30	0,57	0,06	1,40	108,60	17,09	35,72
	0,08	0,60	0,75	0,01	1,01	103,33	23,21	35,63
	0,00	0,30	0,30	0,01	0,18	101,00	23,16	35,68
	0,06	0,50	0,68	0,14	3,55	81,92	17,17	35,75
	0,08	0,60	13,14	0,43	2,68	85,83	14,06	35,38
Média	0,06	0,49	1,66	0,13	1,73	97,45	19,51	35,56
Desvio-padrão	0,08	0,31	3,34	0,16	1,41	11,65	3,40	0,21

---

54 Ferreira, M. M. C.; Faria, C. G. e Paes, E. T. 'Characterization of Northern São Paulo Coast: a Chemometric Study', *Chemom. Intell. Lab. Syst.* **47** (1999) 289-297.

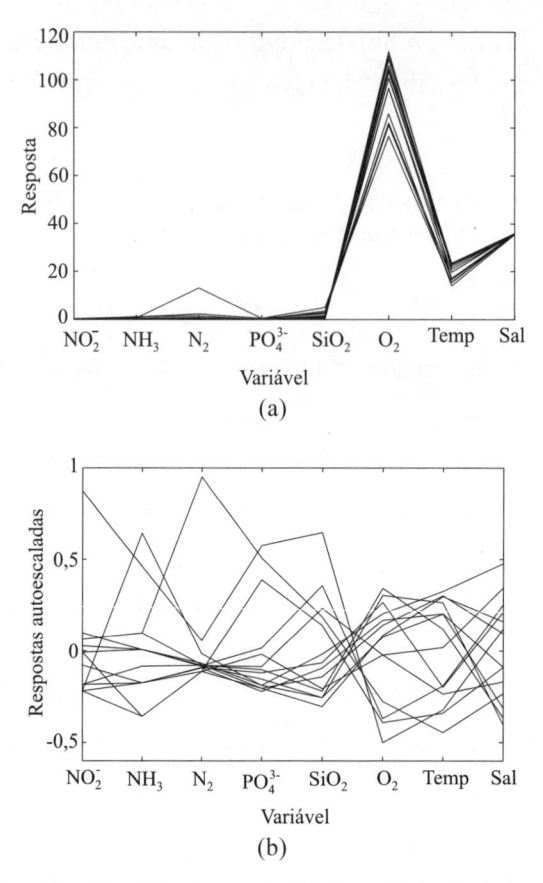

Figura 37 – Representação gráfica dos resultados das análises das amostras de água. (a) Dados originais. (b) Dados autoescalados.

As variáveis O_2, Temp e Sal têm, respectivamente, uma resposta média de 97,45 19,51 e 35,56, valores muito altos quando comparados aos das concentrações dos nutrientes cujos valores médios estão na faixa de 0,06 a 1,73. Por outro lado, apesar dos valores altos, o intervalo de variação da salinidade é muito pequeno, uma vez que o desvio-padrão é apenas 0,21. Já os valores das respostas da variável N_2 são pequenos, mas o seu conjunto tem um desvio-padrão muito alto (especialmente devido à concentração da última amostra), da mesma ordem de grandeza do desvio-padrão da variável Temp, cujo valor médio é mais do que dez vezes maior.

Esses dados devem ser autoescalados antes da análise. Com o autoescalamento, as variáveis que apresentam uma faixa de variação alta (variáveis N_2, O_2 e Temp) serão comprimidas e aquelas com baixo desvio-padrão serão expandidas (variáveis NO_2^-, NH_3, PO_4^{3-} e Sal), garantindo que a contribuição desses nutrientes seja tão significativa quanto a das outras variáveis. O resultado é que todas elas terão igual importância nas análises posteriores. A Figura 37b mostra como ficam os dados após o autoescalamento. É visível a modificação, especialmente com respeito aos nutrientes.

Caso semelhante ocorre em estudos de metabolômica, em que se deseja, por exemplo, identificar pacientes com um determinado tipo de doença, com base no perfil metabólico (HPLC, RMN) de pessoas sãs e doentes. Alguns picos intensos vão estar presentes para todas as pessoas e com pouca variação. Esses picos não são específicos para discriminar os pacientes. No entanto, alguns metabólitos secundários aparecerão em quantidades que podem ser muito pequenas em uma ou outra classe de pessoas (sãs/doentes), sendo, portanto bem específicos para a discriminação. Como garantir que o efeito desses metabólitos secundários seja considerado na análise? Fazendo um escalamento dos dados conforme discutido anteriormente (Pareto, VAST ou nivelamento).

O próximo exemplo mostra os pré-processamentos em dados espectroscópicos. Nesse caso, não nos interessa dar o mesmo peso a todas as variáveis e o pré-tratamento sugerido é a centragem dos dados na média.

Na Figura 38 temos os espectros de um subconjunto de amostras de produtos de tomate e os respectivos espectros centrados na média e autoescalados. Note-se a diferença no início dos espectros pré-processados. Enquanto a centragem dos dados na média (Figura 38b) tende a diminuir o efeito do deslocamento da linha de base, o autoescalamento (Figura 38c) enfatiza a parte inicial do espectro, tanto que o pico na região de 8.500 cm^{-1} praticamente desapareceu.

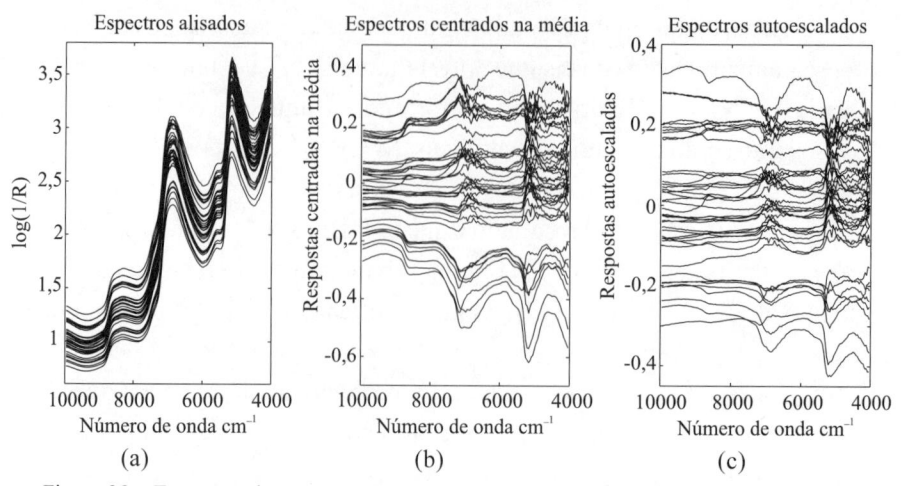

Figura 38 – Espectros de amostras de polpa e concentrados de tomate. (a) Espectros originais. (b) Espectros centrados na média. (c) Espectros autoescalados.

Como último exemplo, utilizaremos o mesmo conjunto de dados apresentado na Figura 18. Ele é composto de 44 amostras, para as quais foram medidas apenas duas variáveis, $\mathbf{X}(44 \times 2)$, e foi utilizado anteriormente para ilustrar os efeitos das normalizações feitas pelas normas 1 e 2, pré-tratamentos que foram aplicados às amostras e não às variáveis, como é o caso agora. A figura 39 mostra as representações gráficas (no espaço-linha de $\mathbf{X}$) dos dados originais, centrados na média e autoescalados.

A Figura 39a mostra os dados originais com o ponto médio em destaque e dois grupos de duas amostras, enquanto a Figura 39b apresenta os dados centrados na média. Como enfatizado anteriormente, houve apenas uma translação da origem do sistema de eixos para o centro do conjunto de dados, cujas coordenadas eram: $\mathbf{\bar{x}}^T = [7{,}27 \ \ 5{,}45]$. Mais uma vez chamamos a atenção para o fato de que as distâncias entre as amostras foram conservadas. A distância entre as amostras 24 e 39 era de 1,92 unidades e continua sendo a mesma depois de centrar os dados na média. A distância entre as amostras 17 e 43 era e continua sendo 0,85 unidades.

Finalmente, vejamos o que acontece quando os dados são autoescalados. A Figura 39c apresenta a distribuição das amostras após o pré-processamento. É importante notar que nesse caso as distâncias entre as amostras não foram preservadas. O padrão é semelhante, mas não é idêntico. A distância entre as amostras 24 e 39, que era de 1,92, agora é de apenas 0,18 unidades, e a distância entre as amostras 17 e 43, que era de 0,85, agora é de 0,068. A razão das distâncias era 2,26 antes do pré-processamento e, após o autoescalamento passou a ser 2,65, mostrando que a proporção entre as distâncias não foi preservada. Vimos o que acontece no espaço-linha de **X**. Quanto ao espaço-coluna (impossível de representar graficamente), a distância de cada variável à origem tem o mesmo valor, e todas elas terão igual peso na análise dos dados.

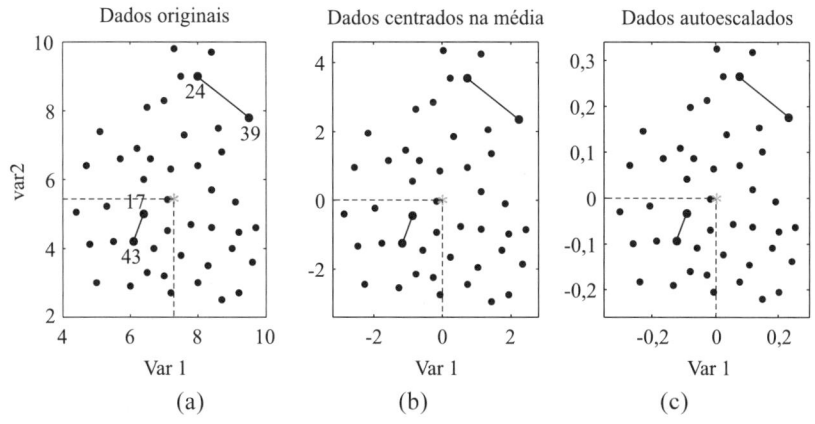

Figura 39 – Representação gráfica no espaço-linha dos dados originais e pré-processados. (a) Representação dos dados originais, indicando o valor médio com coordenadas 7,27 e 5,45. (b) Gráfico dos dados centrados na média. (c) Gráfico dos dados autoescalados.

Neste capítulo foram abordados vários tópicos relacionados à preparação *a priori* dos dados, *i.e.*, antes da análise propriamente dita. A aplicação dos pré-tratamentos adequados enfatizará as informações mais relevantes, resultando em modelos mais simples e mais fáceis de serem interpretados. Uma vez preparados, os dados estão prontos para ser analisados, e este será o assunto do próximo capítulo.

CAPÍTULO 3

ANÁLISE EXPLORATÓRIA DOS DADOS

3.1 Introdução

A procura por regularidades e padrões em dados empíricos foi e continua sendo essencial na química e também em outras áreas, como a biologia e a geologia. Um exemplo bem representativo e histórico desse procedimento foi a construção da Tabela Periódica, que fez de Mendeleev um químico siberiano reconhecido internacionalmente.

Do ponto de vista instrumental, a aquisição de dados experimentais atingiu elevado nível de sofisticação, especialmente com os instrumentos computadorizados que podem armazenar enorme quantidade de dados altamente confiáveis em um intervalo de tempo relativamente curto. Entretanto, uma grande matriz de dados não teria por si mesma o menor significado para o entendimento do problema químico, e a demanda por ferramentas específicas que possam ser utilizadas para extrair conhecimento químico de tais dados aumentou rapidamente. Dentre estas, destacam-se os "métodos de reconhecimento de padrões", através dos quais podemos encontrar as tendências e os agrupamentos em um conjunto de amostras. Com base nos padrões obtidos, é possível interpretar os resultados e, principalmente, tomar decisões.

Com o auxílio dos métodos de reconhecimento de padrões, pode-se, por exemplo, identificar a origem de amostras de café ou a diferença entre vinhos a partir de seus perfis cromatográficos. Esses mesmos métodos também nos auxiliam na identificação de quais picos do cromatograma contribuem para a identificação da origem do café e na diferenciação de amostras de vinho. De maneira análoga, podem-se explorar quais as partes de uma planta e em que época do ano elas devem ser colhidas, de tal forma que se otimize a extração de um desejado princípio ativo. Além da cromatografia, outras técnicas instrumentais, juntamente com os métodos quimiométricos de reconhecimento de padrões, também têm sido vantajosamente empregadas na área médica ou para fins forenses. Por exemplo, imagens de microscopia de cabelo frequentemente oferecem informações que podem ser cruciais na identificação do estilo de vida de uma pessoa, enquanto a espectrometria de massa, a ressonância magnética nuclear e a espectrometria de emissão ótica com fonte de plasma acoplado indutivamente podem ser utilizadas para detectar possíveis fraudes em alimentos e combustíveis. Uma aplicação importante na área médica é a utilização de espectros de ressonância magnética nuclear de amostras de plasma sanguíneo para identificar metabólitos marcadores, característicos de uma doença específica. E por fim, os métodos de reconhecimento de padrões contribuem também para a identificação dos parâmetros estruturais que se relacionam com a atividade biológica, auxiliando, assim, na síntese de novos compostos com características desejáveis. Estas constituem apenas uma pequena mostra dentre os muitos exemplos de reconhecimento de padrões encontrados na química, alguns dos quais serão tratados com maiores detalhes neste capítulo.

Os métodos quimiométricos utilizados para identificar as semelhanças e as diferenças em variados tipos de amostras, para agrupá-las e classificá-las, estão divididos em dois grupos: os métodos "supervisionados", e os métodos "não supervisionados" de reconhecimento de padrões.

Ambos se baseiam na validade das seguintes suposições:

1) As amostras do mesmo tipo são semelhantes;
2) existem diferenças significativas entre diferentes tipos de amostras; e
3) o conjunto de medidas disponíveis é capaz de detectar essas semelhanças e diferenças.

Nos métodos supervisionados, cada amostra analisada provém de uma classe preestabelecida, e essa informação é utilizada durante a análise dos dados e na construção dos modelos de classificação. Os métodos não supervisionados não fazem uso dessa informação e, portanto, não requerem nenhum conhecimento prévio a respeito da classificação das amostras. Elas serão agrupadas naturalmente com base na informação contida nos dados experimentais em questão.

Neste capítulo nos dedicaremos ao estudo dos métodos não supervisionados de reconhecimento de padrões, sem a preocupação de construir uma regra preditiva. Por isso dizemos que estes são "métodos de análise exploratória de dados".

O método mais simples e ao mesmo tempo mais eficaz para o reconhecimento de padrões e a classificação de amostras é o exame puramente visual dos resultados experimentais. Isso porque o cérebro humano é um sistema extremamente eficiente e adaptado para captar e processar imagens em duas e três dimensões, através da visão. Por exemplo, se os dados instrumentais são de espectroscopia em que diferentes tipos de amostras absorvem em diferentes regiões do espectro, uma simples inspeção visual pode ser o suficiente para distingui-las. Entretanto, em geral não é isso que ocorre e, neste caso, o cérebro necessita do auxílio de um "microscópio" de análise matemática.

As ferramentas que temos para visualizar nossos dados são a tela do computador, imagens de um projetor ou figuras impressas. Em todos esses casos, os dados são representados num plano bidimensional. Consequentemente, a apreensão visual de características multidimensionais dos dados se torna quase impossível. É claro que não podemos classificar um número grande de diferentes tipos de amostras visualizando apenas as intensidades de dois ou três comprimentos de onda. Uma solução seria a representação gráfica dos dados na forma de histogramas ou por meio de gráficos das variáveis duas a duas ou no máximo três a três, mas ambas são alternativas ineficientes. O ideal seria utilizar um método matemático capaz de "descobrir" ou "organizar" as informações escondidas nos dados, ou seja, um "microscópio" que converta as observações de todos os comprimentos de onda em algo que possa ser visualizado no espaço bi ou tridimensional. Apresentaremos a seguir dois

métodos matemáticos (de análise exploratória) que têm concepções totalmente distintas e que podem ser aplicados aos dados multivariados, tornando possível a visualização desejada. São eles:
1) a Análise de Componentes Principais, conhecida pela sigla PCA[1], e
2) a Análise de Agrupamentos por Métodos Hierárquicos – HCA[2].

3.2 Análise de Componentes Principais – PCA

3.2.1 Introdução

A Análise de Componentes Principais, PCA, foi introduzida por Karl Pearson em 1901[3]. O tratamento formal do método, todavia, é devido ao trabalho de Hotelling[4], divulgado na década de 1930 e que causou uma revolução no uso de métodos multivariados na área da psicologia.

PCA é um método utilizado para projetar os dados multivariados em um espaço de dimensão menor reduzindo, assim, a dimensionalidade do espaço original do conjunto dos dados, sem que as relações entre as amostras sejam afetadas. Consequentemente, as informações relevantes serão separadas e ampliadas pelo "microscópio" de dados, tornando-se mais evidentes à inspeção visual. Utilizando essa metodologia é possível descobrir, visualizar e interpretar as diferenças existentes entre as variáveis e examinar as relações que podem existir entre as amostras (objetos)[5]. Essa análise também nos permite detectar amostras que apresentam um comportamento distinto (atípico), pois, com a projeção dos dados, elas tendem a se tornar evidentes. Isso é muito importante em processos industriais, quando as falhas podem ser detectadas em tempo real.

---

1 Sigla do nome em inglês: *Principal Component Analysis*.
2 Sigla do nome em inglês: *Hierarchical Cluster Analysis*
3 Pearson, K. 'On Lines and Planes of Closest Fit to Systems of Points in Space', *Phil. Mag.* **2** (1901) 559-572.
4 Hotelling, H. 'Analysis of a Complex of Statistical Variables into Principal Components', *J. Edu. Psychol.* **24** (1933) 417-441; 498-520.
5 Os termos "amostras" e "objetos" estão sendo usados indistintamente.

A fim de ilustrar como funciona um método de projeção, imaginemos um exemplo bem simples, constituído de um conjunto de pontos no espaço tridimensional, R^3. Colocando um papel atrás dos pontos e incidindo uma luz sobre eles, perceberemos a sombra de cada ponto no papel. O que fizemos foi apenas projetar os dados do espaço R^3 no espaço R^2 (do papel), na direção dos raios de luz, reduzindo a dimensão do espaço original que era três, para o plano, exatamente como se faz ao tirar uma foto. Dizemos que com essa projeção houve uma "compressão" dos dados, ou seja, uma perda controlada de informações que é compensada pela melhor compreensão do conjunto de dados. O método PCA efetua a compressão dos dados ao projetá-los em um espaço de dimensão menor. Veremos, logo a seguir, que ele está fundamentado no conceito de correlação entre as variáveis, assunto que já foi abordado no capítulo anterior.

Os métodos de projeção são importantes na área de meteorologia para o tratamento de imagens de satélite. Na química, esses métodos já se encontram bastante difundidos para o tratamento de dados de espectroscopia e cromatografia, em que o montante de variáveis atinge com facilidade a casa dos milhares; consequentemente, essas variáveis são altamente correlacionadas.

Como exemplo, consideremos os sete espectros de emissão mostrados na Figura 1. Esses espectros, registrados na região de 585nm a 710 nm, são de uma única espécie porfirínica em diferentes concentrações e estão sobrepostos para facilitar a visualização das colinearidades existentes entre as intensidades medidas nos diferentes comprimentos de onda. A Tabela 1 contém as concentrações e as intensidades referentes aos comprimentos de onda de 619 nm e 663 nm para as sete amostras, que correspondem aos máximos dos picos, como indicado na Figura 1.

É óbvio que todos os espectros têm a mesma forma e que a única variação que ocorre é nas intensidades de emissão, que aumentam regularmente com o aumento da concentração.

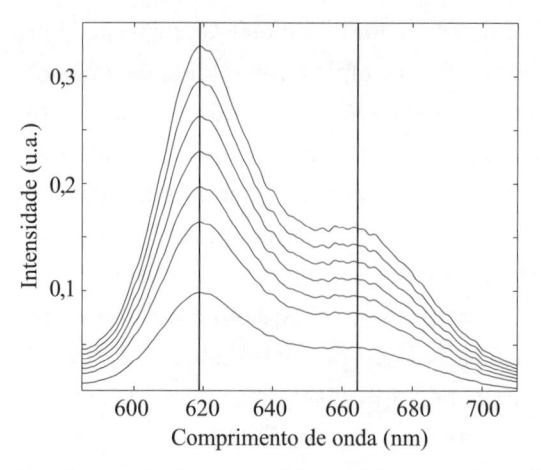

Figura 1 – Espectros de emissão de uma espécie porfirínica e as intensidades máximas dos dois picos para as diferentes concentrações (mmol L^{-1}).

Tabela 1 – Concentrações e intensidades de emissão nos dois comprimentos de onda, 619nm e 663 nm, selecionados na Figura 1

Conc. mM	Intens. 619 nm	Intens. 663 nm
1,0	0,326	0,159
0,9	0,296	0,144
0,8	0,252	0,130
0,7	0,229	0,112
0,6	0,194	0,095
0,5	0,163	0,080
0,3	0,098	0,047

Supondo que tivessem sido medidas apenas as intensidades para esses dois comprimentos de onda destacados na Figura 1 e indicados na Tabela 1, os espectros teriam apenas duas variáveis e cada amostra seria facilmente representada por um ponto no espaço bidimensional das variáveis, R^2. O gráfico das intensidades em 619 nm *versus* as intensidades em 663 nm é apresentado na Figura 2. As amostras estão linearmente distribuídas, indicando que as intensidades nesses dois comprimentos de onda são altamente correlacionadas e o coeficiente de correlação r é igual a 0,998.

Cada ponto nesse gráfico corresponde a um vetor que vai da origem ao ponto em questão. Ao aumentar a concentração da porfirina, o que se faz na realidade é alongar (ou encurtar) esse vetor. Isso nos leva à conclusão de que a "dimensionalidade intrínseca" ou o "posto químico" dos dados da Tabela 1 é UM e não DOIS, porque ele depende apenas de um único fator latente, que é a concentração. O mesmo argumento pode ser estendido para o conjunto de espectros da Figura 1, em que há mais de 100 variáveis. Esse conjunto de dados é intrinsecamente unidimensional.

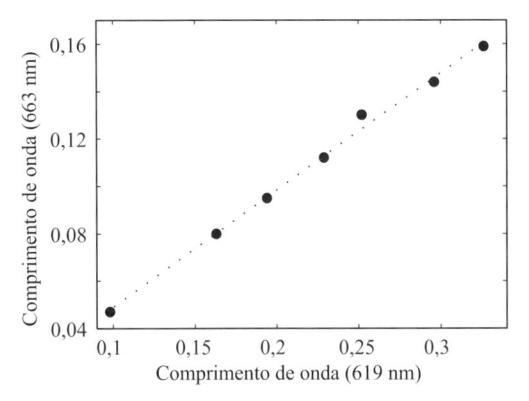

Figura 2 – Gráfico das intensidades em dois comprimentos de onda, ilustrando a alta correlação entre as duas variáveis.

Uma das amostras na Figura 2 está ligeiramente afastada da reta ideal. Como justificar esse comportamento, se apenas a concentração está variando? Ele é decorrente de erro experimental ou algum problema instrumental. Na verdade, dados experimentais excessivamente "corretos" são sempre suspeitos.

A discussão acima nos leva à conclusão de que, havendo correlações significativas entre as variáveis do conjunto de dados, é possível encontrar um número menor de novas variáveis que sejam ainda capazes de descrever aproximadamente toda a informação contida nos dados originais. Essa redução do número de variáveis é denominada de "compressão dos dados" e é obtida fazendo combinações lineares das variáveis originais, de maneira a agrupar aquelas que fornecem informações semelhantes. Como resultado, um novo conjunto de variáveis com propriedades desejáveis e específicas é definido. Essas novas variáveis (eixos)[6] são as componentes principais, PC, também conhecidas na literatura por fatores ou autovetores.

Uma propriedade muito importante das componentes principais é que elas são "não" correlacionadas e ortogonais entre si, *i.e.*, a informação contida em uma delas não está presente em outra. A outra propriedade importante é com respeito à quantidade de informação dos dados originais que cada uma dessas novas variáveis é capaz de descrever. A primeira delas, PC1, é definida pela direção que descreve a máxima variância dos dados originais. A segunda componente principal, PC2, tem a direção de máxima variância dos dados no subespaço ortogonal à PC1, e as componentes subsequentes são ortogonais às anteriores e orientadas de maneira que descrevam, uma a uma, a máxima variância restante. Pela própria maneira como essas novas variáveis são definidas, uma vez que as redundâncias são removidas, é possível descrever quase toda a informação contida nos dados originais utilizando apenas algumas e poucas componentes principais.

O número de componentes principais, A, que é necessário para descrever adequadamente o sistema em estudo, é chamado de "posto químico", "pseudoposto" ou "dimensão intrínseca" do conjunto de dados. No exemplo das espécies porfirínicas, que acabamos de ver, o posto químico encontrado foi igual a um. Uma vez definidas as componentes principais e determinado o posto químico, os dados originais são projetados nesse novo sistema de eixos. É importante salientar que essa projeção é feita por uma transformação linear e que as relações entre as amostras não são alteradas.

Os conceitos que acabamos de introduzir podem ser exemplificados considerando-se uma lapiseira no espaço tridimensional. Para construir uma boa representação bidimensional da lapiseira, podemos fazer, por exemplo, uma secção transversal ou uma secção longitudinal (Figura 3a). A visão mais representativa da lapiseira é a projeção longitudinal, uma vez que ela é mais longa do que espessa e, portanto, oferece

---

6 Os termos "variáveis" ou "eixos" são usados aqui indistintamente, sem a preocupação de uma definição mais rigorosa, já que em cada caso os contextos deixam claros os seus significados.

maior quantidade de informação. Essa seria a direção da primeira componente principal, PC1, coincidente com o eixo de maior variabilidade da lapiseira (Figura 3b). A segunda componente, PC2, deve ser perpendicular à primeira. Fazendo uma rotação ao longo de PC1, encontramos uma posição na qual podemos reconhecer o clipe, além de termos informação sobre as extremidades da lapiseira. O eixo perpendicular à PC1, e que descreve essa posição, é a direção da segunda componente principal. Com apenas duas componentes principais não sabemos ainda se ela é redonda ou quadrada, pois essa informação só será dada pela terceira componente principal. Entretanto, essa representação bidimensional já oferece informações suficientes para caracterizá-la completamente, desde que usemos, além dos dados bidimensionais, o nosso conhecimento do assunto. A moral da história é que, também na Química, o conhecimento do assunto é que proporcionará a interpretação final da questão.

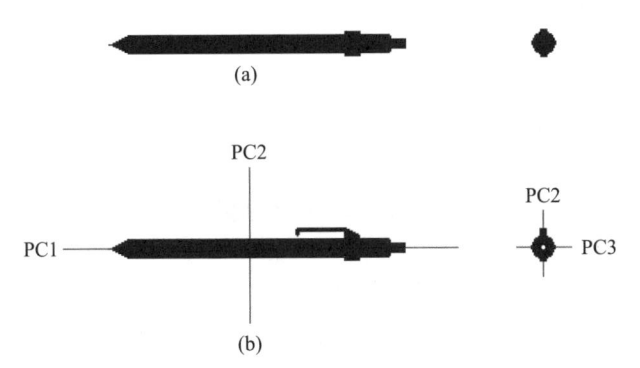

Figura 3 – Exemplo ilustrativo da representação de uma lapiseira. (a) Projeção longitudinal e transversal. (b) Indicação das direções das três componentes principais que definem a lapiseira.

O diagrama da Figura 4a é uma representação gráfica de um conjunto de amostras no espaço bidimensional definido pelas duas variáveis, var_1 e var_2, e as respectivas componentes principais, PC1 e PC2. As amostras estão reunidas em dois grupos bem distintos. Pode-se dizer que a dimensionalidade intrínseca desse conjunto de dados é dois, pois são necessárias duas componentes principais para descrever todas as amostras. No entanto, ao considerar a projeção das amostras ao longo de PC1 (Figura 4b), os dois grupos se apresentam bem distintos, o que não acontece ao projetá-las na segunda componente principal, PC2. A primeira componente principal neste caso discrimina os dois grupos, enquanto PC2 descreve alguma outra fonte de variabilidade dos dados.

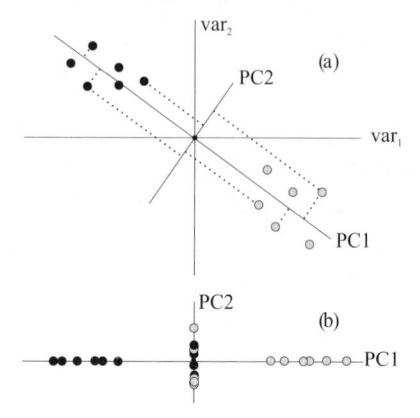

Figura 4 – (a) Representação gráfica de dois grupos de amostras no espaço bidimensional definido por var_1 e var_2 e as respectivas componentes principais. (b) Representação gráfica das amostras projetadas em PC1 e PC2.

3.2.2 Fundamentos matemáticos

O ponto de partida para a análise exploratória é a matriz pré-tratada dos dados, que será denominada aqui, simplesmente, **X**, para evitar a inclusão de subíndices e facilitar a notação.

Esquematicamente descrevemos **X** das seguintes maneiras:

$$\mathbf{X} = \begin{bmatrix} \mathbf{x}_1^T \\ \mathbf{x}_2^T \\ \vdots \\ \vdots \\ \mathbf{x}_I^T \end{bmatrix} = \begin{bmatrix} x_{11} & x_{12} & \cdots & \cdots & x_{1J} \\ x_{21} & x_{22} & \cdots & \cdots & x_{2J} \\ \vdots & \vdots & \ddots & & \vdots \\ \vdots & \vdots & & \ddots & \vdots \\ x_{I1} & x_{I2} & \cdots & \cdots & x_{IJ} \end{bmatrix} = \begin{bmatrix} \mathbf{x}_1 & \mathbf{x}_2 & \cdots & \cdots & \mathbf{x}_J \end{bmatrix}. \quad (1)$$

Conforme a equação 1, cada amostra é representada por um vetor-linha e cada variável por um vetor-coluna, como definido anteriormente no capítulo 2 e como está indicado na equação 2.

$$\mathbf{x}_i^T = \begin{bmatrix} x_{i1} & x_{i2} & x_{i3} & \cdots & x_{iJ} \end{bmatrix} \quad \text{e} \quad \mathbf{x}_j = \begin{bmatrix} x_{1j} \\ x_{2j} \\ \vdots \\ \vdots \\ x_{Ij} \end{bmatrix}. \quad (2)$$

Do ponto de vista matemático, o procedimento da análise de componentes principais pode ser descrito como a decomposição da matriz $\mathbf{X}(I \times J)$ em duas matrizes, uma de escores $\mathbf{T}$ e uma matriz ortonormal[7] de pesos[8] $\mathbf{L}$, de tal maneira que

$$\mathbf{X} = \mathbf{TL}^T, \quad (3)$$

onde os escores expressam as relações entre as amostras, enquanto os pesos indicam as relações entre as variáveis. Essa decomposição equivale a uma mudança de base do espaço das variáveis originais, de dimensão J, $\mathbf{R}^J$, para o espaço das componentes principais, também definido no $\mathbf{R}^J$. Cada uma das J colunas da matriz $\mathbf{L}$ define a direção de um eixo[6], i.e., de uma componente principal no novo conjunto de base.

Já mencionamos que a análise de componentes principais é um método de projeção dos dados. Uma vez definidos os novos eixos (das PC), cada amostra é projetada no novo conjunto de base, e essa informação se encontra na matriz de escores, que pode ser escrita como $\mathbf{T} = \mathbf{XR}$, onde $\mathbf{R}$ é a matriz de transformação dos eixos originais para as componentes principais. De acordo com a equação 3, a matriz $\mathbf{X}$ é escrita como o produto das matrizes de escores e de pesos e, como as colunas de $\mathbf{L}$ são ortonormais, podemos escrever que $\mathbf{T} = \mathbf{XL}$, indicando que a matriz de pesos é a própria matriz de transformação, $\mathbf{R}$.

Havendo correlação entre as variáveis originais, nem todas as J componentes principais são necessárias para representar adequadamente os dados, mas apenas um subconjunto delas, as primeiras A; as restantes

---

7   A matriz $\mathbf{A}$ é ortonormal quando $\mathbf{A}^T \mathbf{A} = \mathbf{A}\mathbf{A}^T = \mathbf{I}$, onde $\mathbf{I}$ é a matriz identidade.
8   Do inglês: *loadings*.

devem conter informação irrelevante ou aleatória. Como mencionado na seção anterior, A é a dimensionalidade intrínseca ou o posto químico do conjunto de dados, *i.e.*, a dimensão dos espaços-linha e coluna da matriz $\mathbf{X}$. Retornemos à equação 3 para formalizar a representação matemática. Uma vez encontrado o valor de A, a matriz original, $\mathbf{X}$, pode ser reescrita como $\mathbf{X} = \hat{\mathbf{X}} + \mathbf{E}$, onde $\hat{\mathbf{X}} = \mathbf{T}_A \mathbf{L}_A^T$ e $\mathbf{E}$ é a matriz $(I \times J)$ de resíduos. As matrizes $\mathbf{T}_A$ e $\mathbf{L}_A$ são formadas por A vetores-coluna, $\mathbf{T}_A = [\mathbf{t}_1 \ldots \mathbf{t}_A]$ e $L_A = [\mathbf{l}_1 \ldots \mathbf{l}_A]$, tal que

$$\begin{bmatrix} \mathbf{X} \end{bmatrix} = \hat{\mathbf{X}} + \mathbf{E} = \underbrace{\begin{bmatrix} \mathbf{t}_1 \end{bmatrix} \begin{bmatrix} \mathbf{l}_1^T \end{bmatrix} + \begin{bmatrix} \mathbf{t}_2 \end{bmatrix} \begin{bmatrix} \mathbf{l}_2^T \end{bmatrix} + \cdots + \begin{bmatrix} \mathbf{t}_A \end{bmatrix} \begin{bmatrix} \mathbf{l}_A^T \end{bmatrix}}_{\hat{\mathbf{X}} = \sum_{a=1}^{A} \mathbf{t}_a \mathbf{l}_a^T = \mathbf{T}_A \mathbf{L}_A^T} + \begin{bmatrix} \mathbf{E} \end{bmatrix}. \quad (4)$$

A equação 4 mostra em detalhes a representação matricial da decomposição de $\mathbf{X}$ nas A componentes principais significativas ($A \leq \min\{I, J\}$). As dimensões das matrizes de escores $\mathbf{T}_A$ e de pesos $\mathbf{L}_A$ são $(I \times A)$ e $(J \times A)$, respectivamente, e dizemos que elas foram truncadas. A matriz $\hat{\mathbf{X}}$, cuja dimensão é igual à dos dados originais $(I \times J)$, é obtida pelo produto indicado na equação 4, $\hat{\mathbf{X}} = \sum_{a=1}^{A} \mathbf{t}_a \mathbf{l}_a^T$, e representa uma aproximação dos dados originais $\mathbf{X}$. Nessa equação, a a-ésima coluna da matriz de escores $\mathbf{T}$ é o vetor $\mathbf{t}_a$, constituído pelas coordenadas de cada amostra na a-ésima nova variável, PCa, enquanto a coluna $\mathbf{l}_a$ da matriz de pesos $\mathbf{L}$ contém a informação de quanto cada variável original contribuiu (seu peso) na formação dessa componente principal. Esses pesos variam entre $+1$ e -1 e são os cosenos dos ângulos entre PCa (novo eixo a) e os eixos das variáveis originais. Valores absolutos altos para os pesos indicam altas correlações (coeficientes), ou seja, o ângulo entre PCa e a variável original é pequeno ($\theta \approx 0$ ou $180°$ e $\cos\theta \approx \pm 1$). Como as componentes principais são não correlacionadas, as colunas de **L** são ortogonais entre si. Além disso, elas são normalizadas também, ou seja, $\mathbf{L}^T \mathbf{L} = \mathbf{I}$, onde **I** é a matriz identidade ($J \times J$).

Essa redução da dimensionalidade do sistema (ou compressão dos dados), de um espaço de dimensão J para um subespaço de dimensão A, ocorre porque as variações sistemáticas presentes nos dados foram concentradas em um número menor de novos eixos. Isso significa que as últimas PC representadas na matriz **E** contêm principalmente variações aleatórias, tais como erros experimentais, e podem ser ignoradas. Estamos separando, assim, a estrutura inerente dos dados do ruído experimental.

A Figura 5 exemplifica a projeção de um conjunto de amostras definidas no espaço $\mathbf{R}^3$ (**X** = (12 × 3)) e projetadas no subespaço A de dimensão dois, $\mathbf{R}^2$. A distância da i-ésima amostra ao plano está no vetor $\mathbf{e}_i$ e constitui a informação que foi eliminada devido à projeção.

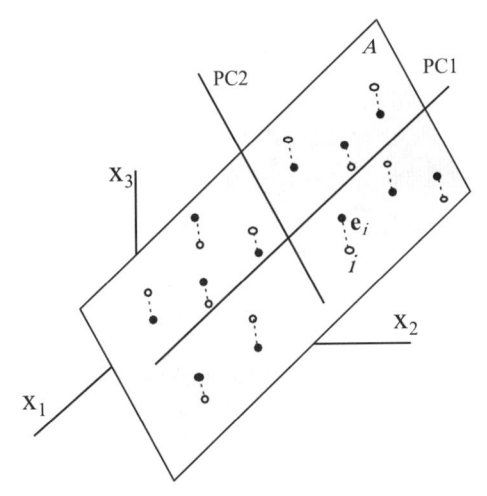

Figura 5 – Projeção dos objetos, definidos no espaço tridimensional, no espaço-linha que é o plano formado pelas duas primeiras PC (A = 2). O restante da informação está nos vetores de resíduos, $\mathbf{e}_i$, representados pelas linhas pontilhadas.

A decomposição da matriz **X** no produto **T L**^{T} é obtida por meio de algoritmos matemáticos cujos detalhes não nos interessa descrever agora, mas que serão descritos mais adiante.

A Figura 6 ilustra os conceitos que acabamos de introduzir. Nessa figura estão representadas 25 amostras para as quais foram feitas 2 medidas. É visível a alta correlação existente entre as duas variáveis originais, var_1 e var_2, indicando que elas descrevem informações semelhantes e, portanto, há redundância de informação. Nessa figura, x_{b1} e x_{b2} são as coordenadas da amostra B no sistema de eixos original, definido por var_1 e var_2, enquanto t_{b1} e t_{b2} são os seus respectivos escores, *i.e.*, as novas coordenadas dessa mesma amostra quando projetada no sistema de eixos das componentes principais. Os pesos l_{11} e l_{21} indicam o quanto as variáveis var_1 e var_2 contribuíram para formar PC1, assumindo que $\sqrt{l_{11}^2 + l_{21}^2} = 1,0$.

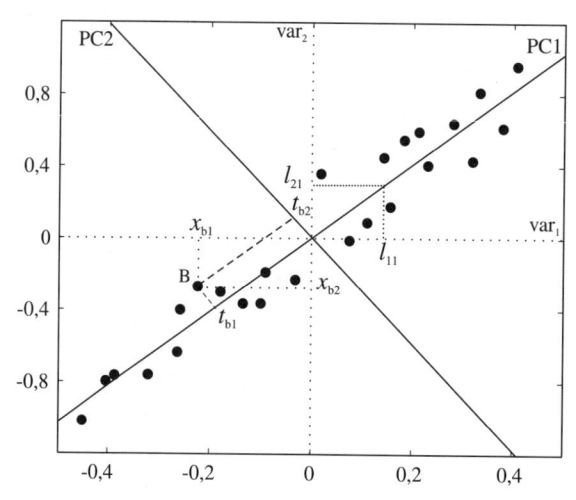

Figura 6 – Representação gráfica das componentes principais, com a indicação dos pesos de PC_1 e dos escores da amostra B.

Nesse exemplo, devido à alta correlação entre var_1 e var_2, os objetos estão bem espalhados ao longo de PC1, indicando que a primeira componente principal descreve a informação majoritária contida nos dados originais. Por outro lado, PC2 descreve o restante da informação original, que é uma pequena fração do total e que pode até ser considerada irrelevante, dependendo do objetivo do estudo.

Geometricamente, a diferença entre a direção de uma PC e a de uma reta ajustada pelo método dos quadrados mínimos é que, no primeiro caso, a direção é determinada minimizando a soma dos quadrados das distâncias ortogonais, enquanto no segundo, a soma dos quadrados das distâncias verticais é minimizada, como mostrado na Figura 7.

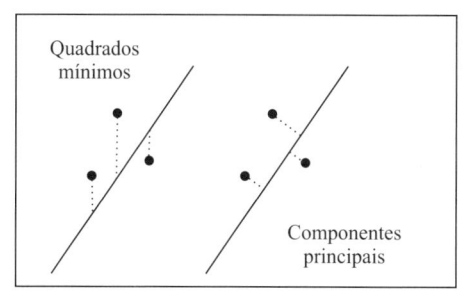

Figura 7 – Representação geométrica dos métodos de quadrados mínimos e das componentes principais.

Uma última consideração a ser feita se refere ao efeito do pré-processamento dos dados, assunto que já foi discutido no capítulo 2 (seção 2.4.2). Quando não há necessidade de usar o autoescalamento, em geral os dados são centrados na média. A Figura 8 mostra, esquemática e geometricamente, o que acontece quando definimos as componentes principais sem pré-processamento e quando centramos os dados na média. As linhas pontilhadas na Figura 8a determinam a posição do ponto médio dos dados.

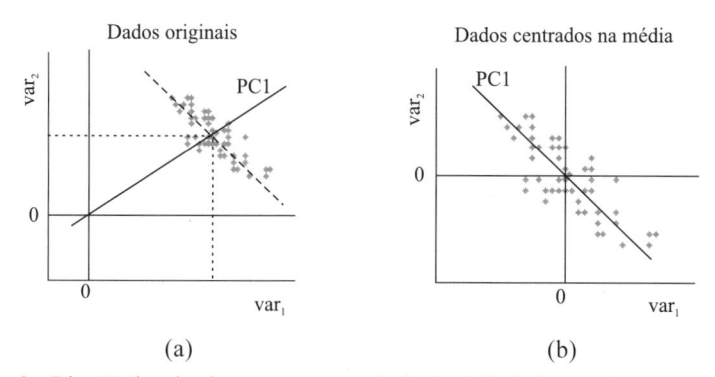

Figura 8 – Direção da primeira componente principal. (a) Os dados não foram pré-processados; a interseção de linhas pontilhadas indica o centroide dos dados, a linha tracejada indica a direção de máxima variância dos dados, enquanto a linha contínua mostra a direção de PC1. (b) Os dados foram centrados na média; a linha tracejada é coincidente com a linha contínua.

A linha tracejada representa a direção de maior variância intrínseca do conjunto de dados. Para os dados não pré-processados, a primeira componente principal passa pela origem e pelo ponto médio dos dados. Sua direção é indicada na Figura 8a, pela reta contínua. Com os dados centrados na média, a direção da primeira componente principal é coincidente com a direção da maior variância intrínseca do conjunto de dados. Consequentemente, um conteúdo maior de variabilidade dos dados pode ser descrito com uma componente principal a menos, quando os dados estão centrados na média.

A seguir consideraremos um exemplo numérico bem simples, apenas para ilustrar a metodologia de obtenção das componentes principais. A matriz de dados representada na Tabela 2 contém as respostas de eletrodos seletivos para os íons de Mg^{2+} e Cl^- ($J = 2$) de seis amostras líquidas transformadas em mmol L^{-1} ($I = 6$).

Tabela 2 – Concentrações (mmol L^{-1}) dos íons de Mg^{2+} e Cl^- de um conjunto de seis amostras arranjadas na forma de uma matriz $\mathbf{X}$ (6 × 2)

	[Mg^{2+}]	[Cl^-]
	0,975	2,034
	2,153	4,127
$\mathbf{X} =$	3,017	5,976
	3,885	8,040
	5,162	9,987
	6,025	12,121

A representação gráfica dos dados originais na Figura 9 mostra que as duas variáveis, [Mg^{2+}] e [Cl^-], são altamente correlacionadas, e as amostras estão quase que perfeitamente distribuídas ao longo de uma reta. O pré-processamento utilizado nessa análise será a centragem dos dados na média (ver seção 2.4.2). Nesse procedimento, calcula-se a média de cada coluna da matriz de dados, $\bar{x}_j$, e a seguir, subtrai-se esse valor médio de cada um dos elementos da respectiva coluna de $\mathbf{X}$, resultando na matriz centrada na média $\mathbf{X}_{cm}$. Os resultados estão na Tabela 3 e na Figura 10, em que o vetor-linha $\bar{\mathbf{x}}^T$ contém os valores médios das duas colunas de $\mathbf{X}$.

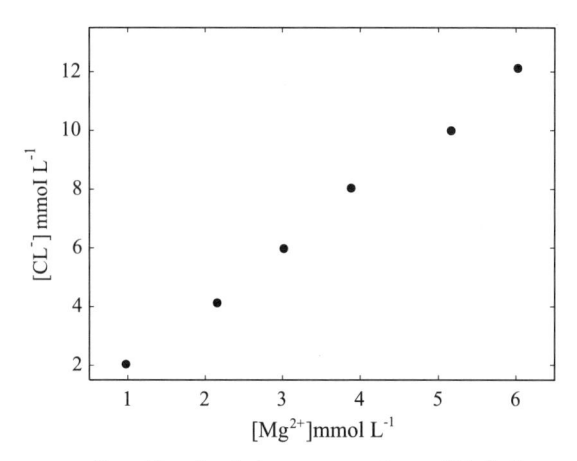

Figura 9 – Representação gráfica dos dados apresentados na Tabela 2.

Tabela 3 – Concentrações médias de Mg^{2+} e Cl^- e os valores das concentrações das amostras, centradas na média, na forma matricial

$$\bar{x}^T = [3,536 \quad 7,048] \qquad X_{cm} = \begin{bmatrix} -2,561 & -5,014 \\ -1,383 & -2,921 \\ -0,519 & -1,072 \\ 0,349 & 0,993 \\ 1,626 & 2,940 \\ 2,489 & 5,074 \end{bmatrix}$$

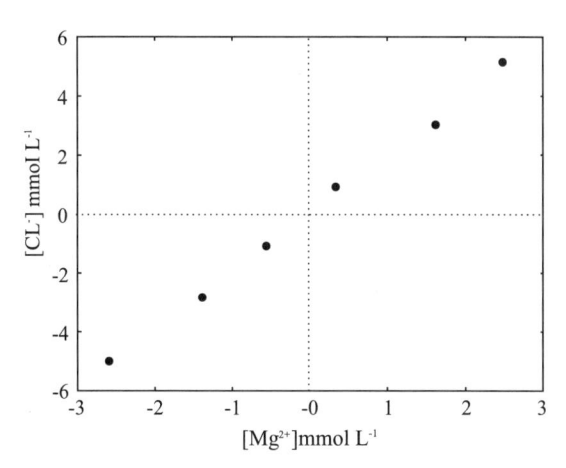

Figura 10 – Gráfico dos dados centrados na média.

A matriz dos dados autoescalados, $\mathbf{X}_{as}$, será calculada a seguir, apenas com o intuito de demonstrar, em termos numéricos, a alta correlação existente entre as duas variáveis. A matriz de correlação, $\mathbf{C}$, das colunas de $\mathbf{X}$ é calculada conforme a equação 5.

$$\mathbf{C} = \frac{\mathbf{X}_{as}^{T} \mathbf{X}_{as}}{I - 1} \qquad (5)$$

Para autoescalar a matriz de dados, o leitor deve consultar a seção 2.4.2 do capítulo 2. A matriz de correlação, $\mathbf{C}$, é quadrada ($J \times J$) e simétrica[9], com os elementos fora da diagonal, c_{jk} para $j \neq k$, iguais aos coeficientes de correlação entre as variáveis j e k. Os elementos da diagonal de $\mathbf{C}$ são iguais a 1,0 e seu traço[10] é igual ao número de variáveis J[11].

A Tabela 4 mostra a matriz dos dados autoescalados e a matriz de correlação entre as variáveis, obtida com o uso da equação 5.

Tabela 4 – Valores das concentrações autoescaladas dos íons de Mg^{2+} e Cl^{-} na forma matricial e a respectiva matriz de correlação

$$\mathbf{X}_{as} = \begin{bmatrix} -1{,}361 & -1{,}338 \\ -0{,}735 & -0{,}780 \\ -0{,}276 & -0{,}286 \\ 0{,}185 & 0{,}265 \\ 0{,}864 & 0{,}785 \\ 1{,}323 & 1{,}354 \end{bmatrix} \qquad \mathbf{C} = \begin{bmatrix} 1{,}000 & 0{,}998 \\ 0{,}998 & 1{,}000 \end{bmatrix}$$

---

9 $c_{jk} = c_{kj}$

10 O traço de uma matriz $\mathbf{A}$, representado por Tr, é igual à soma dos elementos da diagonal de $\mathbf{A}$.

11 Se os dados originais foram apenas centrados na média, a matriz da equação 5 corresponde à matriz de variância-covariância, definida como $\mathbf{Var} = \dfrac{\left(\mathbf{X} - \mathbf{1}\bar{\mathbf{x}}^{T}\right)^{T} \left(\mathbf{X} - \mathbf{1}\bar{\mathbf{x}}^{T}\right)}{I - 1}$, onde $\mathbf{1}$ é o vetor (I,1) com todos os elementos iguais a 1.

O coeficiente de correlação entre as variáveis $[Mg^{2+}]$ e $[Cl^-]$ é igual ao coeficiente de correlação entre $[Cl^-]$ e $[Mg^{2+}]$, uma vez que $c_{12} = c_{21} = 0,998$. Esse valor é bastante alto confirmando a alta correlação, que já foi observada anteriormente no gráfico das variáveis originais da Figura 9.

Fazendo-se a análise de componentes principais dos dados centrados na média, encontraremos duas novas variáveis, duas PC: a PC1 está direcionada ao longo do eixo de maior espalhamento dos dados, como mostra a Figura 11. A segunda componente principal, PC2, é ortogonal à primeira e descreve a variância restante nos dados.

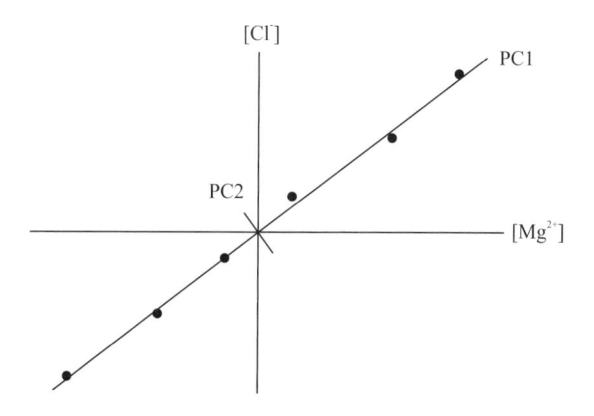

Figura 11– Gráfico dos dados originais centrados na média, mostrando as direções de PC1 e PC2.

Para facilitar a visualização, será feita uma rotação na Figura 11, tal que PC1 coincida com o eixo das abscissas e PC2, com o eixo das ordenadas, obtendo-se a Figura 12, na qual se deve prestar atenção à diferença entre as escalas nos dois eixos. Nessa figura temos a representação gráfica de **T** no espaço das componentes principais. Os dados estão dispersos ao longo do eixo PC1, que descreve a maior quantidade de informação dos dados originais, e situam-se entre –6,0 e +6,0. Por outro lado, os dados encontram-se em uma faixa bem mais estreita ao longo de PC2, entre –0,2 e +0,2.

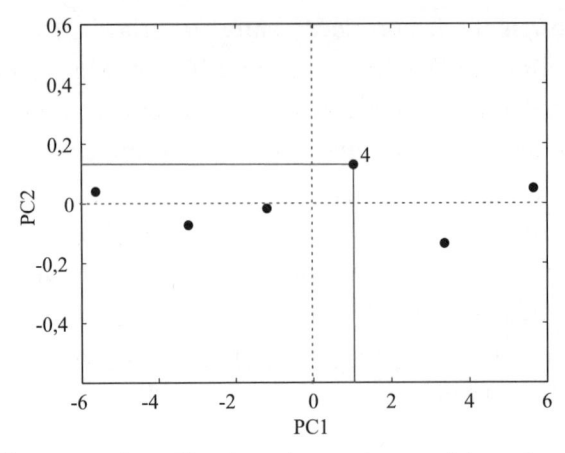

Figura 12 – Representação gráfica das seis amostras no sistema dos eixos de PC1 *versus* PC2.

As novas coordenadas das seis amostras são os seus respectivos escores. Por exemplo, a amostra 4, que nos dados centrados na média tinha coordenadas iguais a 0,349 e 0,993, agora tem escores próximos de 1,0 e 0,15 em PC1 e PC2, respectivamente. A seguir, veremos como calcular os valores exatos desses escores.

Há várias maneiras descritas na literatura para o cálculo das matrizes de escores e de pesos. Serão descritos aqui três métodos diferentes:

1) Decomposição por Valores Singulares – SVD
2) Diagonalização da matriz de correlação (ou variância-covariância) e
3) Algoritmo NIPALS[12].

Desses três, o primeiro e o terceiro são os mais usados pelos químicos. Considera-se que o método SVD seja a técnica numérica mais acurada e estável para o cálculo das componentes principais. Para as aplicações em que se sabe que **X** tem muitas colunas e um posto químico pequeno (alta correlação entre as variáveis), sugere-se o uso do algoritmo NIPALS, que calcula os autovetores um a um, ao invés de calcular todos eles simultaneamente.

---

[12] Do inglês: *Non-linear Iterative Partial Least-Squares*.

1) Método de Decomposição por Valores Singulares – SVD[13,14]

Supõe-se que a matriz **X** já tenha sido submetida ao pré-tratamento, qualquer que seja ele[15]. Neste método de decomposição, que é um dos mais importantes em álgebra linear, a matriz de dados **X** é decomposta nas três matrizes: **U**, **S** e **V**, de tal modo que **X** pode ser escrita como o produto indicado na equação 6.

$$\mathbf{X} = \mathbf{U}\mathbf{S}\mathbf{V}^T \tag{6}$$

As matrizes **U** e **V** são quadradas (($I \times I$) e ($J \times J$), respectivamente) e ortonormais, *i.e.*, as colunas de **U** e de **V** são ortogonais entre si e normalizadas ($\mathbf{U}\,\mathbf{U}^T = \mathbf{U}^T\,\mathbf{U} = \mathbf{I}_I$ ($I \times I$) e $\mathbf{V}\,\mathbf{V}^T = \mathbf{V}^T\,\mathbf{V} = \mathbf{I}_J$ ($J \times J$), onde **I** é a matriz identidade). A matriz **S** é retangular ($I \times J$) com todos os elementos fora da diagonal iguais a zero. Os elementos da diagonal de **S** são chamados de valores singulares e eles estão sempre ordenados em ordem decrescente, $s_{11} \geq s_{22} \geq ... \geq s_{KK}$. Se a matriz **X** é formada por resultados experimentais com erro aleatório (o seu posto matemático é máximo; ver a nota 4 do capítulo 2) e tem um número de linhas maior do que o de colunas ($I > J$), o número de valores singulares é $K = J$ e todos eles são positivos, como indicado na equação 7. Por outro lado, se a matriz **X** tiver mais colunas do que linhas, então o número de valores singulares diferentes de zero (positivos) é $K = I$, como indicado na equação 8 (K é sempre o menor dentre os valores I e J, $K = \min\{I, J\}$).

Dois pontos devem ser destacados a respeito da decomposição SDV. O primeiro é que essa decomposição pode ser aplicada a qualquer matriz real e o segundo é que as matrizes **U**, **S** e **V** são determinadas simultaneamente. As colunas de **U** geram uma base ortonormal do espaço-coluna de **X** e as colunas de **V** geram uma base ortonormal do espaço-linha de **X**. O outro ponto importante é que essa decomposição

---

13 Strang, G. *Linear Algebra and its Applications*, Harcourt Brace Jovanovich, San Diego, 1988.
14 Trefethen, L. N. e Bau, D. *Numerical Linear Algebra*, SIAM, Philadelphia, 1997.
15 Os subíndices em **X**, indicativos do pré-processamento, estão ausentes, para evitar excesso de notação.

é única, a menos dos sinais algébricos das colunas de **U** e de **V**. Se uma coluna de **U** tem o sinal invertido, a respectiva coluna de **V** também estará com o sinal invertido.

$$\mathbf{X}_{(I\times J)} = \mathbf{U}_{(I\times I)} \begin{bmatrix} s_{11} & 0 & 0 \\ 0 & \ddots & 0 \\ 0 & 0 & s_{KK} \\ 0 & 0 & 0 \\ \vdots & \mathbf{S} & \vdots \\ 0 & _{(I\times J)} & 0 \end{bmatrix} \mathbf{V}^T_{(J\times J)} \qquad I > J \to K = J \tag{7}$$

$$\mathbf{X}_{(I\times J)} = \mathbf{U}_{(I\times I)} \begin{bmatrix} s_{11} & 0 & 0 & 0 & \cdots & 0 \\ 0 & \ddots & 0 & 0 & \mathbf{S} & \\ 0 & 0 & \ddots & 0 & _{(I\times J)} & \\ 0 & 0 & 0 & s_{KK} & \cdots & 0 \end{bmatrix} \mathbf{V}^T_{(J\times J)} \qquad I < J \to K = I \tag{8}$$

Comparando as equações 3 e 6, é visível que o produto **U S** ($I \times J$) é a matriz de escores **T**, enquanto **V** corresponde à matriz de pesos **L**. Alguns autores se referem à matriz **U** como a matriz de escores normalizada para comprimento um.

É muito importante chamar a atenção para a correspondência existente entre as matrizes obtidas pela decomposição SVD e a matriz de correlação (ou variância-covariância), dada na equação 5[11].

Tomando a transposta da matriz **X**, temos que $\mathbf{X}^T = \mathbf{V}\,\mathbf{S}^T\,\mathbf{U}^T$[16]. Fazendo o produto $\mathbf{X}^T\mathbf{X}$ como indicado na equação 5, teremos

$$\mathbf{X}^T\mathbf{X} = (\mathbf{V}\,\mathbf{S}^T\,\mathbf{U}^T)\,(\mathbf{U}\,\mathbf{S}\,\mathbf{V}^T). \tag{9}$$

Lembrando que $\mathbf{U}^T\mathbf{U} = \mathbf{I}$, obtém-se

$$\mathbf{X}^T\mathbf{X} = \mathbf{V}\,\mathbf{S}^T\,\mathbf{S}\,\mathbf{V}^T. \tag{10}$$

---

16 Dadas duas matrizes **A** e **B**, então $(\mathbf{A}\,\mathbf{B})^T = \mathbf{B}^T\mathbf{A}^T$ e se **A** for diagonal $\mathbf{A}^T = \mathbf{A}$.

A matriz $\mathbf{S}^T\mathbf{S}$ é diagonal quadrada ($J \times J$). Quando $I > J$, então $J = K$ e $\mathbf{S}^T\mathbf{S}$ contém os quadrados dos valores singulares em ordem decrescente, $s_{11}^2 \geq s_{22}^2 \geq, \cdots, \geq s_{KK}^2$. Para $I < J$, então $I = K$ e a matriz diagonal $\mathbf{S}^T\mathbf{S}$ contém, além dos quadrados dos K valores singulares, o restante dos elementos da diagonal igual a zero $s_{K+1,K+1}^2 = s_{K+2,K+2}^2 =, \cdots, = s_{JJ}^2 = 0$.

Multiplicando ambos os lados da equação 10 à direita pela matriz $\mathbf{V}$ e usando o fato de que $\mathbf{V}^T\mathbf{V} = \mathbf{I}$, tem-se

$$\mathbf{X}^T\mathbf{X}\mathbf{V} = \mathbf{V}\mathbf{S}^T\mathbf{S}\mathbf{V}^T\mathbf{V} = \mathbf{V}\mathbf{S}^T\mathbf{S}, \tag{11}$$

onde $\mathbf{X}^T\mathbf{X}\mathbf{v}_k = (s_{kk})^2\mathbf{v}_k$ para $k = 1, 2, ,..., K$. Fica, assim, demonstrado que os quadrados dos valores singulares são os autovalores da matriz $\mathbf{X}^T\mathbf{X}$, e todos eles são não negativos, e que as colunas da matriz $\mathbf{V}$ contêm os autovetores da matriz simétrica $\mathbf{X}^T\mathbf{X}$ ($J \times J$). Se o autoescalamento (ou a centragem na média) for o pré-processamento utilizado, o produto $\mathbf{X}^T\mathbf{X}$ é a matriz de correlação (ou de covariância) da equação 5[11].

O mesmo raciocínio pode ser aplicado à matriz simétrica $\mathbf{X}\mathbf{X}^T$:

$$\mathbf{X}\mathbf{X}^T = (\mathbf{U}\mathbf{S}\mathbf{V}^T)(\mathbf{V}\mathbf{S}^T\mathbf{U}^T) = \mathbf{U}\mathbf{S}\mathbf{V}^T\mathbf{V}(\mathbf{U}\mathbf{S})^T = \mathbf{U}\mathbf{S}\mathbf{S}^T\mathbf{U}^T. \tag{12}$$

Neste caso, $\mathbf{S}\mathbf{S}^T$ é uma matriz diagonal ($I \times I$) e $\mathbf{V}^T\mathbf{V}$ é a matriz identidade ($J \times J$).

Finalmente, $\mathbf{X}\mathbf{X}^T\mathbf{U} = \mathbf{U}\mathbf{S}^T\mathbf{S}\mathbf{U}^T\mathbf{U} = \mathbf{U}\mathbf{S}^T\mathbf{S}$, em que as colunas da matriz $\mathbf{U}$ são os autovetores da matriz simétrica $\mathbf{X}\mathbf{X}^T$.

Deve-se chamar a atenção para o fato de que os K autovalores diferentes de zero de ambas as matrizes simétricas, $\mathbf{X}^T\mathbf{X}$ e $\mathbf{X}\mathbf{X}^T$, são iguais entre si.

2) Método de diagonalização da matriz de correlação (ou variância-
-covariância)

O problema de autovalores indicado na equação 11 ($\mathbf{X}^T\mathbf{X}\mathbf{V} = \mathbf{V}\boldsymbol{\Lambda}$ em que $\mathbf{S}^T\mathbf{S} = \boldsymbol{\Lambda}$) é resolvido encontrando as soluções da equação secular descrita na equação 13. Os autovetores obtidos são ortogonais, podendo ser normalizados[17], e os autovalores são todos não negativos (positivos ou iguais a zero):

$$\mathbf{X}^T \mathbf{X} \mathbf{V} - \mathbf{V} \Lambda = \mathbf{0}. \tag{13}$$

A matriz de autovetores corresponde à matriz de pesos $\mathbf{V} \equiv \mathbf{L}$. A cada autovetor (componente principal) $\mathbf{l}_a$ está associado um autovalor, tal que $\mathbf{X}^T \mathbf{X} \mathbf{l}_a = \lambda_a \mathbf{l}_a$.

O autovalor da matriz de correlação (ou variância-covariância) λ_a é igual ao quadrado do respectivo valor singular, $\lambda_a = (s_{aa})^2$, como mostrado na equação 11, e numericamente igual à variância dos dados descrita pela a-ésima componente principal. Portanto, a quantidade de informação original contida nessa única componente principal pode ser dada pela porcentagem de variância explicada, $\%Var_a$, conforme a expressão abaixo:

$$\%Var_a = \frac{\lambda_a}{\sum_{a=1}^{K} \lambda_a} \times 100, \tag{14}$$

na qual $K = \min\{I, J\}$ e a soma de todos os autovalores no denominador indica a variância total dos dados, quando ainda não se procedeu à redução da dimensionalidade do sistema (ou à compressão dos dados).

Antes de discutirmos o método de cálculo das componentes principais usando o algoritmo NIPALS, retornaremos ao exemplo dos eletrodos seletivos para calcular os escores e os pesos usando o método de decomposição SVD.

A decomposição por valores singulares está implementada em vários pacotes computacionais de alto nível, como, por exemplo, o MATLAB, e pode ser realizada eficientemente e com grande facilidade. Para obtermos as matrizes $\mathbf{U}$, $\mathbf{S}$ e $\mathbf{V}$ dos dados centrados na média, basta usar o comando do quadro a seguir, e os resultados estão na Tabela 5.

---

17 $\mathbf{v}_a^T \mathbf{v}_b = \begin{cases} 0 \text{ para } a \neq b \\ 1 \text{ para } a = b \end{cases}$

$$[U,S,V] = svd(Xcm);$$

Tabela 5 – Resultados da decomposição SVD,
da qual foram obtidas as matrizes **U**, **S** e **V**

$$U = \begin{bmatrix} -0,6007 & 0,1906 & -0,0897 & -0,1416 & 0,5892 & 0,4770 \\ -0,3447 & -0,3429 & -0,1135 & 0,6062 & -0,4534 & 0,4215 \\ -0,1270 & -0,0770 & 0,9866 & 0,0326 & 0,0059 & 0,0588 \\ 0,1113 & 0,6223 & 0,0481 & 0,7174 & 0,2315 & -0,1725 \\ 0,3581 & -0,6299 & -0,0177 & 0,2959 & 0,6219 & 0,0190 \\ 0,6030 & 0,2368 & 0,0552 & -0,0958 & -0,0831 & 0,7492 \end{bmatrix}$$

$$S = \begin{bmatrix} 9,3720 & 0 \\ 0 & 0,2142 \\ 0 & 0 \\ 0 & 0 \\ 0 & 0 \\ 0 & 0 \end{bmatrix} \quad K=2 \qquad V = L = \begin{bmatrix} PC1 & PC2 \\ 0,4485 & -0,8938 \\ 0,8938 & 0,4485 \end{bmatrix}$$

Os pesos indicam o quanto cada uma das variáveis originais contribuiu para construir as novas variáveis (o novo sistema de eixos, das PC). A primeira componente principal (primeira coluna da matriz **L**) é definida como:

$$PC1 = 0,449[Mg^{2+}] + 0,894[Cl^-], \tag{15}$$

e a segunda componente principal como

$$PC2 = -0,894[Mg^{2+}] + 0,449[Cl^-]. \tag{16}$$

Note-se que 0,894/ 0,449 é aproximadamente 2,0, *i.e.*, as variáveis [Cl⁻] e [Mg^{2+}] contribuem na razão de 2:1 para construir a primeira componente principal. A matriz de correlação mostrada na Tabela 4 nos indicou que essas duas variáveis são altamente correlacionadas. Entretanto, os resultados da equação 15 nos mostraram que esses elementos químicos estão na proporção de 2:1, donde é fácil concluir que as soluções envolvidas nos experimentos são de cloreto de magnésio, $MgCl_2$.

A matriz de escores, **T**, nos fornece as coordenadas de cada amostra no novo sistema de eixos, das PC. O vetor de escores t_1 da primeira componente principal está relacionado com as concentrações das seis soluções de cloreto de magnésio.

$$\mathbf{T} = \mathbf{US} = [s_{11}\mathbf{u}_1 \quad s_{22}\mathbf{u}_2] = \begin{bmatrix} & t_1 & t_2 \\ -5{,}6297 & 0{,}0408 \\ -3{,}2306 & -0{,}0734 \\ -1{,}1905 & -0{,}0165 \\ 1{,}0435 & 0{,}1333 \\ 3{,}3565 & -0{,}1349 \\ 5{,}6509 & 0{,}0507 \end{bmatrix} \qquad (17)$$

Os elementos da quarta linha dessa matriz (1,0435 e 0,1333) correspondem exatamente às coordenadas da amostra 4, indicadas na Figura 12 e que havíamos estimado como sendo aproximadamente 1,0 e 0,15.

Sabendo-se que a primeira componente principal é determinada de modo a descrever a maior variância possível do conjunto de dados, quanto de variância é descrito em cada componente principal? Essa informação está contida na matriz **S**, cujos elementos s_{aa} são os valores singulares, ou na matriz **Λ**, em que $\lambda_a = (s_{aa})^2$ é a variância, ou seja, o autovalor correspondente à a-ésima componente principal.

Vimos nas equações 7 e 8 que $K = \min\{I, J\}$, que é igual a dois neste exemplo. Temos, então, dois autovalores correspondentes às duas componentes principais:

$$\boldsymbol{\Lambda} = \begin{bmatrix} \lambda_1 & 0 \\ 0 & \lambda_2 \end{bmatrix} = \begin{bmatrix} 87{,}8344 & 0 \\ 0 & 0{,}0459 \end{bmatrix}. \qquad (18)$$

A variância total do conjunto de dados é dada pela soma das variâncias de cada componente principal, como mostra a equação seguinte.

Variância total = $\sum_{a=1}^{2} \lambda_a$ = 87,8344 + 0,0459 = 87,8803 (19)

Conforme a equação 20, a porcentagem de informação em cada componente principal é expressa como

$$\% \, Var_a = \frac{\lambda_a}{\sum_{a=1}^{2} \lambda_a} = \begin{cases} \dfrac{87,8344}{87,8803} \times 100 = 99,95\% \quad \text{em} \quad PC1 \quad \text{e} \\ \dfrac{0,0459}{87,8803} \times 100 = 0,05\% \quad \text{em} \quad PC2. \end{cases}$$ (20)

Esses resultados indicam que 99,95% da informação original está descrita na primeira componente principal e apenas 0,05% na segunda. Isso é uma forte indicação de que PC2 representa apenas ruído, o que nos leva a concluir que esse conjunto de dados tem dimensionalidade intrínseca (ou posto químico) igual a um ($A = 1$). As matrizes de escores e de pesos devem ser truncadas na primeira componente principal. A segunda componente principal, que contém apenas 0,05% da informação original, é removida, como representado na equação abaixo, pois consideramos que tal quantidade de informação nada mais é do que erro experimental.

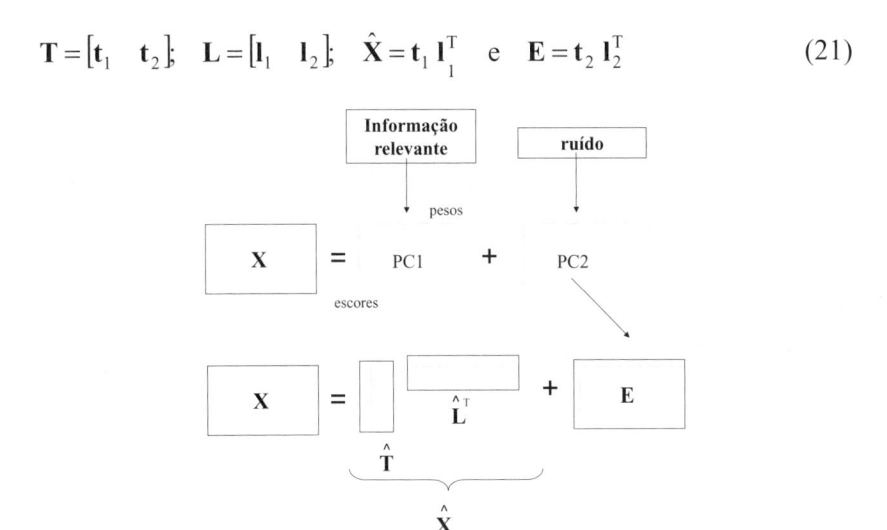

$$\mathbf{T} = [\mathbf{t}_1 \quad \mathbf{t}_2]; \quad \mathbf{L} = [\mathbf{l}_1 \quad \mathbf{l}_2]; \quad \hat{\mathbf{X}} = \mathbf{t}_1 \mathbf{l}_1^T \quad \text{e} \quad \mathbf{E} = \mathbf{t}_2 \mathbf{l}_2^T$$ (21)

Na equação 21 indicamos a matriz original como o produto da matriz de escores com as suas duas colunas pela matriz de pesos transposta, representada por duas linhas. A matriz original é a soma de duas matrizes ($I \times J$). Cada uma delas contém a informação referente a uma componente principal. A primeira componente principal foi considerada como aquela que contém a informação relevante do conjunto de dados, enquanto a segunda contém apenas erro experimental. Vamos, então, considerar apenas a informação contida em $\hat{\mathbf{X}}$, que na realidade é uma boa aproximação da matriz original, pois contém 99,95% da informação descrita em $\mathbf{X}$. A Figura 13 apresenta um gráfico da porcentagem de variância explicada em cada componente principal *versus* o número de componentes principais. Um gráfico dessa natureza é muito útil na determinação do posto químico de um conjunto de dados.

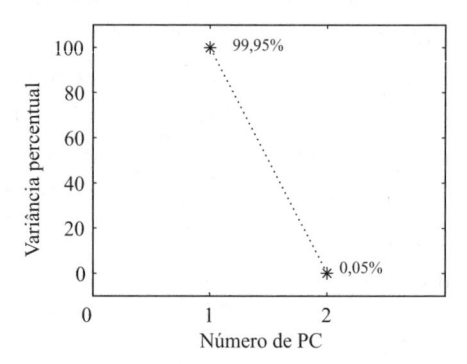

Figura 13 – Gráfico da porcentagem de variância explicada em cada PC *versus* o número de PC.

Os resultados numéricos estão nas Tabelas 6 e 7. Na Tabela 6 encontram-se três matrizes. A primeira delas é a matriz $\mathbf{X}_{cm}$, contendo os dados originais centrados na média. A do meio é a matriz $\hat{\mathbf{X}}_{cm}$, que foi reconstruída usando apenas uma componente principal, *i.e.*, $\mathbf{t}_1 \mathbf{l}_1^T$, e por último, a matriz de resíduos, $\mathbf{E}$ ($I \times J$), que foi obtida com os escores e pesos de PC2, $\mathbf{E} = \mathbf{t}_2 \mathbf{l}_2^T$, conforme a equação 21. Já na Tabela 7, os dados foram descentrados da média, *i.e.*, foram somados os valores médios da Tabela 3 a cada elemento das matrizes centradas na média, $\mathbf{X}_{cm}$ e $\hat{\mathbf{X}}_{cm}$, conforme indicado na parte superior da Tabela 7. $\mathbf{X}$ é a matriz de dados originais, sem pré-tratamento, e $\hat{\mathbf{X}}$ é a matriz reconstruída usando apenas PC1, enquanto a matriz referente a PC2 descreve o erro experimental.

Vale a pena ressaltar que a matriz de resíduos é a mesma em ambos os casos (para os dados centrados na média da Tabela 6 e os dados originais da Tabela 7). A explicação para esse fato é simples: os mesmos valores adicionados a $\mathbf{X}_{cm}$, do lado esquerdo da equação, também foram adicionados a $\hat{\mathbf{X}}_{cm}$, que descreve a informação relevante dos dados originais (do lado direito da equação na Tabela 6).

Tabela 6 – Matrizes dos dados centrados na média, reconstruída com apenas uma componente principal e dos erros

$$\mathbf{X}_{cm} = \hat{\mathbf{X}}_{cm} + \mathbf{E}$$

$$\mathbf{X}_{cm} = \begin{bmatrix} -2{,}561 & -5{,}014 \\ -1{,}383 & -2{,}921 \\ -0{,}519 & -1{,}072 \\ 0{,}349 & 0{,}993 \\ 1{,}626 & 2{,}940 \\ 2{,}489 & 5{,}074 \end{bmatrix} \quad \hat{\mathbf{X}}_{cm} = \begin{bmatrix} -2{,}525 & -5{,}032 \\ -1{,}449 & -2{,}888 \\ -0{,}534 & -1{,}064 \\ 0{,}468 & 0{,}933 \\ 1{,}505 & 3{,}000 \\ 2{,}534 & 5{,}051 \end{bmatrix} \quad \mathbf{E} = \begin{bmatrix} -0{,}037 & 0{,}018 \\ 0{,}066 & -0{,}033 \\ 0{,}015 & -0{,}007 \\ -0{,}119 & 0{,}060 \\ 0{,}121 & -0{,}061 \\ -0{,}045 & 0{,}023 \end{bmatrix}$$

Tabela 7 – Matriz dos dados originais, da matriz original reconstruída com apenas uma componente principal e a matriz de erros[a]

$$\mathbf{X} = \mathbf{X}_{cm} + \mathbf{1}[3{,}536 \quad 7{,}048] = \left(\hat{\mathbf{X}}_{cm} + \mathbf{1}[3{,}536 \quad 7{,}048]\right) + \mathbf{E} = \hat{\mathbf{X}} + \mathbf{E}$$

$$\mathbf{X} = \begin{bmatrix} 0{,}975 & 2{,}034 \\ 2{,}153 & 4{,}127 \\ 3{,}017 & 5{,}976 \\ 3{,}885 & 8{,}040 \\ 5{,}162 & 9{,}987 \\ 6{,}025 & 12{,}121 \end{bmatrix} \quad \hat{\mathbf{X}} = \begin{bmatrix} 1{,}012 & 2{,}016 \\ 2{,}087 & 4{,}160 \\ 3{,}002 & 5{,}983 \\ 4{,}004 & 7{,}980 \\ 5{,}041 & 10{,}048 \\ 6{,}070 & 12{,}098 \end{bmatrix} \quad \mathbf{E} = \begin{bmatrix} -0{,}037 & 0{,}018 \\ 0{,}066 & -0{,}033 \\ 0{,}015 & -0{,}007 \\ -0{,}119 & 0{,}060 \\ 0{,}121 & -0{,}061 \\ -0{,}045 & 0{,}023 \end{bmatrix}$$

[a] $\mathbf{1}$ = vetor ($I \times 1$) com todos os elementos iguais a 1,0.

Vimos na equação 17 que a matriz de escores é dada pelo produto $\mathbf{T} = \mathbf{U}\,\mathbf{S}$ e que a matriz $\mathbf{U}$ é ortogonal. Multiplicando a matriz $\mathbf{T}$ de acordo com a expressão abaixo, obtemos diretamente a matriz dos autovalores.

$$T^T T = (U S)^T (U S) = S^T U^T U S = S^T S = \Lambda \qquad (22)$$

Portanto, usando essa estratégia, os autovalores podem ser calculados um a um, fazendo o produto $t_a^T t_a = \lambda_a$.

O posto matemático de uma matriz $X^T X$ é máximo, em consequência de erros aleatórios. Na ausência de erro experimental, o posto matemático e o posto químico dos dados deveriam ser os mesmos. No entanto, a determinação do posto químico em geral é uma tarefa que envolve os seguintes fatores:

1) a presença de erros experimentais;
2) a presença de variações sistemáticas nos resíduos; e
3) a presença de colinearidades nas medidas experimentais.

Nesse exemplo didático que acabamos de ver, o posto matemático ($K = 2$) e o posto químico ($A = 1$) foram facilmente encontrados.

Todas as vezes que aplicamos o método PCA a uma matriz de dados nos deparamos com a seguinte pergunta: "Qual é o seu posto químico?", i.e., "Quantas componentes principais, A, devem ser utilizadas para se ter uma boa descrição do conjunto de dados, sem perder informações relevantes, por um lado, nem incluir resíduos, por outro?" Há várias maneiras de determinar o posto químico ou o número de PC relevantes.

Uma regra útil seria inspecionar o gráfico dos autovalores ou da % de variância *versus* o número de componentes principais, onde A deve corresponder ao número de PC em que a curva começa a decrescer assintoticamente para zero. A experiência e a intuição provenientes do conhecimento do problema químico têm aqui sua importância. Pode-se determinar A considerando todas as componentes principais necessárias para descrever entre 75% e 95% da informação original dos dados, embora valores menores possam até ser apropriados, dependendo do caso. Outra maneira de determinar A seria considerar autovalores iguais ou maiores que o autovalor médio. Se os dados estiverem autoescalados, cada variável original foi escalada para variância unitária e, portanto, uma terceira maneira de determinar A seria desprezar qualquer PC com autovalor menor que 1,0, uma vez que ela conteria menos informação do que uma única variável. Entretanto, não há dúvida de que o método mais eficaz para determinar A é pela validação cruzada, que será introduzida no próximo capítulo.

A matriz de resíduos, **E**, também exerce um papel fundamental na análise de dados. Uma vez determinado o número adequado de componentes principais para o conjunto de dados, A, obtém-se a matriz de resíduos e, a partir dela, podem-se calcular alguns parâmetros estatísticos relacionados tanto às amostras quanto às variáveis. O parâmetro Q é uma medida de quanto cada amostra se ajusta ao novo subespaço definido pelas A componentes principais. Na realidade, esse parâmetro nos informa a respeito da falta de ajuste de cada amostra, *i.e.*, quanto ela se afasta do subespaço das PC (espaço-linha de **X**). A Figura 14 contém uma representação gráfica de uma amostra i no espaço 3D e projetada no plano gerado pelas duas PC.

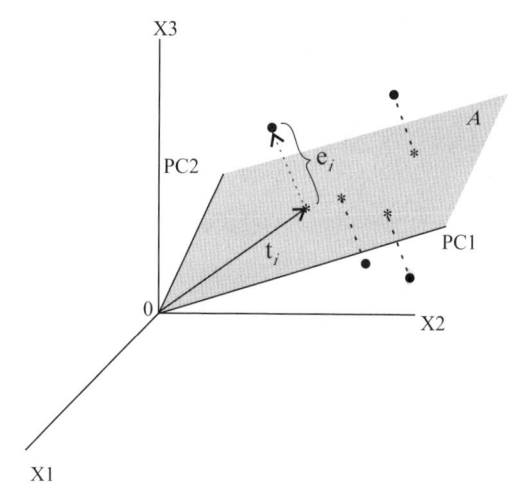

Figura 14 – Representação gráfica da projeção de uma amostra i do espaço 3D ($K = 3$) no plano gerado pelas PC ($A = 2$). $\mathbf{e}_i$ é o vetor de resíduos e $\mathbf{t}_i$ é o vetor de escores.

O parâmetro Q é dado pela soma quadrática dos elementos de cada linha da matriz **E**. Para a amostra i,

$$Q_i = \sum_{j=1}^{J} (e_{ij})^2 \qquad \text{ou} \qquad Q_i = \mathbf{e}_i^T \mathbf{e}_i. \qquad (23)$$

Segundo a equação 2, cada amostra é representada pelo vetor-linha $\mathbf{x}_i^T$, mas da equação 4 temos que $\mathbf{X} = \hat{\mathbf{X}} + \mathbf{E}$, e então, para a i-ésima amostra, $\mathbf{x}_i^T = \hat{\mathbf{x}}_i^T + \mathbf{e}_i^T$. Substituindo na expressão 23, temos que

$$Q_i = \mathbf{e}_i^T \mathbf{e}_i = (\mathbf{x}_i^T - \hat{\mathbf{x}}_i^T) * (\mathbf{x}_i - \hat{\mathbf{x}}_i) = \mathbf{x}_i^T \mathbf{x}_i - \mathbf{x}_i^T \hat{\mathbf{x}}_i - \hat{\mathbf{x}}_i^T \mathbf{x}_i + \hat{\mathbf{x}}_i^T \hat{\mathbf{x}}_i. \qquad (24)$$

Da análise de componentes principais, sabemos que $\hat{\mathbf{x}}_i^T = \mathbf{t}_i^T \mathbf{L}_A^T$ e $\hat{\mathbf{x}}_i = \mathbf{L}_A \mathbf{t}_i$, onde $\mathbf{t}_i^T$ é o vetor-linha dos A escores da amostra i. O vetor de escores da i-ésima amostra também pode ser escrito como o produto dos dados originais pela matriz de pesos truncada, $\mathbf{L}_A$, i.e., $\mathbf{t}_i^T = \mathbf{x}_i^T \mathbf{L}_A$ ou $\mathbf{t}_i = \mathbf{L}_A^T \mathbf{x}_i$. Portanto, para a i-ésima amostra (um elemento para cada variável) o vetor dos dados reconstruído com A PC pode ser reescrito, em função dos dados originais e da matriz de pesos truncada, como $\hat{\mathbf{x}}_i^T = \mathbf{x}_i^T \mathbf{L}_A \mathbf{L}_A^T$ e $\hat{\mathbf{x}}_i = \mathbf{L}_A \mathbf{L}_A^T \mathbf{x}_i$. Fazendo as substituições na equação 24, a soma quadrática dos resíduos da i-ésima amostra se torna[18]

$$Q_i = \mathbf{x}_i^T \mathbf{x}_i - \mathbf{x}_i^T \mathbf{L}_A \mathbf{L}_A^T \mathbf{x}_i = \mathbf{x}_i^T (\mathbf{I}_J - \mathbf{L}_A \mathbf{L}_A^T) \mathbf{x}_i, \qquad (25)$$

na qual $\mathbf{I}_J$ é a matriz identidade ($J \times J$). Para calcular o resíduo da amostra i basta extrair a raiz quadrada.

Esta expressão de Q, em função das medidas experimentais da amostra i e da matriz de pesos, é uma maneira eficiente, do ponto de vista computacional, e utilizada nos programas computacionais para o cálculo dos resíduos de cada amostra.

Para o nosso exemplo numérico, o resíduo de cada amostra calculado com a expressão acima está na Tabela 8.

---

18 $Q_i = \mathbf{x}_i^T \mathbf{x}_i - \mathbf{x}_i^T \mathbf{L}_A \mathbf{L}_A^T \mathbf{x}_i - \mathbf{x}_i^T \mathbf{L}_A \mathbf{L}_A^T \mathbf{x}_i + \mathbf{x}_i^T \mathbf{L}_A \mathbf{L}_A^T \mathbf{L}_A \mathbf{L}_A^T \mathbf{x}_i = Q_i = \mathbf{x}_i^T \mathbf{x}_i - \mathbf{x}_i^T \mathbf{L}_A \mathbf{L}_A^T \mathbf{x}_i$, onde $\mathbf{L}_A^T \mathbf{L}_A = \mathbf{I}_A$ é a matriz identidade ($A \times A$).

Tabela 8 – Resíduos[a] obtidos para as seis amostras quando $A = 1$

Amostra	Resíduos
1	0,0408
2	0,0734
3	0,0165
4	0,1333
5	0,1349
6	0,0507

[a] Calculados tomando $\sqrt{Q}$ da expressão 25.

Voltando à expressão 25, Q_i pode ser escrito como $Q_i = \mathbf{x}_i^T \mathbf{x}_i - \mathbf{t}_i^T \mathbf{t}_i$. Usando agora a equação 22 e somando para todas as amostras, a soma quadrática dos resíduos se torna bastante interessante:

$$\sum_{i=1}^{I} Q_i = \sum_{i=1}^{I} \mathbf{x}_i^T \mathbf{x}_i - \sum_{i=1}^{I} \mathbf{t}_i^T \mathbf{t}_i = \sum_{i=1}^{I} \mathbf{x}_i^T \mathbf{x}_i - \sum_{a=1}^{A} \lambda_a, \qquad (26)$$

pois ela está diretamente relacionada com a variância acumulada pelas A componentes. Não havendo compressão dos dados, ao se fazer $A = K$, onde $K = \min\{I, J\}$, então os resíduos são iguais a zero e a soma de todos os autovalores da matriz de dados pré-processada é igual ao traço[10] da matriz $(\mathbf{X}^T \mathbf{X})$, i.e.,

$$\sum_{i=1}^{I} \mathbf{x}_i^T \mathbf{x}_i = \sum_{i=1}^{I} \sum_{j=1}^{J} x_{ij}^2 = Tr(\mathbf{X}^T \mathbf{X}) = \sum_{a=1}^{K} \lambda_a. \qquad (27)$$

Uma vez definido o número de componentes principais apropriado para a descrição do problema em estudo, pode-se calcular a porcentagem de variância acumulada pelas A componentes (% $Var_{acumulada}$) usando a equação 28:

$$\% Var_{acumulada} = \sum_{a=1}^{A} \% Var_a = \frac{\sum_{a=1}^{A} \lambda_a}{Tr(\mathbf{X}^T \mathbf{X})} \times 100. \qquad (28)$$

Para encerrar o exemplo do cloreto de magnésio, vamos discutir o método de cálculo das componentes principais usando o algoritmo NIPALS.

3) Algoritmo NIPALS para análise de componentes principais[19]

Nesse método, os vetores dos pesos (*loadings*) e dos escores são calculados "iterativamente", um de cada vez, segundo a equação 4. Essa é uma vantagem do método, pois pode-se interromper o cálculo no número desejado de PC, o que pode resultar na redução do tempo computacional. Além disso, nesse método não se calcula a matriz de variância-covariância. A desvantagem do método é a precisão, que decresce com o aumento no número de PC.

O processo iterativo é inicializado com uma primeira estimativa dos escores para a primeira componente principal. Usando esses escores para PC1, calcula-se um "autovalor", como indicado na equação 22. Com esses mesmos escores, podem-se calcular os pesos que são usados para estimar novos escores, e o processo é repetido até à convergência dos autovalores, *i.e.*, até que a diferença entre dois autovalores subsequentes seja menor que um valor prefixado. A sequência completa de passos do algoritmo para o cálculo de uma componente principal é dada no quadro a seguir, que inclui também os comandos do MATLAB nas caixas de texto.

---

19 Geladi, P. e Kowalski, B. R. 'Partial least-squares regression: a tutorial', *Anal. Chim. Acta* **185** (1986) 1-17.

> 1- OS DADOS SÃO PRÉ-PROCESSADOS. Nesse caso, serão centrados na média.
>
> ```
> [I,J] = size(X);
> Xcm = X - ones(I,1) * mean(X)
> ```
>
> 2- ESCOLHE-SE UMA DAS COLUNAS DE **X** COMO ESCORES PARA INICIAR O PROCESSO ITERATIVO (aquela de maior variância).
>
> ```
> [x,a] = sort(std(Xcm));
> t0 = Xcm(:,a(J));
> ```
>
> 3- LOOP
>
> ```
> autovalor = t0' * t0           % Calcula os autovalores
> l1 = inv (t0' * t0) * t0' * Xcm   % Estima os pesos (vetor-linha)
> l1 = l1' / norm(l1')           % Transpõe e normaliza os pesos
> t1=Xcm * l1                    % Estima novos escores
> delta = autovalor - t1' * t1   % Faz o teste de convergência
> ```
>
> 4- SE CONVERGIU: Subtrai a contribuição dessa PC, dos dados originais.
>
> ```
> Xcm = Xcm - t1 * l1';
> ```
>
> 5- REPETE OS CÁLCULOS COM A NOVA MATRIZ **X** PARA CALCULAR A PRÓXIMA COMPONENTE PRINCIPAL.

Será utilizado o mesmo exemplo anterior, dos eletrodos seletivos, para ilustrar o cálculo de uma componente principal usando o algoritmo NIPALS. Os dados da matriz original **X** e da matriz de dados centrada na média $\mathbf{X}_{cm}$ estão nas Tabelas 2 e 3, respectivamente.

O cálculo da primeira componente principal será feito usando a matriz pré-processada, como foi feito anteriormente. O processo iterativo termina quando delta for menor que um determinado valor pré-fixado (critério de convergência), que nesse caso tomamos como 10^{-8}. A segunda coluna da matriz **X** é a que apresenta maior desvio-padrão e, portanto, será usada como uma primeira estimativa do vetor de escores, $\mathbf{t}_0$, para iniciar o processo iterativo.

Cálculo do autovalor inicial

`autovalor = t0' * t0`   autovalor = 70,1787

Estimativa e normalização do vetor de pesos $\mathbf{l}_1$.

`l1 = inv(t0' * t0) * t0' * Xcm` $\mathbf{l}_1^T = [0{,}5014 \; 1{,}0000]$

`l1 = l1' / norm(l1')` $\mathbf{l}_1 = \begin{bmatrix} 0{,}4482 \\ 0{,}8939 \end{bmatrix}$

Estimativa de um novo vetor de escores, $\mathbf{t}_1$.

`t1 = Xcm * l1` $\mathbf{t}_1 = \begin{bmatrix} -5{,}6297 \\ -3{,}2307 \\ -1{,}1905 \\ 1{,}0436 \\ 3{,}3564 \\ 5{,}6509 \end{bmatrix}$

Cálculo de delta.

`delta = autovalor - t1' * t1`   Se não convergiu, repete-se o processo.

delta = 70,1787 − 87,8344 = −17,6557

Está terminada a primeira iteração, na qual, a partir de

$\mathbf{t}_0 = \begin{bmatrix} -5{,}0135 \\ -2{,}9205 \\ -1{,}0715 \\ 0{,}9925 \\ 2{,}9395 \\ 5{,}0735 \end{bmatrix}$,   calculou-se:

$$\mathbf{l}_1 = \begin{bmatrix} 0,4482 \\ 0,8939 \end{bmatrix}, \quad \mathbf{t}_1 = \begin{bmatrix} -5,6297 \\ -3,2307 \\ -1,1905 \\ 1,0436 \\ 3,3564 \\ 5,6509 \end{bmatrix} \quad \text{e} \quad \text{delta} = -17,6557.$$

Como delta é bem maior que 10^{-8}, o processo deve ser repetido, iniciando agora com $\mathbf{t}_1$ no lugar de $\mathbf{t}_0$ para calcular novos vetores $\mathbf{l}_1$, $\mathbf{t}_1$ e um novo valor de delta, e assim por diante até atingir o critério de convergência, quando o valor de delta for menor do que 10^{-8}.

A Tabela 9 contém os valores de delta referentes às três iterações que foram necessárias para atingir a convergência e os elementos dos vetores finais de escores e de pesos. O valor de delta caiu bem rapidamente, de $-17,6557$ para $-6,03 \times 10^{-6}$ na segunda iteração.

Tabela 9 – Valores de delta resultantes dos testes de convergência, autovalor e vetores de escores e de pesos obtidos para a primeira componente principal

Iteração	Delta		
1	$-17,6557$		
2	$-6,0310 \times 10^{-6}$	$\mathbf{l}_1 = \begin{bmatrix} 0,4485 \\ 0,8939 \end{bmatrix}$,	$\mathbf{t}_1 = \begin{bmatrix} -5,6297 \\ -3,2306 \\ -1,1905 \\ 1,0435 \\ 3,3565 \\ 5,6509 \end{bmatrix}$
3	$1,7053 \times 10^{-12}$		
$\lambda_1 = 87,8344$			

Na terceira iteração o valor encontrado de delta foi menor do que 10^{-8} (igual a $1,7053 \times 10^{-12}$) e, portanto, o processo iterativo foi encerrado. Como resultados, temos para a primeira PC os valores de escores para as seis amostras e os valores dos pesos para as duas variáveis, todos indicados na Tabela 9. O autovalor para a primeira PC é dado por $\lambda_1 = \mathbf{t}_1^T \mathbf{t}_1 = 87,8344$. Com esse autovalor calcula-se a % de Variância que ela descreve, sabendo que a variância total dos dados pode ser obtida a partir da matriz utilizada nos cálculos (Variância total =

$Tr(\mathbf{X}_{cm}{}^T \mathbf{X}_{cm}) = 87,8803$). O resultado é idêntico ao obtido pelo método de decomposição por valores singulares. Sabendo *a priori* que essa componente descreve quase que toda a informação contida nos dados (99,95%), nem se faz necessário calcular a segunda componente. Essa é a grande vantagem desse método. Indicaremos como fazer o cálculo de PC2 apenas para ilustração do processo completo.

Uma vez obtida a primeira componente principal, a matriz de dados original será, então, preparada para o cálculo da próxima componente principal. Isso é feito subtraindo a informação descrita em PC1, $\hat{\mathbf{X}}_{cm}$, da matriz original.

$$\mathbf{X}_{cm1} = \mathbf{X}_{cm} - \underbrace{\mathbf{t}_1\,\mathbf{l}_1^T}_{\hat{\mathbf{X}}_{cm}}$$

$$\mathbf{X}_{cm1} = \mathbf{X}_{cm} - \underbrace{\begin{bmatrix} -5,6297 \\ -3,2306 \\ -1,1905 \\ 1,0435 \\ 3,3565 \\ 5,6509 \end{bmatrix} * \begin{bmatrix} 0,4485 & 0,8939 \end{bmatrix}}_{\hat{\mathbf{X}}_{cm}}$$

Essa subtração torna evidente uma propriedade importante das PC: que a informação que está em uma componente principal não está nas outras, pois elas são ortogonais entre si. A nova matriz $\mathbf{X}_{cm1}$, que na realidade corresponde à matriz de resíduos $\mathbf{E}_1$, é que será usada para calcular a segunda componente principal ($\mathbf{t}_2$, $\mathbf{l}_2$ e o novo autovalor $\mathbf{t}_2^T\mathbf{t}_2$).

$$\mathbf{X}_{cm1} = \begin{bmatrix} -0,0365 & 0,0183 \\ 0,0656 & -0,0329 \\ 0,0147 & -0,0074 \\ -0,1192 & 0,0598 \\ 0,1206 & -0,0605 \\ -0,0453 & 0,0228 \end{bmatrix}$$

A seguir, os mesmos cálculos feitos para PC1 são repetidos aqui para o cálculo de PC2. Os pesos deverão ser idênticos aos indicados na Tabela 5, e os escores, idênticos aos elementos de $\mathbf{t}_2$ da equação 17.

Se a matriz $\mathbf{X}$ fosse de dimensão maior, provavelmente seria necessário um número maior de PC para descrever toda a informação relevante contida nos dados. Nesse caso, uma vez calculados os vetores $\mathbf{t}_2$, $\mathbf{l}_2$ e a matriz de dados reconstruída com a informação dada pela PC2, uma nova matriz contendo os novos resíduos, $\mathbf{X}_{cm2} = \mathbf{X}_{cm1} - \mathbf{t}_2\ \mathbf{l}_2^T$, seria obtida para o cálculo de $\mathbf{t}_3$ e $\mathbf{l}_3$ e, assim, as componentes principais seriam geradas uma a uma, até se obterem as A componentes necessárias para uma boa descrição dos dados originais.

Ao final, tem-se uma matriz de escores $\mathbf{T} = [\mathbf{t}_1, \mathbf{t}_2, \mathbf{t}_3, ..., \mathbf{t}_A]$, uma matriz de pesos $\mathbf{L} = [\mathbf{l}_1, \mathbf{l}_2, \mathbf{l}_3, ..., \mathbf{l}_A]$, uma matriz de resíduos $\mathbf{E}$, que será igual a $\mathbf{X}_{cmA}$, e um conjunto de autovalores que são as variâncias de cada componente principal, $\lambda_a = \mathbf{t}_a^T \mathbf{t}_a$, em que $a = 1, 2, ..., A$.

3.2.3 Rotações

Foi comentado anteriormente que, na análise de componentes principais, existe o problema da ambiguidade rotacional ou da liberdade de rotação. As componentes principais podem ser submetidas a rotações produzindo novos eixos sem que haja perda de ajuste. Isso pode ser facilmente demonstrado, considerando a decomposição $\mathbf{X} = \mathbf{T}_A \mathbf{L}_A^T + \mathbf{E}$, onde A é o posto químico e $\mathbf{E}$ é a matriz de resíduos. Multiplicando essa expressão por $\mathbf{R}_A \mathbf{R}_A^{-1}$, na qual $\mathbf{R}_A$ é uma matriz quadrada de posto completo ($A \times A$), um novo conjunto de escores e pesos é gerado, mas a matriz dos resíduos, $\mathbf{E}$, permanece inalterada, de acordo com a equação 29.

$$\mathbf{X} = \mathbf{TL}^T = \mathbf{T}_A \mathbf{L}_A^T + \mathbf{E} = \mathbf{T}_A \mathbf{R}_A \mathbf{R}_A^{-1} \mathbf{L}_A^T + \mathbf{E} = \mathbf{T}_A \mathbf{R}_A \left(\mathbf{L}_A \left(\mathbf{R}_A^{-1} \right)^T \right)^T + \mathbf{E} \quad (29)$$

Se a matriz $\mathbf{R}_A$ representa uma rotação, ela é ortonormal, *i.e.*, $\mathbf{R}_A^{-1} = \mathbf{R}_A^{T}$[20]. Nesse caso, a equação 29 se reduz a $\mathbf{X} = (\mathbf{T}_A \mathbf{R}_A)(\mathbf{L}_A \mathbf{R}_A)^T + \mathbf{E}$. Essa rotação implica uma alteração dos elementos de $\mathbf{T}_A$, que é compensada por uma alteração dos elementos de $\mathbf{L}_A$, mas que não afeta os elementos de $\mathbf{E}$. $\mathbf{T}_A \mathbf{R}_A$ é a nova matriz de escores e $\mathbf{L}_A \mathbf{R}_A$ é a nova matriz de pesos.

Voltando à seção 3.2.1, quando foram introduzidas as componentes principais, a informação essencial era a direção e não o sentido dos autovetores. Essa liberdade é uma decorrência particular da ambiguidade rotacional, no caso em que se considera uma reflexão. O determinante da matriz de rotação $\mathbf{R}$ nesse caso é igual a –1 e então, $\mathbf{X} = \mathbf{T}\mathbf{L}^T = (-\mathbf{T})(-\mathbf{L})^T$.

3.2.4 Rotação varimax[21,22]

A rotação varimax é a última etapa a ser considerada na análise de componentes principais. Após o cálculo das PC e a redução da dimensionalidade dos dados com a projeção das amostras nesse novo sistema de eixos (espaço-linha de $\mathbf{X}$), pode acontecer que os resultados não tenham uma interpretação simples e direta. A razão disso advém da própria maneira como elas foram definidas, para explicar a máxima variância possível dos dados, mas não necessariamente para a interpretação. A rotação varimax, como o próprio nome diz, é uma rotação das PC em torno da origem. O efeito final de rotacionar a matriz de pesos é redistribuir a variância, das primeiras PC para as últimas, com o objetivo de obter novos fatores com um padrão mais simples e teoricamente mais significativo. Do ponto de vista prático, o que se quer é "simplificar" as

---

20 Está sendo considerado aqui que uma rotação é o resultado da aplicação de uma matriz ortogonal, *i.e.*, $\mathbf{R}^{-1} = \mathbf{R}^T$, $\mathbf{R}\mathbf{R}^T = \mathbf{I}$, ou seja, $det(\mathbf{R}\mathbf{R}^T) = (det\,\mathbf{R})^2 = 1$, e, portanto, $det\,\mathbf{R} = \pm 1$. Geometricamente, uma matriz ortogonal pode ser composta de rotação e reflexão.
21 Forina, M.; Lanteri, S. e Leardi, R. 'A program for Varimax rotation in factor analysis', *Trends Anal. Chem.* **6** (1987) 250-251.
22 Forina, M.; Armanino, C.; Lanteri, S. e Leardi, R. 'Methods of Varimax Rotation in Factor Analysis with Applications in Clinical and Food Chemistry', *J. Chemom.* **3** (1988) 115-125.

colunas da matriz de pesos para facilitar a interpretação. Por simplificação das colunas, queremos dizer que aquelas variáveis que menos (ou mais) contribuem em módulo para uma dada componente principal terão a sua contribuição diminuída (ou acentuada). Isto é, a transformação acentua os pesos mais altos e amortiza os menores, segundo o princípio de São Mateus: "*Aos que tem, mais será dado e aos que não tem, o pouco lhes será tirado*". (Mateus 13:12. Parábola do semeador). A lógica é que a interpretação se torna mais fácil quando as correlações PC-variável são próximas de mais um ou menos um, indicando uma clara associação positiva ou negativa entre a variável e a PC, ou quando as correlações são próximas de zero, apontando para uma ausência de associação.

Do ponto de vista matemático, a simplificação das colunas da matriz de pesos é obtida maximizando a soma das variâncias dos pesos. Assim, a máxima simplificação possível é obtida quando os pesos em uma componente principal forem iguais a zero e um. Para aplicar a rotação varimax, consideremos a aplicação de uma matriz de rotação, $\mathbf{R}$, tal que a matriz de pesos rotacionada ao redor da origem, $\mathbf{L}_R^* = \mathbf{L}^* \mathbf{R}$, tenha a máxima "simplicidade". O símbolo (*) indica alguma modificação que pode ser feita nos pesos, antes da rotação, como veremos em breve. Antes de mais nada, devemos definir o que vem a ser a simplicidade. A simplicidade de uma variável vetorial é a variância dos quadrados de seus elementos, e a simplicidade de uma variável matricial é a soma das simplicidades de seus vetores-colunas. Na equação 30 se encontram as expressões para a simplicidade $simp_a$ da a-ésima componente principal (PCa), bem como para a simplicidade $simp$ da matriz $\mathbf{L}$.

$$simp_a = \frac{1}{J} \sum_{j=1}^{J} \left(l_{ja}^{*\,2} - \overline{l_a^{*\,2}} \right)^2 ;$$

$$simp = \frac{1}{J} \left[\sum_{a=1}^{A} \sum_{j=1}^{J} \left((l_{ja}^*)^2 \right)^2 - \frac{1}{J} \sum_{a=1}^{A} \left(\sum_{j=1}^{J} (l_{ja}^*)^2 \right)^2 \right], \qquad (30)$$

em que l_{ja}^* são os pesos modificados da a-ésima componente principal e $\overline{l_a^{*\,2}}$ é o valor médio.

Uma vez definida a simplicidade de uma componente principal, ela deve ser maximizada e esse é um processo iterativo, no qual a matriz **R** é modificada até a convergência. As PC são rodadas aos pares, iniciando com a 1ª e a 2ª, a 1ª e a 3ª, e assim por diante, até 1ª e a Aª, em seguida a 2ª e a 3ª, até o par $(A-1)$ª e Aª. Não é necessário rotacionar todas as PC e esse número varia de caso para caso, podendo ser interrompido nas duas primeiras PC. Para cada par de componentes principais a e b (no plano), calcula-se o ângulo ϕ de rotação. Se o angulo é suficientemente grande ($|\phi| \geq 0{,}000025$ radianos), a rotação é realizada de acordo com a equação 31.

$$\mathbf{L}^*_R = \mathbf{L}^* \mathbf{R}; \quad \begin{bmatrix} (\mathbf{l}^*_a)_R & (\mathbf{l}^*_b)_R \end{bmatrix} = \begin{bmatrix} \mathbf{l}^*_a & \mathbf{l}^*_b \end{bmatrix} \begin{bmatrix} \cos\phi & -sen\phi \\ sen\phi & \cos\phi \end{bmatrix} \quad (31)$$

Caso contrário, passa-se para o par seguinte, até que todos os pares sejam testados. A seguir, nova simplicidade é calculada e comparada com a anterior, e o processo continua até que o acréscimo na simplicidade seja, por exemplo, menor que 0,1%.

Pela equação 31, é visível que $(\mathbf{l}^*_a)_R = \cos\phi\, \mathbf{l}^*_a + sen\phi\, \mathbf{l}^*_b$ e que $(\mathbf{l}^*_b)_R = -sen\phi\, \mathbf{l}^*_a + \cos\phi\, \mathbf{l}^*_b$. A expressão 30 atualizada para essas duas PC no plano é dada pela equação 32 abaixo:

$$simp_{a,b} = \frac{1}{J}\left[\sum_{j=1}^{J}\left((l^*_{ja})^2 \right)^2 - \left(\sum_{j=1}^{J} (l^*_{ja})^2 \right)^2 + \sum_{j=1}^{J}\left((l^*_{jb})^2 \right)^2 - \left(\sum_{j=1}^{J} (l^*_{jb})^2 \right)^2 \right], (32)$$

que deve ser maximizada em relação a ϕ. Derivando $(\mathbf{l}^*_a)_R$ e $(\mathbf{l}^*_b)_R$ em relação a ϕ, obtemos $(\mathbf{l}^*_b)_R$ e $-(\mathbf{l}^*_a)_R$, respectivamente, ou, $\frac{d(l^*_{ja})_R}{d\phi} = (l^*_{jb})_R$ e $\frac{d(l^*_{jb})_R}{d\phi} = -(l^*_{ja})_R$. Tomando a primeira derivada da expressão 32 e igualando-a a zero, obtemos a condição necessária para um máximo. Assim, com alguma manipulação algébrica, podemos encontrar o ângulo de rotação ϕ.

$$\phi = \frac{1}{4}\arctan \frac{2\left\{ J\sum_{j=1}^{J}\left[\left(l_{ja}^{*\,2} - l_{jb}^{*\,2}\right)\left(2l_{ja}^{*}\, l_{jb}^{*}\right)\right] - \left[\sum_{j=1}^{J}\left(l_{ja}^{*\,2} - l_{jb}^{*\,2}\right)\sum_{j=1}^{J}\left(2l_{ja}^{*}\, l_{jb}^{*}\right)\right]\right\}}{J\left\{\sum_{j=1}^{J}\left[\left(l_{ja}^{*\,2} - l_{jb}^{*\,2}\right)^{2} - \left(2l_{ja}^{*}\, l_{jb}^{*}\right)^{2}\right]\right\} - \left\{\left[\sum_{j=1}^{J}\left(l_{ja}^{*\,2} - l_{jb}^{*\,2}\right)\right]^{2} - \left[\sum_{j=1}^{J}\left(2l_{ja}^{*}\, l_{jb}^{*}\right)\right]^{2}\right\}} \quad (33)$$

Tomando a segunda derivada da equação 32, as condições suficientes para encontrar o máximo podem ser obtidas; elas se referem aos sinais do numerador e denominador da expressão 33 para ϕ, os quais estão indicados na Tabela 10.

Tabela 10 – Sinais do numerador e denominador da expressão do ângulo de rotação, ϕ

		Sinal do numerador	
		+	−
Sinal do denominador	+	0° a +22,5°	0° a −22,5°
	−	22,5° a 45°	22,5° a −45°

Existem vários algoritmos de rotação varimax. Eles diferem entre si na maneira como os pesos são modificados antes da rotação. Vamos nos referir a **L** como a matriz de pesos originais e a **L***, como a dos pesos modificados.

Apresentaremos aqui 4 métodos de rotação varimax:

1) Simples
2) Pesos normalizados
3) Pesos ponderados pelos autovalores
4) Pesos normalizados e ponderados pelos autovalores

1) Método simples

Na rotação simples, os pesos não são modificados antes da rotação. Isso quer dizer que as variáveis com pesos pequenos naquela componente principal quase não contribuem, e a rotação produz vetores rotacionados orientados na direção das variáveis com altos pesos.

2) Método dos pesos normalizados

Neste caso, os pesos são normalizados antes da rotação. Primeiramente, define-se o fator de normalização, que será tomado como a raiz quadrada da comunalidade. A comunalidade de cada variável, $h^2_{(j)}$, nos fornece a fração da variância de cada variável "j" do conjunto original dos dados, que é explicada pelas "A" componentes principais ($A < J$) e está definida na equação 34. Como a matriz de pesos é ortonormal, a comunalidade de uma variável é igual a 1,0 quando $A = J$.

$$h^2_{(j)} = \sum_{a=1}^{A} l^2_{ja} \tag{34}$$

Os pesos são normalizados pela raiz quadrada da comunalidade (h^2) antes da rotação. Com essa normalização, cada uma das J variáveis tem a mesma importância na maximização da simplicidade. No quadro abaixo estão os comandos do MATLAB para o cálculo da comunalidade e para a normalização das A PC.

```
%L é a matriz de pesos
h = sqrt(sum(L(:,1:A)' .^ 2)')
% ou
h=sqrt(diag(L(:,1:A) * L(:,1:A)'))
%Lmod é a matriz de pesos modificada
Lmod = L(:,1:A) ./ (h * ones(1,A))
```

$$\mathbf{L}^* = \mathbf{L} ./ \begin{array}{c} \\ 1 \\ 2 \\ \\ J \end{array} \begin{bmatrix} h_1 & h_1 & \cdots & h_1 \\ h_2 & h_2 & \vdots & h_2 \\ \vdots & \vdots & & \vdots \\ h_J & h_J & \cdots & h_J \end{bmatrix} \tag{35}$$

3) Método dos pesos ponderados pelos autovalores

Neste caso, os pesos são ponderados antes da rotação. Eles são multiplicados pela raiz quadrada dos autovalores, $\sqrt{\lambda_a}$, que são calculados através dos escores, conforme a equação 22, ou utilizando a matriz de valores singulares $\mathbf{S}$, que foi definida na equação 6, tal que $\mathbf{L}^* = \mathbf{L}\,\mathbf{S}$.

```
Lmod = V(:,1:A) * S(1:A,1:A)
```

$$\mathbf{L}^* = \mathbf{L} \begin{bmatrix} s_{11} & & & \\ & s_{22} & & \\ & & \ddots & \\ & & & s_{AA} \end{bmatrix} \tag{36}$$

Note-se que, neste caso, as colunas da matriz a ser rotacionada, $\mathbf{L}^*$, não têm comunalidades iguais a 1,0. Consequentemente, a matriz de fatores rotacionados, $\mathbf{L}_R^*$, não é ortogonal, *i.e.*, as PC modificadas já não são mais ortogonais entre si e podem estar correlacionadas. Dizemos, então, que foi feita uma rotação oblíqua.

4) Método dos pesos normalizados e ponderados pelos autovalores

Ambas as modificações consideradas acima são aplicadas simultaneamente à matriz de pesos antes da rotação. Eles são normalizados pela comunalidade e ponderados pelos autovalores.

$$\mathbf{L}^* = \mathbf{L} \begin{bmatrix} s_{11} & & & \\ & s_{22} & & \\ & & \ddots & \\ & & & s_{AA} \end{bmatrix} ./ \begin{bmatrix} h_1 & h_1 & \cdots & h_1 \\ h_2 & h_2 & \vdots & h_2 \\ \vdots & \vdots & & \vdots \\ h_J & h_J & \cdots & h_J \end{bmatrix}$$

onde (37)

$$l_{ja}^* = l_{ja} \frac{\sqrt{\lambda_a}}{h_j}.$$

Novamente aqui, os fatores modificados não são mais ortogonais entre si.

Após a aplicação da rotação varimax, obtém-se um novo conjunto de fatores em que os pesos mais importantes são mais facilmente distinguidos dos menos importantes. Esses fatores se alinham melhor com as direções das variáveis originais e, portanto, espera-se que sejam mais facilmente interpretáveis.

É importante não se esquecer de que as modificações feitas nos pesos antes da rotação devem ser removidas após a rotação. Por exemplo, na normalização, os fatores rotacionados deverão ser multiplicados pela raiz quadrada da comunalidade da variável correspondente, ao transformar $\mathbf{L}_R^*$ em $\mathbf{L}_R$, para que a contribuição de cada variável seja restaurada ao estado original.

Uma vez restaurada a matriz dos fatores rotacionados, podemos calcular a matriz dos escores rotacionados, $\mathbf{T}_R$. Para os métodos de rotação simples e normalizado, nos quais a matriz dos pesos rotacionados é ortogonal, basta multiplicar, à direita, em ambos os lados da equação 38 por $\mathbf{L}_R^T$, para obter a matriz de escores $\mathbf{T}_R$.

$$\hat{\mathbf{X}} = \mathbf{T}_A \mathbf{L}_A^T = \mathbf{T}_R \mathbf{L}_R^T \quad \Rightarrow \quad \mathbf{T}_R = \hat{\mathbf{X}} \mathbf{L}_R^T \qquad (38)$$

Para os métodos de rotação ponderado e ponderado – normalizado, a matriz $\mathbf{L}_R$ não é ortogonal, e a expressão 38 não pode ser aplicada. Os escores devem ser obtidos, então, tomando-se a pseudoinversa, conforme mostrado na equação 39.

$$\hat{\mathbf{X}} = \mathbf{T}_A \mathbf{L}_A^T = \mathbf{T}_R \mathbf{L}_R^T \quad \Rightarrow \quad \mathbf{T}_R = \hat{\mathbf{X}} \mathbf{L}_R \left(\mathbf{L}_R^T \mathbf{L}_R \right)^{-1} \qquad (39)$$

Nestes dois últimos casos, a variância total (soma dos autovalores das componentes principais modificadas) é diferente da original.

Para encerrar esta seção, em que foram introduzidos e discutidos os aspectos matemáticos da análise de componentes principais, apresentamos no quadro a seguir, um sumário da sequência de etapas a serem seguidas ao explorar os dados utilizando esta metodologia.

Finalmente, deve-se enfatizar que a interpretação dos resultados é o clímax de toda esta análise. Em geral os resultados são apresentados na forma de gráficos bi ou tridimensionais. Com a compressão dos dados, a identificação de estruturas e agrupamentos existentes, pode ser verificada em um espaço de baixa dimensão. Os gráficos de pesos contêm informação sobre as correlações existentes entre as variáveis enquanto que os gráficos de escores mostram as similaridades e dissimilaridades entre as amostras.

Análise exploratória dos dados

SUMÁRIO DO MÉTODO PCA

PREPARAÇÃO DOS DADOS PARA ANÁLISE
VISUALIZE OS DADOS ORIGINAIS
ESCOLHA AS OPÇÕES DE TRANSFORMAÇÃO
ESCOLHA O MÉTODO DE PRÉ-PROCESSAMENTO

↓

CALCULE
- ESCORES
- PESOS
- AUTOVALORES

EM CASO DE HAVER ROTAÇÃO VARIMAX
(Quantos fatores serão rotacionados?)

↓

CALCULE NOVOS
- ESCORES
- PESOS
- AUTOVALORES

↓

INTERPRETE OS RESULTADOS

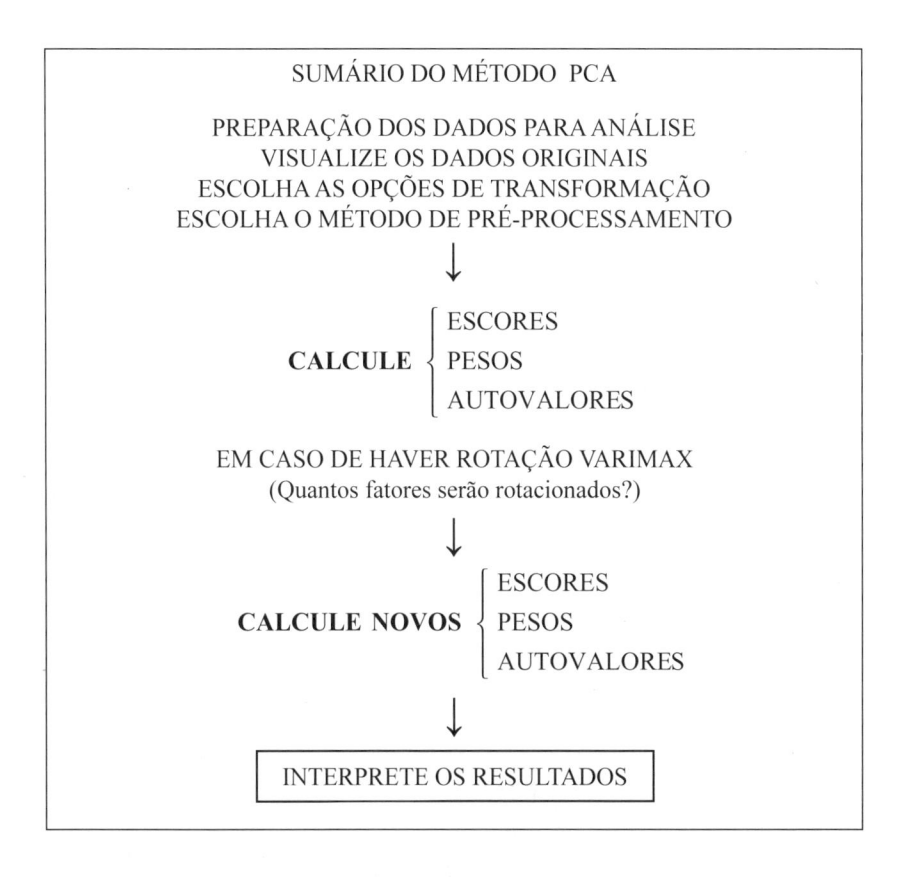

A seguir discutiremos o outro método de reconhecimento de padrões não supervisionado, que também é bastante utilizado na análise exploratória dos dados, e, finalmente, apresentaremos alguns exemplos ilustrativos.

3.3 Análise de Agrupamentos por Métodos Hierárquicos – HCA

3.3.1 Introdução

A taxonomia numérica foi desenvolvida principalmente por biólogos para estudar a semelhança entre organismos de diferentes espécies, gênero, família etc. A análise de agrupamentos por métodos hierárquicos — HCA[23] — teve sua origem na taxonomia numérica. Este é o outro método "não supervisionado" de reconhecimento de padrões, adequado para descobrir "padrões naturais" de comportamento entre amostras com base em seu perfil multivariado, que será abordado neste livro. Esta é uma área bem estabelecida há tempos, e já existem vários algoritmos para a análise HCA disponíveis, muitos deles considerados clássicos.

HCA é útil para reduzir a dimensionalidade dos dados de grande porte, por exemplo, permitindo que dezenas de milhares de genes possam ser representados por poucos grupos de genes de comportamento semelhante ou, também, para a detecção de amostras com comportamento diferenciado (anômalo) em um conjunto de dados. Em algumas situações, a quantidade de informação contida nos dados é extraordinariamente grande, como em bancos de dados de cristalografia. Nesses casos, HCA é um método prático e eficiente na busca por estruturas cristalográficas similares.

Em todos os casos, a finalidade principal é reunir amostras (objetos)[24] de tal modo que aquelas pertencentes a um mesmo grupo sejam mais parecidas entre si do que com as amostras dos outros grupos. A ideia é maximizar a homogeneidade interna, dentro dos grupos, e maximizar a heterogeneidade entre os grupos.

Como já mencionamos anteriormente, a visualização dos objetos utilizando uma variável de cada vez, ou duas a duas, não é um critério eficiente para a extração de informações de dados multidimensionais. Neste contexto, a HCA é uma técnica interessante, porque o processo de agrupamento hierárquico de dados multidimensionais pode ser representado graficamente em um esquema bidimensional. Os resultados são apresentados na forma de uma árvore hierárquica, também conhecida como "dendrograma", que nada mais é do que um gráfico que representa a estrutura hierárquica dos dados, em que os comprimentos dos ramos da árvore representam o grau de similaridade entre os objetos.

Há duas maneiras de se agrupar hierarquicamente os objetos: a aglomerativa e a divisiva. No método aglomerativo, o primeiro passo do

---

23 Do inglês: *Hierarchical Cluster Analysis*.
24 Os termos "amostras" e "objetos" estão sendo usados indistintamente.

processo considera cada objeto como um grupo unitário (de um único elemento) e segue agrupando-os sistematicamente, por ordem de similaridade, em um processo iterativo, até que todos eles formem um único grande grupo. Já o método divisivo caminha em direção oposta. Inicia-se com um único grupo que contém todas as amostras e divide-o em dois ou mais subgrupos, começando por aquelas amostras que são mais diferentes (dissimilares) entre si. A seguir, cada subgrupo é considerado separadamente, e a divisão é repetida iterativamente, até que cada amostra constitua um grupo por si mesma. A HCA é uma técnica aglomerativa.

3.3.2 Fundamentos matemáticos

Como a HCA é uma técnica aglomerativa, assume-se *a priori* que cada objeto (amostra) representa um grupo separado. É muito razoável admitir que amostras próximas entre si no espaço multidimensional, $\boldsymbol{R}^J$, sejam semelhantes em relação às variáveis consideradas. Isso quer dizer que uma maneira de determinar o quanto um objeto é semelhante a outro é através do cálculo da distância entre eles.

O primeiro passo é definir um índice numérico para medir a proximidade entre pares de amostras, *i.e.*, a "distância" entre elas.

Voltando ao conceito matemático de distância entre dois pontos A e B de um conjunto (que passa a ser chamado de espaço métrico), três propriedades simples e intuitivas devem ser satisfeitas:

1) A distância entre A e B, d_{AB}, deve ser ≥ 0 (as distâncias não podem ser negativas). A distância de um ponto com ele mesmo é zero, e o contrário também vale, *i.e.*, se a distância $d_{AB} = 0$, então $A = B$;
2) a distância entre A e B é igual à distância entre B e A, *i.e.*, $d_{AB} = d_{BA}$; e
3) a distância entre A e C deve ser igual ou menor do que a soma das distâncias entre A e B, e entre B e C, *i.e.*, $d_{AC} \leq d_{AB} + d_{BC}$. Essa regra é conhecida como a "desigualdade triangular".

No espaço vetorial $\boldsymbol{R}^J$ o conceito de distância é usualmente originado de um conceito mais rico chamado norma $\|\bullet\|$ que deve satisfazer às seguintes propriedades:

$\|\mathbf{x}\| \geq 0, \quad \|\mathbf{x}\| = 0 \Leftrightarrow \mathbf{x} = 0$ (positividade definida)
$\|\lambda\mathbf{x}\| = |\lambda|\|\mathbf{x}\|, \quad \lambda \in \boldsymbol{R}$ (homogeneidade)
$\|\mathbf{x} + \mathbf{y}\| \leq \|\mathbf{x}\| + \|\mathbf{y}\|$ (desigualdade triangular).

A norma representa o conceito intuitivo de "módulo ou comprimento de um vetor". Se este vetor $\mathbf{x}$ representa um ponto no espaço, a distância entre dois pontos A e B pode ser definida por $d_{AB} = \|\mathbf{x}_A - \mathbf{x}_B\|$.

Uma maneira ainda mais particular de definir distância em um espaço vetorial $\boldsymbol{R}^J$ é baseada no conceito de produto interno[25].

A distância Euclideana é a medida mais comum e intuitiva de distância que satisfaz às três condições acima e a mais utilizada nas situações diárias. A distância Euclideana entre os dois pontos com coordena-

---

25 Se $\langle \mathbf{x}, \mathbf{y} \rangle$ for um produto um interno, *i.e.*, se

1- $\langle \mathbf{x}, \mathbf{x} \rangle \geq 0 \quad \langle \mathbf{x}, \mathbf{x} \rangle = 0 \Leftrightarrow \mathbf{x} = 0$;

2- $\langle \mathbf{x}, \mathbf{y} \rangle = \langle \mathbf{y}, \mathbf{x} \rangle$ Simetria;

3- $\langle \lambda\mathbf{x}, \mathbf{y} \rangle = \lambda \langle \mathbf{x}, \mathbf{y} \rangle$ Homogeneidade; e

4- $\langle \mathbf{x}, \mathbf{y} + \mathbf{z} \rangle = \langle \mathbf{x}, \mathbf{y} \rangle + \langle \mathbf{x}, \mathbf{z} \rangle$ Distributividade;

então define-se a norma correspondente na forma $\|\mathbf{x}\| = \sqrt{\langle \mathbf{x}, \mathbf{x} \rangle}$ e daí, $d_{AB} = \sqrt{\langle \mathbf{x}_A - \mathbf{x}_B, \mathbf{x}_A - \mathbf{x}_B \rangle}$. A norma Euclideana, por exemplo, é proveniente do produto interno $\langle \mathbf{x}_A, \mathbf{x}_B \rangle = \sum_{J=1}^{J} x_{aj} x_{bj}$, ou seja,

$\|\mathbf{x}_A - \mathbf{x}_B\|_2 = \langle \mathbf{x}_A - \mathbf{x}_B, \mathbf{x}_A - \mathbf{x}_B \rangle^{\frac{1}{2}} = \sqrt{\sum_{j=1}^{J} (x_{aj} - x_{bj})^2}$.

A distância de Mahalanobis provém do produto interno definido por $\langle \mathbf{x}_A, \mathbf{x}_B \rangle = \langle \mathbf{S}\mathbf{x}_A, \mathbf{x}_B \rangle = \sum \left(\sum s_{ij} x_{aj} \right) x_{bi}$, em que $\mathbf{S}$ é uma matriz simétrica positiva definida e caracteriza todas as distâncias do $\boldsymbol{R}^J$ originadas de um produto interno. Nem todas as distâncias de interesse em $\boldsymbol{R}$ são provenientes de produto interno como são os casos da norma 1 $\|\bullet\|_1$ e da norma infinito $\|\bullet\|_\infty$.

das $A = (a_1, a_2)$ e $B = (b_1, b_2)$ no espaço bidimensional pode ser expressa usando o teorema de Pitágoras como

$$d_{AB} = \sqrt{(a_1 - b_1)^2 + (a_2 - b_2)^2}, \qquad (40)$$

cuja representação geométrica é a reta que une A e B, mostrada na Figura 15.

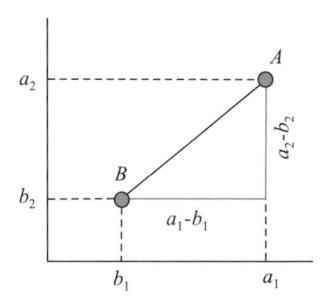

Figura 15 – Distância Euclideana entre os dois pontos A e B no espaço bidimensional.

No espaço multidimensional $\boldsymbol{R}^J$, a distância Euclideana entre dois objetos A e B, d_{AB}, é calculada de acordo com a expressão

$$d_{AB} = \left[\sum_{j=1}^{J} \left(x_{aj} - x_{bj} \right)^2 \right]^{1/2}$$

ou (41)

$$d_{AB} = \sqrt{(x_{a1} - x_{b1})^2 + (x_{a2} - x_{b2})^2 + \cdots + (x_{aJ} - x_{bJ})^2},$$

nas quais x_{aj} e x_{bj} são os valores numéricos da j-ésima coordenada de A e de B, respectivamente.

A distância Euclideana também é chamada de distância da norma l_2 e pode ser escrita na forma de um produto interno de vetores no espaço de dimensão J, $\boldsymbol{R}^J$, como indicado na equação 42:

$$d_{AB} = \left[(\mathbf{x}_A - \mathbf{x}_B)^T (\mathbf{x}_A - \mathbf{x}_B)\right]^{1/2} = \|\mathbf{x}_A - \mathbf{x}_B\|_2. \quad (42)$$

Nessa expressão $\mathbf{x}_A$ e $\mathbf{x}_B$ são dois vetores ($J \times 1$) cujos elementos são as respostas das amostras A e B, respectivamente.

O grande problema com o uso da distância Euclideana é que ela varia com a mudança de escala e, mesmo assim, ela é a métrica mais utilizada.

A distância de Manhattan, também conhecida como distância retilínea, e que satisfaz às três propriedades exigidas, é outra definição que pode ser utilizada para o cálculo da distância entre pares de amostras. Ela também é conhecida como a distância "táxi", por medir a distância a ser viajada para ir de um ponto a outro numa cidade como Manhattan, onde as ruas e avenidas são arranjadas em ângulo reto. Para medir a distância entre dois locais A e B é necessário contornar o quarteirão. No espaço bidimensional, a distância de Manhattan entre A e B é definida como a soma dos valores absolutos das diferenças entre suas respectivas coordenadas, conforme a Figura 16.

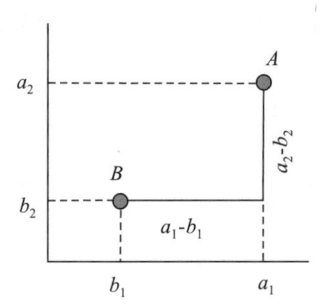

Figura 16 – Distância de Manhattan entre os dois objetos A e B.

A definição da distância de Manhattan como um produto interno no espaço de dimensão J, $\mathbf{R}^J$, é dada pela expressão abaixo, onde $\mathbf{x}_A$ e $\mathbf{x}_B$ são os vetores com as respostas das amostras A e B, respectivamente:

$$d_{AB} = \|\mathbf{x}_A - \mathbf{x}_B\|_1 = \sum_{j=1}^{J} |x_{aj} - x_{bj}|. \quad (43)$$

Ela também é chamada de distância da norma l_1.

Uma terceira métrica que é popular na estatística é a distância de Mahalanobis[26], d_{AB}^M, que é escrita na forma de um produto interno de vetores, como mostrado na equação 44. Nessa expressão, $\mathbf{Var}^{-1}$ é a inversa da matriz de variância-covariância ($1/(I-1)\cdot\mathbf{X}^T\mathbf{X}$), de dimensões ($J \times J$), e que explica a dispersão dos dados ao redor do seu centroide. Essa matriz já foi definida anteriormente no item 3.2.2.

$$d_{AB}^M = \left[(\mathbf{x}_A - \mathbf{x}_B)^T \mathbf{Var}^{-1} (\mathbf{x}_A - \mathbf{x}_B)\right]^{1/2} \tag{44}$$

Quando a expressão 44 é aplicada a variáveis autoescaladas e perfeitamente não correlacionadas, a distância de Mahalanobis é idêntica à distância Euclideana, pois a matriz de correlação, $\mathbf{C}$, é uma matriz identidade. Ao considerar a correlação entre as variáveis, está implícito que a distância Euclideana em algumas direções pode ser mais importante do que a distância Euclideana em outras direções. Deve-se chamar a atenção para o fato de que a inversa da matriz de covariância não existe quando $J > I$, se bem que há como contornar esse problema, e voltaremos a este assunto na seção 3.4.

No caso de uma única variável, a distância de Mahalanobis ao quadrado, $\left(d_{AB}^M\right)^2$, é a distância Euclideana usual (ao quadrado) ponderada, i.e., corrigida pela variância de x, $\left(d_{AB}^M\right)^2 = \dfrac{(x_{a1} - x_{b1})^2}{s^2}$. No caso de duas variáveis, a distância de Mahalanobis ao quadrado é dada como

$$\left(d_{AB}^M\right)^2 = \frac{1}{1-r^2}\left(\frac{(x_{a1}-x_{b1})^2}{s_1^2} - 2r\frac{(x_{a1}-x_{b1})}{s_1}\frac{(x_{a2}-x_{b2})}{s_2} + \frac{(x_{a2}-x_{b2})^2}{s_2^2}\right), (45)$$

---

[26] Mahalanobis, P. C. 'On the Generalized Distance in Statistics', *Nat. Inst. Sci. (India)* **12** (1936) 49-55.

onde $r = \dfrac{s_{12}}{s_1 s_2}$ é o coeficiente de correlação entre as duas variáveis, que já foi definido no capítulo 2. O interessante dessa equação é que ela é da forma $\left(a_1 x_1^2 + a_{12} x_1 x_2 + a_2 x_2^2 = c^2\right)$, que representa uma elipse. Dizemos, então, que calculamos uma distância elíptica (lembre-se de que as distâncias de Manhattan e Euclideana são lineares). Caso não exista correlação entre as variáveis, então $r = 0$, e a expressão 45 se reduz a

$$\left(d_{AB}^M\right)^2 = \frac{(x_{a1} - x_{b1})^2}{s_1^2} + \frac{(x_{a2} - x_{b2})^2}{s_2^2}. \tag{46}$$

Note-se que a distância de Mahalanobis é adimensional. Distâncias adimensionais são chamadas de distâncias estatísticas ou generalizadas e elas são importantes por serem invariantes com respeito à escala, o que é muito útil em se tratando de dados multivariados, em que as variáveis são medidas em unidades distintas. Qualquer ponto dentro da elipse tem distância estatística menor que d_{AB}^M enquanto qualquer ponto fora tem distância estatística maior que d_{AC}^M. Se as duas variáveis têm a mesma variância e são não correlacionadas, a distância de Mahalabobis e a Euclideana diferem entre si apenas por uma constante.

A Figura 17 exemplifica a diferença entre a distância Euclideana e a de Mahalanobis. São consideradas três amostras A, B e C, e que a distância Euclideana entre A e B, (d_{AB}), é idêntica à distância entre A e C, (d_{AC}). Na realidade, todos os pontos a uma distância d de A, estão no círculo de raio d. Considerando a distância de Mahalanobis, todas as amostras equidistantes de A de uma distância d_{AB} estão ao longo da elipse interna tracejada (ou na superfície de um elipsoide, no caso de mais de duas dimensões), enquanto todas as amostras equidistantes de A de uma distância d_{AC} estão ao longo da elipse externa pontilhada. O resultado é que a distância de Mahalanobis d_{AB}^M é menor do que a distância d_{AC}^M.

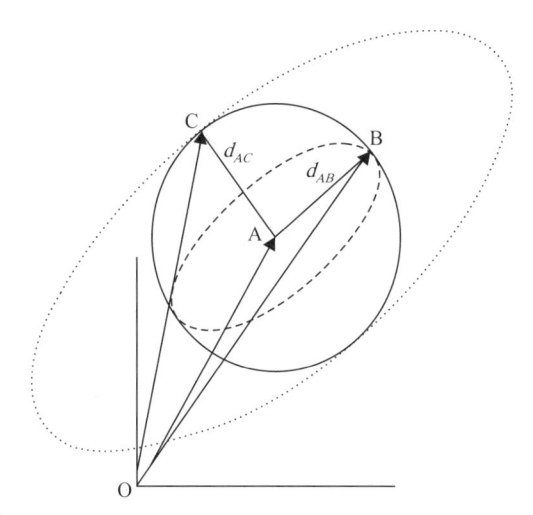

Figura 17 – Gráfico mostrando a relação entre as distâncias Euclideana e de Mahalanobis. $d_{AB} = d_{AC}$ para a métrica Euclideana (no círculo), enquanto para a métrica de Mahalanobis, $d_{AB}^{M} < d_{Ac}^{M}$ (elipses tracejada e pontilhada, respectivamente).

Há várias outras medidas de distância existentes na literatura, mas essas três que acabamos de discutir são as mais populares. Quanto à escolha do tipo de distância a ser utilizada, não existe uma regra geral, e cada caso deverá ser analisado separadamente, se bem que a distância Euclideana é a mais comum entre os químicos.

Uma vez decidido o critério de distância a ser utilizado (a métrica), as distâncias entre todos os pares de amostras são calculadas. A etapa seguinte é a identificação e o agrupamento das duas amostras que estão mais próximas (as duas mais semelhantes entre si). Essa é a primeira iteração do processo de agrupamento. Após a primeira iteração, restam I-1 grupos. Calcula-se a distância entre esse novo grupo, formado pelas duas amostras mais próximas, e todos os outros, e novamente os dois mais semelhantes são agrupados na segunda iteração. As amostras são agrupadas sucessivamente, até que haja apenas um único grande grupo contendo todas elas. Cada iteração produz uma classificação definitiva, que é construída com base nas iterações sucessivas do processo e, como consequência, os grupos que já foram definidos em etapas anteriores não são reavaliados. Isso quer dizer que dois grupos que foram unidos permanecem unidos para sempre. Essa é uma fraqueza do método hierárquico, pois é impossível corrigir uma decisão anterior inadequada. Por outro lado, ao se considerar uma decisão como permanente, diminui drasticamente o número de iterações e pode-se chegar a um bom agrupamento com um número razoável de cálculos.

Depois que as amostras foram todas agrupadas, os resultados podem ser apresentados na forma de um "dendrograma", em que os comprimentos dos ramos representam as distâncias entre os grupos. Para eliminar a escala, que muda de um problema para outro, pode-se introduzir o índice de similaridade. Para dois grupos A e B o índice se similaridade, S_{AB}, é definido como

$$S_{AB} = 1,0 - \frac{d_{AB}}{d_{max}}, \tag{47}$$

onde d_{AB} é a distância entre os dois grupos, que será definida logo a seguir, e d_{max} é a distância entre os dois grupos mais distantes do conjunto de dados. Ao introduzir o índice de similaridade, as distâncias entre os grupos foram normalizadas entre zero e 1,0, independentemente do conjunto de dados. Isso quer dizer que, quando a distância entre os grupos A e B, d_{AB}, for igual à distância máxima do conjunto de dados, d_{max}, o índice de similaridade se torna igual a zero. Por outro lado, quando se tem dois grupos idênticos, *i.e.*, quando d_{AB} = zero, o índice de similaridade é igual a 1,0. Dois ramos distintos da árvore se unem para formar um único grupo no valor correspondente ao índice de similaridade entre os dois respectivos grupos.

As mesmas considerações e a mesma metodologia se aplicam ao agrupamento de variáveis.

A seguir veremos um exemplo que utiliza a menor distância entre os grupos como critério de avaliação para agrupar as amostras e, ao final, construiremos o dendrograma com base nos índices de similaridade.

A Figura 18 é formada por um conjunto de seis amostras, A, B, C, D, E e F, em que cada uma é considerada inicialmente como um grupo individual. As distâncias entre elas estão organizadas na Tabela 11.

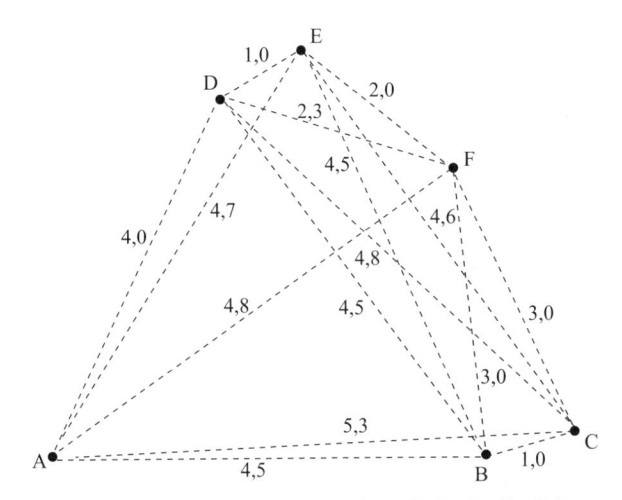

Figura 18 – Seis amostras *A, B, ..., F* e as respectivas distâncias Euclideanas entre elas.

Tabela 11 – Distâncias Euclideanas entre as amostras *A, B, ..., F*

Dist.	B	C	D	E	F
A	4,5	5,3	4,0	4,7	4,8
B		**1,0**	4,5	4,5	3,0
C			4,8	4,6	3,0
D				**1,0**	2,3
E					2,0

O primeiro passo é agrupar as duas amostras mais semelhantes, *i.e.*, as duas mais próximas. Assim, as amostras que apresentam a menor distância (em negrito na Tabela 11) passam a formar um grupo. Como há dois grupos de amostras equidistantes, dois grupos são formados: *BC* e *DE*. A seguir, as distâncias dos dois novos grupos a todos os outros devem ser calculadas, e os resultados estão na Tabela 12. Por exemplo, a distância entre os grupos *A* e *BC*, $d_{A(BC)}$, é dada pela menor dentre as distâncias d_{AB} e d_{AC}, que é igual a 4,5 e a distância $d_{(BC)(DE)}$ é a menor dentre d_{BD}, d_{BE}, d_{CD} e d_{CE}, também igual a 4,5.

Tabela 12 – Distâncias entre os grupos

Dist.	BC	DE	F
A	4,5	4,0	4,8
BC		4,5	3,0
DE			**2,0**

Pelos resultados da Tabela 12, a amostra F se junta ao grupo DE na próxima iteração. Temos até o momento três grupos formados pelas seguintes amostras: A, BC e DEF. Há três opções para a iteração seguinte: o grupo A pode ser anexado ao grupo BC ou ao grupo DEF ou, então, os dois grupos, BC e DEF, se unem para formar um grande grupo. As distâncias entre os grupos são obtidas, e os resultados estão na Tabela 13.

Tabela 13 – Distâncias entre os grupos

Dist.	BC	DEF
A	4,5	4,0
BC		**3,0**

Comparando os resultados acima, a menor delas é a distância $d_{(BC)(DEF)} = 3,0$ e o novo grupo formado nessa iteração contém as amostras $BCDEF$, restando a amostra A, que está distante 4,0 unidades do grupo $BCDEF$.

A essa altura, está claro que cada novo grupo é formado com base nas iterações anteriores, sem a reavaliação dos grupos já formados. A distância máxima nesse conjunto de dados é a distância $d_{A(BCDEF)} = d_{max} = 4,0$. Essa é a distância máxima que será usada para o cálculo dos índices de similaridade. Eles são calculados de acordo com a equação 47 e que para esse problema específico se reduz a

$$S_{ik} = 1,0 - \frac{d_{ik}}{4,0}. \tag{48}$$

Os resultados dos índices de similaridade entre os grupos estão na Tabela 14.

Tabela 14 – Índices de similaridade entre os grupos

S_{ij}	C	E	F	BC	A
B	0,75				
D		0,75			
DE			0,5		
DEF				0,25	
BCDEF					0,0

Finalmente, esses índices de similaridade são usados para construir o dendrograma, cujos ramos variam em comprimento, de zero a 1,0. A Figura 19 contém o dendrograma obtido para esse conjunto de dados. O índice de similaridade do grupo *BC* é idêntico ao do grupo *DE* (as quatro amostras mais próximas), e os ramos da árvore hierárquica têm o mesmo comprimento, 0,75. Com um índice de similaridade igual a 0,49 e indicado pela linha tracejada no dendrograma, temos três grupos distintos: *A*, *BC* e *DEF*, enquanto temos apenas dois grupos *BCDEF* e *A* com um índice igual a 0,24 (linha vertical contínua). A amostra *A* nesse exemplo é uma amostra diferenciada das restantes do conjunto, com um índice de similaridade nulo, e pode até ser caracterizada como uma amostra anômala.

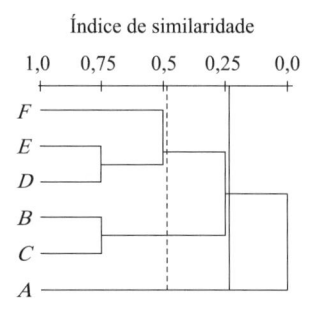

Figura 19 – Dendrograma construído para as seis amostras da Figura 18, usando as menores distâncias entre os grupos como critério de agrupamento.

Embora existam na literatura vários métodos hierárquicos para fazer o agrupamento das amostras, serão discutidos aqui apenas os mais utilizados pelos químicos. Todos eles têm em comum a primeira iteração, quando se encontram os dois objetos separados pela menor distância (segundo a métrica escolhida) e são colocados no primeiro agrupamento. Eles diferem nas etapas seguintes, ao definir o critério de agrupamento adotado para unir esse grupo formado aos demais. Por exemplo, unindo dois objetos de grupos distintos que estejam mais próximos, mais distantes, ou agrupando-os segundo a distância média entre eles, além de outros métodos.

Método do vizinho mais próximo

O método do vizinho mais próximo também é conhecido como o método simples. Como o próprio nome diz, nesse método de agrupamento, a distância entre dois grupos é dada pela menor de todas as distâncias entre os objetos dos dois grupos. Essa metodologia foi aplicada no exemplo que acabamos de ver.

Consideremos agora o exemplo de três grupos A, B e C, que estão representados na Figura 20a; os grupos A e C contêm, cada um deles, apenas uma amostra a e c, respectivamente, enquanto o grupo B contém duas amostras b_1 e b_2. Utilizaremos o método simples para fazer o agrupamento. A primeira etapa é o cálculo das distâncias do grupo A ao grupo B, do grupo A ao C e do grupo B ao C.

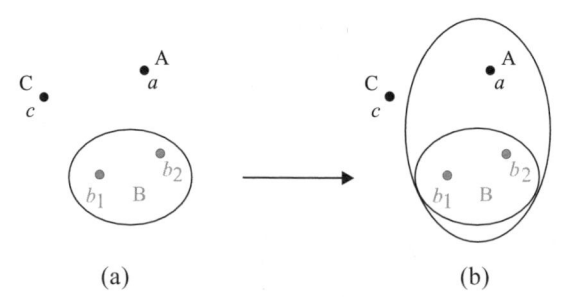

Figura 20 – (a) Conjunto de quatro amostras alocadas em três grupos, A, B e C. (b) Formação do grupo AB usando o método de agrupamento do vizinho mais próximo.

Como os grupos A e C contêm apenas uma amostra, temos $d_{AC} = d_{ac}$. Já a distância entre o grupo A e o grupo B é a menor das distâncias entre dois elementos dos dois grupos, *i.e.*, a distância d_{AB} será a menor dentre as duas distâncias d_{ab_1} e d_{ab_2} e pode ser escrita como d_{AB} = min (d_{ab_1}, d_{ab_2}). Em termos algébricos essa distância mínima entre os dois grupos A e B é dada pela seguinte expressão[27]:

$$d_{AB} = \min_{i \in A, k \in B} d_{ik} = \frac{d_{ab_1} + d_{ab_2}}{2} - \frac{|d_{ab_1} - d_{ab_2}|}{2}. \tag{49}$$

Pode ser confirmado visualmente na Figura 20 que $d_{ab_1} > d_{ab_2}$, e a expressão 49 se reduz a d_{ab_2}. Usando o mesmo raciocínio, pode-se calcular a distância entre os grupos B e C. É óbvio na Figura 20 que $d_{b_2c} > d_{b_1c}$ e, então, $d_{BC} = d_{b_1c}$.

Uma vez calculadas as distâncias entre todos os grupos, o par mais próximo dentre todos eles formará o novo grupo. De acordo com a Figura 20, $d_{ab_2} < d_{b_1c} < d_{ac}$, e o grupo AB é formado (Figura 20b).

A seguir, calcularemos a distância do grupo C, que contém apenas a amostra c, ao grupo AB que acaba de ser formado. A expressão 50 indica como calcular a distância entre os grupos AB e C que neste caso é dada como o mínimo dentre as distâncias d_{AC} e d_{BC}.

$$d_{(AB)C} = \min(d_{AC}, d_{BC}) = \min(d_{ac}, d_{b_1c}, d_{b_2c}) \tag{50}$$

Em termos geométricos temos:

$$d_{(AB)C} = \frac{d_{AC} + d_{BC}}{2} - \frac{|d_{AC} - d_{BC}|}{2}. \tag{51}$$

Substituindo os valores originais das distâncias, essa expressão se reduz a:

$$d_{(AB)C} = \frac{d_{ac} + d_{b_1c}}{2} - \frac{|d_{ac} - d_{b_1c}|}{2} = \frac{d_{ac} + d_{b_1c} - d_{ac} + d_{b_1c}}{2} = d_{b_1c}. \tag{52}$$

---

[27] É fácil verificar a fórmula $\min(x, y) = \frac{x+y}{2} - \frac{|x-y|}{2}$ analisando os casos $x > y$ e $x < y$.

Um fato interessante da metodologia é que, no cálculo das distâncias entre os grupos, sempre se chega a uma expressão que é função das distâncias originais entre os objetos desses grupos. Não se calcula aqui uma nova posição para o grupo, mas simplesmente novas distâncias entre os grupos.

Esse método de agrupar objetos tende a formar agrupamentos que são mais espalhados, uma vez que o agrupamento é baseado na menor distância (dissimilaridade mínima) entre os membros de diferentes grupos; a distância máxima tende a ser menor e os índices de similaridade também. Esse método tem a vantagem de não ser tão sensível às amostras atípicas.

Método do vizinho mais distante

O método do vizinho mais distante também é conhecido na literatura como o método completo. Ele é muito semelhante ao que acabamos de ver, exceto no fato de que a distância entre os grupos é dada pela maior de todas as distâncias entre quaisquer dois objetos dos grupos em questão, ao invés da menor distância. Usando o exemplo anterior (representado novamente na Figura 21a), a distância entre os grupos A e B é representada como $d_{AB} = \max(d_{ab_1}, d_{ab_2})$ e pode ser calculada pela expressão algébrica abaixo[28]:

$$d_{AB} = \max_{i \in A, k \in B} d_{ik} = \frac{d_{ab_1} + d_{ab_2}}{2} + \frac{|d_{ab_1} - d_{ab_2}|}{2}. \tag{53}$$

Para fazer o agrupamento utilizando o método completo, é necessário calcular três distâncias máximas, em que $d_{AC} = d_{ac}$; $d_{AB} = \max(d_{ab_1}, d_{ab_2})$ e $d_{BC} = \max(d_{b_1c}, d_{b_2c})$.

De acordo com a Figura 21, a distância entre os grupos A e B agora é $d_{AB} = d_{ab_1}$, e não mais d_{ab_2}, como no método do vizinho mais próximo, pois $d_{ab_1} > d_{ab_2}$. Semelhantemente, a distância entre os grupos

---

[28] É fácil verificar a fórmula $\max(x, y) = \dfrac{x+y}{2} + \dfrac{|x-y|}{2}$ analisando os casos $x > y$ e $x < y$.

B e C não é mais d_{b_1c}, mas $d_{BC} = d_{b_2c}$. Comparando as distâncias máximas (d_{ac}, d_{ab_1} e d_{b_2c}) entre os três grupos, um novo grupo será formado ajuntando os dois que sejam mais semelhantes entre si, *i.e.*, com a menor distância máxima, que neste caso é igual a d_{ac}, uma vez que $d_{ac} < d_{ab_1} < d_{b_2c}$. Note-se que é formado o grupo AC, ao contrário do caso anterior, no qual primeiramente se formou o grupo AB. A seguir, os dois grupos são conectados formando o grupo ABC.

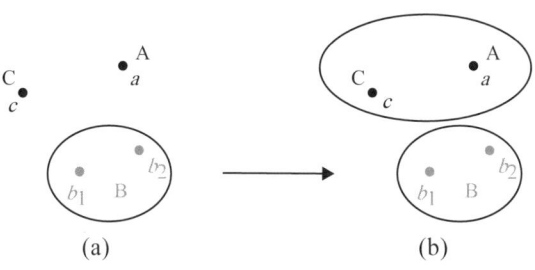

Figura 21 – (a) Conjunto de quatro amostras alocadas em três grupos, A, B e C. (b) Formação do grupo AC usando o método de agrupamento do vizinho mais distante.

Esse método tem a tendência de formar agrupamentos mais compactos, uma vez que o cálculo da distância entre os grupos é baseado na maior dissimilaridade entre os objetos. Por outro lado, ele apresenta maior sensibilidade às amostras anômalas exatamente pelo fato de usar a maior distância entre os objetos para definir a distância entre os grupos.

Método da média[29]

O critério de agrupamento neste caso é a média ponderada entre os objetos de ambos os grupos. Por meio da expressão 54, obtém-se a distância

---

[29] Dados N números (ou vetores) $X_1, ..., X_N$ e uma distribuição de pesos (*i.e.*, números positivos $p_1 \geq 0, ..., p_N \geq 0$, tal que $p_1 + ... + p_N = 1$) denominamos média ponderada do conjunto $\{X_i\}$, segundo $\{p_i\}$ ao número (vetor) $\langle x \rangle_p = \sum_{p=1}^{N} p_i x_i$. Se X_i forem números, então $\min x_i \leq \langle x_i \rangle \leq \max x_i$. Se X_i forem interpretados como vetores-posição e m_i massas localizadas em X_i com $p_i = \dfrac{m_i}{M} = \dfrac{m_i}{\sum m_i}$, $\langle x_i \rangle$ é interpretado como centro de massa. Se $p_i = \dfrac{1}{N_i}$, obtém-se a média aritmética, *i.e.*, com ponderação uniforme.

entre os grupos *A* e *B*, usando-se uma ponderação uniforme, *i.e.*, uma simples média aritmética. A expressão seguinte (equação 55) indica como a distância entre os grupos *AB* e *C* foi calculada usando-se uma ponderação uniforme com respeito às distâncias entre os subgrupos. O tamanho do grupo *B* não foi levado em consideração, embora ele tenha dois objetos e o grupo *A*, apenas um. Mesmo tendo tamanhos diferentes, ambos foram tratados igualmente:

$$d_{AB} = \frac{d_{ab_1} + d_{ab_2}}{2}; \qquad (54)$$

$$d_{(AB)C} = \frac{d_{AC} + d_{BC}}{2} = \frac{d_{ac} + \frac{d_{b_1c} + d_{b_2c}}{2}}{2} = \frac{d_{ac}}{2} + \frac{d_{b_1c}}{4} + \frac{d_{b_2c}}{4}. \qquad (55)$$

Novamente, a expressão obtida aqui é uma função das distâncias entre os objetos iniciais, só que ponderados por fatores distintos.

Na literatura este é chamado método ponderado, pois a expressão de distância entre grupos resulta da soma das distâncias originais multiplicadas pelos respectivos pesos.

Existem algumas variações desse método. Ao invés da média, poderíamos também usar a mediana e os resultados seriam ligeiramente diferentes.

O método da média pode utilizar ponderações não uniformes segundo diversos critérios. O mais comum é atribuir pesos diferentes para grupos de tamanhos diferentes, tomando em consideração o número de objetos, *n*, existentes nos grupos. Nesse caso, a distância média entre os grupos *AB* e *C* seria dada por uma nova expressão:

$$d_{(AB)C} = \frac{n_A}{n_A + n_B} d_{AC} + \frac{n_B}{n_A + n_B} d_{BC} = \frac{1 d_{AC} + 2 d_{BC}}{3} = \frac{d_{ac} + 2\left(\frac{d_{b_1c} + d_{b_2c}}{2}\right)}{3};$$

$$d_{(AB)C} = \frac{d_{ac}}{3} + \frac{d_{b_1c}}{3} + \frac{d_{b_2c}}{3}. \qquad (56)$$

Para esse exemplo, a distância entre os dois grupos é definida como uma média ponderada das distâncias entre os objetos pertencentes ao grupo *AB* e o objeto do grupo C. O tamanho de cada um dos grupos foi levado em consideração. No entanto, a distância entre os dois grupos resulta da soma das distâncias originais, todas com o mesmo peso, $\frac{1}{n_A + n_B}$, e por isso esse método também é denominado na literatura como método da média não ponderado.

É sempre importante argumentar sobre a ponderação utilizada ao aplicar um algoritmo de agrupamento que faz o uso do método da média.

Métodos centroide e de Ward[30]

Esses dois métodos estão sendo considerados em conjunto porque eles utilizam a soma quadrática das distâncias para agrupar as amostras. Ambos os métodos utilizam o "centro" de cada grupo (o centroide) no espaço para representá-lo como um todo. No método centroide, o quadrado da distância entre o grupo *AB* e o grupo *C* é dado pela expressão abaixo:

$$d^2_{(AB)C} = \frac{n_A}{n_A + n_B}d^2_{AC} + \frac{n_B}{n_A + n_B}d^2_{BC} - \frac{n_A n_B}{(n_A + n_B)^2}d^2_{AB}. \qquad (57)$$

No método de Ward, o quadrado da distância entre os grupos *AB* e *C* é expresso como indicado na expressão 58. Esse método também é conhecido como método de variância mínima, pois, a cada etapa do processo, os dois grupos com menor acréscimo na soma quadrática total dentro do grupo são unidos. A distância entre os agrupamentos nesse método é obtida calculando a soma dos quadrados das distâncias do centroide médio de cada grupo. Esse método favorece grupos pequenos, de tamanhos iguais, com uma dispersão mínima dentro do grupo.

---

30 Ward, J. H. Jr. 'Hierarchical Grouping to Optimize an Objective Function', *J. Am. Stat. Assoc.* **58** (1963) 236-244.

$$d^2_{(AB)C} = \frac{(n_A + n_C)}{n_A + n_B + n_C} d^2_{AC} + \frac{(n_B + n_C)}{n_A + n_B + n_C} d^2_{BC} - \frac{n_C d^2_{AB}}{n_A + n_B + n_C} d^2_{AB} \quad (58)$$

Nesses dois métodos, a cada iteração, calcula-se uma nova posição para o grupo como um todo (um novo centro) e a distância entre grupos não é mais dada por média aritmética simples ou ponderada das distâncias originais como nos métodos da média, mas como uma combinação linear dos quadrados das distâncias.

A vantagem desses métodos é que as propriedades de cada grupo são representadas por um único objeto, o centroide de cada um. A desvantagem é que a posição do centroide e as distâncias de todos os centroides ao novo centroide precisam ser recalculadas a cada iteração, o que afeta a eficiência dos métodos, tornando-os computacionalmente mais caros. O método centroide ainda apresenta um inconveniente, que é a ocorrência de intercruzamentos no dendrograma, uma vez que a distância do centroide de um novo grupo *C* ao centroide do grupo formado pela união de *A* e *B* pode ser menor do que a distância entre *A* e *C* ou entre *B* e *C*. Na prática, esses intercruzamentos em geral são pequenos e não chegam a causar problemas. Como no agrupamento pela média, o agrupamento pelo método centroide também pode ser ponderado.

Todos esses métodos que acabamos de discutir podem ser representados por uma fórmula geral de recorrência. Segundo Lance-Williams, a distância entre os grupos *AB* e *C* é dada pela equação 59. Os parâmetros *a*, *b* e *c* estão definidos na Tabela 15, para cada um dos algoritmos apresentados, não se esquecendo de que, para os métodos centroide e de Ward, a raiz quadrada de $d_{(AB)C}$ deve ser tomada.

$$d_{(AB)C} = a_A d_{(AC)} + a_B d_{(BC)} + b d_{(AB)} + c \left| d_{(AC)} - d_{(BC)} \right| \quad (59)$$

Tabela 15 – Parâmetros da forma geral de Lance-Williams para o cálculo da distância entre os grupos AB e C

Método	a_A	a_B	b	c
Vizinho mais próximo (simples)	$\dfrac{1}{2}$	$\dfrac{1}{2}$	0	$-\dfrac{1}{2}$
Vizinho mais distante (completo)	$\dfrac{1}{2}$	$\dfrac{1}{2}$	0	$\dfrac{1}{2}$
Média com ponderação uniforme	$\dfrac{1}{2}$	$\dfrac{1}{2}$	0	0
Média com ponderação não uniforme	$\dfrac{n_A}{n_A+n_B}$	$\dfrac{n_B}{n_A+n_B}$	0	0
Centroide[a]	$\dfrac{n_A}{n_A+n_B}$	$\dfrac{n_B}{n_A+n_B}$	$-\dfrac{n_A n_B}{(n_A+n_B)^2}$	0
Ward[a]	$\dfrac{n_A+n_C}{n_A+n_B+n_C}$	$\dfrac{n_B+n_C}{n_A+n_B+n_C}$	$-\dfrac{n_C}{n_A+n_B+n_C}$	0

[a] Não se deve esquecer de extrair a raiz quadrada da distância nos métodos centroide e de Ward.

Qual, dentre todos os métodos vistos, o analista deverá aplicar aos seus dados? Se os grupos estiverem bem discriminados, qualquer um deles pode ser utilizado, e os dendrogramas estarão todos em concordância. Por outro lado, se há sobreposição de grupos ou se eles estão muito próximos entre si, os membros de cada grupo podem ser diferentes, dando origem a diferentes agrupamentos no dendrograma. Sugere-se utilizar os métodos do vizinho mais próximo e do vizinho mais distante, e comparar os resultados, pois o primeiro deles tende a formar grupos mais dispersos, enquanto o outro forma grupos mais compactos. Se os resultados forem iguais, é uma indicação de que as amostras estão naturalmente arranjadas em grupos distintos. Caso contrário, sugere-se fazer uma análise de componentes principais para investigar melhor a estrutura dos dados.

Embora a análise de agrupamentos por métodos hierárquicos seja muito intuitiva, ela tem suas limitações, como qualquer outro método. Por exemplo, pode haver alguns objetos finais a serem agrupados que praticamente não apresentam similaridade com os grupos já formados, mas que acabarão sendo agrupados, uma vez que o processo termina com um único grupo. Isso significa que, na prática, os grupos mais relevantes são aqueles que têm um maior índice de similaridade. Outra debilidade do método reside na série de iterações sucessivas, realizadas com base nos grupos obtidos em iterações anteriores, sem a possibilidade de reavaliar os grupos já formados. Por essa razão, a HCA deve ser aplicada com cuidado no caso de um conjunto de dados com ruídos significativos.

As seguintes sugestões práticas podem ser úteis na construção dos dendrogramas:

1) Considerar o valor absoluto do coeficiente de correlação ao aplicar HCA às variáveis, pois variáveis direta ou inversamente proporcionais são muito semelhantes, mudando apenas o sinal do coeficiente. Caso os valores absolutos não sejam utilizados, tais variáveis estarão em grupos distintos. Esse cuidado é importante especialmente nos estudos de QSAR, quando se deseja identificar quais descritores são mais similares às atividades biológicas em questão.

2) Usar a distância de Mahalanobis no agrupamento de amostras quando algumas variáveis são altamente correlacionadas para evitar que se dê muita importância para a mesma informação[31].

A interpretação dos resultados é outra etapa importante na análise. Um dendrograma que realmente diferencia grupos de objetos tem ramos pequenos nos galhos mais distantes da árvore, como mostra a Figura 22. O tronco longo que une os grupos A e B indica que eles estão distantes entre si, e o grupo B é relativamente compacto. Já o grupo A é mais espalhado e é constituído de dois subgrupos mais compactos.

Na Figura 23, os ramos são bastante longos, indicando que esse agrupamento não é efetivo e, excetuando-se dois grupos de duas amostras com similaridade maior que 0,8, todas as outras são basicamente

---

31 Meloun, M.; Militky, J. e Forina, M. *Chemometrics for Analytical Chemistry*. Vol. 1, Ellis Howood, Chichester, 1992. 248.

dissimilares entre si e se encontram espalhadas em todo o espaço multi-dimensional.

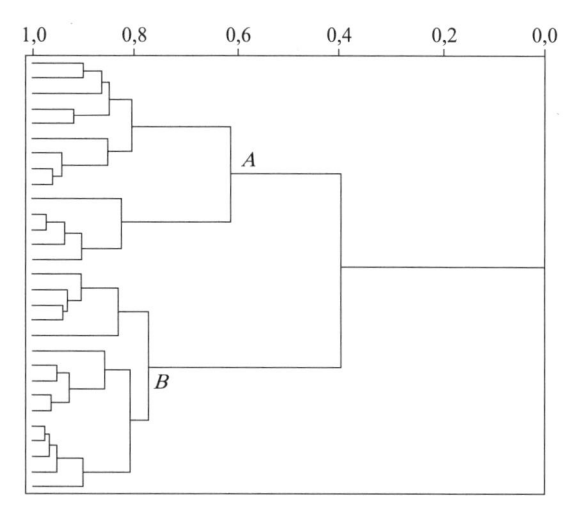

Figura 22 – Dendrograma formado por grupos distintos e compactos.

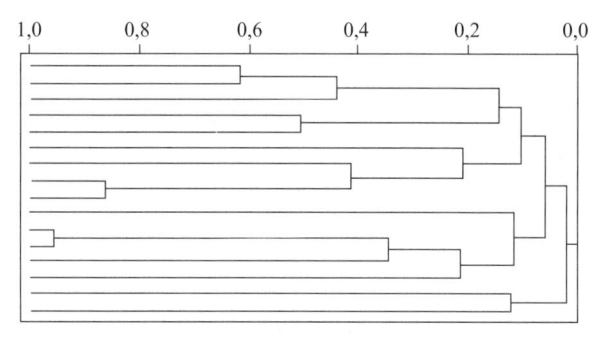

Figura 23 – Dendrograma com ramos muito longos e que não forma grupos distintos.

3.3.3 Exemplo

Como um último exemplo, faremos o agrupamento do conjunto de dados da Tabela 16 que contém cinco objetos. Cada linha da tabela corresponde às oito respostas obtidas para a respectiva amostra, ou seja, a matriz de dados **X** tem dimensões (5 × 8).

Tabela 16 – Conjunto de dados com cinco amostras e oito variáveis

Obj./Var.	var1	var2	var3	var4	var5	var6	var7	var8
A	7,0	9,0	10,0	17,0	25,0	10,0	13,0	1,0
B	5,0	12,0	14,0	12,0	40,0	12,0	15,0	0,0
C	3,0	8,0	20,0	18,0	38,0	13,0	18,0	1,0
D	8,0	9,0	8,0	16,0	23,0	10,0	14,0	1,0
E	2,0	11,0	18,0	20,0	34,0	16,0	17,0	1,0

Cada amostra desse conjunto de dados é representada como um ponto no espaço de dimensão oito, R^8. Com a análise HCA, poderemos visualizar a semelhança entre elas no plano, através do dendrograma. Para construir o dendrograma, primeiro calcularemos a distância Euclideana, definida na equação 41, entre cada par de amostras e, a seguir, construiremos a matriz de distâncias. Os dados foram autoescalados para variância unitária antes da análise (ver seção 2.3.2). Essa análise pode ser acompanhada com o *software* MATLAB, cujos comandos estão inseridos nas caixas de texto.

```
%Os dados são autoescalados para variância unitária
Xa = (X - ones(5,1) * mean(X)) ./ (ones(5,1) * std(X))
%A matriz Xa é usada para fazer o agrupamento
%Cálculo da distância entre as amostras A e B.
dAB = sqrt(sum((Xa(1,:) - Xa(2,:)) .^ 2))
```

A Tabela 17 contém as distâncias entre todas as amostras. A menor distância encontrada ocorreu entre as amostras *A* e *D*, tal como destacado em negrito, e *AD* é o primeiro grupo formado.

Tabela 17 – Distância Euclideana entre as amostras após o pré-processamento

	B	C	D	E
A	4,22	4,12	**0,85**	4,44
B		4,40	4,33	4,33
C			4,39	2,46
D				4,76

Finalizada a primeira iteração, uma nova tabela de distâncias deve ser construída, na qual as amostras A e D foram substituídas pelo grupo AD. Os valores '?' na Tabela 18, que correspondem à distância do grupo AD aos demais, deverão ser calculados e, para isso, algum critério de aglomeração deve ser adotado.

Tabela 18 – Distância Euclideana entre grupos

	B	C	E
AD	?	?	?
B		4,40	4,33
C			2,46

Para prosseguir com a análise, usaremos o método do vizinho mais próximo (ou simples), em que a distância entre dois grupos foi definida na equação 50.

HCA usando o método de agrupamento do vizinho mais próximo (ou simples)

Primeiramente calculamos $d_{(AD)B}$, $d_{(AD)C}$ e $d_{(AD)E}$, como descrito no quadro abaixo.

```
%Lembrar que dDB = dBD
dAD_B = min(dAB, dDB) = min(4.22, 4.33)
dAD_C = min(dAC, dDC) = min(4.12, 4.39)
dAD_E = min(dAE, dDE) = min(4.44, 4.76)
```

Uma vez completados os valores que faltavam na Tabela 18, os resultados para a segunda iteração, que estão na Tabela 19a, indicam que os dois grupos mais semelhantes são C e E. O processo é, então, repetido.

As distâncias entre grupos AD, CE e B, CE, $d_{(AD)(CE)}$ e $d_{B(CE)}$, respectivamente, são calculadas segundo o critério acima, e o grupo $ADCE$ é formado conforme as distâncias listadas na Tabela 19b.

Tabela 19 – Distância entre grupos de acordo com o método do vizinho mais próximo, para a segunda (a) e terceira (b) iteração

	B	C	E
AD	4,22	4,12	4,44
B		4,40	4,33
C			2,46

(a)

	B	CE
AD	4,22	**4,12**
B		4,33

(b)

A última iteração une os dois grupos restantes: B e $ADCE$.

$$dB\_ADCE = \min(dAD\_B, dCE\_B) = \min(4.22, 4.33)$$

As cinco amostras foram agrupadas formando um único grupo e a distância máxima entre elas, $d_{max} = d_{B(ADCE)}$, é igual a 4,22. A seguir, os índices de similaridade são calculados usando a equação 47 e, finalmente, o dendrograma é construído. Os coeficientes de similaridade e o dendrograma estão indicados na Figura 24.

Índices de similaridade

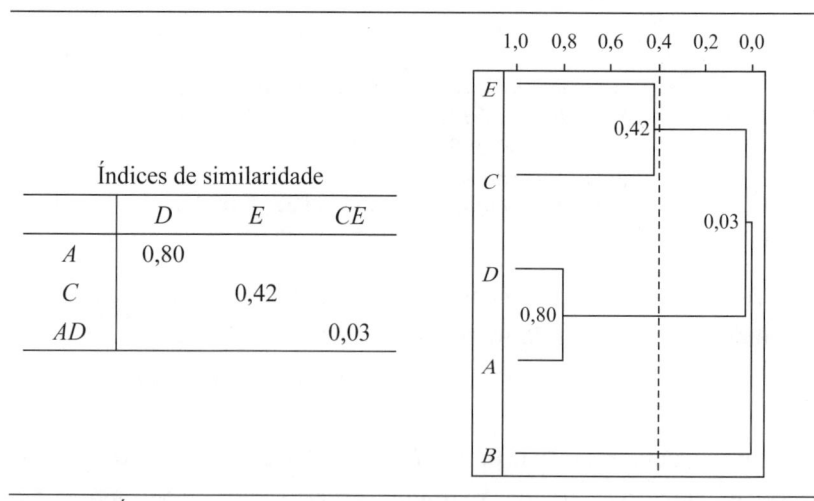

	D	E	CE
A	0,80		
C		0,42	
AD			0,03

Figura 24 – Índices de similaridade e dendrograma construído segundo o método simples de agrupamento.

Nesse dendrograma, o comprimento de cada ramo é dado pelo índice de similaridade entre as amostras ou grupos. As amostras A e D são o par mais semelhante do conjunto (com um alto índice de similaridade igual a 0,80), seguidas das amostras C e E, que formam outro grupo à parte, com um índice bem menor, igual a 0,42. A seguir, os dois grupos são unidos formando um grande grupo com similaridade quase nula (0,03). Com um grau de similaridade igual a 0,4 podemos distinguir três grupos: o primeiro é formado pelas amostras A e D; o segundo, pelas amostras C e E, e finalmente o terceiro, pela amostra solitária B. Como mencionado anteriormente, esse método tende a formar grupos mais espalhados e com menores índices de similaridade, quando comparado aos outros métodos de agrupamento.

A seguir usaremos o mesmo conjunto de dados para agrupar as amostras usando os outros métodos discutidos anteriormente.

HCA usando o método de agrupamento do vizinho mais distante (ou completo)

O ponto de partida é sempre a Tabela 18, que será completada usando um critério diferente para o cálculo da distância entre os grupos. Nesse caso, será utilizada a equação 53. O quadro abaixo descreve como o cálculo é efetuado no MATLAB, e os resultados obtidos estão nas Tabelas 20a e 20b.

```
dAD_B = max(dAB, dDB) = max(4.22, 4.33)
dAD_C = max(dAC, dDC) = max(4.12, 4.39)
dAD_E = max(dAE, dDE) = max(4.44, 4.76)
```

Tabela 20 – Distância entre grupos de acordo com o método do vizinho mais distante, para a segunda (a) e terceira (b) iteração

	B	C	E
AD	4,33	4,39	4,76
B	0	4,40	4,33
C		0	**2,46**

(a)

	B	CE
AD	**4,33**	4,76
B	0	4,40

(b)

Na última iteração (ver quadro a seguir) os dois grupos *ADB* e *CE* serão conectados e a distância entre eles será a distância máxima.

$$dADB\_CE = \max(dAD\_CE, dB\_CE) = \max(4.76, 4.40)$$

$$d_{max} = d_{(ADB)(CE)} = 4{,}76$$

Note-se a diferença entre esses resultados e aqueles obtidos pelo método do vizinho mais próximo. A distância máxima obtida (4,76), como esperado, é maior do que a obtida com método anterior (4,22), fazendo com que os índices de similaridade sejam ligeiramente maiores. Em ambos os métodos, os grupos *AD* e *CE* são formados. No método atual forma-se primeiramente o grupo *ADB* e só então os dois grupos são unidos, enquanto no método anterior, os grupos *AD* e *CE* foram interligados e, posteriormente, a amostra *B* foi anexada.

A Figura 25 contém os índices de similaridade e também o dendrograma obtido por esse método.

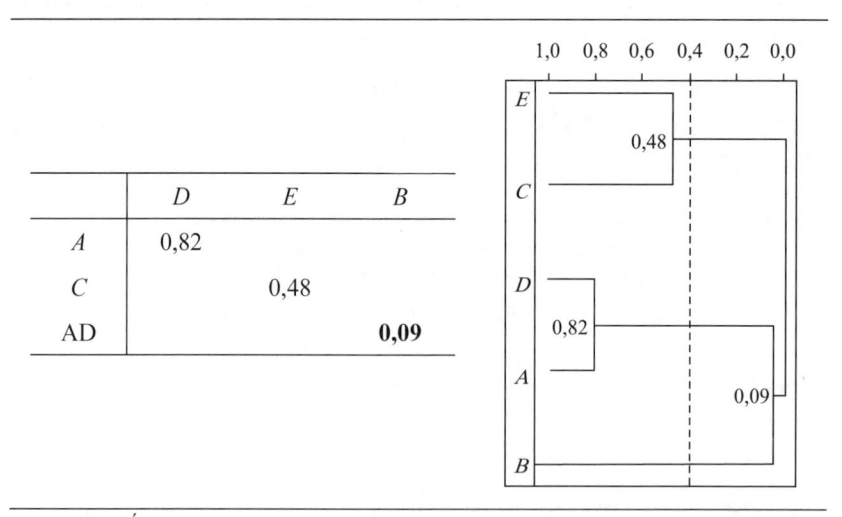

	D	E	B
A	0,82		
C		0,48	
AD			**0,09**

Figura 25 – Índices de similaridade e dendrograma construído segundo o método de agrupamento do vizinho mais distante.

HCA usando o método de agrupamento da média com ponderação uniforme

A equação 54 será usada para o cálculo das distâncias entre os grupos, e a Tabela 18 agora é completada com os valores obtidos pelos cálculos indicados no quadro abaixo, e os resultados estão na Tabela 21a.

> dAD_B = (dAB + dDB) / 2 = (4.22 + 4.33)/2
> dAD_C = (dAC + dDC) / 2 = (4.12 + 4.39)/2
> dAD_E = (dAE + dDE) / 2 = (4.44 + 4.76)/2

Note-se que esses resultados numéricos iniciais são intermediários aos obtidos pelos dois métodos anteriores. Forma-se o grupo *CE* conforme os resultados da Tabela 21a, e o processo continua com as próximas iterações, nas quais serão formados o grupo *ADB* (menor distância na Tabela 21b).

Tabela 21 – Distância entre grupos de acordo com o método da média com ponderação uniforme, para a segunda (a) e terceira (b) iteração

	B	C	E
AD	4,28	4,26	4,60
B		4,40	4,33
C			**2,46**

(a)

	B	CE
AD	**4,28**	4,43
B		4,37

(b)

Finalmente, o grupo $(ADB)CE$ é formado conforme indicado no quadro a seguir, produzindo uma distância máxima entre os grupos igual a 4,40.

> dADB_CE = (dAD_CE + dB_CE) / 2 = (4.43 + 4.37) / 2

$$d_{max} = d_{(ADB)(CE)} = 4{,}40$$

O dendrograma da Figura 26 é bem semelhante ao do método completo.

	D	E	B	E
A		0,81		
C			0,44	
AD				0,03

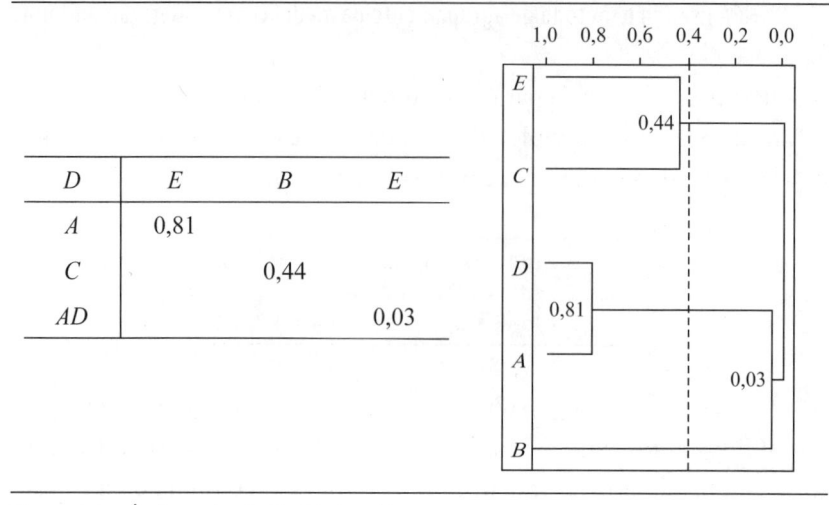

Figura 26 – Índices de similaridade e dendrograma construído segundo o método de agrupamento da média.

HCA usando o método de Ward para o agrupamento

A Tabela 18 é completada com a distância entre os grupos sendo dada pela expressão 58.

O quadro seguinte segue os mesmos procedimentos adotados nos casos anteriores, e os resultados estão na Tabela 22a.

```
dAD_B = sqrt((2 * dAB ^ 2 + 2 * dDB ^ 2 - 1 * dAD ^ 2) / 3)
dAD_B = sqrt((2 * 4.22 ^ 2 + 2 * 4.33 ^ 2 - 1 * 0.85 ^ 2) / 3)

dAD_C = sqrt((2 * dAC ^ 2 + 2 * dDC ^ 2 - 1 * dAD ^ 2) / 3)
dAD_C = sqrt((2 * 4.12 ^ 2 + 2 * 4.39 ^ 2 - 1 * 0.85 ^ 2) / 3)

dAD_E = sqrt((2 * dAE ^ 2 + 2 * dDE ^ 2 - 1 * dAD ^ 2) / 3)
dAD_E = sqrt((2 * 4.44 ^ 2 + 2 * 4.76 ^ 2 - 1 * 0.85 ^ 2) / 3)
```

Forma-se primeiramente o grupo *CE*, como em todos os casos anteriores, e a seguir temos as opções de formar um dos três grupos: *ADB*, *ADC* e *BCE*, e nesse caso, o resultado é completamente diferente dos anteriores. A menor distância é 4,84 entre os grupos *B* e *CE* (Tabela 22b).

Tabela 22 – Distância entre grupos de acordo com o método de Ward, para a segunda (a) e terceira (b) iteração

	B	C	E
AD	4,91	4,89	5,29
B	0	4,40	4,33
C		0	2,46

(a)

	B	CE
AD	4,91	5.99
B		4,84

(b)

Na última iteração forma-se o grupo *CEBAD*, na qual a distância máxima entre os grupos é bem maior que nos casos anteriores (5,81), fazendo com que os índices de similaridade sejam maiores. Na Figura 27 vê-se o dendrograma obtido e os respectivos índices de similaridade. Note-se como os grupos têm ramos menores e tendem a ser mais compactos, comparados aos resultados obtidos pelos outros métodos.

```
dCEB_AD = sqrt((4 * dAD_CE ^ 2 + 3 * dAD_B ^ 2 - 2 * dCE_B ^ 2) / 5)
dCEB_AD = sqrt((4 * 5.99 ^ 2 + 3 * 4.91 ^ 2 - 2 * 4.84 ^ 2) / 5)
```

$$d_{max} = d_{(CEB)(AD)} = 5,81$$

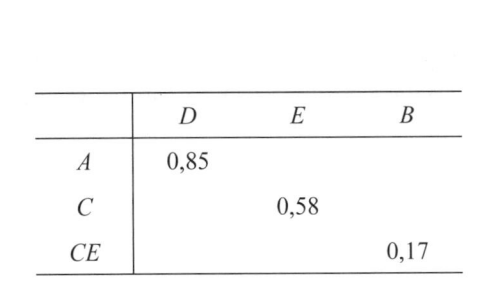

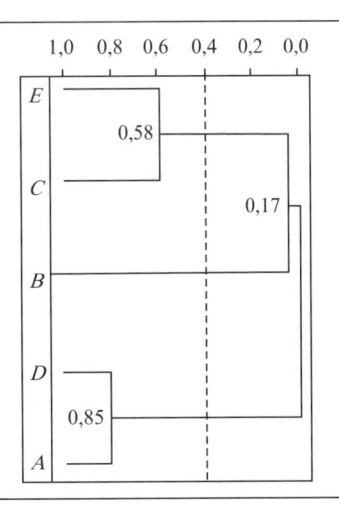

	D	E	B
A	0,85		
C		0,58	
CE			0,17

Figura 27 – Índices de similaridade e dendrograma construído segundo o método de Ward de agrupamento.

Concluindo, podemos dizer que a análise exploratória preliminar utilizando os métodos PCA e HCA introduzidos neste capítulo, como o próprio nome diz, é uma análise preliminar dos dados quando eles são amplamente explorados. Em resumo, nessa análise, é possível estabelecer as seguintes propriedades:

1) Identificar agrupamentos e tendências entre as amostras;
2) identificar aquelas variáveis que contêm as informações de interesse;
3) investigar as correlações entre as variáveis, evitando muitas variáveis colineares na construção de modelos de regressão ou de classificação, que serão assuntos dos próximos capítulos;
4) fazer a compressão dos dados; e
5) detectar amostras com comportamento diferenciado das restantes do conjunto.

Como sugerido anteriormente, é interessante comparar os resultados da análise HCA com os resultados da análise PCA. Amostras distantes num gráfico de escores de PC1 *versus* PC2 não podem ter alta similaridade num dendrograma e vice-versa. Em outras palavras, amostras que aparecem próximas no gráfico de escores não devem ter baixo índice de similaridade no dendrograma. É certo que as primeiras componentes principais não contêm toda a informação original dos dados e, portanto, a distância real entre dois objetos deve ser ligeiramente diferente do que aparece no gráfico de escores, mas não drasticamente diferente. As tendências para o conjunto de amostras devem ser as mesmas.

3.4 Distância de Mahalanobis

Antes de encerrar este capítulo, exploraremos com mais detalhes a distância da Mahalanobis, introduzida na seção 3.3.2. Ela não é utilizada somente na análise HCA, como foi apresentado, mas também para a detecção de amostras atípicas, para selecionar as amostras a serem incluídas na construção de modelos de calibração e para investigar a representatividade entre dois conjuntos de dados. No controle de processos industriais pode-se utilizar a distância de Mahalanobis para monitorar um conjunto de variáveis correlacionadas. Nesse contexto, é comum usar a estatística de Hotelling, T^2, pois ela resume a informação de uma observação (amostra, objeto) multivariada em um único valor que é a distância estatística a que tal observação está da média.

Vamos inicialmente considerar um exemplo bem simples, que consiste de quatro amostras para as quais foram medidas a Temperatura, T (°C), e a pressão, P (atm), listadas na Tabela 23, juntamente com a média e o desvio padrão de cada variável.

Tabela 23 – Dados referentes às quatro observações de temperatura e pressão, vetores da média e do desvio padrão das colunas de **X**, bem como as variâncias de T, P e a covariância entre T e P

$$\mathbf{X} = \begin{bmatrix} 1,1 & 0,7 \\ 0,8 & 0,5 \\ 0,7 & 0,4 \\ 1,0 & 0,6 \end{bmatrix}$$

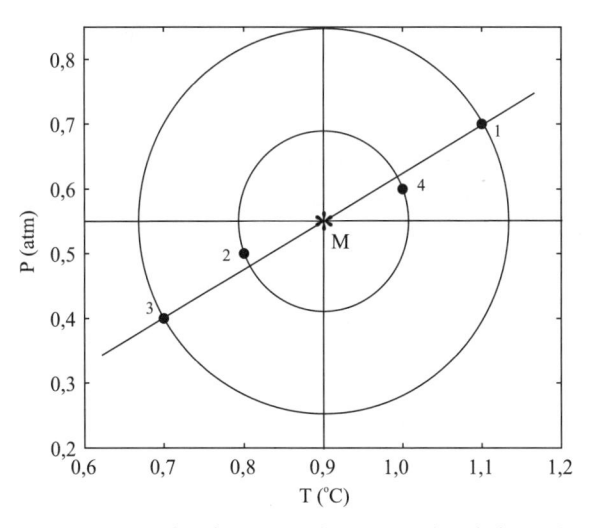

$\bar{\mathbf{x}}^T = [0,90 \quad 0,55]$ $\mathbf{s}^T = [0,18 \quad 0,13]$

$s_T^2 = 0,033$ $s_P^2 = 0,017$ $s_{TP}^2 = 0,023$

Figura 28 – Representação gráfica das quatro observações da Tabela 23. Os círculos indicam que as observações 1 e 3 estão a uma mesma distância Euclideana da média (M). O mesmo acontece com as observações 2 e 4.

Essas quatro amostras e a média estão representadas no gráfico de T *versus* P da Figura 28. Cada amostra e a média correspondem a um ponto no espaço das linhas de **X**. Esse gráfico contém também uma reta ajustada aos pontos e dois círculos centrados no ponto médio.

Considerando que esses quatro pontos são bem representados pelo ponto médio, uma forma de análise consiste em calcular a distância de cada ponto à média. A tabela 24 contém a distância Euclideana de cada uma das amostras ao centroide do conjunto de dados.

Tabela 24 – Distância Euclideana de cada observação ao ponto médio, M

	Distância Euclideana
d_{1M}	0,25
d_{2M}	0,11
d_{3M}	0,25
d_{4M}	0,11

De acordo com os resultados da Tabela 24, os pontos 2 e 4 estão à mesma distância da média, em um círculo de raio 0,11 centrado na média. O mesmo ocorre para os pontos 1 e 3, localizados em um círculo de raio igual a 0,25. Nessa análise, a covariância entre T e P foi ignorada, mas, pela figura 28, é visível que a distribuição das quatro amostras é quase linear. Pode-se calcular uma distância que tome em consideração essa alta correlação entre as duas variáveis: a distância de Mahalanobis, que foi definida na equação 45, em que B se torna M, o ponto médio (centroide do conjunto de dados).

Para duas variáveis quaisquer x_1 e x_2, a distância da amostra 1 ao ponto médio é dada pela expressão

$$\left(d_{1M}^{M}\right)^2 = \frac{1}{1-r^2}\left(\frac{(x_{11}-\bar{x}_1)^2}{s_1^2} - 2r\frac{(x_{11}-\bar{x}_1)}{s_1}\frac{(x_{12}-\bar{x}_2)}{s_2} + \frac{(x_{12}-\bar{x}_2)^2}{s_2^2}\right), \quad (60)$$

onde r é o coeficiente de correlação entre as variáveis x_1 e x_2, introduzido no capítulo 2.

Rearranjando a expressão anterior, obtém-se a equação 61

$$\left(d_{1M}^{M}\right)^{2} = \frac{(x_{11} - \bar{x}_{1})^{2}}{s_{1}^{2}} + \left(\frac{(x_{12} - \bar{x}_{2})}{s_{2}} - r\frac{(x_{11} - \bar{x}_{1})}{s_{1}}\right)^{2} \frac{1}{1 - r^{2}}, \qquad (61)$$

que mostra claramente que a distância de Mahalanobis corrige a correlação existente dentro dos dados, uma vez que a parte da segunda variável que já foi considerada pela primeira variável foi subtraída. Fazendo o cálculo da distância de Mahalanobis das quatro observações da Tabela 23 ao ponto médio, obtêm-se os valores listados na Tabela 25. Todos eles estão equidistantes do ponto médio e, por conseguinte, essas quatro distâncias satisfazem à equação da elipse indicada na Figura 29. Do ponto de vista visual, esse resultado parece irreal, pois é óbvio que os pontos 1 e 4 estão mais próximos da média. Entretanto, quando as diferenças nas variâncias das variáveis e as relações entre elas são consideradas, os resultados mostram que as distâncias das quatro amostras ao ponto médio do conjunto de dados são idênticas.

Tabela 25 – Distância de Mahalanobis de cada uma das quatro observações ao ponto médio

	Distância de Mahalanobis
d_{1M}^{M}	1,5
d_{2M}^{M}	1,5
d_{3M}^{M}	1,5
d_{4M}^{M}	1,5

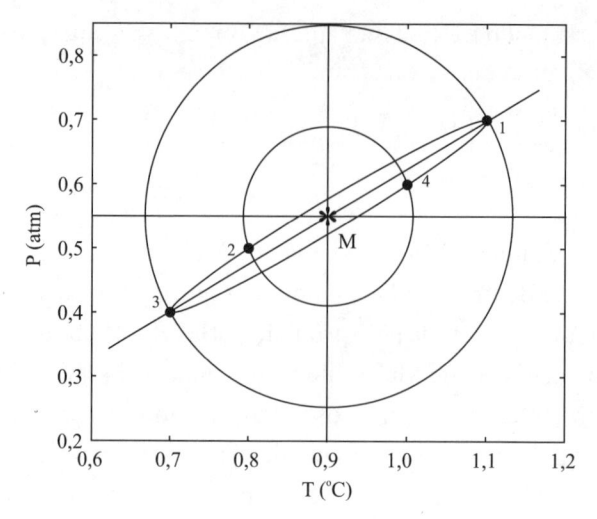

Figura 29 – Representação gráfica da distância de Mahalanobis das quatro observações da Tabela 23. A elipse indica que os quatro objetos estão todos a uma mesma distância da média.

A distância de Mahalanobis, definida anteriormente como produto interno (equação 44), pode ser estendida para o cálculo direto de um conjunto de *I* amostras e *J* variáveis, representadas pela matriz **X**. Nesse cálculo, é produzido um vetor-coluna, cujos elementos correspondem à distância de cada amostra ao ponto médio ou à origem, se os dados estiverem centrados na média.

$$\mathbf{d}^M = \sqrt{diag\left(\mathbf{X}_{cm}\mathbf{Var}^{-1}\mathbf{X}_{cm}^T\right)} \quad \text{onde} \quad \mathbf{Var} = \frac{1}{I-1}\mathbf{X}_{cm}^T\mathbf{X}_{cm}. \quad (62)$$

O termo "diag" na expressão acima se refere aos elementos da diagonal da matriz produto, e o símbolo de raiz, neste caso, indica que deve ser tomada a raiz quadrada de cada elemento do vetor resultante.

A seguir, estão os comandos para o cálculo das distâncias de Mahalanobis utilizando o *software* MATLAB.

```
[I,J] = size(X);
Xcm = X - ones(I,1) * mean(X) %centra os dados na média
Var = Xcm' * Xcm ./ (I - 1) %calcula a matriz de variância-covariância
DM = sqrt(diag(Xcm * inv(Var) * Xcm')) %calcula as distâncias
```

O cálculo da distância de Mahalanobis requer o uso da matriz de variância-covariância, o que acarreta limitações, por exemplo, quando o número de variáveis é maior que o número de amostras (a inversa da matriz de variância-covariância não existe). Outra limitação aparece mesmo quando o número de variáveis é menor, mas existe alta correlação entre elas e, nesse caso, a matriz de variância-covariância é "mal condicionada", quando seu determinante é próximo de zero[32]. Uma maneira de resolver esses problemas é aplicar a análise de componentes principais ao conjunto de dados e usar, ao invés das variáveis originais, as próprias PC, uma vez que elas são, por definição, ortogonais entre si.

A seguir, investigaremos a relação entre as distâncias Euclideana e de Mahalanobis após a aplicação da PCA. A expressão 3 nos dá a relação entre a matriz $\mathbf{X}$ e as componentes principais, $\mathbf{X} = \mathbf{TL}^T$, sendo que $\mathbf{T}$ e $\mathbf{L}$ são as matrizes de escores de dimensão ($I \times J$) e de pesos de dimensão ($J \times J$), respectivamente. Substituindo $\mathbf{X}_{cm}$ na expressão 62, a equação da distância de Mahalanobis se torna

$$\mathbf{d}^M = \sqrt{diag\left(\mathbf{TL}^T \left(\frac{1}{I-1}\left(\mathbf{TL}^T\right)^T \mathbf{TL}^T\right)^{-1} \left(\mathbf{TL}^T\right)^T\right)}. \tag{63}$$

Como as componentes principais são ortonormais, a matriz $\mathbf{L}^T\mathbf{L}$ é igual à matriz identidade e a matriz $\mathbf{T}^T\mathbf{T}$ é diagonal de dimensão ($J \times J$). A matriz inversa $\left(\left(\mathbf{TL}^T\right)^T \mathbf{TL}^T\right)^{-1}$ é igual a $\mathbf{L}\left(\mathbf{T}^T\mathbf{T}\right)^{-1}\mathbf{L}^T$ e o vetor-coluna com as distâncias de Mahalanobis de cada amostra à origem no espaço das componentes principais pode ser escrito, então, como

$$\mathbf{d}^M = \sqrt{diag\left(\mathbf{T}\left(\frac{1}{I-1}\mathbf{T}^T\mathbf{T}\right)^{-1}\mathbf{T}^T\right)} = \mathbf{d}^M_{escores}. \tag{64}$$

---

32 Uma matriz é mal condicionada quando o inverso do seu número de condição é próximo de zero. O número de condição de uma matriz é definido como a razão entre o seu maior e o menor autovalor. Se a matriz é bem definida, o inverso do número de condição da matriz é próximo de um.

Na expressão 64, $\dfrac{1}{I-1}\mathbf{T}^\mathrm{T}\mathbf{T}$ é a matriz de variância-covariância de $\mathbf{T}$. Essa expressão mostra que as distâncias de Mahalanobis no espaço das variáveis originais, $\mathbf{d}^M$, são as mesmas que no espaço das componentes principais, $\mathbf{d}^M_{escores}$, considerando todas as PC, *i.e.*, sem fazer nenhuma compressão nos dados.

Se considerarmos os escores normalizados (a matriz $\mathbf{U}$ da decomposição por valores singulares dada na expressão 6), pode-se mostrar de maneira semelhante que a distância de Mahalanobis tem os mesmos valores.

A comparação mais interessante é feita entre a distância de Mahalanobis no espaço das variáveis originais, $\mathbf{d}^M$, e a distância Euclideana, $\mathbf{d}$, quando calculadas no espaço das componentes principais.

$$\mathbf{d}^M = \sqrt{diag\left(\mathbf{USV}^\mathrm{T}\left(\dfrac{1}{I-1}(\mathbf{USV}^\mathrm{T})^\mathrm{T}\mathbf{USV}^\mathrm{T}\right)^{-1}(\mathbf{USV}^\mathrm{T})^\mathrm{T}\right)} \qquad (65)$$

A matriz $\mathbf{S}$, que contém os valores singulares, é quadrada e diagonal $(K \times K)$, onde $K = \min\{I,J\}$. As matrizes $\mathbf{U}$ e $\mathbf{V}$ têm dimensões $(I \times K)$ e $(J \times K)$, respectivamente, sendo que $\mathbf{U}^\mathrm{T}\mathbf{U}$ e $\mathbf{V}^\mathrm{T}\mathbf{V}$ são matrizes identidade $(K \times K)$. Fazendo as operações algébricas indicadas na expressão acima, encontra-se

$$\mathbf{d}^M = \sqrt{(I-1)diag(\mathbf{UU}^\mathrm{T})} = \sqrt{(I-1)}\mathbf{d}\,, \qquad (66)$$

onde $\mathbf{d}$ é o vetor-coluna, cujos elementos são as distâncias Euclideana de cada amostra ao centro dos dados (ou à origem, se os dados foram centrados na média) no espaço das componentes principais. As distâncias foram calculadas sem que houvesse compressão dos dados e utilizando apenas os escores normalizados.

Os cálculos da distância de Mahalanobis serão ilustrados utilizando o conjunto de dados listados na Tabela 26, que contém 57 amostras e 6 variáveis. Nesse exemplo, $K = \min\{I, J\} = J = 6$.

Tabela 26 – Conjunto das respostas de seis variáveis para 57 amostras

Amostra	var1	var2	var3	var4	var5	var6
1	13,624	17,72	8,50	−9,440	14,78	11,912
2	13,624	17,55	8,46	−9,504	14,78	11,997
3	13,624	17,70	8,00	−9,599	14,86	12,268
4	13,624	18,50	8,62	−9,648	14,88	11,925
5	13,624	16,70	8,01	−9,668	14,72	12,296
6	11,020	13,40	7,63	−9,678	14,79	9,994
7	13,624	18,30	8,49	−9,752	14,77	11,974
8	13,624	17,80	8,41	−9,767	14,73	11,976
9	13,600	17,15	8,52	−9,775	14,79	12,025
10	8,013	8,05	8,41	−9,785	14,76	6,860
11	8,215	8,00	7,20	−9,873	14,50	7,510
12	8,215	7,65	7,18	−9,883	14,53	7,503
13	8,215	7,30	7,22	−9,914	14,39	7,558
14	11,020	13,40	7,51	−9,921	14,40	10,112
15	9,214	8,95	9,06	−9,921	14,70	7,525
16	8,215	7,30	7,05	−9,951	14,38	7,551
17	8,013	7,85	7,37	−9,955	15,14	7,134
18	8,013	7,80	7,18	−9,959	14,58	7,134
19	8,416	7,32	7,08	−9,959	14,12	7,872
20	6,812	4,20	6,76	−9,996	14,30	6,323
21	6,812	3,40	6,81	−9,996	14,22	6,316
22	8,013	8,56	8,47	−10,002	14,73	6,922
23	9,214	11,70	8,88	−10,014	15,34	7,705
24	9,617	9,65	7,20	−10,017	14,18	8,870
25	8,215	6,50	7,00	−10,043	14,15	7,600
26	8,416	6,73	6,86	−10,050	14,00	7,920
27	13,624	16,70	8,60	−10,057	14,76	11,692
28	7,013	3,86	6,62	−10,061	13,87	6,630
29	13,624	16,50	8,65	−10,103	14,79	11,720
30	9,617	11,50	8,23	−10,128	14,55	8,569
31	11,222	12,23	7,14	−10,161	14,11	10,522
32	9,819	9,80	7,01	−10,166	14,05	9,232

→

Amostra	var1	var2	var3	var4	var5	var6
33	8,215	8,30	8,10	-10,169	14,47	7,292
34	6,812	4,42	7,72	-10,172	14,23	6,015
35	7,013	3,63	6,48	-10,175	13,79	6,678
36	5,409	-0,44	6,21	-10,177	14,29	5,012
37	7,013	3,69	6,56	-10,184	13,83	6,678
38	5,611	0,09	6,04	-10,194	13,85	5,388
39	8,416	6,07	6,80	-10,203	13,92	7,961
40	8,215	5,95	6,88	-10,208	14,04	7,628
41	7,013	3,12	6,50	-10,217	13,78	6,671
42	8,416	5,85	6,69	-10,218	13,89	7,956
43	6,812	4,00	6,80	-10,245	14,17	6,363
44	5,611	0,37	6,21	-10,249	13,93	5,388
45	13,624	15,62	8,58	-10,270	14,66	11,692
46	6,812	2,60	6,61	-10,273	13,89	6,351
47	13,624	15,85	8,79	-10,273	14,55	11,720
48	5,611	-0,69	5,94	-10,289	13,93	5,381
49	9,819	9,36	6,97	-10,393	14,00	9,260
50	8,416	6,33	6,73	-10,426	13,84	7,983
51	6,812	4,49	6,93	-10,450	14,21	6,411
52	7,013	2,00	6,27	-10,498	13,64	6,707
53	7,013	3,00	6,41	-10,503	13,72	6,706
54	5,611	-0,63	5,95	-10,503	13,96	5,429
55	8,416	4,12	6,53	-10,545	13,76	7,984
56	5,409	1,08	6,76	-10,583	14,21	5,121
57	4,006	-3,45	7,87	-11,008	14,17	3,872

No quadro a seguir estão os comandos do MATLAB utilizados nos cálculos das distâncias, onde DE se refere à distância Euclideana e DM à distância de Mahalanobis, e na Tabela 27 estão os resultados obtidos para as primeiras 15 amostras.

```
[I,J] = size(X);
K = min(I,J);
Xcm = X - ones(I,1) * mean(X);
%Distância Euclideana no espaço das variáveis originais
DE = sqrt(diag(Xcm * Xcm'));

%Dist. de Mahalanobis no espaço das variáveis originais
Var = Xcm' * Xcm ./ (I - 1); %Matriz de Variância-covariância.
DM = sqrt(diag(Xcm * inv(Var) * Xcm'));

%Decomposição por valores singulares
[U S V] = svd(Xcm);
%Distância Euclideana no espaço das PC (escores normaliz.)
DEU = sqrt(diag(U(:,1:K) * U(:,1:K)'));

%Dist. de Mahalanobis no espaço das PC
VarU = (1 / (I - 1)) * U(:,1:K)' * U(:,1:K); %(escores normalizados)
DMU = sqrt(diag(U(:,1:K) * inv(VarU) * U(:,1:K)'));

T = U * S;
VarT = (1 / (I - 1)) * T' * T; %(escores não normalizados)
DMT = sqrt(diag(T * inv(VarT) * T'));
```

Os resultados dos cálculos das distâncias apresentados na Tabela 27 confirmam uma propriedade importante das distâncias generalizadas: que elas são invariantes com respeito à escala. Não foram mostrados os resultados, mas se os dados estão centrados na média ou autoescalados, os resultados da distância de Mahalanobis são exatamente os mesmos, o que não acontece com a distância Euclideana (ver a Figura 39 do capítulo 2).

Tabela 27 – Distâncias Euclideana e de Mahalanobis nos espaços das variáveis originais e das componentes principais sem fazer qualquer compressão nos dados ($K = \min\{I,J\}$)[a]

Amostra	DE[b]	DM[b]	DE^{c}U$_K$	DM^{c}U$_K$	DM^{c}T$_K$	DE$^c\sqrt{I-1}$
1	11,339	2,695	0,360	2,695	2,695	2,695
2	11,217	2,564	0,343	2,564	2,564	2,564
3	11,400	2,888	0,386	2,888	2,888	2,888
4	12,015	1,819	0,243	1,819	1,819	1,819
5	10,579	3,267	0,437	3,267	3,267	3,267
6	5,940	2,254	0,301	2,254	2,254	2,254
7	11,838	1,818	0,243	1,818	1,818	1,818
8	11,403	1,703	0,228	1,703	1,703	1,703
9	10,879	2,235	0,299	2,235	2,235	2,235
10	2,046	2,815	0,376	2,815	2,815	2,815
11	1,114	1,542	0,206	1,542	1,542	1,542
12	1,221	1,455	0,194	1,455	1,455	1,455
13	1,352	1,228	0,164	1,228	1,228	1,228
14	5,943	2,041	0,273	2,041	2,041	2,041
15	2,046	4,122	0,551	4,122	4,122	4,122

[a] Estão listados apenas os resultados obtidos para as 15 primeiras amostras.
[b] No espaço das variáveis originais.
[c] No espaço das componentes principais.

Já foi mostrado anteriormente para duas variáveis que a expressão analítica da distância de Mahalanobis produz elipses (equação 45), ou seja, lugares geométricos de pontos com distâncias iguais ao centro do conjunto de dados. Uma vez que, por definição, as componentes principais são não correlacionadas, os eixos da elipse coincidem com as componentes principais e os comprimentos dos eixos podem ser facilmente determinados nesses casos. A distância de Mahalanobis pode ser generalizada para a forma de um hiperelipsoide cujos eixos são coincidentes com as componentes principais. Para obter a equação do elipsoide, vamos usar o fato de que $\mathbf{T}^T\mathbf{T}$ é a matriz dos autovalores como indicado na equação 22. O vetor das distâncias de Mahalanobis (equação 64) pode ser escrito como

$$\left(\mathbf{d}^{M}\right)^{2} = diag\left(\mathbf{T}_{K}\left(\frac{1}{I-1}\mathbf{T}_{K}^{T}\mathbf{T}_{K}\right)^{-1}\mathbf{T}_{K}^{T}\right) = \qquad (67)$$

$$= (I-1) diag\left(\begin{bmatrix} \lambda_1 & & 0 \\ & \ddots & \\ 0 & & \lambda_K \end{bmatrix}^{-1} \mathbf{T}_{K}\mathbf{T}_{K}^{T}\right) = (I-1)\sum_{a=1}^{K}\lambda_a^{-1}\mathbf{t}_a^2,$$

onde $\mathbf{T}_K$ é a matriz de escores $(I \times K)$, $\mathbf{t}_a^2$ é um vetor de dimensão $(I \times 1)$, cujos elementos são os valores dos escores da a-ésima PC elevados ao quadrado e $\left(\mathbf{d}^M\right)^2$ é um vetor em que cada elemento representa o quadrado da distância de uma amostra à origem, pois os dados estão centrados na média.

Para uma amostra qualquer, a equação 67 pode ser reescrita da seguinte forma:

$$\left(d^{M}\right)^{2} = \frac{I-1}{\lambda_1}t_1^2 + \frac{I-1}{\lambda_2}t_2^2 + \cdots + \frac{I-1}{\lambda_K}t_K^2. \qquad (68)$$

Fazendo analogia com a forma canônica de um hiperelipsoide com eixos principais iguais a $R_1... R_K$,

$$\frac{x_1^2}{R_1^2} + \frac{x_2^2}{R_2^2} + \cdots + \frac{x_K^2}{R_K^2} = 1, \qquad (69)$$

vê-se que as duas expressões acima têm a mesma forma (a menos de uma constante). Para uma distância constante, d^M da origem, o comprimento de cada eixo principal é dado pela expressão geral 70:

$$R_a = \pm\sqrt{\frac{\left(d^M\right)^2 \lambda_a}{I-1}}. \qquad (70)$$

Para o caso de duas variáveis, $K = 2$, os dois eixos principais da elipse de distância constante da origem têm raios iguais a

$$R_1 = \pm\sqrt{\frac{(d^M)^2 \lambda_1}{I-1}} \quad \text{e} \quad R_2 = \pm\sqrt{\frac{(d^M)^2 \lambda_2}{I-1}}, \quad (71)$$

em que $R_1 > R_2$, uma vez que $\lambda_1 > \lambda_2$.

Outra propriedade importante da distância de Mahalanobis é que, uma vez conhecida a variância verdadeira dos dados, se todas as variáveis seguem uma distribuição normal, então a $(d^M)^2$ segue uma distribuição χ_K^2 (chiquadrado) com K graus de liberdade[33] e, portanto, é possível associar um limite de confiança a cada elipse de isodistâncias traçada. O valor de $\chi_{\alpha,K}^2$ fornece um elipsoide que contém $(1-\alpha)\times 100\%$ do volume no espaço multidimensional K, da curva de distribuição normal. Simplificando para duas variáveis, $\chi_{\alpha,2}^2$ fornece uma elipse que contém $(1-\alpha)\times 100\%$ da área no espaço bidimensional.

Considerando, por exemplo, $\alpha = 0,05$, o valor tabelado de $\chi_{0,05,2}^2$ é igual a 5,99, o que indica que, para $(d_{crit}^M)^2 = \chi_{0,05,2}^2 = 5,99$, tem-se uma elipse ($R_1 = \pm\sqrt{\frac{5,99\lambda_1}{I-1}}$ e $R_2 = \pm\sqrt{\frac{5,99\lambda_2}{I-1}}$) que engloba 95% das amostras. Para $\alpha = 0,001$, $\chi_{0,001,2}^2 = 13,82$ e tem-se uma elipse-limite de eixos mais longos contendo todas as amostras com 99,9% de confiança.

Acontece que essa distribuição só é válida quando a matriz de variância verdadeira dos dados (a variância populacional) é conhecida, o que em geral não é possível e, mesmo assim, essa distribuição é normalmente utilizada. É necessário um número grande de amostras (maior do que 100) para que χ_K^2 seja uma aproximação razoável do valor real.

---

33 Se $\bar{x}$, o vetor das médias das colunas de **X** segue uma distribuição normal representada por $N_K(\mu, \frac{1}{I}\Sigma)$, então $I(\bar{x}-\mu)^T \Sigma^{-1}(\bar{x}-\mu) \sim \chi_K^2$ segue uma distribuição chiquadrado com K graus de liberdade. O termo $N_K(\mu, \frac{1}{I}\Sigma)$ representa uma distribuição normal com média μ e variância populacional igual a $\frac{1}{I}\Sigma$.

Uma alternativa quando não se conhece a matriz de variância verdadeira é verificar se os dados seguem uma distribuição normal ou quase normal e aplicar a estatística T^2 de Hotelling, que é expressa para uma observação como

$$T^2 = \frac{I}{(I+1)} \mathbf{x}_{cm}^T \mathbf{Var}^{-1} \mathbf{x}_{cm}, \tag{72}$$

em que $\dfrac{(I-K)}{K}\dfrac{T^2}{(I-1)}$ segue uma distribuição $F_{\alpha,K,(I-K)}$ com K graus de liberdade no numerador e $(I-K)$ no denominador[34]. Sendo assim, é possível associar um limite de confiança a cada distância, como no caso anterior. É visível na equação 72 a semelhança entre T^2 e a distância de Mahalanobis.

De maneira semelhante à distância de Mahalanobis, podemos colocar a equação 72 na forma canônica de um elipsoide e encontrar o raio de cada eixo principal do elipsoide, R_K, para uma distância constante T^2 da origem,

$$\frac{I(I-1)}{(I+1)T^2\lambda_1}t_1^2 + \frac{I(I-1)}{(I+1)T^2\lambda_2}t_2^2 + \cdots + \frac{I(I-1)}{(I+1)T^2\lambda_K}t_K^2 = 1, \tag{73}$$

$$R_a = \pm\sqrt{\frac{(I+1)T^2\lambda_a}{I(I-1)}} \qquad \text{para} \qquad a = 1, 2, \cdots, K.$$

---

34 Seja $T^2 = m\mathbf{y}^T\mathbf{W}^{-1}\mathbf{y}$, onde $\mathbf{y} \sim N_K(\mathbf{0},\Sigma)$ e $\mathbf{W} \sim W_K(m,\Sigma)$, $\mathbf{y}$ e $\mathbf{W}$ são estatisticamente independentes e $W_K(.,.)$ representa a distribuição de Wishart (análoga multivariada da distribuição chiquadrado). Então, $\dfrac{(m-K+1)}{K}\dfrac{T^2}{m} \sim F_{(K,m-K+1)}$. Para o nosso caso, se $\mathbf{x}_i \sim N_K(\mu,\Sigma)$, então $\overline{\mathbf{x}} \sim N_K(\mu, \frac{1}{I}\Sigma)$ e $(I-1)\mathbf{Var} \sim W_K(I-1, \Sigma)$. Assumindo que $\overline{\mathbf{x}}$, $\mathbf{Var}$ e $\mathbf{x}_f$ sejam estatisticamente independentes ($\mathbf{x}_f$ é uma observação futura), então $(\mathbf{x}_f - \overline{\mathbf{x}}) \sim N_K(0, \frac{I+1}{I}\Sigma)$ e $\sqrt{\frac{I}{I+1}}(\mathbf{x}_f - \overline{\mathbf{x}}) \sim N_K(0, \Sigma)$. A forma quadrática se torna $T^2 = \sqrt{\dfrac{I}{I+1}}(\mathbf{x}_f - \overline{\mathbf{x}})^T \mathbf{Var}^{-1}(\mathbf{x}_f - \overline{\mathbf{x}})\sqrt{\dfrac{I}{I+1}}$ e usando o teorema acima para $(m = I-1)$, obtém-se $\dfrac{(I-1-K+1)}{K}\dfrac{T^2}{I-1} \sim F_{(K,I-1-K+1)}$ ou $\dfrac{(I-K)}{K}\dfrac{I}{I+1}\dfrac{(\mathbf{x}_f - \overline{\mathbf{x}})^T \mathbf{Var}^{-1}(\mathbf{x}_f - \overline{\mathbf{x}})}{I-1} = \dfrac{(I-K)}{K}\dfrac{I}{I+1}\sum_{a=1}^{K}\dfrac{t_a^2}{\lambda_a} \sim F_{(K,I-K)}$.

O valor crítico de T^2 para um nível de probabilidade α (equação 74) fornece o elipsoide-limite com $(1-\alpha)\times 100\%$ de confiança (equação 75).

$$T^2_{crit} = \frac{K(I-1)}{(I-K)} F_{\alpha,K,(I-K)} \qquad (74)$$

Amostras que satisfazem a equação $T^2 \leq T^2_{crit}$, com $(1-\alpha)\times 100\%$ de confiança, estão dentro do elipsoide cujos eixos principais têm raios iguais a

$$R_a = \pm \sqrt{\frac{(I+1)K\lambda_a}{I(I-K)} F_{\alpha,K,(I-K)}} . \qquad (75)$$

Em vez da elipse-limite traçada com um nível de 95% de confiança, poderíamos comparar diretamente os valores calculados de T^2 para cada amostra, com o valor crítico calculado a partir do valor de F tabelado ou usar diretamente a expressão abaixo.

$$\sum_{a=1}^{K} \frac{I(I-K)}{(I+1)K\lambda_a} t_a^2 \leq F_{\alpha,K,(I-K)} \qquad (76)$$

Até o momento consideramos que a matriz de dados é de posto completo e que não houve compressão nos dados. Portanto, todas as K componentes principais foram utilizadas no cálculo da distância. No entanto, a distância de Mahalanobis ou T^2 também podem ser calculadas considerando um número menor de componentes principais, $A < K$. Nesse caso,

$$\left(\mathbf{d}^M\right)^2 = (I-1)diag\left(\mathbf{T}_A\left(\mathbf{T}_A^T\mathbf{T}_A\right)^{-1}\mathbf{T}_A^T\right) = (I-1)diag\left(\mathbf{T}_A\mathbf{\Lambda}^{-1}\mathbf{T}_A^T\right), \qquad (77)$$

onde $\mathbf{\Lambda}^{-1}$ é a matriz diagonal $(A \times A)$ que contém o inverso dos autovalores (todos eles positivos) associados às PC consideradas relevantes. Isso quer dizer que $\left(\mathbf{d}^M\right)^2$ ou os valores de T^2 de todas as amostras nos dão informação delas no subespaço descrito pelos dados projetados no hiperplano das PC, *i.e.*, no espaço-linha de **X**, de dimensão *A*.

A título de ilustração, vamos fazer o cálculo das elipses utilizando apenas duas variáveis, var2 e var3, da Tabela 26 e depois refaremos os cálculos considerando todas as variáveis ao fazer a análise de componentes principais. A Figura 30 apresenta a distribuição quase normal das amostras no espaço bivariado definido por essas duas variáveis. Nota-se também que existe uma correlação razoável entre elas.

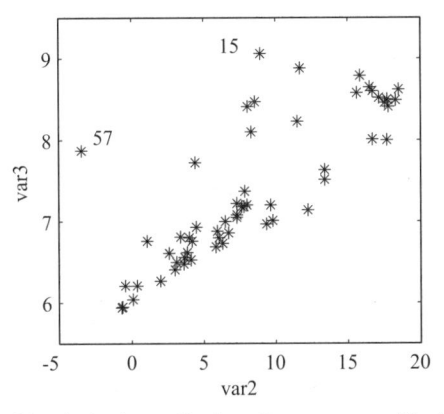

Figura 30 – Gráfico bivariado da variável var2 *versus* a variável var3 dos dados da Tabela 26.

O espaço das PC será utilizado para o cálculo das elipses (os eixos da elipse coincidem com as componentes principais). Fazendo a análise de componentes principais, encontramos os seguintes autovalores: $\lambda_1 = 1.959,46$ e $\lambda_2 = 15,21$, que nada mais são do que as variâncias explicadas pelas duas primeiras componentes principais. Usando as expressões 71 e 75 calculamos R_1 e R_2, os raios das elipses para um determinado nível de confiança α usando as estatísticas $\chi^2_{\alpha,K}$ e $F_{\alpha,K,(I-K)}$ (equação 78).

$$R_1 = \pm\sqrt{\frac{\chi^2_{\alpha,K}\,\lambda_1}{I-1}} \qquad \text{e} \qquad R_2 = \pm\sqrt{\frac{\chi^2_{\alpha,K}\,\lambda_2}{I-1}}\;; \qquad (78)$$

$$R_1 = \pm\sqrt{\frac{(I+1)2\lambda_1}{I(I-2)}F_{\alpha,2,55}} \qquad \text{e} \qquad R_2 = \pm\sqrt{\frac{(I+1)2\lambda_2}{I(I-2)}F_{\alpha,2,55}}\;.$$

Considerando $\alpha = 0,05$, os valores tabelados de $\chi^2_{\alpha,K}$ e $F_{\alpha,K,(I-K)}$ são 5,99 e 3,15, respectivamente. Substituindo esses valores na equação 78, obtém-se $R_1 = \pm\, 14,48$ e $R_2 = \pm\, 1,28$ para a estatística χ^2, enquanto, para a estatística T^2 de Hotelling, os resultados foram ligeiramente maiores: $R_1 = \pm\, 15,22$ e $R_2 = \pm\, 1,33$.

A Figura 31 contém o gráfico de escores para PC1 *versus* PC2 e as respectivas elipses definidas pela distância de Mahalanobis com 95%, 90% e 10% de confiança; para 10%, o valor de chiquadrado é $\chi^2_{0,9,2} = 0,21$ e, para 90%, o respectivo valor é $\chi^2_{0,1,2} = 4,61$. Para comparação foi incluída em linha tracejada a elipse obtida pela estatística T^2 com 95% de confiança. Ao considerar apenas essas duas variáveis, duas amostras (15 e 57) se encontram fora da elipse, indicando que elas têm um comportamento diferenciado das restantes do grupo (especialmente a amostra 57). Em um estudo de controle de qualidade, elas estariam fora das especificações.

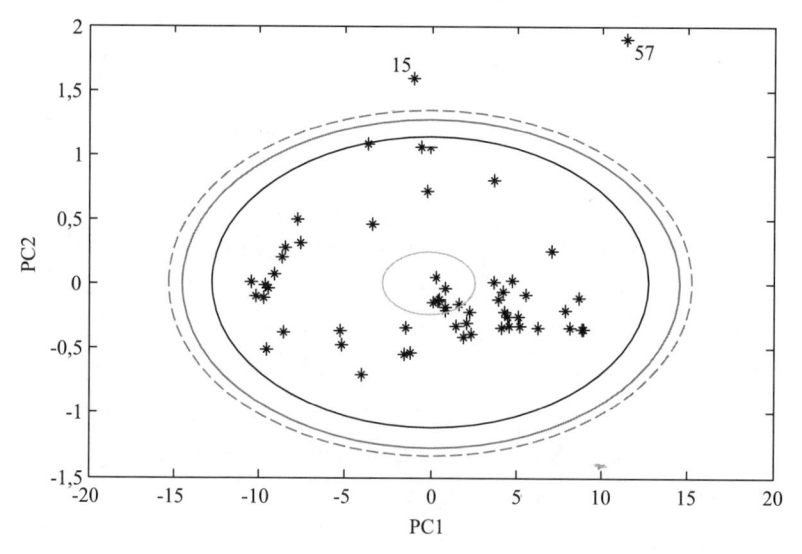

Figura 31 – Gráfico de escores de PC1 *versus* PC2 calculados para as variáveis originais var2 e var3 centradas na média e as elipses traçadas com 95% (cinza-escuro), 90% (preto) e 10% dos dados (cinza-claro) de confiança. As linhas contínuas foram determinadas pela distribuição $\chi^2_{\alpha,2}$ e a linha cinza-escuro tracejada, pela distribuição $F_{\alpha,2,55}$.

Para finalizar vamos refazer os cálculos das elipses utilizando agora a matriz de dados completa, mas retendo apenas as A componentes principais significativas, de acordo com a expressão 77. Considerando duas componentes principais como representativas ($A = 2$), uma vez calculados os escores e os autovalores, podem-se calcular os raios da elipse-limite por meio das equações 71 e 75. Os autovalores encontrados têm os seguintes valores: $\lambda_1 = 2.663,84$ e $\lambda_2 = 39,79$, acumulando um total de 99,5% da variância original dos dados. Como no caso anterior, para uma elipse com 95% de confiança, $\chi^2_{0,05,2} = 5,99$ $F_{0,05,2,55} = 3,15$, onde K foi substituído por $A = 2$.

Os raios encontrados foram $R_1 = \pm 16,88$ e $R_2 = \pm 2,06$ usando a distribuição χ^2 e, $R_1 = \pm 17,62$ e $R_2 = \pm 2,15$ para a distribuição F. A Figura 32 contém o gráfico dos escores de PC1 *versus* PC2 e as respectivas elipses obtidas usando as distribuições $\chi^2_{0,05,2}$ e $F_{0,05,2,55}$.

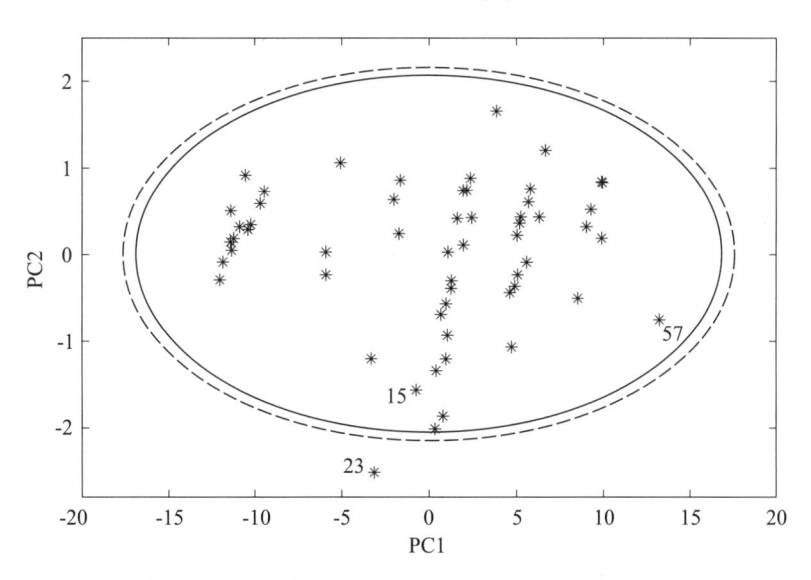

Figura 32 – Gráfico de escores de PC1 *versus* PC2 com as elipses-limite calculadas pelas distribuições $\chi^2_{0,05,2}$ (linha contínua) e $F_{0,05,2,55}$ (linha tracejada) com 95% de confiança, assumindo duas PC como relevantes.

As duas amostras que se encontravam fora das elipses traçadas com 95% de confiança, ao considerar apenas duas variáveis (Figura 31), agora se encaixam perfeitamente nas duas elipses. No entanto, a amostra 23 estaria fora das especificações. Outra informação que se pode extrair das Figuras 31 e 32 é que as elipses traçadas utilizando a distribuição F são ligeiramente maiores, se bem que não houve diferença significativa entre elas.

3.5 Exemplos

3.5.1 Análise exploratória de amostras de água mineral[35]

Nosso primeiro exemplo será discutido mais detalhadamente, do ponto de vista conceitual, para fixar as ideias introduzidas, especialmente a da análise de componentes principais, que é mais abstrata e servirá como um roteiro de análise a ser seguido. O objetivo do estudo é discriminar amostras de água mineral provenientes de várias localidades em função da sua origem geográfica. Introduzindo e definindo o problema a ser resolvido, do ponto de vista químico, as características da água mineral de uma determinada fonte dependem da composição mineral do solo e das rochas encontradas nas regiões próximas a cada fonte. Para determinar a composição inorgânica da água é necessário fazer medidas, e a etapa seguinte é a escolha de uma técnica experimental adequada para tal. A espectrometria de emissão ótica com fonte de plasma acoplado indutivamente, ICP-OES, foi escolhida para este estudo. Essa técnica oferece uma série de vantagens, pois permite a análise multielementar simultânea, é de alta sensibilidade e precisão, além de ser rápida e apresentar uma ampla faixa dinâmica linear. Portanto, determinando-se a composição da água, que deve ser diferente para diferentes localidades, espera-se ter a informação desejada para a discriminação das amostras.

Frascos de água mineral de nove marcas e lotes diferentes foram adquiridas nos supermercados da região metropolitana de São Paulo. A

---

35 Correia, P. R. M.; Ferreira, M. M. C. 'Reconhecimento de padrões por métodos não supervisionados: explorando procedimentos quimiométricos para o tratamento de dados analíticos', *Quim. Nova* **30** (2007) 481-487.

origem geográfica declarada no rótulo e listada na Tabela 28 foi considerada como critério de discriminação das amostras.

Tabela 28 – Informações relativas às amostras de água mineral avaliadas

Marca	Nº de amostras	Cidade/Estado
A	10	Mogi das Cruzes/SP
B	7	Campos do Jordão/SP
C	4	Águas da Prata/SP
D	9	São Lourenço/MG
E[a]	1	Campo Largo/PR
F[a]	2	Itu/SP
G[a]	1	Petrópolis/RJ
H[a]	1	Petrópolis/RJ
I[a]	2	São Paulo/SP

[a] As amostras E-I foram incluídas no estudo para verificar se existe ou não similaridade química com as amostras A-D, que estão em maior quantidade.

Os elementos alcalinos (Na e K) e os elementos alcalinos terrosos (Mg, Ca, Sr e Ba) foram determinados simultaneamente por ICP-OES. A matriz de dados **X** = (37 × 6), contém os resultados obtidos para os 6 elementos (j = 1, 2, ..., 6) nas diferentes amostras de água mineral (i = 1, 2, ..., 37). Considerando que no presente estudo todos os elementos têm igual importância para auxiliar na discriminação das amostras, optou-se por autoescalar os dados usando a escala de $1/(I-1)$ unidades de variância. Os resultados apresentados na Tabela 29 diferem daqueles da referência 35, porque lá os dados foram autoescalados para variância unitária (ver a diferença nas equações 29 e 30 do capítulo 2).

A primeira etapa da análise é a visualização dos dados (neste caso eles já se encontram autoescalados), que estão dispostos na Figura 33. Com o autoescalamento dos dados, eles foram centrados na média e, portanto, os valores positivos na Tabela 29 indicam que os teores dos minerais estão acima do valor médio e os valores negativos estão abaixo. Podemos ver que as amostras da marca D são as únicas que têm um teor mais alto de K, enquanto as da marca F apresentam altos teores de Sr. As marcas A, D, F e I diferenciam-se das outras, pelos teores altos de

Na, e a variável Ba é a única que discrimina as amostras das marcas A e I. Essas são algumas das informações extraídas, quando visualizamos os dados por meio da Figura 33.

Tabela 29 – Matriz de dados autoescalados[a] das amostras de água

	Na	K	Mg	Ca	Sr	Ba
A1	0,163	-0,082	-0,188	-0,167	-0,043	0,214
A2	0,126	-0,079	-0,186	-0,172	-0,045	0,227
A3	0,150	-0,081	-0,188	-0,167	-0,043	0,221
A4	0,158	-0,081	-0,187	-0,167	-0,043	0,219
A5	0,153	-0,080	-0,187	-0,169	-0,043	0,229
A6	0,148	-0,082	-0,188	-0,167	-0,043	0,220
A7	0,170	-0,078	-0,185	-0,164	-0,042	0,260
A8	0,127	-0,070	-0,179	-0,162	-0,040	0,304
A9	0,167	-0,079	-0,185	-0,163	-0,042	0,261
A10	0,169	-0,079	-0,185	-0,162	-0,042	0,266
B1	-0,214	-0,105	0,125	0,036	-0,061	-0,045
B2	-0,214	-0,105	0,123	0,031	-0,061	-0,055
B3	-0,214	-0,105	0,121	0,032	-0,061	-0,054
B4	-0,214	-0,105	0,122	0,034	-0,061	-0,054
B5	-0,214	-0,105	0,120	0,034	-0,061	-0,058
B6	-0,214	-0,105	0,119	0,030	-0,061	-0,056
B7	-0,214	-0,105	0,120	0,035	-0,061	-0,055
C1	-0,196	-0,084	-0,036	-0,056	0,028	-0,031
C2	-0,201	-0,086	-0,068	-0,079	0,014	-0,062
C3	-0,199	-0,086	-0,056	-0,071	0,020	-0,052
C4	-0,197	-0,084	-0,036	-0,056	0,029	-0,028
D1	0,112	0,303	0,153	0,183	-0,037	-0,130
D2	0,110	0,265	0,137	0,203	-0,030	-0,141
D3	0,131	0,327	0,174	0,199	-0,036	-0,123
D4	0,113	0,301	0,154	0,198	-0,037	-0,128
D5	0,146	0,337	0,186	0,217	-0,036	-0,116

→

D6	0,103	0,266	0,134	0,198	-0,031	-0,138
D7	0,090	0,269	0,128	0,166	-0,037	-0,129
D8	0,093	0,266	0,123	0,166	-0,038	-0,129
D9	0,086	0,260	0,128	0,171	-0,035	-0,130
E1	-0,214	-0,113	0,349	0,186	-0,059	-0,203
F1	0,105	-0,097	0,173	0,302	0,687	0,132
F2	0,100	-0,097	0,172	0,299	0,674	0,129
G1	-0,210	-0,113	-0,216	-0,217	-0,067	-0,224
H1	-0,210	-0,113	-0,216	-0,217	-0,067	-0,224
I1	0,106	-0,097	-0,188	-0,182	-0,046	-0,158
I2	0,097	-0,096	-0,186	-0,181	-0,045	-0,160

[a] Autoescalados para $1/(I-1)$ unidades de variância.

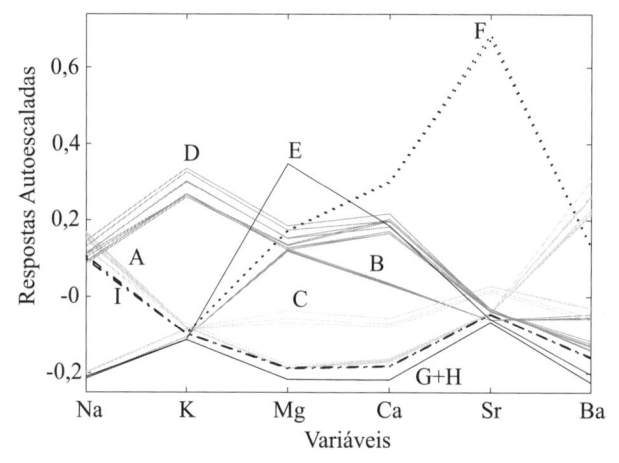

Figura 33 – Gráfico dos teores de minerais dos 9 diferentes tipos de águas: A, B, C, D, E, F, G, H e I.

Com o objetivo de discutir mais detalhadamente esse conjunto de dados, vamos inicialmente selecionar 3 variáveis para a análise. Assim, 100% da informação contida no conjunto de dados pode ser visualizada representando-os no sistema cartesiano 3D. As três variáveis selecionadas foram os resultados analíticos obtidos para os elementos Na, K e Mg, e a matriz de dados passa a ter o formato $\mathbf{X} = (37 \times 3)$. Posteriormente faremos a análise com a matriz de dados completa. Gráficos bidimensionais combinando essas três variáveis estão na Figura 34 (Na *vs* K na Figura 34a; Na *vs* Mg na Figura 34b e Mg *vs* K na Figura 34c). Os eixos variam de –0,22 a +0,35 e apresentam valores negativos devido ao autoescalamento dos dados. Linhas tracejadas paralelas aos eixos, passando pela origem, estão indicadas nos gráficos a fim de facilitar a interpretação. Vamos analisar primeiramente o teor de sódio. As amostras (A, D, F e I) aparecem destacadamente à direita nas Figuras 34a e b, pois elas possuem um elevado teor de Na. Ao contrário, as amostras B, C, E, G e H são notadamente diferentes por apresentarem baixos teores de Na e K e aparecem muito próximas entre si na região inferior, à esquerda no gráfico da Figura 34a. Essa situação melhora considerando as diferenças nos teores de Magnésio para baixas concentrações de sódio (Figura 34b); as amostras E apresentam os maiores teores de Mg, seguidas pelas amostras B, C, G + H. Em outras palavras, a discriminação das amostras das marcas B, C, E, G + H só é possível se a variável Mg for considerada.

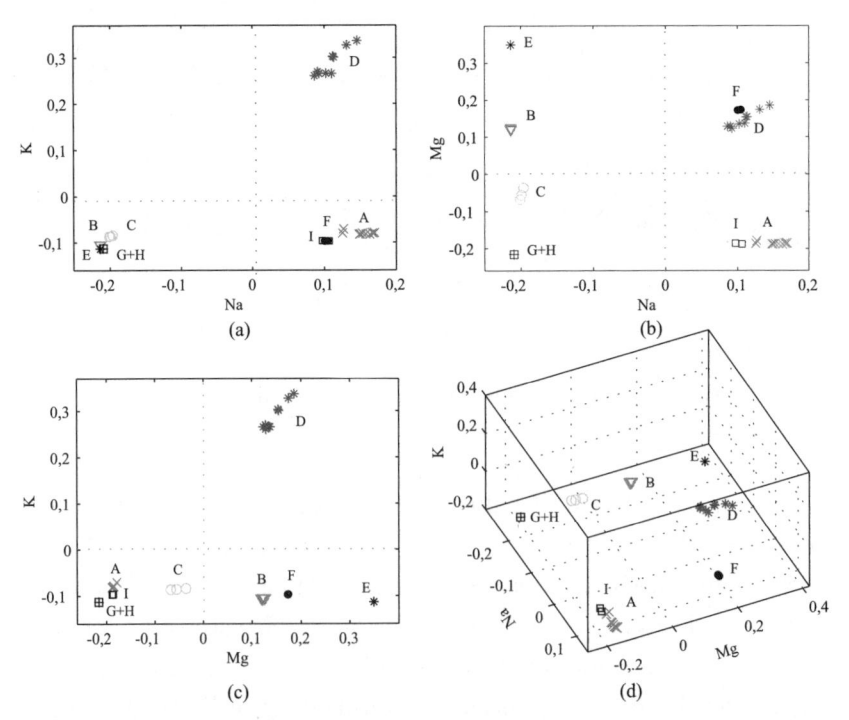

Figura 34 – Gráficos bivariados e 3D das amostras de água mineral. (a) Na *vs* K. (b) Na *vs* Mg. (c) Mg *vs* K. (d) Mg *vs* Na *vs* K para as amostras de água mineral ($I = 37$)

Por outro lado, as amostras D e F possuem maior teor de Mg do que as amostras A e I, aparecendo na parte superior do gráfico da Figura 34b. Na Figura 34a, as amostras D aparecem isoladas na parte superior do gráfico, indicando que elas possuem o maior teor de K dentre todas as marcas estudadas. Na Figura 34c, verifica-se a confirmação das informações relacionadas com Mg e K, visto que as amostras D aparecem na parte superior à direita (altos teores de K e Mg), as amostras F aparecem na parte inferior à direita, indicando um alto teor de Mg e baixo teor de K, e as amostras A e I aparecem na parte inferior à esquerda, por apresentarem baixos teores de Mg e K.

A avaliação desses gráficos mostrou que é possível diferenciar as amostras de água mineral das marcas consideradas no presente estudo, excetuando-se os grupos das marcas A/I e G/H. A limitação do número de variáveis consideradas nessa primeira análise não permitiu obter uma assinatura química única para cada uma das marcas de água mineral.

Uma maneira de visualizar os agrupamentos naturais existentes entre as amostras é por meio do dendrograma. Para sua construção, considerou-se a distância Euclideana (ver equações 41 e 42) entre cada par de amostras utilizando os valores autoescalados das variáveis K, Na e Mg. As distâncias obtidas para as amostras 1 e 2 das marcas A-D são apresentadas na Tabela 30.

Tabela 30 – Distâncias entre algumas amostras da Tabela 29

	A1	A2	B1	B2	C1	C2	D1	D2
A1	0	**0,040**	0,591	0,593	0,478	0,484	0,713	0,702
A2		0	0,575	0,576	0,460	0,465	0,717	0,707
B1			0	**0,011**	0,209	0,239	0,550	0,530
B2				0	0,205	0,234	0,550	0,530
C1					0	**0,052**	0,593	0,573
C2						0	0,612	0,592
D1							0	**0,047**
D2								0

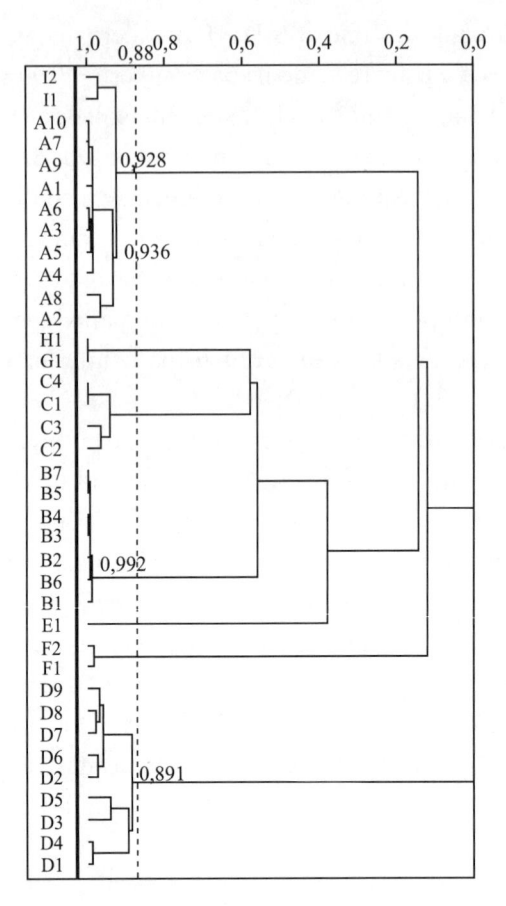

Figura 35 – Dendrograma obtido para as três variáveis (Na, K, Mg) com o método simples de agrupamento.

As distâncias calculadas entre as amostras de uma mesma marca são bem menores (0,011 a 0,052) do que os valores obtidos para as amostras de marcas diferentes (0,205 a 0,717). Como o dendrograma da Figura 35 agrupa as amostras com teores semelhantes de Na, K e Mg, é possível constatar que distâncias pequenas implicam amostras parecidas (ramos curtos), geralmente de uma única marca. Dessa forma, as distâncias calculadas (Tabela 30) podem auxiliar na busca por similaridade entre as amostras, sendo fácil verificar que a amostra B1 é muito parecida com a amostra B2 (d_{B1B2} = 0,011) e muito diferente da amostra D1 (d_{B1D1} = 0,55).

Uma avaliação dos agrupamentos existentes no dendrograma considerando um índice de similaridade igual a 0,88 mostra que todas as marcas são adequadamente separadas, com exceção das amostras das marcas A/I e G/H. Esse fato novamente indica que, a partir dos resultados obtidos para as determinações de Na, K e Mg, não é possível discriminar as amostras dessas marcas. O alto índice de similaridade encontrado (0,928) evidencia que as amostras das marcas A/I são muito parecidas e que as amostras G/H ($S_{GH} = 1,0$) são idênticas.

Outros aspectos podem ser observados a partir de uma avaliação mais pormenorizada dos gráficos obtidos. O grupo das amostras B é mais homogêneo e menos disperso do que aqueles verificados para as amostras A e D. Apesar de parecer somente 1 amostra, ele é formado por 7 amostras, que são muito semelhantes e graficamente sobrepostas nos gráficos da Figura 34. Como consequência, o índice de similaridade para as amostras B é alto no dendrograma (0,992). A situação oposta pode ser verificada com as amostras do grupo D, que apresentam menor homogeneidade entre si e maior dispersão, com um índice de similaridade igual a 0,891 no dendrograma. Além disso, é importante destacar que as amostras G e H sempre apareceram sobrepostas em qualquer um dos gráficos apresentados, e com índice de similaridade igual a 1,0. Apesar de serem de marcas distintas, elas se apresentam idênticas, quando se utilizam apenas os teores de Na, K e Mg. Uma possível alternativa para melhorar o poder de discriminação das amostras de água mineral das marcas A/I e G/H é a inclusão de mais variáveis no tratamento multivariado, que podem ser os teores de Ca, Sr e Ba.

Considerando as seis variáveis da Tabela 29 (Na, K, Mg, Ca, Sr e Ba), o espaço amostral agora possui seis dimensões, e a representação gráfica completa do conjunto de dados é impossível. No entanto, havendo correlações significativas entre essas seis variáveis, é possível encontrar novas variáveis (PC), em número $A < 6$, que sejam capazes de descrever, aproximadamente, toda a informação contida nos dados originais. Essa redução do número de variáveis é denominada compressão dos dados, e é obtida através da combinação linear das variáveis originais, que busca agrupar aquelas que fornecem informações semelhantes.

A Tabela 31 apresenta os coeficientes de correlação entre as seis variáveis iniciais consideradas nesse estudo (Na, K, Mg, Ca, Sr e Ba).

Tabela 31 – Coeficientes de correlação das variáveis

	Na	K	Mg	Ca	Sr	Ba
Na	1,0	0.423	-0.267	0.013	0.144	**0.490**
K		1,0	0.471	**0.627**	-0.123	-0.392
Mg			1,0	**0.932**	0.238	**-0.525**
Ca				1,0	0.434	-0.426
Sr					1,0	0.191
Ba						1,0

Essa informação será utilizada para ilustrar como as componentes principais serão formadas. As correlações mais altas ocorrem entre as variáveis Ca e Mg; Ca e K; e entre Mg e Ba (note a correlação negativa). Portanto, é possível considerar que essas quatro variáveis possam ser combinadas para formar uma única PC. Por outro lado, Na apresenta alguma correlação com Ba e ambos podem ser combinados para formar outra PC. Já o Sr não apresenta correlação significativa com nenhuma das outras variáveis iniciais, sendo possível utilizá-lo para formar uma terceira PC.

A partir das correlações entre as variáveis, os seis elementos podem ser divididos em três grupos distintos: o grupo 1 (K, Ca, Mg e Ba), o grupo 2 (Na e Ba) e o grupo 3 (Sr). Essa é uma indicação de que apenas três novas variáveis (PC) seriam suficientes para descrever grande parte da informação original do conjunto de dados, havendo uma compressão do espaço amostral de seis dimensões (Na, K, Mg, Ca, Sr e Ba), para um novo espaço de três dimensões (PC1, PC2 e PC3).

Foi feita a análise de componentes principais e três matrizes foram geradas: a matriz de escores (**T**), a matriz de pesos (**L**) e a de autovalores (**Λ**). Os pesos encontrados para PC1, PC2 e PC3 estão na Tabela 32.

Os coeficientes das equações da Tabela 32 são os pesos que indicam quanto cada variável original contribuiu para formar a respectiva componente principal. Deve-se notar que os altos pesos correspondem exatamente às variáveis indicadas, em negrito, como correlacionadas na Tabela 31 e que a contribuição negativa do Ba em PC1 coincide com as correlações negativas entre Ba e K, Mg e Ca. O mesmo ocorre para Sr e K em PC3. Os escores de cada amostra no novo sistema de eixos podem ser calculados utilizando a expressão **T = XL**, conforme indicado nas equações da Tabela 32.

Tabela 32 – Vetores de pesos das três primeiras componentes principais

$$\mathbf{l}_1 = \begin{matrix} Na \\ K \\ Mg \\ Ca \\ Sr \\ Ba \end{matrix} \begin{bmatrix} -0{,}082 \\ \mathbf{0{,}412} \\ \mathbf{0{,}561} \\ \mathbf{0{,}572} \\ 0{,}137 \\ \mathbf{-0{,}403} \end{bmatrix} \quad \mathbf{l}_2 = \begin{bmatrix} \mathbf{0{,}723} \\ 0{,}289 \\ -0{,}059 \\ 0{,}185 \\ 0{,}383 \\ \mathbf{0{,}458} \end{bmatrix} \quad \mathbf{l}_3 = \begin{bmatrix} -0{,}315 \\ \mathbf{-0{,}544} \\ 0{,}164 \\ 0{,}154 \\ \mathbf{0{,}718} \\ 0{,}197 \end{bmatrix}$$

PC1 = − 0,082Na + 0,412K + 0,561Mg + 0,572Ca + 0,137Sr − 0,403Ba
PC2 = + 0,723Na + 0,289K − 0,059Mg + 0,185Ca + 0,383Sr + 0,458Ba
PC3 = − 0,315Na − 0,544K + 0,164Mg + 0,154Ca + 0,718Sr + 0,197Ba

A equação 79 mostra como são calculados os dois primeiros escores para a amostra A1 usando os valores autoescalados da Tabela 29.

$$\begin{aligned} t_{11} &= -0{,}082 \cdot 0{,}163 - 0{,}412 \cdot 0{,}082 - 0{,}561 \cdot 0{,}188 \\ &\quad - 0{,}572 \cdot 0{,}167 - 0{,}137 \cdot 0{,}043 - 0{,}403 \cdot 0{,}214 = -0{,}341; \\ t_{12} &= +0{,}723 \cdot 0{,}163 - 0{,}289 \cdot 0{,}082 + 0{,}059 \cdot 0{,}188 \\ &\quad - 0{,}185 \cdot 0{,}167 - 0{,}383 \cdot 0{,}043 + 0{,}458 \cdot 0{,}214 = 0{,}156. \end{aligned} \quad (79)$$

Uma vez obtida a matriz de escores, é possível calcular a quantidade de informação (variância explicada) contida em cada componente principal utilizando a equação 20, em que o autovalor λ_a é dado pelo produto $\mathbf{t}_a^T \mathbf{t}_a$.

No presente estudo, a porcentagem de variância explicada pela PC1 é dada pela equação 80, em cujo denominador temos a soma dos seis autovalores.

$$\%Var_1 = \frac{2{,}77}{2{,}77+1{,}58+1{,}23+0{,}34+0{,}077+0{,}0015} \times 100 = 46{,}2\% \qquad (80)$$

Para PC2 e PC3 os resultados obtidos serão 26,4% e 20,5%, respectivamente. Dessa forma, 93% da informação original do conjunto de dados é descrita ao considerarmos apenas três componentes principais ($A = 3$). Uma vez que os dados estão autoescalados, a soma dos valores no denominador da equação 80 é igual a $K = \min\{I,J\} = 6$, i. e., o traço[10] da matriz de correlação.

As Figuras 36 e 37 apresentam nos seus eixos as duas PC mais importantes, condensando graficamente mais de 70% da informação multivariada, que pode ser extraída a partir dos dados analíticos. As informações relacionadas às amostras de água mineral são apresentadas no gráfico de escores (Figura 36). Com a inclusão das novas variáveis, foi possível observar agrupamentos isolados para quase todas as marcas consideradas, em contraste com o verificado anteriormente na Figura 34. As amostras A e I foram convenientemente separadas, permitindo a diferenciação entre elas, mas, novamente, as amostras G e H não puderam ser discriminadas. Uma explicação para essa observação é que ambas as marcas são produzidas utilizando-se água da mesma fonte hidromineral, pois a origem geográfica delas é a mesma (Tabela 28).

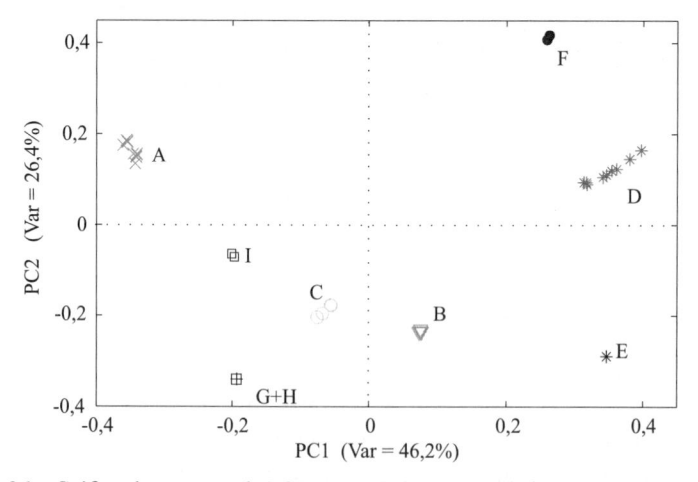

Figura 36 – Gráfico dos escores de PC1 versus PC2, para os dados autoescalados.

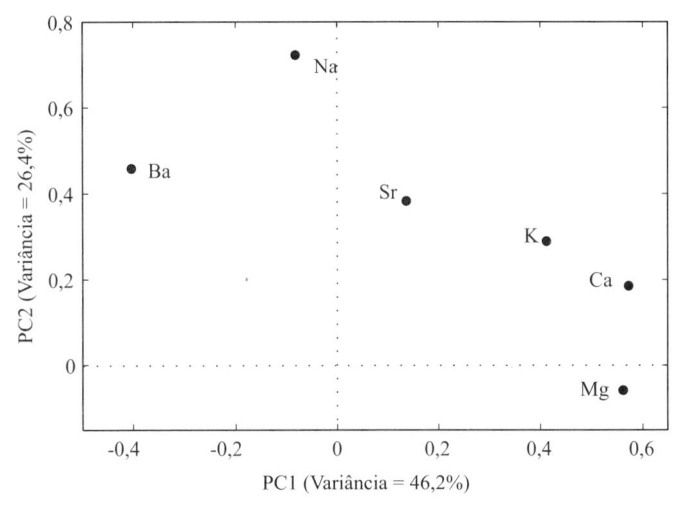

Figura 37 – Gráfico dos pesos de PC1 *versus* PC2.

O gráfico de escores deve estar sempre acompanhado do gráfico ou da tabela de pesos que se encontram na Figura 37 ou na Tabela 32, respectivamente, pois são eles que indicam por que as amostras foram agrupadas da maneira como estão dispostas no gráfico de escores.

As variáveis mais importantes são aquelas que apresentam os maiores pesos positivos e negativos para PC1: Ca (0,572), Mg (0,561), K (0,412) e Ba (–0,403). As amostras localizadas à direita no gráfico dos escores tendem a apresentar maiores teores de Ca e Mg (valores altos positivos na Tabela 29) e menores teores de Ba (altos valores negativos na Tabela 29), que apresenta alto peso negativo. Esse é o caso das amostras D e E, que aparecem à direita. O teor de K é alto para as amostras do grupo D e baixo para todas as outras amostras (Figuras 34A e C). O raciocínio inverso é igualmente válido e, por esse motivo, é possível afirmar que as amostras da marca A que aparecem à esquerda possuem maiores teores de Ba e menores teores de Ca, Mg e K (valores negativos). A avaliação conjunta dos resultados analíticos para os seis elementos permite identificar as variáveis Ca e Mg como as principais, ao longo de PC1, seguidas de K e Ba.

As variáveis mais importantes para determinar o posicionamento das amostras em PC2 no gráfico de escores são aquelas que apresentam maiores pesos para PC2 na Figura 37: Na (0,723) e Ba (0,458). Os teores desses elementos para as amostras B, C, E, G e H são menores do que aqueles verificados para as marcas A, D e F. A variável Ba em PC2 é a principal responsável pela discriminação das amostras A e I, o que não ocorreu quando foram considerados somente os resultados de Na, K e Mg. A composição das amostras A apresenta os maiores teores de Na e Ba, enquanto as amostras da marca I possuem teores de Na razoáveis, mas baixos teores de Ba. Além disso, os teores de Ca, apesar de serem baixos nesses dois grupos de amostras, são menores nas amostras I. Assim, verifica-se que a inclusão dos resultados obtidos para os elementos Ca e Ba foi decisiva para separar essas duas marcas em agrupamentos distintos.

A terceira componente principal tem alta contribuição dos elementos Sr (0,718) e K (−0,544). Essa PC discrimina a marca F cujas amostras são as únicas que têm um alto teor de Sr da marca D que apresenta alto teor de K.

O dendrograma produzido considerando as seis variáveis está na Figura 38 e pode ser comparado àquele previamente obtido (Figura 35). Estabelecendo um índice de similaridade igual a 0,9, é possível perceber que as amostras das marcas A e I aparecem em agrupamentos distintos.

Concluindo, pudemos ver por intermédio desse exemplo o potencial da utilidade da análise exploratória quando todas as variáveis foram consideradas simultaneamente. Foi possível visualizar em poucos gráficos bidimensionais praticamente toda a informação contida nos dados originais.

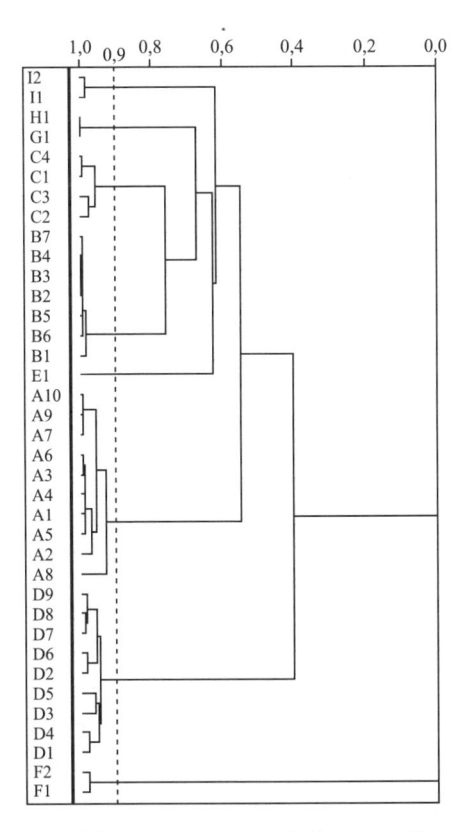

Figura 38 – Dendrograma obtido para as amostras de água, considerando todas as variáveis e o método simples de agrupamento.

3.5.2 Atividade antiviral de inibidores da protease HIV-1[36]

Nesse exemplo, os métodos PCA e HCA são aplicados a um conjunto de 48 compostos contendo os quatro substituintes P1, P1', P2 e P2', como mostrado na Figura 39. Esses compostos são inibidores da protease peptídica HIV-1, que contém em seu sítio ativo os quatro envelopes S1, S1', S2 e S2', conforme mostrado no quadro interno da Figura 39. As atividades biológicas *in vitro* estão expressas em unidades logarítmicas pIC_{50} (onde IC_{50} é a concentração molar do fármaco ne-

---

36 Kiralj, R. e Ferreira, M. M. C. '*A priori* molecular descriptors in QSAR: a case of HIV-1 protease inhibitors. I. The Chemometric approach', *J. Mol. Graph. Mod.* **21** (2003) 435-448.

cessária para reduzir a reprodução do vírus em 50%) e variam entre 5,158 e 10,267. Os inibidores foram classificados, de acordo com a resposta biológica, em duas classes: aqueles que apresentam baixa ou moderada atividade antiviral, com pIC_{50} variando de 5,158 a 8,268 unidades logarítmicas, e os altamente potentes, quando pIC_{50} varia de 8,886 a 10,267. A atividade antiviral desses compostos foi descrita por 14 propriedades moleculares[37] listadas na Tabela 33 e obtidas como descrito na referência 36, na qual o leitor pode encontrar a tabela completa com os valores de todas as variáveis e também a atividade biológica para os 48 compostos.

Tabela 33 – Definição dos descritores

Símbolo	Definição
Y	atividade inibitória *in vitro* $pIC_{50}= -logIC_{50}$
X_1	massa molar
X_2	número de elétrons de valência não σ
X_3	número de átomos pesados em fragmentos planares
X_4	número de ligações químicas entre átomos pesados
X_5	número de elétrons de valência por átomo
X_6	superfície de densidade eletrônica de elétrons de valência não σ
X_7	número de átomos pesados nos anéis
X_8	número de grupos CX_n, n=0,1,2,3; X=H ou halogênio; C exclui C=O
X_9	número efetivo de substituintes (de acordo com critérios previamente definidos)
X_{10}	número de ligações de hidrogênio em potencial
X_{11}	número efetivo de anéis (satisfazendo a algumas regras)
X_{12}	volume de van der Waals de grupos polares
X_{13}	comprimento do fragmento molecular aromático
X_{14}	número de elétrons não σ envolvidos em fragmentos moleculares aromáticos

---

[37] Essas propriedades moleculares são as respectivas variáveis, comumente designadas como *"descritores"* nos estudos de QSAR.

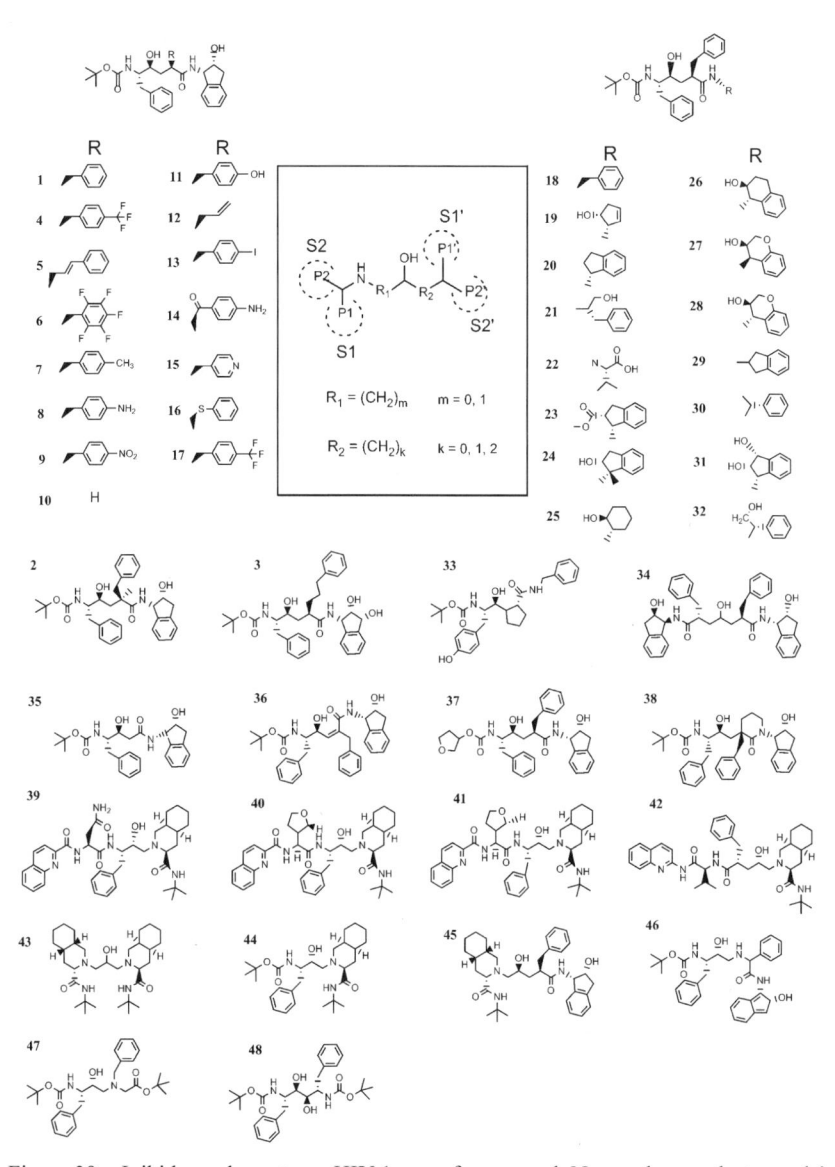

Figura 39 – Inibidores da protease HIV-1 e sua forma geral. No quadro em destaque, há uma representação esquemática dos quatro substituintes de um inibidor dentro do sítio ativo da protease. A referência 36 deve ser consultada para maior clareza.

A matriz de dados consiste de 48 linhas e 14 colunas, **X** (48 × 14). As variáveis são de diferentes naturezas (propriedades eletrônicas, estéreas, topológicas etc.) e estão em diferentes escalas. Não havendo razão especial para considerar que uma seja mais importante que a outra e para atribuir o mesmo peso a todas elas, o pré-processamento indicado é o autoescalamento dos dados.

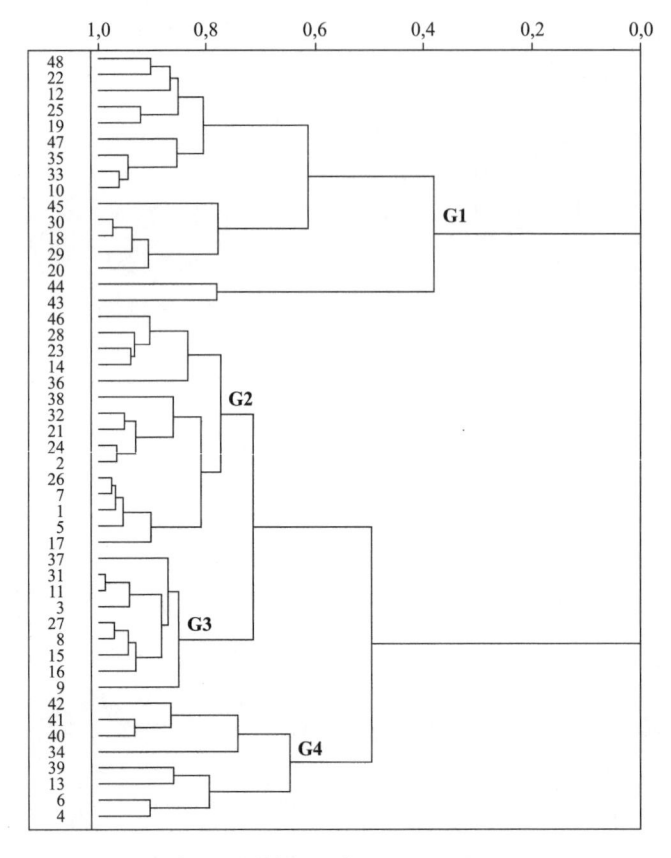

Figura 40 – Dendrograma dos 48 inibidores da protease HIV-1.

A análise HCA foi feita com o método de Ward e o dendrograma da Figura 40 mostra que as amostras foram distribuídas em dois grupos principais. O agrupamento menor, **G1**, é constituído de compostos que apresentam baixa e moderada resposta farmacológica. Eles são os menores de todo o conjunto, têm um ou dois dos grupos substituintes P1, P1', P2 e P2', pequenos ou mesmo ausentes, e não apresentam o grupo –OH na posição P2' (veja a representação de um substituinte no sítio ativo na Figura 39). O substituinte P2' neste caso pode ser um anel pequeno ou um grupo acíclico, o que obviamente reduz a atividade biológica. O outro grupo do dendrograma contém 3 subgrupos: **G2**, **G3** e **G4**. O subgrupo **G2** é constituído de uma mistura de compostos com baixa, moderada e alta potência, enquanto **G3** e **G4** contêm somente compostos altamente potentes, com exceção dos compostos **40** e **42**, que foram alocados no grupo **G4**. Estes são os maiores compostos e têm substituintes grandes nas posições P1', P2 e P2'.

A seguir, foi feita a análise PCA e os resultados estão dispostos nas Figuras 41 e 42. A primeira componente principal, PC1, descreve 56,35% da informação original dos dados e, com poucas exceções (compostos **14**, **23**, **28**, **40** e **42**), discrimina os compostos com baixa ou moderada resposta daqueles efetivamente potentes. Esses resultados podem ser vistos no gráfico dos escores da Figura 41a. Os valores dos pesos (Figura 41b) são todos positivos em PC1 e variam entre 0,21 e 0,33. Os descritores que mais contribuem para a discriminação das amostras são X_2, X_3, X_9, X_{11}, X_{13} e X_{14}. Essa primeira componente principal está bem representada, em termos do tamanho da molécula, das propriedades eletrônicas e hidrofóbicas (ver a Tabela 33 para a definição das variáveis). Do lado esquerdo do gráfico de escores estão os compostos menos potentes (**43**, **44** e **47**), enquanto do lado direito estão os mais potentes **34**, **39** e **41**. Essa situação se deve ao fato de que os melhores inibidores têm um número máximo de anéis e substituintes, são ricos em elétrons π e também de pares de elétrons isolados dos heteroátomos. As variáveis mais importantes para PC2 (que representa 21,86% da variância total dos dados) contêm informação sobre a forma da molécula e suas propriedades eletrônicas (X_1, X_4, X_6, X_7 e X_8), deixando claro a complexidade das propriedades estéreas e eletrotopológicas. A componente PC2 discrimina as moléculas mais ramificadas (compostos **40** a **45** com escores altamente positivos) daquelas mais compactas (compostos **9**, **10**, **12**, **22**, **35** e **48** situados na parte inferior do gráfico).

Os grupos mais polares são importantes para PC3 (7,58% da variância total), em que as variáveis que mais se destacam são X_{10} e X_{12} (Figura 42b). Pode-se ver no gráfico de escores da Figura 42a que PC3 separa os compostos com percentual mais alto de átomos eletronegativos e grupos polares em comparação ao número total de átomos (compostos **22**, **43**, **48**, **6**, **13**, **39** etc. com escores mais positivos) daqueles nos quais os grupos aromáticos e alifáticos são predominantes (compostos **18**, **20**, **29**, **30**, **34** etc., na parte inferior do gráfico). Pode-se dizer que a PC3 caracteriza a distribuição de carga eletrônica (elétrons de valência), especialmente representada pelas propriedades de polaridade e de ligação de hidrogênio.

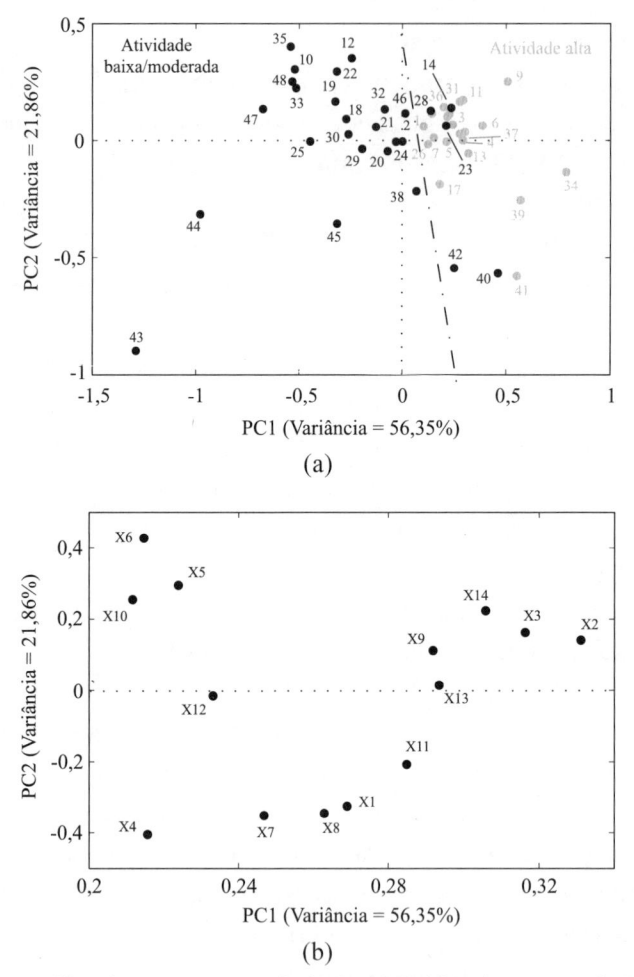

Figura 41 – Análise de componentes principais. (a) Gráfico dos escores de PC1 *versus* PC2: os compostos com baixa/moderada resposta farmacológica estão representados por ● e os de alta potência, por ●. (b) Gráfico dos pesos de PC1 *vs* PC2.

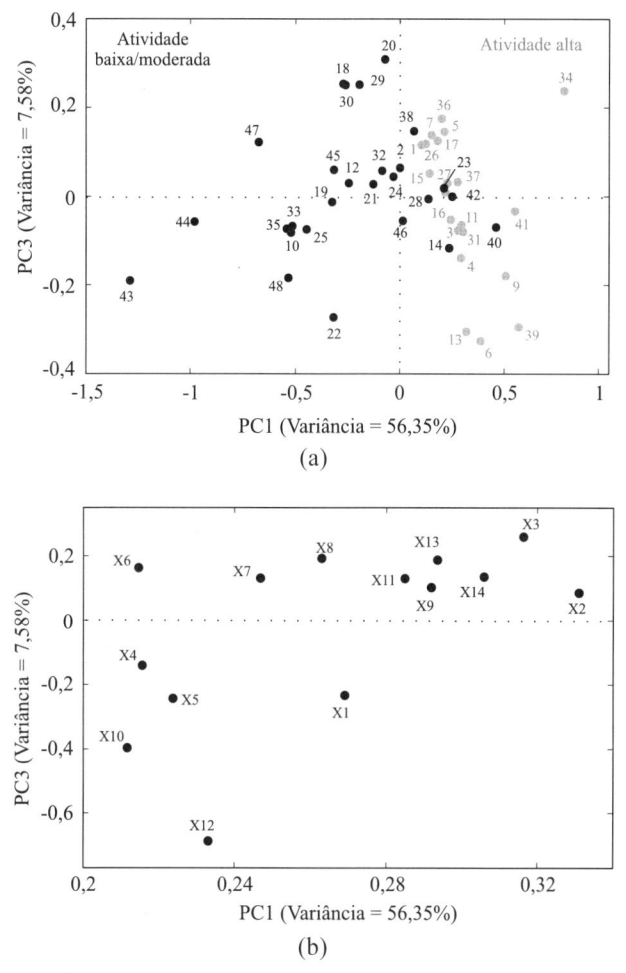

Figura 42 – Análise de componentes principais. (a) Gráfico dos escores de PC1 *versus* PC3: os compostos com baixa/moderada resposta farmacológica estão representados por ● e os de alta potência por ● (b) Gráfico dos pesos de PC1 *versus* PC3.

Este é um exemplo bem mais complexo que o anterior, e a análise de componentes principais se mostrou imprescindível para explorar os dados. Foi possível extrair informações estruturais a respeito dos compostos com maior potencial inibitório e vice-versa, o que seria impossível analisando os dados da tabela ou as variáveis duas a duas. Informações dessa natureza são muito importantes no planejamento de novos compostos com potencial farmacológico.

3.5.3 Determinação dos teores de minerais em sucos de frutas[38]

Sucos de frutas são consumidos e apreciados em todo o mundo, não só pelo seu sabor, mas também por serem fontes de minerais e vitaminas. Neste exemplo, a técnica de espectrometria de emissão ótica com fonte de plasma indutivamente acoplado (ICP-OES) foi utilizada para determinar as concentrações de 9 minerais em sucos de frutas. As amostras consistem de 7 variedades de sucos de frutas obtidos do mesmo fornecedor em duas datas diferentes de processamento (junho e agosto de 1998). Foram analisados sucos de abacaxi, acerola, caju, goiaba, manga, maracujá e uva. O método de preparo das amostras (extração com HCl a frio e agitação) e as condições experimentais para a obtenção das concentrações estão descritos na referência 38. O teor dos minerais cálcio, cobre, sódio, manganês, magnésio, ferro, potássio, fósforo e zinco foi determinado considerando a diluição recomendada pelo fabricante (uva, manga e goiaba, 1,5 vezes; abacaxi e acerola, 2 vezes; maracujá, 4,5 vezes, e caju, 5 vezes). As análises foram determinadas com três repetições analíticas. A Tabela 34 contém um sumário dos resultados experimentais obtidos.

Fazendo uma comparação dos minerais nos diferentes sucos, observa-se na Tabela 34 que, para o suco de abacaxi, ocorreu uma variação de 41,6% no teor de ferro e de 28,2% no teor de potássio de um lote para outro, e o teor de cálcio apresentou uma variação de 25,6% no suco de maracujá. O teor de cálcio é baixo no suco de caju e alto nos sucos de abacaxi e uva. O teor de manganês também é alto no suco de abacaxi e o de sódio, no suco de caju. O suco de maracujá apresenta altos teores de zinco, potássio e fósforo, enquanto o suco de uva apresenta alto teor de cobre e baixo de potássio.

---

38 Morgano, M. A.; Queiroz, S. C. N. e Ferreira, M. M. C. 'Determinação dos teores de minerais em sucos de frutas por espectrometria de emissão ótica em plasma indutivamente acoplado (ICP-OES)', *Ci. Tecnol. Alim.* **19** (1999) 344-348.

Tabela 34 – Teores de minerais (mg/100mL) para os dois lotes dos diferentes sucos de frutas estudados (A – Junho/98 e B – Agosto/98). Para cada lote os valores correspondem à média de três repetições analíticas e ao (desvio-padrão)

		Ca	Mg	P	Fe	Mn	Na	K	Zn	Cu
Caju	A	**0,77** (0,00)	8,44 (0,09)	9,52 (0,14)	0,127 (0,014)	0,077 (0,001)	**34,3** (0,4)	101,7 (1,0)	0,107 (0,002)	0,036 (0,001)
	B	**0,64** (0,01)	8,21 (0,15)	8,65 (0,39)	0,125 (0,003)	0,071 (0,002)	**33,4** (0,4)	103,2 (1,2)	0,102 (0,001)	0,038 (0,004)
Maracujá	A	**5,09** (0,02)	10,90 (0,09)	**16,61** (0,31)	0,388 (0,005)	0,088 (0,001)	21,6 (0,5)	**222,3** (1,2)	**0,228** (0,009)	0,061 (0,001)
	B	**3,79** (0,01)	10,13 (0,04)	**16,04** (0,19)	0,297 (0,015)	0,083 (0,000)	16,6 (0,1)	**188,9** (1,1)	**0,213** (0,004)	0,069 (0,001)
Goiaba	A	2,70 (0,08)	**3,35** (0,00)	6,08 (0,17)	0,069 (0,002)	0,061 (0,000)	16,5 (0,4)	114,5 (1,3)	0,044 (0,002)	0,025 (0,001)
	B	2,78 (0,05)	**3,49** (0,04)	6,56 (0,07)	0,059 (0,001)	0,063 (0,001)	16,0 (0,0)	111,4 (0,3)	0,050 (0,001)	0,027 (0,000)
Manga	A	5,83 (0,04)	7,56 (0,05)	8,19 (0,09)	0,112 (0,003)	0,299 (0,002)	15,5 (0,1)	116,3 (0,6)	0,055 (0,001)	0,066 (0,001)
	B	5,44 (0,08)	6,95 (0,10)	7,85 (0,13)	0,139 (0,003)	0,388 (0,007)	15,4 (0,2)	112,4 (1,6)	0,059 (0,004)	0,075 (0,001)

		Ca	Mg	P	Fe	Mn	Na	K	Zn	Cu
Abacaxi	A	**14,65** (0,03)	12,43 (0,08)	8,32 (0,07)	**0,425** (0,007)	**1,126** (0,005)	17,3 (0,0)	**140.8** (0,9)	0,061 (0,002)	0,039 (0,001)
	B	**16,52** (0,14)	10,22 (0,04)	6,86 (0,03)	**0,248** (0,002)	**1,081** (0,006)	17,2 (0,1)	**101,1** (0,2)	0,057 (0,001)	0,032 (0,001)
Acerola	A	4,19 (0,06)	6,08 (0,05)	9,06 (0,12)	0,169 (0,004)	0,022 (0,001)	16,1 (0,2)	90,5 (0,7)	0,048 (0,002)	0,030 (0,001)
	B	4,14 (0,02)	6,16 (0,06)	9,24 (0,03)	0,160 (0,003)	0,025 (0,000)	22,2 (0,2)	85,3 (0,5)	0,050 (0,001)	0,031 (0,001)
Uva	A	**11,04** (0,08)	7,73 (0,03)	9,88 (0,14)	0,180 (0,002)	0,219 (0,001)	16,3 (0,1)	**27,6** (0,1)	0,056 (0,004)	**0,394** (0,003)
	B	**11,13** (0,18)	7,73 (0,11)	10,21 (0,14)	0,180 (0,003)	0,221 (0,004)	16,7 (0,3)	**24,6** (0,3)	0,061 (0,003)	**0,380** (0,006)

À matriz **X** = (42 × 9), dos dados autoescalados (Tabela 35), foi aplicada a análise de componentes principais (PCA) e de agrupamentos (HCA). Como no exemplo anterior, com o autoescalamento os dados foram centrados na média e os teores dos minerais abaixo do valor médio se tornam negativos.

A primeira componente principal explica 49,6% da informação original dos dados e a segunda, 19,6%, totalizando 69,2% da variância explicada. Pelo gráfico dos pesos na Figura 43b, vê-se que eles são todos positivos na primeira componente principal, PC1, que está relacionada principalmente aos minerais Ca, Mg, Fe e P, enquanto a PC2 (contendo pesos positivos e negativos) se relaciona aos minerais K, Mn e Cu. No gráfico dos escores na Figura 43a, em que visualizamos as amostras, observa-se em PC1 a separação do suco de caju, maracujá e manga do restante dos outros. Os sucos de abacaxi e uva são os que têm maiores escores, mas não é possível discriminá-los entre si nessa componente principal. Apesar de os pesos serem positivos para essa PC, os escores são negativos para os sucos de caju, maracujá, goiaba e acerola e isso se deve ao fato de que eles apresentam teores abaixo ou próximo da média para os minerais Ca, Mg, Fe e P (Tabela 35). Os sucos de abacaxi (escores positivos em PC2) e de uva (escores negativos em PC2) são discriminados do restante na segunda componente principal. O peso do cobre é altamente negativo (−0,556) e o do potássio e do manganês são positivos (0,485 e 0,469, respectivamente) nessa componente. Além disso, os teores autoescalados de potássio são negativos e os de manganês são próximos de zero para as amostras de uva, fazendo com que elas tenham altos escores negativos em PC2. A terceira componente principal (13,8% da variância total dos dados) tem alta contribuição de dois minerais, o zinco (0,720) e o sódio (−0,657), sendo responsável pela discriminação dos sucos de maracujá. Os sucos de acerola e goiaba foram aqueles cujos dados se mantiveram próximos nas três componentes principais, indicando que seus teores de minerais são menos diferenciados.

Tabela 35 – Valores dos teores de minerais dos sucos de fruta autoescalados

	Ca	Mg	P	Fe	Mn	Na	K	Zn	Cu
CAJU1	-0,178	-0,194	-0,264	-0,200	-0,109	-0,131	-0,195	-0,205	-0,086
CAJU2	-0,178	-0,191	-0,258	-0,185	-0,109	-0,120	-0,192	-0,198	-0,085
CAJU3	-0,178	-0,194	-0,260	-0,201	-0,109	-0,121	-0,194	-0,192	-0,086
CAJU4	-0,180	-0,200	-0,289	-0,198	-0,110	-0,139	-0,192	-0,259	-0,085
CAJU5	-0,180	-0,194	-0,279	-0,195	-0,110	-0,129	-0,190	-0,219	-0,083
CAJU6	-0,179	-0,198	-0,272	-0,196	-0,110	-0,138	-0,193	-0,212	-0,086
MARACUJÁ1	-0,125	-0,118	-0,074	0,005	-0,106	-0,252	0,006	0,268	-0,074
MARACUJÁ2	-0,125	-0,115	-0,059	0,004	-0,105	-0,257	0,008	0,336	-0,074
MARACUJÁ3	-0,125	-0,119	-0,065	-0,002	-0,106	-0,265	0,004	0,290	-0,074
MARACUJÁ4	-0,141	-0,134	-0,076	-0,067	-0,107	-0,329	-0,044	0,256	-0,070
MARACUJÁ5	-0,141	-0,136	-0,079	-0,071	-0,107	-0,329	-0,044	0,231	-0,071
MARACUJÁ6	-0,141	-0,135	-0,085	-0,051	-0,107	-0,330	-0,047	0,238	-0,071
GOIABA1	-0,085	-0,137	-0,022	-0,126	-0,088	0,130	0,185	-0,041	-0,069
GOIABA2	-0,089	-0,137	-0,040	-0,132	-0,088	0,147	0,192	-0,064	-0,068
GOIABA3	-0,091	-0,137	-0,016	-0,128	-0,088	0,162	0,197	-0,075	-0,067
GOIABA4	-0,087	-0,131	0,003	-0,148	-0,087	0,124	0,176	0,015	-0,066
GOIABA5	-0,085	-0,126	0,011	-0,150	-0,087	0,123	0,177	-0,007	-0,066
GOIABA6	-0,084	-0,125	0,011	-0,152	-0,087	0,127	0,178	-0,007	-0,066
MANGA1	0,024	0,149	0,122	-0,039	0,045	0,094	0,197	0,049	-0,019
MANGA2	0,027	0,154	0,125	-0,028	0,047	0,103	0,202	0,061	-0,018

MANGA3	0,025	0,149	0,134	-0,037	0,045	0,104	0,200	0,061	-0,018
MANGA4	0,008	0,103	0,094	0,017	0,093	0,089	0,175	0,049	-0,008
MANGA5	0,014	0,116	0,113	0,028	0,100	0,104	0,190	0,139	-0,007
MANGA6	0,011	0,108	0,099	0,026	0,095	0,103	0,180	0,117	-0,007
ABACAXI1	0,213	0,274	-0,013	0,418	0,354	-0,008	0,154	-0,027	-0,063
ABACAXI2	0,211	0,270	-0,019	0,400	0,352	-0,009	0,151	-0,053	-0,063
ABACAXI3	0,213	0,266	-0,013	0,421	0,350	-0,010	0,147	-0,044	-0,063
ABACAXI4	0,261	0,156	-0,093	0,122	0,332	-0,013	0,014	-0,086	-0,069
ABACAXI5	0,261	0,156	-0,094	0,125	0,331	-0,006	0,014	-0,078	-0,069
ABACAXI6	0,268	0,160	-0,096	0,127	0,336	-0,007	0,015	-0,069	-0,069
ACEROLA1	-0,073	-0,057	0,022	-0,008	-0,112	-0,053	-0,025	-0,154	-0,071
ACEROLA2	-0,073	-0,057	0,022	-0,003	-0,113	-0,050	-0,022	-0,163	-0,072
ACEROLA3	-0,076	-0,052	0,033	0,000	-0,113	-0,039	-0,020	-0,137	-0,070
ACEROLA4	-0,074	-0,052	0,033	-0,023	-0,112	0,144	-0,042	-0,137	-0,070
ACEROLA5	-0,075	-0,052	0,036	-0,014	-0,112	0,152	-0,041	-0,146	-0,070
ACEROLA6	-0,073	-0,047	0,037	-0,014	-0,112	0,159	-0,039	-0,137	-0,069
UVA1	0,215	0,163	0,239	0,112	0,001	0,132	-0,206	0,037	0,380
UVA2	0,211	0,159	0,253	0,117	0,000	0,137	-0,208	0,117	0,381
UVA3	0,217	0,163	0,258	0,110	0,002	0,141	-0,207	0,071	0,386
UVA4	0,210	0,154	0,267	0,106	-0,000	0,141	-0,222	0,151	0,358
UVA5	0,223	0,169	0,285	0,119	0,004	0,153	-0,219	0,139	0,373
UVA6	0,220	0,163	0,269	0,112	0,003	0,166	-0,221	0,083	0,367

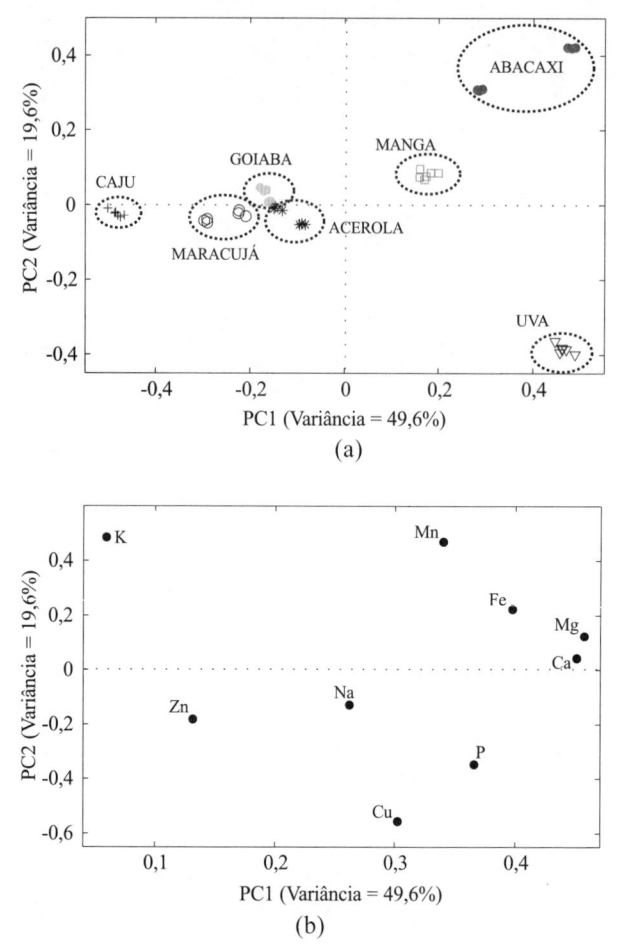

Figura 43 – Resultados da análise PCA. (a) Gráfico de escores de PC1 vs PC2. (b) Gráfico de peso de PC1 vs PC2.

A análise de agrupamentos por métodos hierárquicos (HCA) complementa a análise de componentes principais e pode ser outra forma de visualizar as semelhanças e diferenças na composição mineral dos diferentes sucos. São mostrados dois dendrogramas na Figura 43, um deles usando o método de Ward (Figura 44a) e o outro, o método simples (Figura 44b). Eles são qualitativamente semelhantes, uma vez que as amostras estão distribuídas em grupos bem distintos, exceto os sucos de acerola e goiaba. A diferença mais marcante entre os dois resultados está na maior coesão dos grupos obtidos pelo método de Ward. Com um grau de similaridade 0,75 é possível discriminar os sete grupos de sucos sendo que a distância limitante é entre os dois lotes de sucos de abacaxi. Já o dendrograma construído com o método simples discrimina apenas seis dos grupos e com uma similaridade menor do 0,5, pois neste caso os ramos são bem mais longos. Novamente, esse índice de similaridade foi determinado pelo agrupamento dos dois lotes de suco de abacaxi. A grande diferença é que no caso anterior os sucos de acerola e goiaba eram menos semelhantes entre si do que os dois lotes do suco de abacaxi. Neste caso, a diferença entre os dois lotes é bem maior e não foi possível discriminar o suco de acerola do de abacaxi (como na análise de componentes principais).

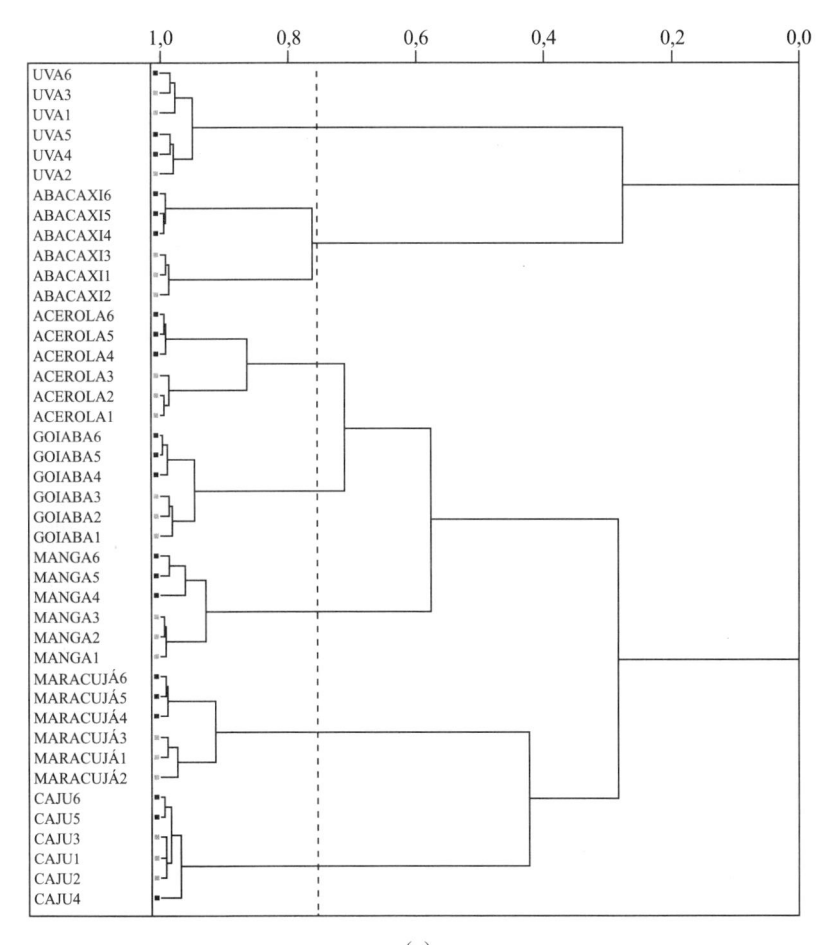

(a)

(b)

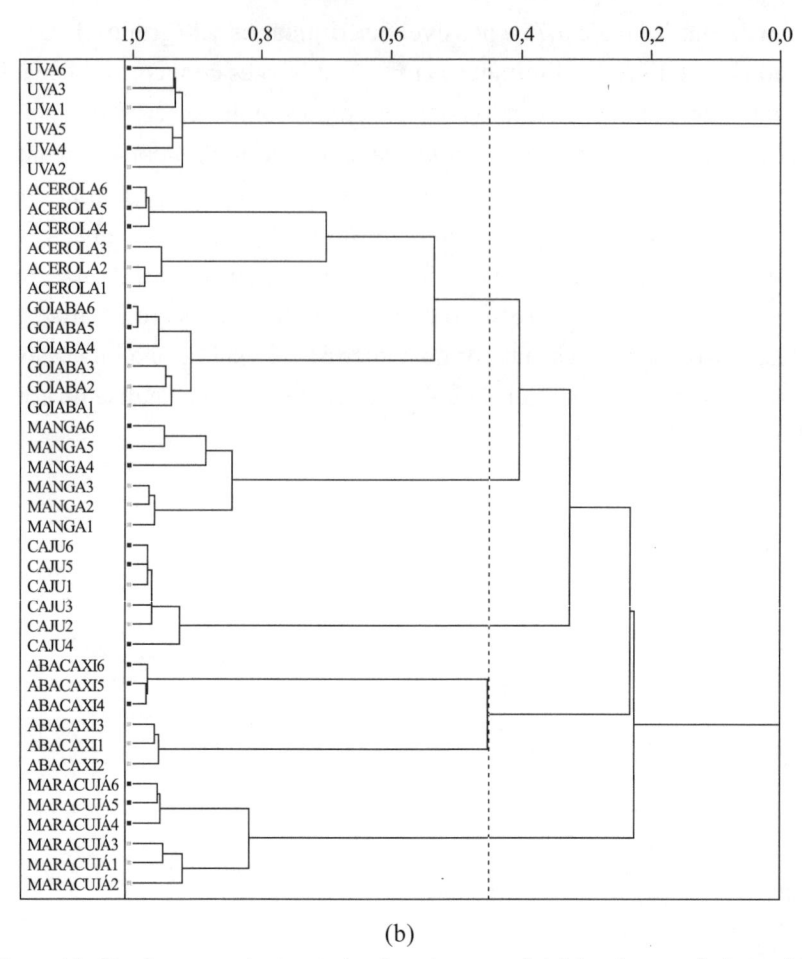

Figura 44 – Dendrogramas dos teores de minerais para os dois lotes de sucos de frutas. (a) Usando o método de agrupamento de Ward. (b) Com o método simples de agrupamento.

Deve-se notar em ambos os dendrogramas da Figura 44 que as diferentes variedades de sucos formam, cada uma, dois grupos distintos que correspondem aos dois lotes de frutas estudados, exceto para os sucos de uva e caju.

3.5.4 Efeito de diferentes nucleófilos e solventes na reatividade de α-acil-enaminocetonas[39]

Enaminonas são intermediários sintéticos importantes, especialmente na formação de sistemas heterocíclicos de nitrogênio. Elas contêm três posições vulneráveis a ataques eletrofílicos[40] (O, C_α, N) e duas a ataques nucleofílicos[41] (C=O, C_β). Neste exemplo, três α-acil-enaminocetonas, **K1**, **K2** e **K3**, mostradas na Figura 45, são utilizadas como reagentes para o estudo da reatividade dos dois grupos cetônicos carbonílicos. Essas estruturas moleculares foram obtidas por otimização de geometria com cálculos químico-quânticos. Dos resultados teóricos *ab-initio* com um conjunto de base HF/6-31G**, é visível a formação de ligações de hidrogênio e a conjugação da dupla ligação com o grupo acetila.

	K1	**K2**	**K3**
R	$CH(Ph)_2$	$CH(CH_3)Ph$	$R=CH(CH_3)_2$
	2,07 Å	2,06 Å	2,06 Å
	$\Delta H_f = -12{,}43$ kcal mol^{-1}	$\Delta H_f = -47{,}96$ kcal mol^{-1}	$\Delta H_f = -81{,}89$ kcal mol^{-1}

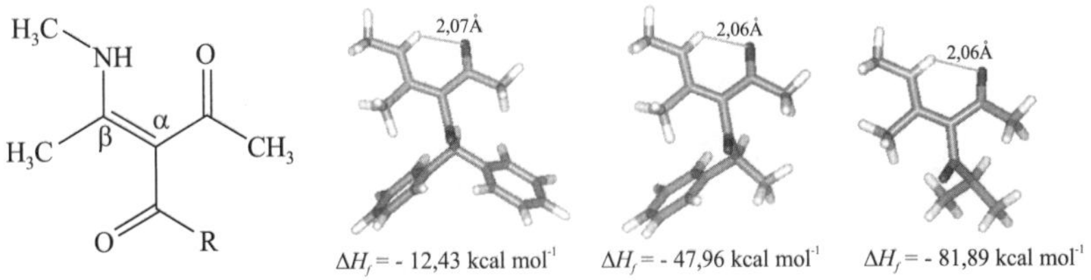

Figura 45 – Estrutura química das três α-acil-enaminocetonas, **K1**, **K2** e **K3**, com os respectivos calores de formação obtidos por cálculos de orbitais moleculares em nível HF/6-31G**.

Quando as α-acil-enaminocetonas reagem com hidrazinas substituídas (nucleófilos, doadores de elétrons), dependendo das condições de

---

39 Kasheres, C.; Negri, G.; Ferreira, M. M. C. e Sabino, L. C. 'Principal Component Analysis on the effect of nucleophiles on the reactivity of α-acylenaminoketones', *J. Chem. Soc., Perkin Trans. 2* (2001) 2237-2243.
40 O reagente sofre o ataque de um eletrófilo (espécie deficiente de elétrons), espécie que possui afinidade por elétrons.
41 O ataque nucleofílico tem como reagente um eletrófilo (espécie deficiente de elétrons), que vai sofrer o ataque de uma espécie com par de elétrons disponível para doar (o nucleófilo).

reação são produzidos diferentes pirazóis, que podem ser usados como auxiliares quirais para a síntese estereosseletiva e para a resolução de certos compostos racêmicos. Foram considerados neste estudo quatro reagentes nucleofílicos (Figura 46): a metil-hidrazina (MH), a fenil-hidrazina (FH), a *p*-nitrofenil-hidrazina (NFH) e a dihidro-hidrazina (HH). Para cada estrutura molecular estão indicados os coeficientes da função de onda do orbital molecular HOMO, que serão discutidos mais adiante.

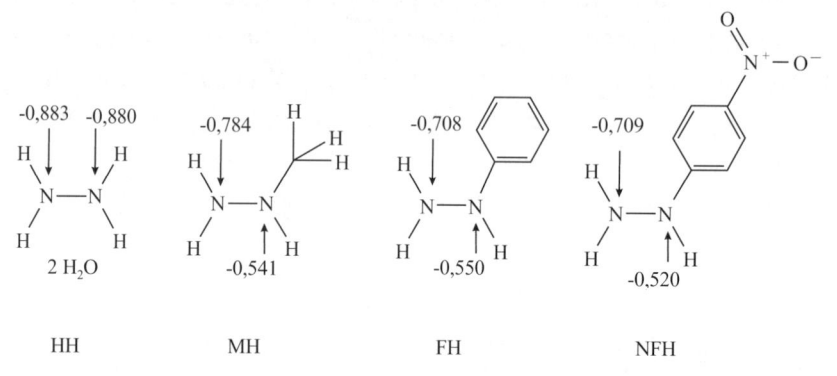

Figura 46 – Agentes nucleófilos usados na síntese dos pirazóis: dihidro-hidrazina HH; metil-hidrazina MH; fenil-hidrazina FH e *p*-nitrofenil-hidrazina NFH, e os respectivos coeficientes da função de onda do orbital molecular HOMO.

Além de verificar qual das duas carbonilas seria preferencialmente atingida durante o ataque nucleofílico, é importante também obter informações a respeito da influência do solvente na regioquímica do pirazol formado. As reações foram, então, feitas em cinco diferentes solventes: benzeno (b), cloreto de metileno (m), tetrahidrofurano (t), metanol (me) e *N,N*-dimetilformamida (d).

As misturas de reação foram analisadas por GC-MS na tentativa de identificar todos os produtos e também os possíveis intermediários formados durante o procedimento. As quantidades de cada pirazol formado (rendimento %) foram determinadas por integração dos picos correspondentes e comparação com as áreas de pirazóis **P4**, **P5** e **P6** isolados com concentrações conhecidas. Oito produtos foram obtidos com maior rendimento e estão indicados na Figura 47, em que os principais foram os pirazóis **P4 – P6**.

Figura 47 – Produtos majoritários da reação das enaminonas **K1** – **K3** com as hidrazinas. R = CH(Ph)$_2$; CH(CH$_3$)Ph; CH(CH$_3$)$_2$. R^1 = p-NO$_2$Ph; CH$_3$; H; Ph.

Foi realizado um total de 60 experimentos consistindo de 20 condições experimentais para cada enaminona, **K1**, **K2** e **K3** (cada uma delas reagindo com quatro diferentes nucleófilos em cinco meios distintos de reação). Uma simples inspeção da distribuição desses oito produtos na tabela dos resultados obtidos não permite identificar diferenças consistentes na influência dos solventes e nucleófilos. Sem a utilização dos métodos de análise exploratória é impossível extrair informações conclusivas a respeito dos produtos formados, devido à variedade de condições de reação.

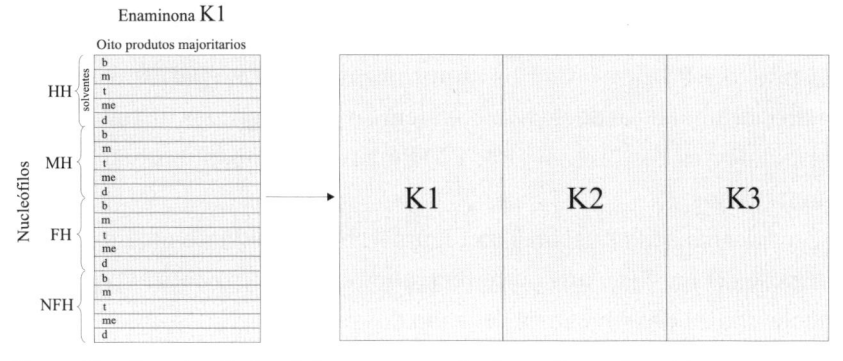

Figura 48 – Organização dos dados a serem analisados na forma de matriz.

Esse conjunto de dados é muito interessante do ponto de vista quimiométrico, pela maneira como os resultados são organizados na forma matricial. Há mais de uma maneira de organizá-los, e mostraremos aqui apenas uma delas. A matriz de dados a ser analisada, $\mathbf{X} = (20 \times 24)$, foi preparada de forma que as variáveis correspondem ao rendimento percentual dos 8 produtos majoritários mostrados na Figura 47 (**P4 – P6, IP5, IP6, M1, M2** e **M3**), para cada uma das enaminonas. As amostras correspondem às condições de reação, em que variam o nucleófilo e o solvente, conforme indicado na Figura 48. Uma vez que os elementos da matriz são os rendimentos percentuais, não nos interessa atribuir o mesmo peso a cada produto da reação e, portanto, os dados foram apenas centrados na média para as análises.

Os resultados da análise PCA estão na Figura 49. Essas três componentes descrevem 87% da variância total dos dados. Na Figura 49a estão dispostos os pesos, que nos fornecem as informações sobre os rendimentos dos grupos formados. O pirazol **P5**, obtido por um mecanismo envolvendo um processo de desacetilação, foi separado dos outros pirazóis **P4** e **P6** na primeira componente principal. A segunda componente principal contém informação sobre as características estruturais dos pirazóis. Nessa componente, **P4** é separado de **P6**, ambos formados por ataque nas diferentes carbonilas. Os pirazóis **P4** foram formados por ataque nucleofílico ao grupo acetila, e os pirazóis **P6** foram formados por ataque nucleofílico à carbonila vizinha ao grupo substituinte R. Analisando o dendrograma da Figura 50a (HCA aplicado às variáveis), temos dois grupos com similaridade zero, um deles contendo dois subgrupos com os pirazóis **P4** e **P6**, e o outro com dois subgrupos, um contendo os pirazóis **P5** e os produtos minoritários e intermediários. Com um índice de similaridade igual a 0,65 tem-se quatro grupos distintos, correspondentes aos pirazóis **P4, P5, P6** e os produtos intermediários e minoritários.

A análise dos escores da Figura 49b, em conjunto com o gráfico de pesos (Fig. 49a), nos permite avaliar a influência do solvente e do nucleófilo na preparação de cada um dos pirazóis.

O grupo I é composto exclusivamente de reações envolvendo a formação dos pirazóis desacetilados. A reação das três enaminonas usando *p*-nitrofenil-hidrazina (NFH) favorece o processo de desacetilação, independentemente do solvente utilizado. Resultado semelhante pode ser observado no dendrograma da Figura 50b, em que com um índice de similaridade de 0,6, temos três grupos distintos, cada um deles relacionado à formação de um dos pirazóis.

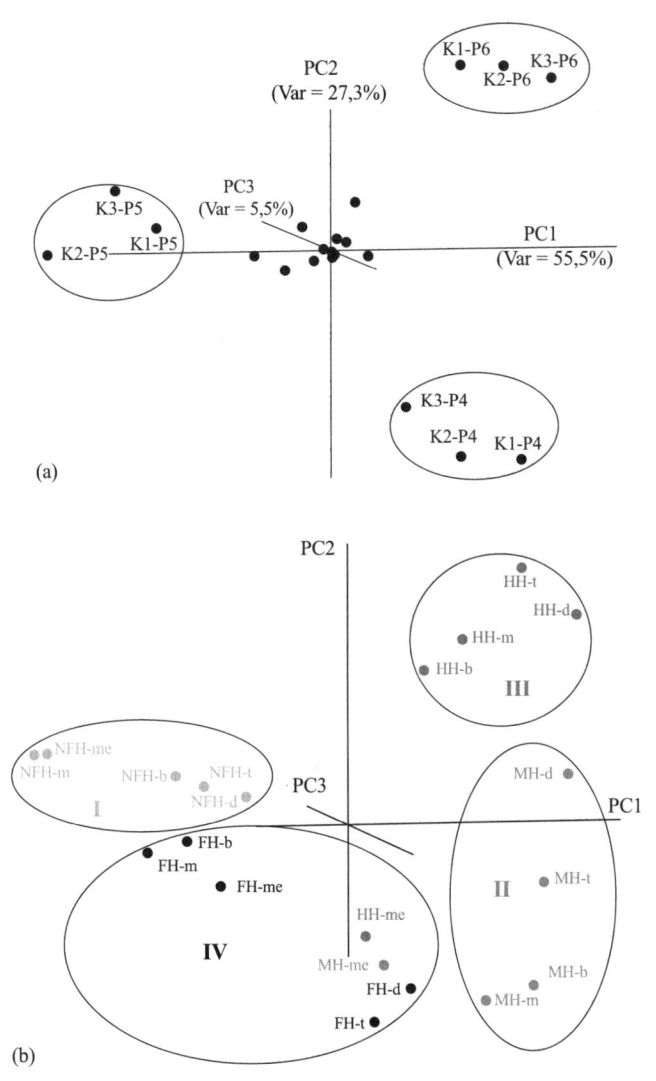

Figura 49 – (a) Gráfico tridimensional dos pesos mostrando os produtos das reações. (b) Gráfico tridimensional dos escores, mostrando as condições de reação para as três primeiras componentes principais.

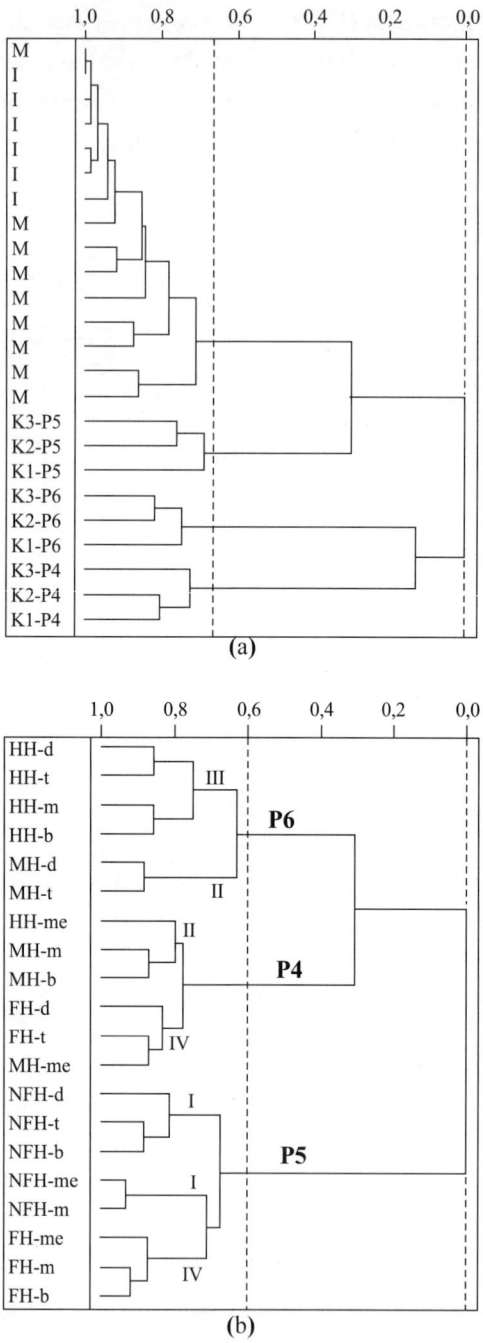

Figura 50 – (a) Dendrograma das variáveis (na direção das colunas). (b) Dendrograma das amostras (na direção das linhas).

No grupo II estão as reações dos reagentes K1 – K3 com a metil-
-hidrazina (MH) usando quatro dos solventes. Nessas condições foram
obtidas misturas dos pirazóis **P4** e **P6**. A formação de **P4** foi preferencial
com os solventes benzeno (b) e cloreto de metileno (m). Quando foi
usada a *N*, *N*-dimetilformamida (d), um solvente polar aprótico, o pirazol
P6 foi o produto principal obtido. Já com o tetrahidrofurano (t) como
solvente, quantidades semelhantes de ambos os pirazóis são produzidas.
Analisando o dendrograma, as reações com os solventes d e t indicam
preferencialmente a formação do pirazol **P6** e, com os solventes m e b,
o pirazol **P4**.

O grupo III é caracterizado pelas reações com o nucleófilo HH
que, em todos os solventes, exceto no metanol, produz preferencialmente o pirazol **P6**. Resultado semelhante pode ser visto no dendrograma. O ataque na carbonila ligada ao grupo R ocorreu preferencialmente devido ao alto poder nucleofílico dos dois nitrogênios da dihidro-
-hidrazina (HH).

Finalmente o grupo IV está dividido em dois subgrupos, um deles
contendo uma mistura de nucleófilos. Os constituintes do grupo da esquerda na Figura 49b (FH nos solventes m, b e me) produzem preferencialmente os pirazóis desacetilados, **P5** (resultado idêntico ao do dendrograma na Figura 49b). No segundo subgrupo estão as reações dos
nucleófilos FH nos solventes t e d, e MH e HH no solvente metanol, em
que os produtos principais são os pirazóis **P4**.

Os cálculos *ab-initio* em nível HF/6-31G** das 3 enaminonas
indicam que os coeficientes da função de onda do HOMO são maiores
no carbono α e nos átomos de nitrogênio, enquanto os do LUMO são
maiores no carbono β e no grupo acetila. Os coeficientes do orbital
de fronteira HOMO, obtido dos cálculos *ab-initio* para as hidrazinas
(Fig. 44), mostram que a HH tem alto poder nucleofílico, o que pode
explicar o ataque simultâneo às duas posições para formar preferencialmente os pirazóis **P6**. O nitrogênio da MH que não foi substituído é
mais nucleofílico do que o da FH e NFH (0,784 *versus* 0,708 e 0,709).
O coeficiente do nitrogênio da MH que foi substituído é semelhante ao
da FH, enquanto o da NFH é bem menor. Nesse último caso, era de es-

perar um coeficiente menor devido à presença do grupo nitro (retirador de elétrons).

Concluindo, com a análise quimiométrica foi possível ter uma visão global dos produtos dessas reações, dependendo do nucleófilo e do solvente utilizado.

3.5.5 Prazo de validade de produtos à base de tomate[42]

Devido aos requisitos legais e à demanda dos consumidores, o prazo de validade (*shelf-life*) dos alimentos industrializados deve ser declarado em suas embalagens. Desse modo, antes de lançar qualquer produto novo no mercado, as indústrias alimentícias necessitam conduzir estudos de validade para garantir que o produto manterá suas características durante todo o período de venda. Esses estudos são baseados na teoria cinética, segundo a qual a velocidade de alteração, v, de uma propriedade P do produto pode ser expressa como

$$v = \frac{dP}{dt} = k_T P^n, \tag{81}$$

onde n indica a ordem da reação e k é a constante de velocidade na temperatura T. Sabe-se que as reações de degradação para uma gama considerável de propriedades obedecem a cinéticas de pseudozero, pseudo-primeira ou pseudossegunda ordem (isto é, $n = 0$, 1 ou 2)[43]. A equação 81 assume duas aproximações importantes: a primeira refere-se ao fato de que a variação da propriedade P deve estar relacionada à alteração na concentração de uma ou várias espécies; a segunda refere-se ao fato de que a alteração da propriedade de interesse é independente da variação de outras propriedades.

Conduzir um estudo completo de *shelf-life* durante todo o período esperado de validade do produto pode se tornar inviável, especialmente

---

[42] Pedro, A. M. K. e Ferreira, M. M. C. 'Multivariate Accelerated Shelf-Life Testing: a Novel Approach for Determining the Shelf-Life of Foods', *J. Chemom.* **20** (2006) 76-83.

[43] Para $n = 0$: $P = P_0 - kt$; para $n = 1$: $P = P_0 e^{-kt}$; para $n = 2$: $\frac{1}{P} = \frac{1}{P_0} + kt$.

para alimentos com longo prazo de validade, pois, além de exigir uma quantidade grande de recursos, vai atrasar significativamente o lançamento do produto no mercado. Uma maneira de contornar o problema é conduzir estudos acelerados de *shelf-life*, quando o produto é submetido a condições de estocagem relativamente severas, *i. e.*, estocado em temperaturas acima daquela do mercado consumidor. Como a maioria das reações de degradação segue a equação de Arrhenius, quanto mais alta a temperatura de estocagem, mais rapidamente os alimentos se degradam. Nos testes acelerados, as análises são feitas para as várias condições de estocagem com frequências de avaliação predefinidas e os gráficos cinéticos são construídos. Avaliando as curvas de velocidade é possível determinar as ordens e as constantes de velocidade das reações e finalmente converter os resultados dos testes acelerados para as condições reais do mercado consumidor. Essa conversão utiliza a proporcionalidade entre as diferentes condições de estocagem:

$$\alpha_{T+\delta T,T} = \frac{v_{T+\delta T}}{v_T}, \tag{82}$$

onde T é a temperatura real do produto no mercado; $\alpha_{T+\delta T,T}$ é denominado "fator de aceleração"; $v_{T+\delta T}$ e v_T são, respectivamente, as velocidades de alteração da propriedade P para as condições aceleradas e de mercado. Os valores de α podem mudar para alimentos comercializados em diferentes mercados com condições climáticas distintas. Quando os processos de alteração das propriedades de produtos estocados em diferentes temperaturas seguem a mesma cinética, a equação 82 pode ser simplificada para

$$\alpha_{T+\delta T,T} = \frac{k_{T+\delta T} P^n}{k_T P^n} = \frac{k_{T+\delta T}}{k_T} \quad e \tag{83}$$

$validade_{T+\delta T,T} = validade_T \times \alpha_{T+\delta T,T}$.

Outro parâmetro cinético a ser determinado é a energia de ativação (Ea, J mol^{-1}), definida como a quantidade mínima de energia necessária para que a alteração da propriedade P do produto estocado ocorra. Ea está relacionada com as constantes de velocidade determinadas em diferentes temperaturas pela equação:

$$k_T = Ae^{-Ea/RT}, \tag{84}$$

em que A é o termo pré-exponencial, R é a constante dos gases (8,314 J mol^{-1} K^{-1}) e T é a temperatura expressa em Kelvin.

Para que um teste de validade seja conduzido, devem-se decidir:
a) Quais propriedades monitorar;
b) quais serão as condições de estocagem; e
c) quais serão os critérios de corte (limites aceitáveis) para cada propriedade.

Definir os melhores critérios de corte é uma tarefa consideravelmente complexa, especialmente quando há várias propriedades envolvidas, porque cada uma delas demanda seu próprio valor-limite aceitável.

O objetivo deste exemplo é utilizar a análise de componentes principais para a determinação do prazo de validade de produtos, introduzindo o método denominado de "teste acelerado e multivariado para a determinação do prazo de validade", MALST[44].

Amostras de produtos concentrados de tomate com 18 NTSS (*Natural Tomato Soluble Solids*) foram preparadas, como descrito na referência 42. As amostras foram estocadas a 8 °C, 25 °C e 35 °C, em três estufas com temperatura controlada. As avaliações foram feitas no instante inicial ($t = 0$) e após 1, 2, 3, 4, 6, 8, 10, 13, 18, 22, 24 e 30 meses.

Foram monitorados quatro parâmetros instrumentais: licopeno, β-caroteno, cor e vitamina C, bem como oito atributos sensoriais: cor visual, sabor doce, sabor salgado, sabor azedo, consistência, sabor de tomate verde, sabor amargo e sabor de tomate passado. A Tabela 36 mostra os valores iniciais e finais dos 12 parâmetros monitorados durante o estudo de *shelf-life*, nas três diferentes temperaturas de estocagem. Note-se que nenhuma das propriedades, sensorial ou instrumental, apresentou variação significativa para as amostras estocadas a 8 °C, corro-

---

44 Do inglês: *Multivariate Accelerated Shelf-Life Test.*

borando a premissa utilizada em alguns estudos de prazo de validade de que a alteração das propriedades é praticamente nula para amostras mantidas a baixas temperaturas.

Tabela 36 – Valores iniciais e finais[a] para os parâmetros de concentrado de tomate durante o estudo de prazo de validade

Propriedades	$t = 0$	$t = 30$ meses		
	25 °C	8 °C	25 °C	35 °C
Cor Instrumental (ΔE)	0,33 ± 0,02	0,36 ± 0,03	7,34 ± 0,07	18,44 ± 0,09
Licopeno (mg kg^{-1} ms)[b]	1650 ± 216	1648 ± 152	1434 ± 105	913 ± 132
β-Caroteno (mg kg^{-1} ms)[b]	52 ± 9	51 ± 3	47 ± 7	40 ± 10
Vitamina C (mg/100g ms)[b]	386 ± 12	382 ± 14	138 ± 9	56 ± 5
Sabor doce	3,84 ± 0,16	3,89 ± 0,22	3,50 ± 0,28	3,18 ± 0,17
Sabor salgado	5,04 ± 0,09	5,12 ± 0,06	4,88 ± 0,16	4,72 ± 0,27
Sabor azedo	6,18 ± 0,22	6,13 ± 0,35	4,94 ± 0,30	3,01 ± 0,27
Consistência	8,46 ± 0,13	8,16 ± 0,19	6,19 ± 0,20	5,51 ± 0,13
Sabor de tomate verde	1,12 ± 0,16	1,09 ± 0,22	1,11 ± 0,31	1,30 ± 0,37
Sabor amargo	1,10 ± 0,46	1,32 ± 0,26	1,95 ± 0,30	2,66 ± 0,23
Sabor de tomate passado	2,21 ± 0,25	2,42 ± 0,19	1,32 ± 0,13	2,10 ± 0,18
Cor visual	4,87 ± 0,42	4,97 ± 0,33	6,80 ± 0,46	10,00 ± 0,82

[a] Valores expressos como média ± desvio-padrão.
[b] Os teores de licopeno, β-caroteno e vitamina C foram determinados em matéria seca (ms).

A cor instrumental (ΔE) seguiu cinética de degradação de pseudozero ordem (Figura 51a), aumentando cerca de 20 vezes para amostras estocadas a 25 °C e 55 vezes para aquelas mantidas a 35 °C. A vitamina C (Figura 51b) decaiu em torno de 64% e 85% para amostras estocadas a 25 °C e 35 °C, respectivamente, indicando uma reação de pseudoprimeira ordem. Um decréscimo na concentração de carotenoides também foi observado, mas em proporção significativamente inferior ao decréscimo observado para a vitamina C. O licopeno diminuiu em 13% e 45%, enquanto o β-caroteno caiu 9,6% e 23% para amostras estocadas a 25 °C e 35 °C, respectivamente.

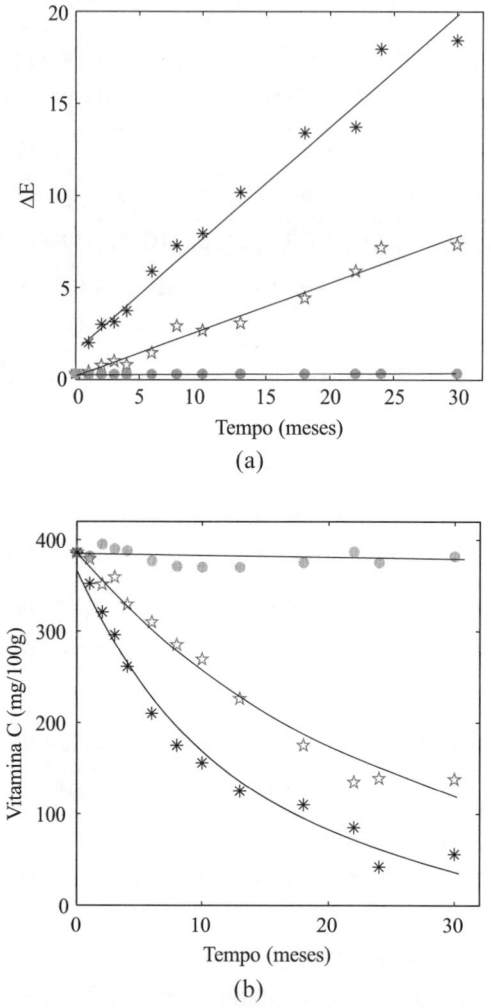

Figura 51 – Gráficos cinéticos. (a) Cor em função do tempo. (b) Vitamina C em função do tempo. Eles exemplificam cinéticas de pseudozero e pseudoprimeira ordem, respectivamente; (•) corresponde às amostras estocadas a 8 °C, (☆) a 25 °C e (∗) a 35 °C.

Com relação às propriedades sensoriais, os sabores doce, salgado, de tomate verde e de tomate passado não apresentaram alterações significativas em nenhuma das temperaturas de estocagem. Os sabores azedo e amargo, assim como a consistência, apresentaram alterações moderadas durante o período de estocagem. A acidez diminuiu conforme a percepção de sabor amargo aumentou. A consistência diminuiu com o tempo e a cor visual mostrou-se o parâmetro sensorial mais afetado durante o estudo. Variações perceptíveis (apesar de ainda aceitáveis) na cor foram detectadas pelo painel sensorial após 20 meses e 6 meses de estudo para amostras estocadas a 25 °C e 35 °C, respectivamente.

Assume-se *a priori* que as reações de degradação constituem a principal fonte de variação no conjunto de dados. Essa premissa é válida se as amostras possuírem exatamente a mesma composição em $t = 0$ e as condições de estocagem forem adequadamente controladas.

O autoescalamento dos dados é necessário, uma vez que as propriedades monitoradas apresentam escalas distintas. Ao contrário da referência 42, os dados foram autoescalados para $1/(I-1)$ unidades de variância (ver capítulo 2).

Como são três condições de estocagem (três temperaturas T distintas), temos três matrizes contendo os dados instrumentais e sensoriais $\mathbf{X}_T (I \times J)$, onde $I = 13$ corresponde ao número de vezes que os produtos foram analisados e $J = 12$ é o número de propriedades em estudo. Essas matrizes são justapostas verticalmente em ordem crescente de temperatura, para formar uma única matriz $\mathbf{X}$ ($3 \cdot I \times J$), como mostrado na Figura 52.

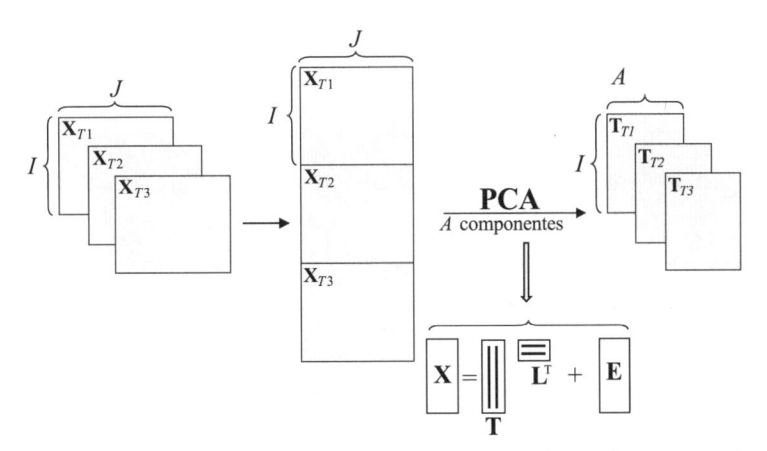

Figura 52 – Estrutura das matrizes $\mathbf{X}_T$ e $\mathbf{X}$. I é o número de avaliações das amostras durante o estudo, J é o número de propriedades analisadas.

Foi feita a análise de componentes principais na matriz estendida e determinou-se que duas componentes principais acumulando 80% da variância nos dados originais descrevem uma quantidade razoável de informação, considerando-se a variabilidade intrínseca das propriedades originais (10% a 15%, na Tabela 36). A Figura 53a mostra o gráfico de escores para as duas primeiras PC. As amostras foram rotuladas com seus respectivos tempos de análise (t_j) para que se pudesse visualizar a correlação de cada PC com a degradação relativa ao tempo. As amostras estocadas a 8 °C apresentaram uma certa dispersão na PC2, mas essa variação aparentemente não está relacionada com o tempo. Como se pode observar na Tabela 36, as amostras estocadas nessa temperatura não apresentaram variação temporal significativa.

Apesar de não apresentarem variação temporal significativa, valores elevados de escores foram observados para as amostras estocadas a 8 °C. Esse comportamento era esperado, uma vez que as amostras foram estocadas sob uma condição extrema de temperatura e, portanto, receberam os menores (ou maiores, dependendo do atributo) valores para cada propriedade.

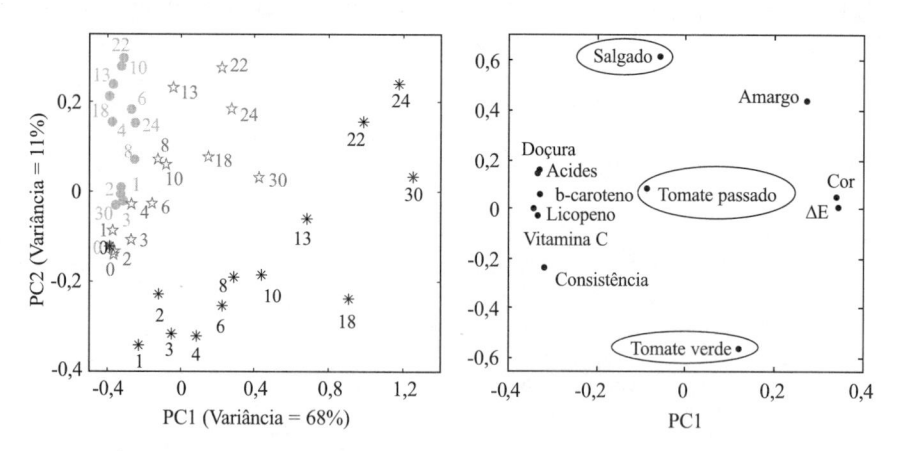

Figura 53 – Gráficos de PC1 vs PC2 para (a) escores e (b) pesos. Na figura (a), (•) corresponde às amostras mantidas a 8 °C, (☆) a 25 °C e (*) a 35 °C. No gráfico de escores, os índices nas amostras indicam o tempo do produto estocado em meses. No gráfico dos pesos estão indicados os 12 parâmetros monitorados.

O gráfico de pesos na Figura 53b revela quais foram os atributos-chave responsáveis pela degradação dos produtos de tomate. Note-se que aquelas variáveis cujos valores aumentaram ao longo do tempo possuem valores positivos de pesos em PC1, enquanto aquelas que decresceram receberam valores negativos. Note-se também que os sabores de tomate verde, tomate passado e salgado apresentaram contribuição mínima para essa PC, em concordância com os dados originais mostrados na Tabela 36. Assim, como essas variáveis não apresentaram variação com o tempo, mas duas delas contribuíram significativamente para a construção da PC2, pode-se concluir que essa PC traz majoritariamente informação não relacionada com a degradação do produto, mas pode-se dizer que existe alguma relação com a temperatura.

Outra vantagem em utilizar os gráficos de pesos para análises de *shelf-life* é que as correlações entre as propriedades se tornam visualmente evidentes. Por exemplo, a cor instrumental (ΔE) está fortemente correlacionada com a avaliação visual de cor. Nota-se também que o licopeno e a vitamina C apresentaram coeficientes de correlação significativos (Tabela 37). Essas correlações são especialmente relevantes quando ocorrem entre variáveis instrumentais e sensoriais, como é o caso das cores instrumental e visual. É vantajoso fazer a medida rápida e objetiva da cor instrumental e inferir sobre a avaliação sensorial que é subjetiva, dispendiosa e demorada.

Tabela 37 – Coeficientes de correlação entre as variáveis

Variáveis	r
ΔE e cor visual	0,9866
Licopeno e β-caroteno	0,9323
Sabores doce e azedo	0,8902
Vitamina C e licopeno	0,8435

As constantes de velocidade, as energias de ativação e os valores de α foram determinados individualmente, para cada propriedade selecionada pela PCA (as variáveis sabor salgado, de tomate verde e de tomate passado foram excluídas), com o auxílio das equações introduzidas anteriormente 81, 83 e 84[43,45].

A Tabela 38 mostra que os fatores de aceleração ($\alpha_{35,25}$) variam de propriedade para propriedade e aumentaram por fatores que variaram de 1,4 a 3,9. Também pode ser visto que o β-caroteno, a vitamina C e o sabor azedo seguiram cinética de pseudoprimeira ordem, enquanto que as demais propriedades seguiram cinética de ordem pseudozero como mostrado na Figura 51.

Tabela 38 – Parâmetros cinéticos univariados das propriedades selecionadas pela PCA

Propriedade	Ordem da cinética n	Temperatura (°C)	Constante de velocidade[a] k	$\alpha_{35,25}$	Energia de ativação (kJ mol^{-1})
ΔE	zero	25	0,25	2,4	164
		35	0,61		
Licopeno (mg kg^{-1} ms)	zero	25	−7,39	3,5	114
		35	−25,77		
β-caroteno (mg kg^{-1} ms)	1ª	25	−0,003	3,9	67
		35	−0,011		
Vitamina C (mg/100g ms)	1ª	25	−0,04	1,7	128
		35	−0,07		
Sabor doce	zero	25	−0,01	2,0	128
		35	−0,02		
Sabor azedo	1ª	25	−0,009	2,6	280
		35	−0,023		
Consistência	zero	25	−0,073	1,4	121
		35	−0,010		
Sabor amargo	zero	35	0,032	1,7	51
		25	0,055		
Cor visual	zero	25	0,070	2,7	144
		35	0,189		

[a] k é expresso em mês^{-1} para reações de pseudoprimeira ordem e [unidade P] mês^{-1} para reações de ordem pseudozero.

---

45 $\ln k = \ln A - \dfrac{E_a}{R}\dfrac{1}{T}$

Uma vez que os parâmetros cinéticos foram calculados para as principais propriedades dos produtos de tomate, que valor de α deve ser tomado para estimar o prazo de validade? Para encontrar uma solução multivariada, com um único fator de aceleração α^m, vamos retornar à matriz de escores estendida. Reconstruindo as três matrizes $\mathbf{T}_T(I \times J)$ a partir da matriz $\mathbf{T}$ ($3 \cdot I \times J$), podem-se construir os gráficos de *shelf-life* (escores *vs* tempo) para as duas primeiras PC ($A = 2$) e identificar aquelas que apresentam um comportamento temporal. A Figura 54 mostra os gráficos de escores *vs* tempo para essas duas PC. Pode-se observar que apenas a PC1 apresenta uma estrutura clara no tempo e, assim, essa é a PC mais adequada para estimar os parâmetros cinéticos multivariados.

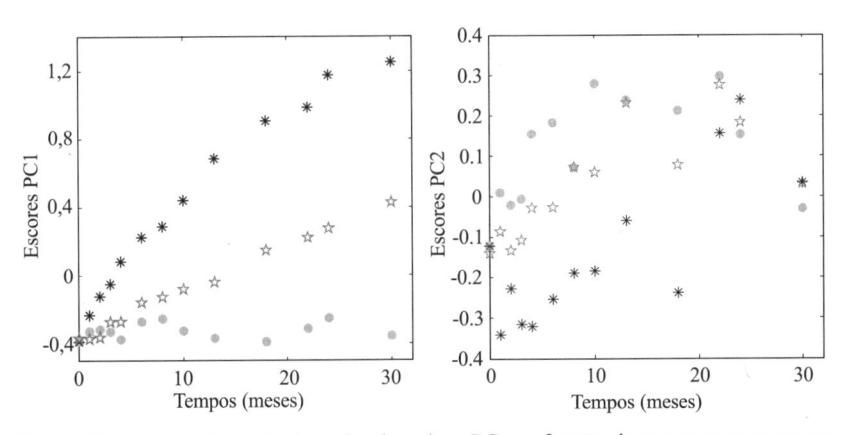

Figura 54 – Comportamento das primeiras duas PC em função do tempo para amostras estocadas a 8 °C (•), a 25 °C (✩) e, a 35 °C (∗). (a) Tempo em meses *versus* PC1. (b) Tempo em meses *versus* PC2.

Na Figura 55 é mostrado o gráfico da PC1 *versus* o tempo, juntamente com as regressões por quadrados mínimos para cada temperatura. Equações de cinética de ordem pseudozero forneceram ajustes satisfatórios; as inclinações das curvas correspondem às constantes de velocidade multivariada (k_m) para cada temperatura. Conhecendo o parâmetro k_m para cada temperatura, podem-se calcular, usando as equações 83 e 84, os parâmetros cinéticos multivariados $\alpha^m_{T+\delta T,T}$ e Ea^m.

Cada propriedade tem um critério de corte individual (um valor-
-limite aceitável), que é chamado de valor de referência. Para os produtos de tomate, esses valores estão indicados na Tabela 39.

Necessitamos encontrar um único valor de corte multivariado para determinar o prazo de validade. Por meio dos valores de referência
pode-se determinar um escore máximo aceitável, t_{crit}, que definirá o critério de corte

$$t_{crit} = \mathbf{x}_{ref}^T \mathbf{l}, \tag{85}$$

onde $\mathbf{x}_{ref}$ é o vetor com os valores de referência autoescalados e $\mathbf{l}$ é o
vetor de pesos que se mostrou relacionado com o tempo, PC1.

Tabela 39 – Valores de referência desejáveis para
produtos concentrados de tomate

Variável	Valor de referência[a]
ΔE	7
Licopeno (mg kg^{-1} ms)	1400
β-caroteno (mg kg^{-1} ms)	40
Vitamina C (mg/100g ms)	170
Sabor doce	3,4
Sabor salgado	4,5
Sabor azedo	5,5
Consistência	6,5
Sabor de tomate verde	1,5
Sabor amargo	2,0
Sabor de tomate passado	2,5
Cor	6,5

[a] Pedro, A.M.K, Tese de doutorado, Universidade Estadual de Campinas, 2008.

A aplicação dos valores de referência listados na Tabela 39 à equação 85 forneceu um valor de escore crítico de 0,47 para a PC1, que
corresponde a um prazo de validade em condições aceleradas de 13

meses (12,4 na Figura 55) ou de 30 meses nas condições de mercado. Uma vez que o produto seguiu reações de degradação de ordem pseudo-zero para amostras estocadas a 25 °C e 35 °C (Figura 55), determinou-se o fator de aceleração multivariado, $\alpha_{35,25}^m = 2{,}04$, que relaciona as condições aceleradas às de mercado. O fator de aceleração e a validade determinada em condições aceleradas também podem ser udados para estimar a validade do produto nas condições de mercado, dada pela equação 83 como $validade_{25} = validade_{35} \times \alpha_{35,25}^m = 27$ meses. Entretanto, é prática comum na indústria de alimentos reduzir o prazo de validade declarado nas embalagens para garantir que os consumidores não recebam produtos insatisfatórios devido a erros oriundos das fontes de variação não inclusas no estudo de prazo de validade, como, por exemplo, efeitos de transporte e oscilações de temperatura. Assim, o prazo de validade de produtos industrializados de tomate em latas é, geralmente, de 24 meses.

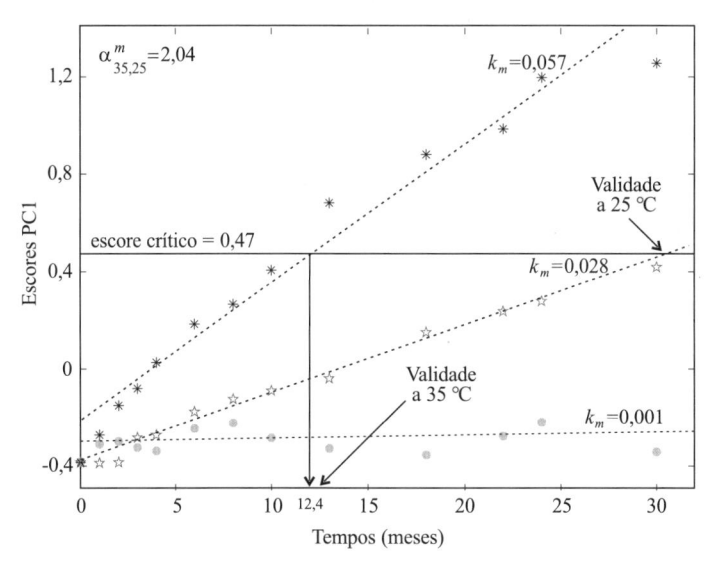

Figura 55 – Gráficos cinéticos multivariados para amostras mantidas a 8 °C (•), a 25 °C (☆) e, a 35 °C (∗). Unidades das constantes de velocidade: [escore] mês^{-1}.

Na Tabela 38 tínhamos 9 fatores de aceleração, sendo um para cada propriedade em questão. A solução multivariada apresentada neste trabalho forneceu apenas um. Pode acontecer de duas ou mais PC apresentarem comportamento temporal e que deverão ser incluídas nos cálculos dos parâmetros cinéticos multivariados. Nestes casos, teremos mais de um fator de aceleração, mas, com certeza, em número reduzido. Esses fatores de aceleração multivariados são de fácil entendimento, pois podem ser interpretados como médias ponderadas dos valores univariados obtidos na análise cinética individual de cada propriedade em estudo.

Damos por encerrado este capítulo, no qual foram introduzidos e discutidos os dois métodos de análise exploratória: PCA e HCA. Exemplos variados foram apresentados com o objetivo de fornecer ao leitor um guia a ser seguido nesses tipos de análises.

CAPÍTULO 4

CALIBRAÇÃO – MÉTODOS DE REGRESSÃO

4.1 Introdução

O objetivo final da maioria das análises de dados multivariados é desenvolver modelos para quantificar uma propriedade de interesse. Há duas maneiras de fazer isso. Uma delas, que remonta ao ideal newtoniano, é construir um modelo matemático que descreva o comportamento físico e químico do sistema em estudo a partir de princípios físico-químicos fundamentais e de um conjunto reduzido de hipóteses restritivas. Essa metodologia atualmente é conhecida como *hard modeling* e resulta em modelos determinísticos que apresentam uma descrição funcional completa do sistema. A outra maneira de abordar o problema se faz por intermédio da construção de modelos funcionais e algorítmicos agora sugeridos por uma grande quantidade de medidas experimentais. Tais modelos são de caráter empírico, pois resultam principalmente de observações e medidas quantitativas extraídas do comportamento global do sistema. Neste caso, não que se despreze a aplicação de princípios teóricos, mas é parte crucial para a construção desses modelos a existência de informações quantitativas, em alta quantidade e qualidade, sobre o comportamento do sistema. Essa metodologia é conhecida como *soft modeling*. Neste capítulo vamos nos concentrar na construção de modelos empíricos de propriedades continuamente mensuráveis. Os modelos são determinados a partir dos dados experimentais disponíveis, utilizando os métodos matemáticos ditos de regressão[1,2,3,4,5,6].

Decorrente do avanço tecnológico, instrumentos analíticos computadorizados fazem parte do arsenal que temos hoje à disposição nos laboratórios. Entretanto, quando esses instrumentos deixam a fábrica, nada mais são que uma montagem sofisticada de metal, plástico, vidro e outros materiais, como, por exemplo, em um espectrofotômetro. Assim, não basta acioná-lo, com uma amostra no compartimento e registrar credulamente a informação numérica exibida. O que um espectrofotômetro nos fornece como resposta imediata é simplesmente a intensidade de luz medida pelo seu detector, mas isso raramente é a medida quantitativa de interesse. Em muitos casos o que nos interessa é a concentração de um composto de interesse, que pode ser obtida somente com um processamento da resposta instrumental. Como a relação numérica entre a intensidade de luz e a concentração de interesse não é conhecida *a priori* e, como ela pode mudar de instrumento para instrumento ou de dia para dia, antes que a resposta fornecida (intensidade de luz) possa ser transformada em uma variável química (concentração), é necessário que o espectrofotômetro seja "calibrado" (ou treinado). Isso significa que é necessário selecionar um conjunto adequado de amostras de referência para as quais as concentrações do(s) constituinte(s) de interesse são conhecidas. A seguir elas são colocadas no espectrofotômetro e o espectro de cada uma delas é registrado. Finalmente são feitos os cálculos para relacionar as intensidades medidas aos valores das concentra-

---

1 Sharaf, M. A.; Illman, D. L. e Kowalski, B. R. *Chemometrics*; Wiley-Interscience: New York, 1986.
2 Martens, H. e Naes, T. *Multivariate Calibration*, Wiley: New York, 1989.
3 Massart, D. L.; Vandeginste, B. G. M. Buydens, L. M. C.; de Jong, S.; Lewi, P. J. e Smeyers-Verbeke, J. *Handbook of Chemometrics and Qualimetrics: Part A*, Elsevier, Amsterdam, 1997.
4 Beebe, K. R.; Pell, R. J. e Seasholtz, M. B. *Chemometrics: A Pratical Guide*; Wiley: New York, 1998.
5 Ferreira, M. M. C.; Antunes, A. M.; Melo, M. S. e Volpe, P. L. O. 'Quimiometria I: Calibração Multivariada, um Tutorial', *Quím. Nova* **22** (1999) 724-731.
6 Ferreira, M. M. C. e Kiralj, R. 'Métodos Quimiométricos em Relações Quantitativas Estrutura-Atividade (QSAR)', em *Química Medicinal, Métodos e Fundamentos em Planejamento de Fármacos* Ed. Carlos Montanari, Edusp, 2011.

ções previamente conhecidas, quando é construído o modelo matemático, também conhecido como modelo de regressão ou curva de calibração. A expressão matemática que representa esse modelo servirá, então, para produzir as concentrações dos constituintes de interesse de novas amostras cujos espectros tenham sido obtidos no mesmo instrumento e nas mesmas condições. O esquema 1 representa o processo de calibração.

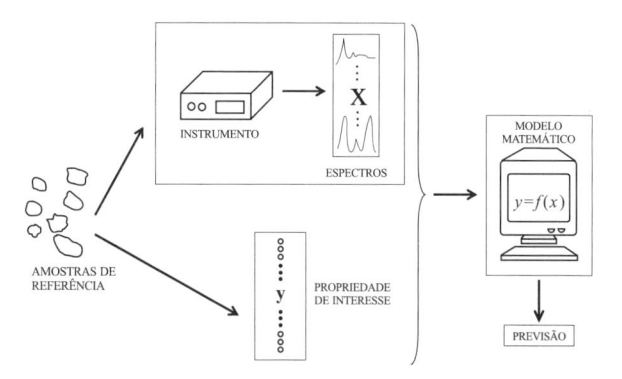

Esquema 1 – Representação esquemática da relação entre as respostas instrumentais (**X**) e a informação concreta representada por **y**. As respostas experimentais são transformadas em informação química através do modelo matemático $y=f(x)$.

Pois bem, o objetivo principal neste capítulo é apresentar uma metodologia que visa à construção dos modelos matemáticos que relacionam os dois conjuntos de dados indicados no esquema 1. Um deles contém as respostas instrumentais medidas para uma série de amostras de referência que constitui o *conjunto de calibração*. Este é o bloco **X** mostrado no esquema 1, cujas variáveis são designadas como *preditoras* ou, dependendo do caso, como *variáveis independentes*. O outro conjunto de dados contém os valores de alguma(s) propriedade(s) de interesse de cada uma das amostras de referência e está representado no esquema 1 pelo bloco **y**, se for uma única propriedade, ou **Y**, se forem várias. Ele é designado como conjunto das *variáveis dependentes*. Se ambos os blocos de dados do conjunto de calibração estão direta ou indiretamente relacionados por uma lei físico-química, deve existir um modelo matemático empírico que possibilite quantificar essa correlação. Em outras palavras, para um dado conjunto de amostras deverá ser possível obter uma expressão matemática que determine a propriedade almejada, em função de seus espectros, quando uma variação nessa propriedade for relacionada a variações nos respectivos espectros. Sendo mais rápido e menos trabalhoso medir o espectro de uma amostra do que determinar diretamente a propriedade desejada, o tempo e o custo de uma análise de rotina podem ser grandemente reduzidos com a construção de um modelo de regressão, especialmente na indústria. Além disso, deve-se mencionar que, nos métodos tradicionais de análise de laboratório, há também a delicada questão do manuseio e descarte de reagentes e subprodutos, que podem ser problemas de difícil solução.

Um importante exemplo encontrado na literatura, que envolve a correlação entre uma propriedade de interesse de um conjunto de amostras e suas intensidades espectrais, é o índice de octanagem na gasolina. Esse índice, que é um parâmetro de qualidade do produto, é determinado pela composição molecular da gasolina. Como o espectro de uma amostra de gasolina na região do infravermelho também varia com a sua composição molecular, isso nos induz a propor que esses dois conjuntos de dados podem ser relacionados por intermédio de um modelo empírico. E, de fato, os espectros de amostras de gasolina na região do infravermelho próximo são usados hoje com sucesso em refinarias de petróleo para acompanhar a qualidade do produto final. Pode-se imaginar a vantagem dessa metodologia no tocante a rapidez, precisão e segurança, quando comparada aos métodos laboratoriais.

Outro exemplo notável de aplicação dos modelos empíricos ocorre na área farmacêutica. Sabe-se que o aumento ou a diminuição na atividade biológica de uma série de compostos análogos depende das suas propriedades moleculares e estruturais. Havendo correlação entre certas propriedades moleculares e/ou estruturais dos compostos, que podem ser obtidas computacionalmente com certa facilidade, e suas atividades biológicas, é possível construir um modelo de regressão relacionando os dois conjuntos de dados. Finalmente, esse modelo empírico possibilita estimar a atividade de outros compostos análogos, o que auxiliará no planejamento de novos fármacos.

Discutiremos, neste capítulo, uma série de métodos de regressão utilizados para relacionar a matriz de dados, **X** (constituída de espectros ou de medidas de cromatografia, de análises elementares, ou mesmo de cálculos teóricos das amostras do conjunto de calibração), à propriedade de interesse, **y** (ou **Y**, se for mais de uma propriedade). Essa propriedade de interesse pode ser a concentração de um composto, uma propriedade física de um produto final ou de uma matéria-prima, o teor de umidade, gordura, amido ou proteína em cereais, a atividade biológica de uma série de compostos análogos, dentre várias outras. Independentemente do método a ser utilizado, o objetivo é encontrar um modelo matemático, $y = f(x)$, que expresse satisfatoriamente a propriedade **y** de interesse em função das variáveis preditoras **x** medidas em laboratório ou calculadas computacionalmente, modelo esse que será empregado em futuras previsões.

4.1.1 Considerações gerais

Antes de apresentarmos os métodos usados na construção dos modelos de regressão, faremos algumas considerações introdutórias e de caráter geral. Para maiores detalhes, o leitor deverá procurar uma literatura mais específica sobre o assunto. Por simplicidade utilizaremos, a título de exemplificação, a concentração de uma espécie química como a propriedade de interesse, mas os comentários, obviamente, se estendem a outras propriedades.

As amostras do conjunto de calibração, que muitas vezes chamamos de *amostras-padrão* são tipicamente de dois tipos. Ou elas são misturas preparadas no laboratório a partir de substâncias puras (ou *padrões certificados*), em que se conhece *a priori* a concentração de cada um dos constituintes, ou são amostras complexas oriundas, por exemplo, de processos químicos industriais. Neste segundo caso, as amostras são coletadas e as concentrações do composto de interesse são determinadas por algum método analítico de referência como, por exemplo, cromatografia, análise gravimétrica ou titulação, dentre outros. Todo o cuidado deve ser tomado nessas determinações, pois os resultados influenciarão decisivamente na qualidade do modelo final. Como os espectrômetros são instrumentos estáveis e as medidas espectroscópicas são bem reprodutíveis, os erros de medidas espectroscópicas de amostras homogêneas são, em geral, abaixo de 1%. Por outro lado, é raro determinar as concentrações por algum método analítico de referência com erros dessa ordem de magnitude. Portanto, nesses casos a principal fonte de erro na construção de um modelo de calibração em geral provém da determinação das concentrações. A concordância entre os valores estimados pelo modelo e os obtidos por uma medida determinada pelo método de referência está limitada pela precisão dos valores de referência (não deve exceder a repetibilidade do método analítico de referência). É possível obter modelos de calibração satisfatórios quando os erros relativos médios nas concentrações medidas pelo método de referência estiverem na faixa de ± 5%. O ideal, entretanto, seria reduzir esses erros para a faixa de ± 2% ou, ainda, ± 1%. Se os erros relativos médios forem maiores que 10%, as chances de obter modelos de calibração confiáveis são muito reduzidas[7]. Todavia, essa não é uma regra absoluta, pois, em se tratando de outras classes de dados, a situação pode ser bem diferente. Por exemplo, em estudos de QSAR os erros nas medidas das atividades biológicas em geral são altos e os experimentos, pouco reprodutíveis. No entanto, podem-se obter modelos aceitáveis em condições bem adversas. A regra geral é simples: se os erros nas determinações da propriedade de interesse são aproximadamente os mesmos para todas as amostras do conjunto de calibração, o modelo deverá prever essa propriedade com aproximadamente a mesma exatidão. A precisão dos dados de referência e, a exatidão (acurácia) do modelo podem ser melhoradas se forem utilizadas médias de replicatas.

Uma questão natural que surge com frequência diz respeito ao tamanho do conjunto de calibração, *i.e.*, ao número de amostras de referência ou padrão. Em geral, quanto maior for o número de amostras, melhor será o modelo para previsões futuras, mas, antes de abordarmos esse assunto, é importante enfatizar alguns pontos sobre o conjunto de calibração. Ele deve ser "representativo", isto é, ele deve incluir todas as fontes de variação que as amostras de previsão possam ter. Essa regra se aplica tanto aos efeitos espectrais causados por mudanças na concentração dos componentes e pH quanto às variações causadas por interfe-

---

7 Kramer, R. *Chemometric Techniques for Quantitative Analysis*, Marcel Dekker, New York, 1988, p. 19.

rências, espalhamentos de luz, baixa reprodutibilidade do processo de medida, como, por exemplo, devido a variações no caminho ótico, *drift* no instrumento ou efeitos de não linearidade no detector. Devem ser incluídas, também, as fontes de variação causadas por efeitos externos, como a temperatura, pressão, umidade e outros fatores ambientais. Não se pode esperar por boas previsões nos casos em que as amostras de previsão contenham fontes de variabilidade que não foram consideradas durante a construção do modelo de calibração. Uma atenção especial deve ser dada aos aspectos físico-químicos do sistema, como, por exemplo, se os constituintes da amostra interagem ou reagem entre si. Em outros casos, o coeficiente de absortividade molar, que é função do ambiente químico ao redor das moléculas, pode ser um dos motivos de falha da lei de *Beer* em altas concentrações (devido à mudança no coeficiente de absortividade molar), fazendo com que a posição da intensidade máxima sofra alterações. Quanto mais ampla a faixa de concentração modelada, maiores as modificações no ambiente químico e, portanto, maiores as chances de observar variações no coeficiente de absortividade molar. Entretanto, estabelecer se uma mudança no espectro foi causada pela presença de um componente adicional na amostra ou por um *drift* no instrumento pode não ser uma tarefa trivial.

Retornando ao tamanho do conjunto de calibração, deve-se considerar a complexidade das amostras. A sugestão para sistemas simples é usar no mínimo $2n + 2$ amostras onde n é o número de componentes nas amostras[8], *i.e.*, de fontes separadas de variabilidade como as que foram mencionadas no parágrafo anterior. Para misturas de duas espécies químicas medidas em uma faixa de temperatura, o número de componentes nas misturas é três e, portanto, devem ser usadas no mínimo oito amostras. Há autores que sugerem $3n$ como o número mínimo aceitável de amostras[7]. Aumentando o número de amostras do conjunto de calibração para $5n$ ou $10n$, o modelo obtido deverá descrever melhor o sistema em estudo, mas, por outro lado, deve-se considerar o tempo e o custo envolvidos. O bom-senso e a experiência do analista deverão

---

[8] Smith B. C. 'Quantitative Spectroscopy: Theory and Practice', Academic Press, San Diego, California, 2002, 78.

guiá-lo na avaliação do custo-benefício em aumentar o número de amostras. Tratando-se de misturas complexas, o número adequado de amostras no conjunto de calibração (ou a decisão se o número selecionado está adequado ou não) é avaliado depois de construir o modelo multivariado e encontrar o número de parâmetros (variáveis, PC, fatores, variáveis latentes). As normas da ASTM E1655[9] (*American Society for Testing and Materials*) recomendam que para os dados centrados na média após a exclusão das amostras anômalas, um modelo construído com três parâmetros ou menos ($A \leq 3$), deve conter no mínimo 24 amostras. Para um modelo de calibração com o número de parâmetros maior, o número de amostras do conjunto de calibração deve ser no mínimo igual a $6(A + 1)$.

Outra questão a ser considerada se refere à faixa de variação das concentrações das amostras do conjunto de calibração. Quanto a isso, o princípio básico é o de que não se deve extrapolar um modelo para regiões não modeladas. Considerando-se, por exemplo, a determinação dos teores de β-caroteno em amostras de polpa de tomate, os quais podem variar de 4,0 a 20,0 mg kg^{-1}, aconselha-se incluir no conjunto de calibração amostras com concentrações menores do que 4,0 e maiores que 20,0 mg kg^{-1} de β-caroteno, para cobrir toda a faixa desejada. Outro exemplo diz respeito a um produto comercial no qual o nível aceitável de porcentagem de água deve estar abaixo de 0,3%. Para a obtenção de um bom modelo para este caso, o conjunto de calibração deve ser rico em amostras com % de água menor do que 0,3%, mas, também, se possível, conter algumas amostras com concentrações acima do permitido. Essas amostras, apesar de representarem uma situação fora das especificações, são importantes e devem ser incluídas no modelo, uma vez que tal situação pode ocorrer na indústria e o modelo deve ser capaz de detectar falhas no produto. Recomenda-se que a faixa mínima de variação da concentração das amostras do conjunto de calibração seja preferencialmente cinco vezes maior mas não menos do que três vezes o desvio-padrão da reprodutibilidade (reprod./2,77) do método de referência usado para as análises[9].

---

9 ASTM E1655-05 (Reaproved 2012): Standard practices for infrared, multivariate, quantitative analysis, ASTM, West Conshohocken, PA, USA.

Ao selecionar as amostras do conjunto de calibração, é importante considerar a sua distribuição ao longo de toda a faixa de variação da concentração. Para que um modelo possa apresentar uma boa previsão dentro desse intervalo, é ideal que as amostras do conjunto de calibração estejam uniformemente distribuídas ao longo de todo o intervalo. O planejamento experimental é o método indicado para resolver essa questão. Na prática, no entanto, nem sempre é possível uma distribuição adequada, como, por exemplo, no caso de um produto industrial em que a alteração das condições do processo, para que se obtenham variações na concentração do produto, é impraticável. Nesses casos é impossível distribuir regularmente as amostras dentro da faixa desejada de concentrações e, consequentemente, devemos estar cientes de que o modelo de calibração obtido será mais preciso na região em que há um número maior de amostras. Por exemplo, consideremos um conjunto de calibração constituído de 35 amostras de óleo de soja que deverá sofrer epoxidação, sabendo que, quanto maior for o grau de epoxidação, melhor será a qualidade do produto final. Se o grau de epoxidação estiver acima de 13 g/100g em 30 dessas amostras e inferior a 13 g/100g em apenas cinco delas, o modelo de calibração tende a prever com melhor precisão aquelas amostras com maior grau de epoxidação, o que, neste exemplo, é o desejável.

Outra pergunta que surge com frequência se refere ao número de espectros que devem ser adquiridos para cada amostra do conjunto de calibração. Se desejarmos capturar todas as fontes de variação nos espectros, incluindo variações instrumentais e de amostragem, deveremos tomar dois ou mais espectros de cada amostra do conjunto de calibração. Isso implica tomar uma alíquota de uma amostra de referência, colocá-la no instrumento e registrar o seu espectro, descartar essa alíquota, limpar a cela, reiniciar o instrumento, colocar uma nova alíquota da mesma amostra na cela e registrar um novo espectro. Subtraindo-se um espectro do outro (da mesma amostra e registrados no mesmo instrumento), o resultado deve ser uma curva contendo apenas ruído experimental, indicando que os espectros são reprodutíveis e o processo de amostragem está sob controle. Se isso não ocorrer, a razão provavelmente se deve a alguma fonte de variabilidade, que deverá ser eliminada antes do prosseguimento na aquisição dos espectros.

Para encerrar esta seção, apresentaremos as etapas envolvidas no processo de obtenção do modelo de regressão (ou modelo de calibração) de uma propriedade de interesse e que estão resumidas no quadro abaixo. Esse processo envolve duas etapas: a de modelagem propriamente dita e a de validação do modelo de regressão obtido na etapa anterior. Uma vez otimizado, o modelo final estará pronto para ser aplicado nas previsões de novas amostras. No processo de modelagem estão incluídas desde as etapas de seleção das amostras de referência até a obtenção da equação matemática que relaciona os dados experimentais (variáveis

---

MODELAGEM

SELECIONE AS AMOSTRAS DO CONJUNTO DE CALIBRAÇÃO
Elas devem ser cuidadosamente escolhidas para que sejam representativas de toda a região a ser modelada (considerar o uso de um planejamento experimental).

PARA ESSE CONJUNTO DE CALIBRAÇÃO:

- Colete os MELHORES dados experimentais X (cheque o nível de ruído nos dados).
- Se não há padrões certificados, determine experimentalmente a propriedade y de interesse pelo método de referência sugerido (esteja alerta quanto à precisão dos valores determinados).
- Construa o modelo apropriado que correlaciona X e y.

VALIDAÇÃO

TESTE CUIDADOSAMENTE O MODELO CONSTRUÍDO

- Fazendo a validação cruzada (validação interna).
- Fazendo a validação externa. Avalie as estimativas da propriedade de interesse em amostras que não foram incluídas na construção do modelo.

CALCULE AS FIGURAS DE MÉRITO

↓

PREVISÃO

Use o MELHOR modelo obtido para fazer previsões.

preditoras) à propriedade de interesse (variável dependente). Na etapa de validação, o modelo é testado quanto à sua capacidade preditiva e otimizado para tal.

Para o uso contínuo do modelo obtido, é necessário verificar ao longo do tempo se ele permanece adequado para fazer previsões, uma vez que os instrumentos se deterioram com o tempo e pode haver pequenas mudanças no processo ou na matéria-prima utilizada. A etapa de validação deve ser reavaliada periodicamente e, se necessário, o modelo deverá ser atualizado. Isso pode ser feito atualizando o conjunto de calibração com a inclusão de novas amostras, o que, além de evitar a deterioração do modelo, o torna mais robusto.

Encerrada essa introdução, passaremos à obtenção dos modelos matemáticos de regressão. Iniciaremos construindo modelos de regressão mais simples, usando o método univariado, e gradativamente chegaremos aos métodos multivariados mais complexos e que são os mais utilizados, tanto na academia quanto na indústria. Para o leitor familiarizado com a calibração univariada e o cálculo das figuras de mérito (seção 4.2.1), sugere-se ir diretamente para a seção 4.3.

4.2 Calibração univariada. Regressão linear

Esta é a forma mais simples de construir um modelo de calibração, e o exemplo clássico é o da lei de *Beer-Lambert*, que relaciona a quantidade de luz absorvida por uma amostra (uma quantidade que pode ser medida experimentalmente) à concentração das espécies absorventes. A lei de *Beer* assume que a amostra é homogênea, o que significa que as propriedades óticas e a concentração das espécies são as mesmas em todos os pontos da amostra. Para uma única espécie química, essa lei física assume que a absorbância em um dado comprimento de onda, A_λ[10], é dada por $A_\lambda = \alpha_\lambda l c$, onde c é sua concentração, α_λ é seu coeficiente de absortividade molar neste comprimento de onda e l é o caminho ótico.

---

10 A letra maiúscula A está sendo usada para representar um escalar, somente para manter a notação usual de absorbância.

Em termos matemáticos, a lei de *Beer* assume que a absorbância (variável dependente) e a concentração (variável preditora ou independente) dessa espécie química estão relacionadas entre si por uma relação linear. Ao fazer um gráfico da absorbância (no eixo das ordenadas) *versus* a concentração (no eixo das abscissas) para um conjunto de amostras, se elas seguem a lei de *Beer*, deve-se obter uma reta com inclinação positiva e que passe pela origem. O coeficiente de absortividade molar pode ser associado à absorbância normalizada para a concentração unitária (1,0 mol L^{-1}), e o caminho ótico normalmente é fixado em l = 1,0 cm (uma cela de comprimento unitário).

A expressão matemática geral que relaciona as absorbâncias medidas experimentalmente em um dado comprimento de onda, para um conjunto de *I* amostras, às concentrações de uma espécie química pode ser representada pela equação 1, também conhecida como curva analítica ou curva de calibração.

$$A_i = b_0 + b_1 c_i + e_i, \qquad i = 1, 2, 3, ..., I. \qquad (1)$$

Nessa equação, A_i é a absorbância observada experimentalmente para a *i*-ésima amostra. A soma da direita indicada por $(b_0 + b_1 c_i)$ é a respectiva absorbância estimada pelo modelo e representada como $\hat{A}_i$.[11] O resíduo e_i é a diferença entre a intensidade observada e a estimada para essa amostra, $e_i = (A_i - \hat{A}_i)$. Os parâmetros b_0 e b_1 da equação acima são determinados pelo método de regressão dos quadrados mínimos. Nesse método, a soma dos quadrados dos resíduos (também conhecida como soma quadrática dos resíduos), definida como $SQ_{res} = \sum_{i=1}^{I} e_i^2$, é minimizada.

Ao fazer um ajuste de quadrados mínimos, assume-se *a priori* que não existe erro na variável independente (na concentração). Assume-se, também, que os valores (de repetições) da variável dependente, que neste caso é a absorbância, estão distribuídos ao redor do valor médio por onde passa a reta e que a variância associada à absorbância independe

---

11 O sinal ^ indica estimativa.

do valor específico da concentração[12]. Consequentemente, os resíduos são independentes e identicamente distribuídos com média zero e variância igual a σ_y^2. Essa condição de variância uniforme é conhecida como condição de homoscedasticidade.

Vamos, então, determinar os dois parâmetros do modelo, b_0 e b_1. Usando a equação 1, a soma quadrática dos resíduos pode ser escrita como:

$$SQ_{res} = \sum_{i=1}^{I}(A_i - (b_0 + b_1 c_i))^2 \ . \tag{2}$$

Ela é minimizada tomando-se as derivadas de SQ_{res} em relação a b_0 e b_1 e fazendo-as iguais a zero, conforme indicado na equação 3.

$$\frac{\partial \sum_{i=1}^{I} e_i^2}{\partial b_0} = \frac{\partial \sum_{i=1}^{I} e_i^2}{\partial b_1} = 0 \tag{3}$$

Expandindo algebricamente a expressão da equação 2, tem-se que

$$SQ_{res} = \sum_{i=1}^{I} e_i^2 = \tag{4}$$

$$= \sum_{i=1}^{I} A_i^2 - 2b_0 \sum_{i=1}^{I} A_i - 2b_1 \sum_{i=1}^{I} A_i c_i + I b_0^2 + 2b_0 b_1 \sum_{i=1}^{I} c_i + b_1^2 \sum_{i=1}^{I} c_i^2 \ .$$

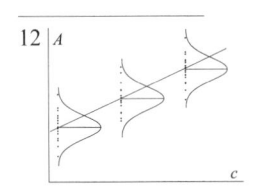

Derivando essa expressão e igualando a zero, conforme indicado em (3), obtêm-se as estimativas[13] de b_0 e b_1, representadas por $\hat{b}_0$ e $\hat{b}_1$.

Chega-se, assim, à expressão do modelo linear obtido pela minimização da soma dos quadrados dos resíduos.

$$\hat{A}_i = \hat{b}_0 + \hat{b}_1 c_i =$$

$$= \left[\frac{\sum_{i=1}^{I} A_i \sum_{i=1}^{I} c_i^2 - \sum_{i=1}^{I} c_i \sum_{i=1}^{I} A_i c_i}{I \sum_{i=1}^{I} c_i^2 - \left(\sum_{i=1}^{I} c_i \right)^2} \right] + \left[\frac{I \sum_{i=1}^{I} A_i c_i - \sum_{i=1}^{I} A_i \sum_{i=1}^{I} c_i}{I \sum_{i=1}^{I} c_i^2 - \left(\sum_{i=1}^{I} c_i \right)^2} \right] c_i \quad (5)$$

Com o ajuste de quadrados mínimos não se remove nem se introduz erro sistemático ao já presente nos dados. Dizemos, então, que os coeficientes estimados, $\hat{b}_0$ e $\hat{b}_1$, são livres de viés[14] ou tendência. Em termos práticos, se não existe erro sistemático, todo o erro existente nos dados é de origem aleatória.

A inclinação da reta é conhecida como a sensibilidade do método, que no nosso caso corresponde à razão da mudança na resposta instrumental dividida pela variação correspondente na concentração da espécie absorvente ($SEN = \hat{b}_1 = \Delta A / \Delta c$), e tem unidade (u.a. do sinal) × (unidade da concentração)$^{-1}$. Não se deve confundir sensibilidade com o limite de detecção, pois eles não são sinônimos. É muito comum dizer

---

13 $\begin{cases} \sum_{i=1}^{I} A_i = b_1 \sum_{i=1}^{I} c_i + I b_0 \\ \sum_{i=1}^{I} A_i c_i = b_0 \sum_{i=1}^{I} c_i + b_1 \sum_{i=1}^{I} c_i^2 \end{cases} \Rightarrow \begin{cases} \hat{b}_0 = \frac{1}{I} \left(\sum_{i=1}^{I} A_i - b_1 \sum_{i=1}^{I} c_i \right) = \overline{A} - \hat{b}_1 \overline{c} = \frac{\sum_{i=1}^{I} A_i \sum_{i=1}^{I} c_i^2 - \sum_{i=1}^{I} c_i \sum_{i=1}^{I} A_i c_i}{I \sum_{i=1}^{I} c_i^2 - \left(\sum_{i=1}^{I} c_i \right)^2} \\ \hat{b}_1 = \frac{\sum_{i=1}^{I} (A_i - \overline{A})(c_i - \overline{c})}{\sum_{i=1}^{I} (c_i - \overline{c})^2} = \frac{I \sum_{i=1}^{I} A_i c_i - \sum_{i=1}^{I} A_i \sum_{i=1}^{I} c_i}{I \sum_{i=1}^{I} c_i^2 - \left(\sum_{i=1}^{I} c_i \right)^2} \end{cases}$

onde $\overline{A}$ é a resposta experimental média.
14 Do inglês: *unbiased*.

que uma metodologia com baixo limite de detecção para uma determinada espécie é sensível para essa espécie química, mas isso não tem a ver com a sensibilidade. O limite de detecção é calculado usando a região da reta próxima à origem e necessita dos valores dos coeficientes $\hat{b}_0$ e $\hat{b}_1$ para o seu cálculo. Um modelo de calibração tem alta sensibilidade quando uma pequena variação na concentração causa uma grande mudança no sinal medido. A Figura 1 ilustra dois modelos, um com alta e outro com baixa sensibilidade. Para uma mesma variação na concentração, o modelo de alta sensibilidade apresenta uma grande variação na intensidade, ΔA, e o de baixa sensibilidade apresenta uma pequena variação.

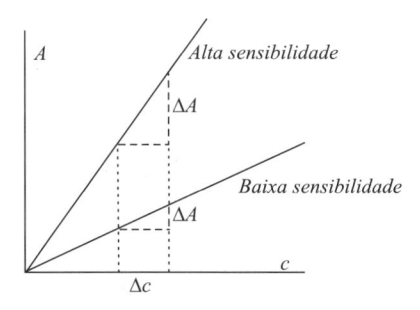

Figura 1 – Gráfico de dois modelos de regressão com diferentes sensibilidades ($\Delta A/\Delta c$).

Um parâmetro mais útil que a sensibilidade é a sensibilidade analítica, que é definida como a razão entre a sensibilidade e o ruído instrumental dado pelo desvio-padrão do sinal do branco[15]. Essa definição tem a vantagem de ser independente da técnica experimental, do equipamento e da escala utilizada. Ela é dada em (unidade da concentração)$^{-1}$.

O intercepto do modelo de calibração, $\hat{b}_0$, indica um deslocamento constante na absorbância. Espera-se que, na ausência da espécie química de interesse (quando a sua concentração é igual a zero), a intensi-

---

15 O sinal (espectro) do branco é medido de diferentes maneiras dependendo da aplicação e da instrumentação: 1) o compartimento da amostra é fisicamente removido do caminho ótico e o espectro registrado (sem amostra e seu compartimento). 2) o espectro é registrado com o compartimento vazio (sem a amostra) no caminho ótico. 3) o espectro é registrado com o compartimento contendo uma amostra de referência, que pode ser um solvente ou reagente adequado, que apresente a mínima absorbância na região de interesse.

dade observada seja igual a zero. No entanto, pode acontecer de a reta não passar pela origem como era de esperar e, nesses casos, $\hat{b}_0$ se torna significativo. Esse deslocamento pode ocorrer devido à presença de interferentes, como, por exemplo, o solvente ou alguma impureza com concentração constante, que absorvem na mesma região do constituinte de interesse. Também pode ser devido aos ruídos experimentais na intensidade ou a alguma mudança no instrumento.

Todo o desenvolvimento algébrico feito até este momento para a obtenção da curva de calibração (equações de 1 a 5) pode ser representado em notação matricial, tornando o tratamento mais intuitivo e elegante. Neste caso, o modelo matemático indicado na equação 1 passa a ser representado pela equação 6:

$$\mathbf{a} = \mathbf{Cb} + \mathbf{e} = \begin{bmatrix} \mathbf{1} & \mathbf{c} \end{bmatrix} \mathbf{b} + \mathbf{e} \quad \text{ou} \quad \begin{bmatrix} A_1 \\ A_2 \\ \vdots \\ A_{I-1} \\ A_I \end{bmatrix} = \begin{bmatrix} 1 & c_1 \\ 1 & c_2 \\ \vdots & \vdots \\ 1 & c_{I-1} \\ 1 & c_I \end{bmatrix} \begin{bmatrix} b_0 \\ b_1 \end{bmatrix} + \begin{bmatrix} e_1 \\ e_2 \\ \vdots \\ e_{I-1} \\ e_I \end{bmatrix}, \quad (6)$$

onde **a** é o vetor das absorbâncias A_i medidas para as I amostras do conjunto de calibração (um valor numérico para cada amostra $i = 1, 2, ..., I$), **b** é um vetor que contém os dois coeficientes de regressão (os parâmetros do modelo) e **e** é o vetor de erros ou resíduos. Na expressão 6, **C** é a matriz das concentrações constituída de dois vetores-coluna, sendo que o vetor **c**, da direita, contém as concentrações propriamente ditas do constituinte de interesse e o da esquerda, **1**, com todos os elementos iguais a 1, foi incluído para descrever o termo constante da equação, b_0. Outra vantagem dessa representação matricial é a possibilidade de ter uma visão geométrica da construção de um modelo de regressão.

É visível que os vetores **1** e **c** não são ortogonais nem colineares entre si. Esses dois vetores geram o espaço-coluna de **C**, que neste caso é o plano H. Qualquer vetor pertencente a esse espaço pode ser descrito como uma combinação linear desses dois vetores, $\hat{\mathbf{a}} = \hat{b}_0 \mathbf{1} + \hat{b}_1 \mathbf{c}$. Como o vetor de resíduos da equação 6 não é zero ($\mathbf{e} \neq \mathbf{0}$), concluímos que o vetor das absorbâncias não está neste plano formado por **c** e **1**. A Figura

2 ilustra geometricamente um modelo de regressão com uma variável independente, representada pelo vetor **c**, e um intercepto descrito pelo vetor **1**. O vetor de resíduos, **e**, é a diferença entre os vetores **a** e **â**,

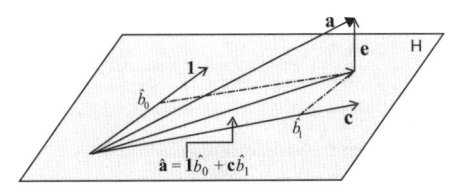

Figura 2 – Ilustração geométrica de um modelo de regressão linear com intercepto.

O problema da regressão linear por quadrados mínimos, em que a soma dos quadrados dos erros é minimizada, se resume geometricamente em encontrar a projeção ortogonal de **a** no plano. O vetor de resíduos, **e**, é ortogonal ao plano e, portanto, pertence ao hiperplano cuja dimensão é I-2 (perpendicular ao espaço-coluna de **C**). Sendo ortogonal às colunas da matriz **C**, o produto escalar de cada uma delas com **e** é igual a zero, como indicado nas expressões abaixo.

$$\mathbf{C}^T \mathbf{e} = \mathbf{0} = \begin{bmatrix} 0 \\ 0 \end{bmatrix} \Rightarrow \mathbf{c}^T \mathbf{e} = 0 \text{ e } \mathbf{1}^T \mathbf{e} = 0. \tag{7}$$

Note-se que vetor **0** da expressão 7 tem somente dois elementos e ambos são iguais a zero.

Segundo a expressão 6, **e** = **a** − **Cb**, que, substituído na expressão 7, produz:

$$\mathbf{C}^T (\mathbf{a} - \mathbf{Cb}) = \mathbf{0} = \mathbf{C}^T \mathbf{a} - \mathbf{C}^T \mathbf{Cb} \Rightarrow \mathbf{C}^T \mathbf{Cb} = \mathbf{C}^T \mathbf{a}. \tag{8}$$

Nosso objetivo é calcular os parâmetros do modelo, que se encontram no vetor **b**. Para tal, calcula-se o produto $\mathbf{C}^T\mathbf{C}$ e, a seguir, a inversa da matriz resultante, como indicado nas equações 9 e 10, onde det($\mathbf{C}^T\mathbf{C}$) é o determinante da matriz[16].

---

16 Todos os somatórios são para i = 1, 2..., I e não serão incluídos no texto.

$$\mathbf{C}^T\mathbf{C} = \begin{bmatrix} I & \sum c_i \\ \sum c_i & \sum c_i^2 \end{bmatrix};$$
(9)

$$\left(\mathbf{C}^T\mathbf{C}\right)^{-1} = \frac{1}{\det\left(\mathbf{C}^T\mathbf{C}\right)} \begin{bmatrix} \sum c_i^2 & -\sum c_i \\ -\sum c_i & I \end{bmatrix} =$$

$$= \begin{bmatrix} \dfrac{\sum c_i^2}{I\sum c_i^2 - \left(\sum c_i\right)^2} & \dfrac{-\sum c_i}{I\sum c_i^2 - \left(\sum c_i\right)^2} \\ \dfrac{-\sum c_i}{I\sum c_i^2 - \left(\sum c_i\right)^2} & \dfrac{I}{I\sum c_i^2 - \left(\sum c_i\right)^2} \end{bmatrix};$$

$$\hat{\mathbf{b}} = \begin{bmatrix} \hat{b}_0 \\ \hat{b}_1 \end{bmatrix} = \left(\mathbf{C}^T\mathbf{C}\right)^{-1}\mathbf{C}^T\mathbf{a} \quad \text{e, finalmente,} \quad \hat{\mathbf{a}} = \mathbf{C}\left(\mathbf{C}^T\mathbf{C}\right)^{-1}\mathbf{C}^T\mathbf{a}. \quad (10)$$

Os parâmetros $\hat{b}_0$ e $\hat{b}_1$ obtidos aqui são idênticos aos da equação 6, mas com a vantagem da interpretação geométrica. A matriz resultante do produto $\left(\mathbf{C}^T\mathbf{C}\right)^{-1}\mathbf{C}^T$ é a pseudoinversa de Moore Penrose da matriz $\mathbf{C}$ (representada por $\mathbf{C}^+$), cuja inversa não existe, uma vez que ela não é uma matriz quadrada.

Uma outra maneira de fazer a projeção ortogonal de **a** no plano é por intermédio da matriz de projeção $\mathbf{H}(I \times I)$, tal que $\hat{\mathbf{a}} = \mathbf{Ha}$. Comparando essa expressão com a equação 10, temos:

$$\hat{\mathbf{a}} = \mathbf{Ha} = \mathbf{C}\hat{\mathbf{b}} = \mathbf{C}\left(\mathbf{C}^T\mathbf{C}\right)^{-1}\mathbf{C}^T\mathbf{a} = \mathbf{CC}^+\mathbf{a} \Rightarrow$$
$$\mathbf{H} = \mathbf{C}\left(\mathbf{C}^T\mathbf{C}\right)^{-1}\mathbf{C}^T = \mathbf{CC}^+.$$
(11)

Esta matriz de projeção, $\mathbf{H} = \mathbf{C}(\mathbf{C}^T\mathbf{C})^{-1}\mathbf{C}^T = \mathbf{CC}^+$, é conhecida na literatura como matriz *"chapéu"*[17]. Ela projeta qualquer vetor do espaço *I* no espaço formado pelos vetores **1** e **c**. Por analogia, a matriz de projeção, **P**, que projeta qualquer vetor do espaço *I* no hiperplano $\mathsf{H}^\perp$, ortogonal ao espaço-coluna de **C**, é dada pela expressão **P** = (**I** − **H**), na qual **I** é a matriz identidade (*I* × *I*). Assim, a projeção de **a** no hiperplano $\mathsf{H}^\perp$ pode ser escrita como

$$\mathbf{Pa} = (\mathbf{I} - \mathbf{H})\mathbf{a} = \mathbf{a} - \mathbf{Ha} = \mathbf{a} - \hat{\mathbf{a}} = \mathbf{e}. \tag{12}$$

Interpretando os resultados acima, concluímos que o vetor de absorbâncias pode ser decomposto em dois vetores mutuamente ortogonais, como descrito a seguir:

$$\mathbf{a} = \hat{\mathbf{a}} + \mathbf{e} = \mathbf{Ha} + \mathbf{Pa}. \tag{13}$$

As matrizes de projeção têm propriedades importantes: elas são simétricas ($\mathbf{H} = \mathbf{H}^T$) e idempotentes ($\mathbf{H} = \mathbf{H}\,\mathbf{H}$). Estamos dando certo destaque à matriz chapéu porque os elementos da sua diagonal, h_{ii}, desempenham um papel importante na detecção de amostras atípicas, que não são detectadas pelos resíduos. A grandeza h_{ii} é denominada na literatura influência ou alavancagem[18] da amostra *i*.

Para exemplificar toda a metodologia exposta acima, vamos usar a intensidade máxima do pico principal (em 619 nm) dos espectros de emissão de uma espécie porfirínica (Figura 3) e construir um modelo de regressão linear univariado. As concentrações em milimolar (mmol L^{-1}) e as respectivas intensidades máximas se encontram na Tabela 1.

---

17 Do inglês: *hat*. Esse nome foi dado porque ela transforma os valores observados A_i nos valores estimados $\hat{A}_i$.
18 Do inglês: *leverage*.

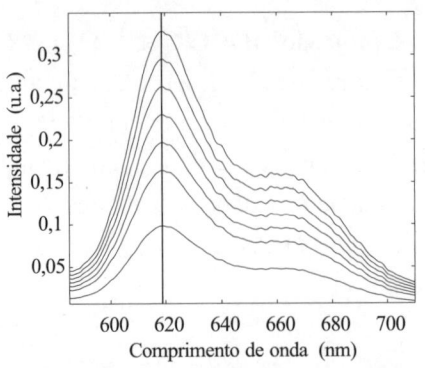

Figura 3 – Espectros de emissão de uma espécie porfirínica destacando as intensidades em 619 nm.

Tabela 1 – Concentrações e intensidades de emissão das amostras de porfirina registradas em 619 nm

	Concentração c_i mmol L^{-1}	Intensidade medida A_i u.a.
1	1,0	0,326
2	0,9	0,296
3	0,8	0,252
4	0,7	0,229
5	0,6	0,194
6	0,5	0,163
7	0,3	0,098

Ao construir uma curva de calibração univariada, escolhe-se sempre a intensidade máxima da banda. Por que essa escolha, se a absorbância para qualquer comprimento de onda segue a lei de Beer e, portanto, qualquer uma delas varia linearmente com as mudanças na concentração? Essa escolha é feita por duas razões. Primeiro, devido à razão sinal/ruído, S/R. Assumindo que o nível de ruído ao longo da banda seja constante, a intensidade máxima terá a melhor razão S/R. Segundo, porque essa região de máximo é menos sensível aos erros na frequência. A inclinação da reta tangente ao espectro na região de máxima intensidade é aproximadamente zero. Isso indica que um pequeno deslocamento no comprimento de onda medido no eixo das abscissas produz um pequeno deslocamento no eixo das ordenadas, onde estão as absorbâncias. Já nas regiões laterais da banda, onde a inclinação é alta, pequenas variações no comprimento de onda podem ser suficientes para causar grandes mudanças na intensidade.

Substituindo os valores conhecidos das concentrações e das respectivas intensidades de emissão das sete amostras de porfirina na equação 6 e fazendo os cálculos indicados abaixo, obtêm-se os coeficientes do modelo de regressão por quadrados mínimos (curva de calibração).

$$\begin{bmatrix} 0{,}326 \\ 0{,}296 \\ 0{,}252 \\ 0{,}229 \\ 0{,}194 \\ 0{,}163 \\ 0{,}098 \end{bmatrix} = \begin{bmatrix} 1 & 1{,}0 \\ 1 & 0{,}9 \\ 1 & 0{,}8 \\ 1 & 0{,}7 \\ 1 & 0{,}6 \\ 1 & 0{,}5 \\ 1 & 0{,}3 \end{bmatrix} \begin{bmatrix} b_0 \\ b_1 \end{bmatrix} + \mathbf{e} \qquad \mathbf{C}^T\mathbf{C} = \begin{bmatrix} 7{,}00 & 4{,}80 \\ 4{,}80 & 3{,}64 \end{bmatrix}$$

(14)

$$(\mathbf{C}^T\mathbf{C})^{-1} = \begin{bmatrix} 1{,}493 & -1{,}967 \\ -1{,}967 & 2{,}869 \end{bmatrix} \qquad \hat{\mathbf{b}} = (\mathbf{C}^T\mathbf{C})^{-1}\mathbf{C}^T\mathbf{a} = \begin{bmatrix} -0{,}0002 \\ 0{,}325 \end{bmatrix}$$

Na linguagem do MATLAB, os coeficientes de regressão podem ser obtidos com apenas uma linha de comando, como mostrado abaixo.

```
b = inv(C' * C) * C' * a
```

No entanto, em geral se usa a expressão

```
b = C \ a
```

que é mais eficiente do ponto de vista numérico. Essa expressão é lida a partir da direita como: a dividido por C, que em termos práticos quer dizer: multiplicação à esquerda da pseudoinversa de **C** por **a**.

Os parâmetros $\hat{b}_0 = -0{,}0002$ e $\hat{b}_1 = 0{,}325$ obtidos por meio das equações 6 e 10 são idênticos aos obtidos utilizando as expressões da equação 5. O modelo de regressão (a curva de calibração) resultante da projeção do vetor de intensidades no espaço-coluna de **C** é representado como: $\hat{A}_i = -0{,}0002 + 0{,}325 c_i$. A Tabela 2 contém as intensidades estimadas pelo modelo e os respectivos resíduos, $e_i = A_i - \hat{A}_i$. A última coluna dessa tabela contém o valor da influência de cada amostra. A soma das influências, que é o traço da matriz chapéu e a dimensão do espaço-coluna de **C** onde o vetor de intensidades foi projetado, é igual a dois. As amostras das extremidades são mais influentes e, como o próprio nome diz, elas têm maior poder de alavancagem (funcionam como um peso numa alavanca, atraindo a reta para si). A amostra de número quatro, cuja intensidade está próxima da intensidade média, é a que exerce a menor influência no modelo de calibração (o poder da alavanca próximo do centro é muito pequeno).

Tabela 2 – Valores das intensidades experimental e estimada pelo modelo de regressão para cada amostra e os respectivos resíduos e influências

	Intens. medida A_i u.a.	Intens. estimada[a] $\hat{A}_i$ u.a.	Resíduo $e_i = A_i - \hat{A}_i$	Influência[b] h_{ii}
1	0,326	0,325	0,001	0,426
2	0,296	0,292	0,004	0,275
3	0,252	0,260	–0,008	0,180
4	0,229	0,227	0,002	0,143
5	0,194	0,195	–0,001	0,164
6	0,163	0,162	0,001	0,242
7	0,098	0,097	0,001	0,570

[a] Intensidades estimadas usando o modelo $\hat{A}_i = -0{,}0002 + 0{,}325 c_i$.
[b] Ou alavancagem, dada pelos elementos da diagonal da matriz chapéu $\mathbf{H} = \mathbf{C}(\mathbf{C}^T\mathbf{C})^{-1}\mathbf{C}^T = \mathbf{C}\mathbf{C}^+$.

O gráfico da Figura 4 apresenta a concentração da porfirina nas sete amostras *versus* a intensidade de emissão. É visível a alta correlação existente entre ambas, com um coeficiente de correlação[19]

---

19 O coeficiente de correlação já foi introduzido no capitulo 2 e é dado pela razão
$$r = \frac{\mathbf{x}^T\mathbf{y}}{\sqrt{\mathbf{x}^T\mathbf{x}}\sqrt{\mathbf{y}^T\mathbf{y}}}$$, em que **x** se refere ao vetor das concentrações (que estão no eixo das abscissas) e **y**, ao vetor das intensidades (que estão representadas no eixo das ordenadas).

$r = 0,9987$ e, como a reta passa bem próxima da origem ($\hat{b}_0 = -0,0002$), dizemos que esse sistema segue a lei de Beer. Isso quer dizer que, além da absortividade, do caminho ótico e da concentração da porfirina, nenhum outro parâmetro afeta a absorbância, e que o intercepto $\hat{b}_0$ pode ser desconsiderado fazendo-o igual a zero. Em outras palavras, qualquer erro sistemático presente é desprezível, comparado ao erro aleatório, e considera-se que todo o erro presente nos dados é de origem estocástica. A sensibilidade do modelo é a própria inclinação da reta, $SEN = 0,325$ (u.a. intensidade) $\times$ (mmol L^{-1})$^{-1}$.

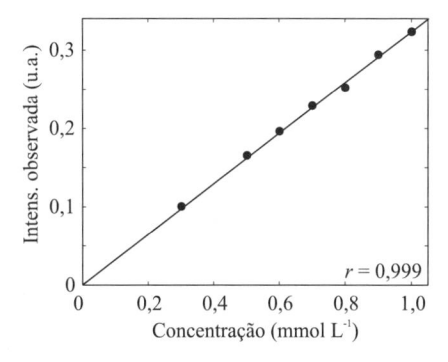

Figura 4 – Gráfico da concentração *versus* a intensidade de emissão em 619 nm e a curva de calibração obtida para os dados da Tabela 1. O coeficiente de correlação entre ambas, r, está indicado no gráfico.

Um alto coeficiente de correlação é necessário, mas não suficiente para garantir a boa qualidade do modelo. Os resíduos também devem ser analisados. Uma curva bem ajustada deve apresentar um gráfico de resíduos *versus* a intensidade estimada com distribuição uniforme numa faixa horizontal cuja média é igual a zero. Gráficos com esse perfil indicam que os resíduos têm um comportamento aleatório e que sua variância é constante no domínio da concentração, *i.e.*, os dados são homoscedásticos[20]. Uma medida quantitativa de viés[21] ou de tendência no modelo é dada pelo valor médio dos resíduos, quando é diferente de zero. A Figura 5 contém dois gráficos, em que as intensidades experimentais são plotadas *versus* as estimadas no primeiro, e as intensidades estimadas são plotadas *versus* os resíduos no segundo. A soma dos resíduos é igual a zero (ver Tabela 2) e, no entanto, o gráfico dos resíduos apresenta uma característica peculiar, uma vez que o resíduo da amostra de número 3 é bem discrepante dos restantes, que se apresentam satisfatoriamente distribuídos. É aconselhável verificar a influência dessa amostra no modelo de regressão e, pelo resultado apresentado na Tabela 2, ela tem influência baixa. Portanto, ao invés de excluí-la e refazer o modelo, ela será mantida em observação. Esse assunto será discutido com detalhes na seção de validação dos modelos de calibração.

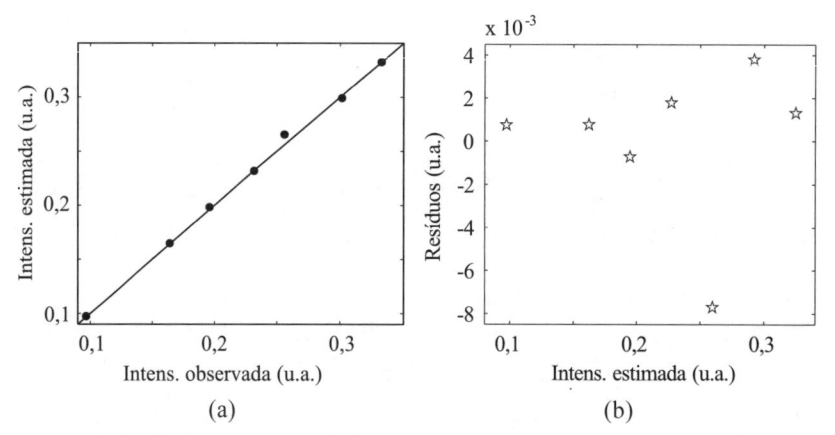

Figura 5 – (a) Gráfico das intensidades de emissão observadas *versus* estimadas em 619 nm. (b) Gráfico das intensidades de emissão estimadas em 619 nm *versus* resíduos.

---

20 Um gráfico como este indica heteroscedasticidade nos dados (violação da homoscedasticidade), *i. e.*, a variância dos resíduos não é preservada, mas aumenta à medida que a concentração aumenta.

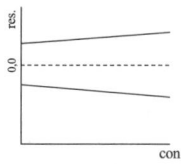

21 Do inglês: *bias*. $\frac{1}{I}\sum_{i=1}^{I}(y_i - \hat{y}_i) = viés$

Como comentado anteriormente, no método de quadrados mínimos assume-se que o erro experimental de cada amostra está no eixo das ordenadas e cuja soma quadrática é minimizada. Além disso, assume-se também que não existe erro experimental na variável independente (concentração), representada no eixo das abscissas. Se as amostras do conjunto de calibração são preparadas a partir de padrões certificados, essa suposição é justificável. Acontece que, na maioria dos casos, as concentrações são determinadas por métodos de referência e esse é um ponto crítico, uma vez que elas não estarão livres de erros. Consequentemente, os erros experimentais estão presentes tanto no sinal medido quanto nas concentrações. Comparando a magnitude dos erros experimentais, chegaremos à triste conclusão de que, em geral, eles são maiores na concentração determinada por um método de referência do que na intensidade espectral. Uma maneira de contornar essa situação é colocar os dados que apresentarem os menores erros experimentais no eixo das abscissas, e a melhor opção, então, é fazer a regressão da concentração na absorbância e não o contrário, como no método tradicional. Esse novo método é conhecido na literatura como o método inverso de calibração, enquanto o que acabamos de ver é o método clássico, no qual se considerou que a intensidade é proporcional à concentração. A concentração agora é a variável dependente e a intensidade passa a ser a variável independente ou preditora.

Ao invés da equação 6, o modelo inverso é escrito como

$$\mathbf{c} = \mathbf{Ab} + \mathbf{e}$$

$$\begin{bmatrix} c_1 \\ c_2 \\ \vdots \\ c_{I-1} \\ c_I \end{bmatrix} = \begin{bmatrix} 1 & A_1 \\ 1 & A_2 \\ \vdots & \vdots \\ 1 & A_{I-1} \\ 1 & A_I \end{bmatrix} \begin{bmatrix} b_0 \\ b_1 \end{bmatrix} + \begin{bmatrix} e_1 \\ e_2 \\ \vdots \\ e_{I-1} \\ e_I \end{bmatrix}. \tag{15}$$

A solução é análoga à apresentada na equação 14, em que os coeficientes do modelo são dados pela equação 16.

$$\hat{\mathbf{b}} = (\mathbf{A}^T\mathbf{A})^{-1}\mathbf{A}^T\mathbf{c} = \begin{bmatrix} \hat{b}_0 \\ \hat{b}_1 \end{bmatrix} \tag{16}$$

Para o exemplo das porfirinas, os valores dos parâmetros encontrados foram $\hat{b}_0 = 0{,}002$ e $\hat{b}_1 = 3{,}071$. Nesse método, assume-se que a concentração é uma função da intensidade medida e o modelo matemático é dado pela equação, $\hat{c}_i = +\,0{,}002 + 3{,}071 A_i$. Quanto à sensibilidade, já vimos que ela é dada pela razão ($\Delta A/\Delta c$), que no método inverso seria $SEN = 1/\hat{b}_1 = 0{,}323$ (u.a. intensidade) $\times$ (mmol L^{-1})$^{-1}$.

O algoritmo para a obtenção de **b** no *software* MATLAB é semelhante ao anterior.

$$\boxed{\mathrm{b = A\backslash c}}$$

A Tabela 3 e a Figura 6 apresentam todos os resultados encontrados para o modelo construído pelo método inverso. Os valores de influência são similares aos obtidos pelo método clássico que estão na Tabela 2.

Tabela 3 – Concentrações observadas e estimadas utilizando o modelo de regressão obtido pelo método inverso, com os respectivos resíduos e influências

	Concentração c_i mmol L^{-1}	Conc. estimada[a] $\hat{c}_i$ mmol L^{-1}	Resíduo e_i mmol L^{-1}	Influência[b] h_{ii}
1	1,0	1,003	−0,003	0,433
2	0,9	0,911	−0,011	0,289
3	0,8	0,776	0,024	0,166
4	0,7	0,706	−0,006	0,144
5	0,6	0,598	0,002	0,165
6	0,5	0,503	−0,003	0,239
7	0,3	0,303	−0,003	0,564

[a] Concentrações estimadas usando o modelo de regressão $\hat{c}_i = +\,0{,}002 + 3{,}071 A_i$.
[b] Ou alavancagem, dada pelos elementos da diagonal da matriz chapéu $\mathbf{H} = \mathbf{A}(\mathbf{A}^T\mathbf{A})^{-1}\mathbf{A}^T = \mathbf{A}\mathbf{A}^+$.

Como indica a Figura 6, nesse exemplo específico os resultados são bem semelhantes aos anteriores. O viés[21] (média dos resíduos) é zero e os valores de sensibilidade dos dois métodos também se assemelham, sendo igual a 0,325 para o modelo clássico e 0,323 para o modelo inverso.

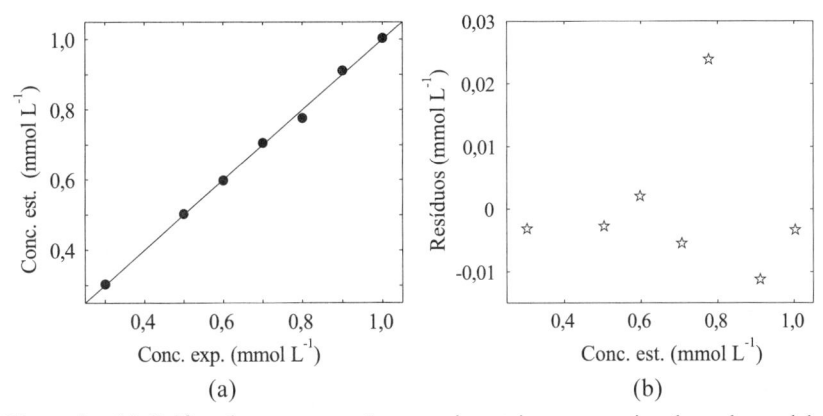

Figura 6 – (a) Gráfico das concentrações experimentais *versus* estimadas pelo modelo inverso de calibração. (b) Gráfico das concentrações estimadas *versus* resíduos.

Foram introduzidos os dois métodos univariados de calibração: o método clássico que é bem familiar a qualquer estudante de graduação em química e outras áreas afins, e o método inverso, que é a grande novidade. Uma vez que os parâmetros do modelo foram estimados, deve-se proceder à análise estatística para aferir a adequação do modelo, e este assunto será tratado na próxima seção. A etapa final do processo é a utilização do modelo de regressão obtido para prever a concentração de novas amostras. Como exemplo, foi preparada uma amostra de previsão com concentração igual a 0,65 mmol L^{-1}. A intensidade máxima medida em 619 nm para essa amostra foi 0,213 u.a. A concentração da porfirina nessa amostra pode ser estimada utilizando qualquer um dos dois métodos:

$$\hat{c}_p = \frac{A_p + 0,0002}{0,325} = 0,656 \text{ mmol L}^{-1} \text{ para o método clássico} \quad \text{e}$$

(17)

$$\hat{c}_p = 0,002 + 3,071 A_p = 0,656 \text{ mmol L}^{-1} \text{ para o método inverso.}$$

Antes de estender os métodos de calibração para os casos multivariados, em que mais de uma medida experimental é adquirida para cada amostra, apresentaremos as figuras de mérito utilizadas na análise estatística dos métodos univariados.

4.2.1 Figuras de mérito

Além do coeficiente de correlação e da análise de resíduos, faz-se necessária a utilização de outros parâmetros estatísticos para aferir a qualidade do modelo de regressão obtido. Serão considerados aqui os parâmetros mais populares, que são: os intervalos de confiança para o intercepto e a inclinação, os intervalos de confiança da curva de calibração e para uma concentração prevista, o desvio-padrão relativo, *RSD*, a precisão, a exatidão e a robustez e, finalmente, os limites de detecção, *LD* e de quantificação, *LQ*. O cálculo desses parâmetros já está bem estabelecido na literatura e pode ser facilmente efetuado utilizando as expressões analíticas sugeridas pela IUPAC[22,23]. O interesse em rever esse assunto é a introdução da abordagem matricial que não é usual ao químico. Com essa abordagem, as mesmas equações são aplicáveis, tanto ao método clássico quanto ao método inverso, e a generalização para os métodos multivariados em seção posterior se torna menos abstrata e mais intuitiva. Para evitar confusão, utilizaremos uma notação geral onde x se refere à variável independente (ou preditora), que está no eixo das abscissas, e y, à variável dependente, que está no eixo das ordenadas. No momento da aplicação a um exemplo químico, os símbolos de concentração e de intensidade serão atribuídos de acordo com a metodologia utilizada: a clássica ou a inversa.

---

22 Danzer, K.; Currie, L. A. 'Guidelines for calibration in Analytical Chemistry', *Pure Appl. Chem.* **70** (1998) 993-1014.

23 Ribeiro, F. L. A.; Ferreira, M. M. C.; Morano, S. C.; Silva, L. R. e Schneider, R. P. 'Planilha de validação: uma nova ferramenta para estimar figuras de mérito na validação de métodos analíticos univariados', *Quim. Nova* **31** (2008) 164-171.

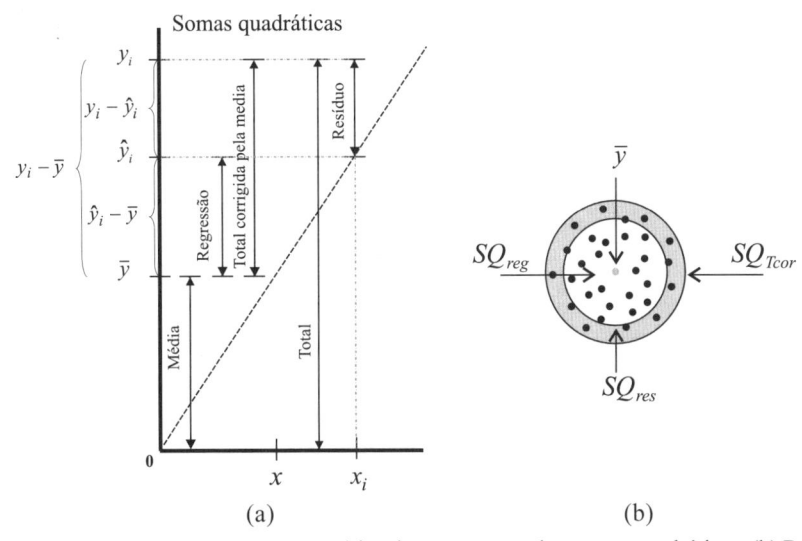

Figura 7 – (a) Representação esquemática das respostas e das somas quadráticas. (b) Representação esquemática da decomposição da soma quadrática total corrigida pela média.

O ideal é que toda a variância dos dados (uma medida da dispersão das amostras) seja modelada, o que ocorre somente se o modelo construído for perfeito. Como existe diferença entre os valores observados, y_i, e as respostas estimadas pelo modelo, $\hat{y}_i$, concluímos que, apesar de os parâmetros estimados serem as melhores estimativas, eles não são perfeitos, e parte da variação das respostas infelizmente não foi modelada. A Figura 7 ilustra de maneira esquemática e didática como as variações das respostas e das somas quadráticas se distribuem no processo de modelagem. A soma quadrática total corrigida em relação à média, SQ_{Tcor}, é a diferença entre a soma quadrática total, SQ_T, e a soma quadrática média SQ_M, ($SQ_{Tcor} = SQ_T - SQ_M$).

A soma quadrática SQ_{Tcor} também pode ser decomposta em duas contribuições, uma vez que $y_i - \bar{y} = (\hat{y}_i - \bar{y}) + (y_i - \hat{y}_i)$. A Figura 7b ilustra essa decomposição, em que o ponto central corresponde ao valor experimental médio, $\bar{y}$. O círculo externo representa a soma quadrática total corrigida, SQ_{Tcor}, e o círculo interno descreve a variação explicada pelo modelo, SQ_{reg}. A área sombreada, dada pela diferença entre os dois círculos, representa a variação não modelada, que é a soma quadrática dos erros, SQ_{res}. As expressões matriciais para o cálculo dessas somas quadráticas e das médias quadráticas (variâncias) se encontram na Tabela 4.

Tabela 4 – Análise de variância. Fontes de variação das respostas, somas quadráticas, médias quadráticas e o número de graus de liberdade de cada contribuição

Fonte	Graus de liberdade[a]	Soma quadrática[b]	Média quadrática (Variância)
Total	I	SQ_T $\mathbf{y}^T\mathbf{y}$	$MQ_T = \dfrac{SQ_T}{I}$
Média	1	SQ_M $\overline{\mathbf{y}}^T\overline{\mathbf{y}}$	$MQ_M = \dfrac{SQ_M}{1}$
Total corrigida	$I-1$	SQ_{Tcor} $(\mathbf{y}-\overline{\mathbf{y}})^T(\mathbf{y}-\overline{\mathbf{y}}) = \sum_{i=1}^{I}(y_i - \overline{y})^2$	$MQ_{Tcor} = \dfrac{SQ_{Tcor}}{I-1}$
Regressão	$p-1$	SQ_{reg} $(\hat{\mathbf{y}}-\overline{\mathbf{y}})^T(\hat{\mathbf{y}}-\overline{\mathbf{y}}) = \sum_{i=1}^{I}(\hat{y}_i - \overline{y})^2$	$MQ_{reg} = \dfrac{SQ_{reg}}{p-1}$
Resíduos	$I-p$	SQ_{res} $(\mathbf{y}-\hat{\mathbf{y}})^T(\mathbf{y}-\hat{\mathbf{y}}) = \sum_{i=1}^{I}(y_i - \hat{y}_i)^2$	$MQ_{res} = \dfrac{SQ_{res}}{I-p}$

[a] p é o número de parâmetros no modelo, que é igual a dois na regressão univariada com intercepto e I é o número de amostras.
[b] $\mathbf{y}$ é o vetor que contém as respostas experimentais das I amostras e y_i é o valor do i-ésimo elemento desse vetor; $\hat{\mathbf{y}}$ é o vetor dos valores estimados pelo modelo e $\overline{y}$ é a resposta experimental média; $\overline{\mathbf{y}}$ é o vetor $\mathbf{1}\,\overline{y}$, em que $\mathbf{1}$ é o vetor com todos os seus I elementos iguais a 1.

Analisando a Figura 7b e a Tabela 4, é visível que a soma quadrática total corrigida (desvio das respostas experimentais ao valor médio) contém informação a respeito da reprodutibilidade dos dados. Desvios pequenos apresentam baixa dispersão das respostas e, portanto, melhor reprodutibilidade, *i.e.*, maior precisão do método.

Vários parâmetros estatísticos podem ser derivados das somas quadráticas definidas na Tabela 4. Um deles é a fração de variância nos dados, que é explicada pelo modelo e designada na literatura como coeficiente de determinação, R^2.

$$R^2 = \frac{SQ_{reg}}{SQ_{Tcor}} = 1 - \frac{SQ_{res}}{SQ_{Tcor}} \quad (18)$$

Esse parâmetro nos informa quão bem o modelo proposto se ajusta aos dados. Conforme a Figura 7b, quanto maior for o círculo interno, melhor será o ajuste. Entretanto, à medida que novos parâmetros são incluídos no modelo, o valor de R^2 cresce e, então, foi proposto um novo parâmetro R'^2 (R^2 ajustado), que considera o número de graus de liberdade de cada termo da equação 18[24]. R'^2 é mais apropriado do que R^2, quando se usam os métodos multivariados. Outra estatística útil que pode ser derivada das somas quadráticas é chamada de *F para a regressão* ou *estatística F* e cuja definição se encontra na expressão 19.

$$F = \frac{\dfrac{SQ_{reg}}{p-1}}{\dfrac{SQ_{res}}{I-p}} = \frac{MQ_{reg}}{MQ_{res}} \quad (19)$$

A razão F compara a variância explicada pelo modelo (MQ_{reg}) e a variância devida aos erros (MQ_{res}), e ambas seguem uma distribuição chiquadrado com $(p-1)$ e $(I-p)$ graus de liberdade, respectivamente (χ^2_{p-1} e χ^2_{I-p}). Como as somas quadráticas SQ_{reg} e SQ_{res} são independentes, a razão F segue uma distribuição $F_{(p-1;\,I-p)}$ com $(p-1)$ graus de liberdade no numerador e $(I-p)$ no denominador, e o valor calculado pela expressão 19 pode ser comparado ao valor $F_{\alpha,(p-1;\,I-p)}$, tabelado para um dado nível de confiança α. O teste F é aplicado nesse caso para verificar se, no nível de confiança especificado, uma variância é maior do que a outra, e não se elas são diferentes entre si. A média quadrática MQ_{reg} é significativamente maior do que MQ_{res}, se a razão F calculada for maior do que o valor tabelado $F_{\alpha,(p-1;\,I-p)}$ no nível de confiança α.

---

24 $R'^2 = 1 - \dfrac{MQ_{res}}{MQ_{Tcor}}$

Pode-se pensar na razão F como sendo uma espécie de razão sinal-ruído S/R, uma vez que ela compara a variância explicada (o sinal S) e a variância devida aos erros (o ruído R). Fazendo analogia com a Figura 7b, quanto menor for a área sombreada, maior será o valor de F e melhor a razão S/R. A expressão 19 também depende do número de amostras, I. Quanto maior o conjunto de calibração, maior o valor de F.

A análise de variância foi aplicada aos dois modelos de regressão construídos para as porfirinas, e os resultados obtidos estão na Tabela 5.

Tabela 5 – Resultados da análise de variância para os dois modelos univariados construídos pelos métodos clássico e inverso

	Análise de variância	
	Método clássico	Método inverso
SQ_T	0,3836	3,6400
SQ_M	0,3468	3,2914
SQ_{Tcor}	0,0369	0,3486
SQ_{reg}	0,0368	0,3478
SQ_{res}	$8,043 \times 10^{-5}$	$7,602 \times 10^{-4}$
Razão F	$2,288 \times 10^3$	$2,288 \times 10^3$
R^2	0,998	0,998
R'^2	0,997	0,997
$F_{0,05(p-1;\,I-p)}$ [a]	6,61	
$F_{0,01(p-1;\,I-p)}$ [b]	16,26	

[a] 95% de confiança
[b] 99% de confiaça

Os valores de F calculados são significativamente maiores do que os valores tabelados nos dois níveis de confiança considerados, indicando que ambos os modelos satisfazem a estatística F.

Intervalos de confiança para os parâmetros: intercepto e inclinação

Vamos assumir que existe erro somente nas medidas que estão representadas no eixo das ordenadas (no eixo y), que não existem erros sistemáticos, *i.e.*, que o erro em y_i é aleatório e que eles têm variância constante para todas as amostras[12] ($\sigma_{iy}^2 = \sigma_y^2$), e, portanto, os resíduos são homoscedásticos. Nessas condições, é possível calcular os desvios-padrões dos parâmetros b e seus intervalos de confiança.

A parte da variância de y que não foi modelada pode ser calculada de duas maneiras: havendo repetições, ela é calculada usando a expressão clássica. Se não há repetições, ela deve ser calculada usando a soma quadrática dos resíduos, SQ_{res}, como indicado na expressão 20,

$$s_y^2 = \frac{SQ_{res}}{I - p}, \qquad (20)$$

onde I é o numero de amostras do conjunto de calibração e p é o número de parâmetros no modelo. A variância da equação 20 nada mais é do que a média quadrática dos resíduos da Tabela 4, que, em geral, é designada como MSE[25]. A raiz quadrada de MSE é conhecida na literatura como $RMSEC$ ou, simplesmente, SEC[26]. Se o modelo é livre de viés, MSE é uma estimativa não tendenciosa da variância do erro, σ_y^2. Uma vez que se conhece s_y^2, é possível calcular a variância dos coeficientes do modelo e, finalmente, os seus intervalos de confiança.

Da teoria de propagação de erros, se z é uma função de y, então a variância de z devida aos erros aleatórios das medidas de y é dada pela expressão 21.

$$\sigma_z^2 = \sum_{i=1}^{I} \sigma_{y_i}^2 \left(\frac{\partial z}{\partial y_i}\right)^2 = s_y^2 \sum_{i=1}^{I} \left(\frac{\partial z}{\partial y_i}\right)^2 \qquad (21)$$

---

25 Do inglês: *Mean Square Error*.
26 Do inglês: *Root Mean Square Error of Calibration* (*RMSEC*) ou *Standard Error of Calibration* (*SEC*), em que $I - p$ é o número de graus de liberdade. Há autores que utilizam simplesmente I no denominador da equação 20 para designar *RMSEC*. Do ponto de vista numérico, pode até não fazer diferença significativa, mas do ponto de vista estatístico, é incorreto.

No nosso caso, z são os coeficientes de regressão estimados pelo modelo, b_0 e b_1, encontrados na equação 5 para o método clássico. Para o coeficiente b_0[27],

$$s_{b_0}^2 = s_y^2 \sum \left(\frac{\partial b_0}{\partial y_i}\right)^2 \quad \text{ou} \quad s_{b_0}^2 = s_y^2 \frac{\left(\sum x_i^2\right)}{I\sum x_i^2 - \left(\sum x_i\right)^2}. \quad (22)$$

Para o coeficiente b_1 da equação 5[28],

$$s_{b_1}^2 = s_y^2 \sum \left(\frac{\partial b_1}{\partial y_i}\right)^2 \quad \text{ou}$$

$$s_{b_1}^2 = s_y^2 \frac{I}{I\sum x_i^2 - \left(\sum x_i\right)^2} = s_y^2 \frac{1}{\sum (x_i - \bar{x})^2}. \quad (23)$$

Essas variâncias obtidas nas expressões 22 e 23 são exatamente os elementos da diagonal da matriz de variância-covariância dos parâmetros do modelo.

$$\sigma_b^2 = \begin{bmatrix} \sigma_{b_0}^2 & r\sigma_{b_0}\sigma_{b_1} \\ r\sigma_{b_1}\sigma_{b_0} & \sigma_{b_1}^2 \end{bmatrix} \quad (24)$$

---

27 $\dfrac{\partial b_0}{\partial y_i} = \dfrac{\sum x_i^2 - x_i \sum x_i}{I\sum x_i^2 - \left(\sum x_i\right)^2}$

$\sum \left(\dfrac{\partial b_0}{\partial y_i}\right)^2 = \dfrac{I\left(\sum x_i^2\right)^2 - 2\sum x_i^2 \left(\sum x_i\right)^2 + \sum x_i^2 \left(\sum x_i\right)^2}{\left[I\sum x_i^2 - \left(\sum x_i\right)^2\right]^2} = \dfrac{\left(\sum x_i^2\right)}{I\sum x_i^2 - \left(\sum x_i\right)^2}$

28 $\dfrac{\partial b_1}{\partial y_i} = \dfrac{Ix_i - \sum x_i}{I\sum x_i^2 - \left(\sum x_i\right)^2}$

$\sum \left(\dfrac{\partial b_1}{\partial y_i}\right)^2 = \dfrac{I^2 \sum x_i^2 - 2I\left(\sum x_i\right)^2 + I\left(\sum x_i\right)^2}{\left[I\sum x_i^2 - \left(\sum x_i\right)^2\right]^2} = \dfrac{I}{I\sum x_i^2 - \left(\sum x_i\right)^2}$

Além disso, esses resultados que acabamos de obter analiticamente são, a menos da variância s_y^2, idênticos aos elementos da diagonal da matriz $(\mathbf{C}^T\mathbf{C})^{-1}$ obtidos na expressão 9.

$$\mathbf{s}_b^2 = s_y^2 [\mathbf{X}^T\mathbf{X}]^{-1} = \begin{bmatrix} s_{b_0}^2 & s_{b_0 b_1}^2 \\ s_{b_1 b_0}^2 & s_{b_1}^2 \end{bmatrix} \qquad (25)$$

Então, para calcular a variância dos coeficientes de regressão, basta calcular a variância dos resíduos conforme a expressão 20 e usar a inversa da matriz $\mathbf{X}^T\mathbf{X}$, que já foi calculada anteriormente quando da obtenção dos parâmetros do modelo. O desvio-padrão (também chamado de erro-padrão) dos coeficientes de regressão, s_{b_1} e s_{b_0}, são as raízes dos elementos da diagonal da matriz indicada na expressão 25. Se o método clássico foi aplicado para a construção do modelo, então $\mathbf{X} = \mathbf{C}$. No caso do método inverso, $\mathbf{X} = \mathbf{A}$.

Finalmente, os limites de confiança dos parâmetros de regressão podem ser calculados no nível de confiança α, pela estatística t de Student para $I - p$ graus de liberdade, onde p é o número de parâmetros no modelo ($p = 2$ na regressão univariada com intercepto) e $t_{\alpha/2}$ é o ponto superior da distribuição bilateral t.

$$b_0 = \hat{b}_0 \pm t_{\alpha/2} s_{b_0} \qquad \text{e} \qquad b_1 = \hat{b}_1 \pm t_{\alpha/2} s_{b_1}. \qquad (26)$$

Ao fazer os cálculos dos limites de confiança para os coeficientes do modelo clássico ($y = A$ e $x = c$), utilizamos os valores dos resíduos que estão na Tabela 2 para o cálculo da média quadrática dos resíduos e a matriz $[\mathbf{C}^T\mathbf{C}]^{-1}$, que já foi calculada na expressão 14. O valor de s_A^2 (ou MSE) e a matriz de variância-covariância de $\mathbf{b}$ resultante estão representados na expressão 27. O erro-padrão de cada coeficiente, s_{b_0} e s_{b_1}, é obtido extraindo a raiz quadrada do primeiro e do segundo elemento da diagonal dessa matriz, produzindo, respectivamente, $s_{b_0} = \sqrt{0{,}24 \times 10^{-4}}$ e $s_{b_1} = \sqrt{0{,}462 \times 10^{-4}}$.

$$s_A^2 = MSE = \frac{SQ_{res}}{I-p} = \frac{8{,}043 \times 10^{-5}}{5} = 1{,}6085 \times 10^{-5} \quad \text{e}$$

$$\mathbf{s}_b^2 = s_A^2 \left[\mathbf{C}^T\mathbf{C}\right]^{-1} = 10^{-4}\begin{bmatrix} 0{,}240 & -0{,}316 \\ -0{,}316 & 0{,}462 \end{bmatrix}.$$

(27)

Para um nível de 95% de confiança ($\alpha = 0{,}05$) e ($I - 2$) = 5 graus de liberdade, o valor tabelado de $t_{0{,}025}$ é igual a 2,571, e os coeficientes de regressão com os respectivos intervalos de confiança são:

$$-0{,}0002 - 0{,}0126 \leq b_0 \leq -0{,}0002 + 0{,}0126 \quad \text{e}$$

$$0{,}325 - 0{,}0175 \leq b_1 \leq 0{,}325 + 0{,}0175,$$

(28)

e a curva de calibração final é: $\hat{A}_i = (-0{,}0002 \pm 0{,}0126) + (0{,}325 \pm 0{,}0175)c_i$.

Considerando o modelo inverso, definido na equação 15, os limites de confiança dos parâmetros são calculados de maneira idêntica, bastando substituir s_y^2 por s_c^2 na equação 25 e $(\mathbf{X}^T\mathbf{X})^{-1}$ por $(\mathbf{A}^T\mathbf{A})^{-1}$. A variância dos resíduos ou *MSE*, que agora é na concentração e não na intensidade, é calculada de acordo com a equação 29, bem como a matriz de variância-covariância de **b**.

$$s_c^2 = MSE = \frac{SQ_{res}}{I-p} = \frac{7{,}602 \times 10^{-4}}{5} = 1{,}520 \times 10^{-4} \quad \text{e}$$

$$\mathbf{s}_b^2 = s_c^2 \left[\mathbf{A}^T\mathbf{A}\right]^{-1} = 1{,}520 \times 10^{-4}\begin{bmatrix} 1{,}486 & -6{,}035 \\ -6{,}035 & 27{,}115 \end{bmatrix}.$$

(29)

A equação 30 nos dá os parâmetros do modelo construído pelo método inverso com os respectivos limites no nível de 95% de confiança, e o modelo de calibração final é, nesse caso, $\hat{c}_i = (0{,}002 \pm 0{,}039) + (3{,}071 \pm 0{,}165)A_i$.

$0,002 - 0,039 \leq b_0 \leq 0,002 + 0,039$ e

$3,071 - 0,165 \leq b_1 \leq 3,071 + 0,165.$ (30)

O intervalo de confiança para b_0 inclui o zero, sugerindo um intercepto igual a zero para ambos os modelos e que um modelo de calibração passando pela origem é plausível no nível de significância especificado. Foi confirmado aqui o que havia sido comentado anteriormente ao introduzir-se o gráfico da Fig. 4. O intercepto será mantido nesta seção apenas para mostrar como ele é utilizado no cálculo das figuras de mérito.

Intervalos de confiança da curva de calibração e para uma concentração prevista

O valor médio estimado de y_i para uma amostra i, relativo a m repetições na posição x_i, vai depender dos parâmetros obtidos e, portanto, dos seus desvios-padrões. O intervalo de confiança do valor estimado de y_i é calculado assumindo que $\sigma_{\hat{y}}^2 = s_{\hat{y}}^2$, onde $s_{\hat{y}}$ é o erro-padrão da curva de calibração, e que os erros aleatórios existem somente em y. A expressão completa em termos matriciais se encontra na expressão abaixo, onde o vetor $\mathbf{x}_i^T$ é um vetor-linha com dois elementos $[1 \quad x_i]$:

$$\hat{y}_i \pm t_{\alpha/2} s_{\hat{y}} = \hat{y}_i \pm t_{\alpha/2} s_y \sqrt{\mathbf{x}_i^T (\mathbf{X}^T \mathbf{X})^{-1} \mathbf{x}_i} .$$ (31)

O que nos chama a atenção na equação 31 é o produto $\mathbf{x}_i^T (\mathbf{X}^T \mathbf{X})^{-1} \mathbf{x}_i$, que é exatamente a influência, h_{ii}, da amostra i (ver eq. 11) e ela pode ser simplificada para:

$$\hat{y}_i - t_{\alpha/2} s_y \sqrt{h_{ii}} \leq y_i \leq \hat{y}_i + t_{\alpha/2} s_y \sqrt{h_{ii}} .$$ (32)

Utilizaremos a amostra 4, cuja concentração é 0,7 mmol L^{-1}, para determinar o intervalo de confiança da curva de calibração obtida pelo método clássico e, a seguir, pelo método inverso de calibração. A intensidade registrada pelo instrumento e a estimada pelo modelo clássico para esta amostra em 619 nm foram 0,229 e 0,227 u.a., respectivamente. O intervalo de confiança na intensidade de emissão é calculado pela expressão 32 fazendo $y = A$ e tomando o valor de s_y (erro padrão de calibração, SEC) da expressão 27 e de influência da amostra 4, que se encontra na Tabela 2 ($h_{44} = 0,143$), sendo que o resultado obtido foi $\hat{A}_4 \pm t_{\alpha/2} s_A \sqrt{h_{44}} = 0,227 \pm t_{\alpha/2} 0,0015$ u.a.

No nível de 95% de confiança ($t_{0,025} = 2,571$ para 5 graus de liberdade), o valor estimado da intensidade com o respectivo intervalo de confiança para a concentração de porfirina igual a 0,7 mmol L^{-1} é de 0,227 ± 0,004 u.a.

Repetindo esses cálculos para as outras amostras do conjunto de calibração, calcula-se uma série de intervalos no nível de confiança especificado, gerando a banda de confiança da Figura 8a. A terceira coluna da Tabela 6 contém os intervalos de confiança usados para construir essa banda de confiança.

Tabela 6 – Intervalos de confiança das intensidades estimadas pelo modelo construído pelo método clássico[a], e das concentrações estimadas pelo método inverso[b]

Amostra	Conc. mmol L^{-1}	$\hat{A} \pm t_{\alpha/2} s_A \sqrt{h_{ii}}$ u.a.[a]	$\hat{c} \pm t_{\alpha/2} s_c \sqrt{h_{ii}}$ mmol L^{-1}[b]
1	1,0	0,325 ± 0,007	1,003 ± 0,021
2	0,9	0,292 ± 0,005	0,911 ± 0,017
3	0,8	0,260 ± 0,004	0,776 ± 0,013
4	0,7	0,227 ± 0,004	0,706 ± 0,012
5	0,6	0,195 ± 0,004	0,598 ± 0,013
6	0,5	0,162 ± 0,005	0,503 ± 0,016
7	0,3	0,097 ± 0,008	0,303 ± 0,024

[a] As influências das amostras estão na Tabela 2, e o valor de s_A = SEC, na equação 27. A representação gráfica das bandas de confiança se encontra na Figura 8a.
[b] As influências das amostras estão na Tabela 3, e o valor de s_c = SEC, na equação 29. A representação gráfica das bandas de confiança se encontra na Figura 8b.

Para o método inverso, a expressão 32 determina o intervalo de confiança nas concentrações, pois agora $y_i = c_i$. O procedimento adotado é idêntico ao anterior, bastando apenas fazer uso dos resultados de influência listados na Tabela 3 e do erro-padrão, que é dado na equação 29. Os resultados obtidos estão na última coluna da Tabela 6, e a representação gráfica das bandas de confiança se encontra na Figura 8b.

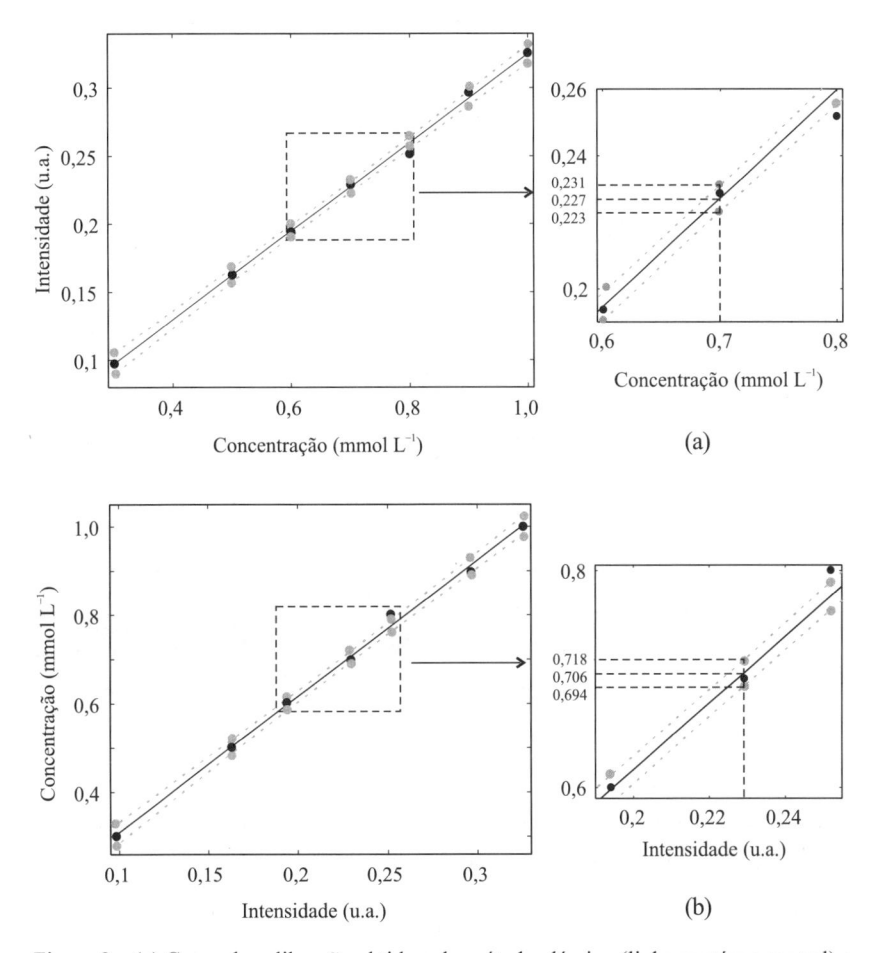

Figura 8 – (a) Curva de calibração obtida pelo método clássico (linha contínua central) e as bandas de confiança da curva de calibração (linhas tracejadas cinza) para as amostras de porfirina com 95% de confiança, e uma expansão do gráfico ($\hat{A}$ = 0,227 ±0,004 u.a.) para a amostra de concentração c = 0,70 mmol L^{-1}. (b) Curva de calibração obtida pelo método inverso (linha contínua central) e as bandas de confiança da curva de calibração (linhas tracejadas cinza) para as amostras de porfirina com 95% de confiança, e uma expansão do gráfico para a amostra de concentração c = 0,70 mmol L^{-1}, ($\hat{c}$ = 0,706 ± 0,012 mmol L^{-1}). Os pontos pretos representam as amostras do conjunto de calibração e os pontos cinza indicam os respectivos intervalos usados para a construção das bandas de confiança (Tabela 6).

Note-se que, para ambos os métodos, as bandas são mais estreitas na região próxima da concentração média do conjunto de calibração devido à variação nas influências das amostras que são menores na região próxima da resposta média e maiores nas extremidades. Isso quer dizer que a resposta estimada para uma amostra i, $\hat{y}_i$, é mais precisa quando seu respectivo valor de x está mais próximo do valor médio, $\bar{x}$, do conjunto de calibração. A precisão reduz, à medida que as amostras se distanciam do centro do conjunto de dados.

A seguir, vamos introduzir o cálculo da incerteza na resposta para uma amostra de previsão, p, que pode ser obtida diretamente de uma modificação da expressão 32, uma vez que o erro-padrão, $s_{\hat{y}}$, é ligeiramente diferente[29]. Essa expressão pode ser utilizada para definir as novas bandas de confiança para as amostras de previsão, tanto para o método clássico como para o inverso. A equação 33 nos fornece a resposta estimada com o respectivo intervalo de confiança. Nessa equação m é o número de repetições feitas para a amostra de previsão (se não foram feitas, $m = 1$) e h_p é a influência da amostra p. A Tabela 7 contém os novos intervalos de confiança resultantes da aplicação da equação 33 aos dados das curvas de calibração em que $m = 1$. A Figura 9 mostra graficamente as bandas de confiança, determinadas com 95% de confiança; as mais internas são para a curva de calibração e as mais externas se referem à previsão. Essas bandas representam níveis de tolerância, uma vez que as amostras do conjunto de calibração ou de previsão que se encontrarem fora das respectivas curvas devem ser investigadas caso a caso como possíveis amostras anômalas.

$$\hat{y}_p \pm t_{\alpha/2} s_{\hat{y}} = \hat{y}_p \pm t_{\alpha/2} s_y \sqrt{\frac{1}{m} + \mathbf{x}_p^T (\mathbf{X}^T\mathbf{X})^{-1} \mathbf{x}_p} = \hat{y}_p \pm t_{\alpha/2} s_y \sqrt{\frac{1}{m} + h_p} \quad (33)$$

---

29 A variância de uma amostra de previsão p é dada pela expressão $\sigma_{\hat{y}}^2 = \sigma_{\tilde{y}}^2 + \mathbf{x}_i^T \sigma_b^2 \mathbf{x}_i$, em que $\sigma_{\hat{y}}^2 = s_y^2$, para uma única medida, e $\sigma_{\hat{y}}^2 = \frac{1}{m} s_y^2$, se y é a média de m repetições.

Tabela 7 – Intervalo de confiança de previsão das intensidades estimadas pelo método clássico[a] e das concentrações estimadas pelo método inverso[b]

Amostra	$\hat{A} \pm t_{\alpha/2} s_A \sqrt{1+h_{ii}}$ u.a.[a]	$\hat{c} \pm t_{\alpha/2} s_c \sqrt{1+h_{ii}}$ mmol L^{-1} [b]
1	0,325 ± 0,012	1,003 ± 0,038
2	0,292 ± 0,012	0,911 ± 0,036
3	0,260 ± 0,011	0,776 ± 0,034
4	0,227 ± 0,011	0,706 ± 0,034
5	0,195 ± 0,011	0,598 ± 0,034
6	0,162 ± 0,012	0,503 ± 0,035
7	0,097 ± 0,013	0,303 ± 0,040

[a] As influências das amostras estão na Tabela 2 e o valor de $s_A = SEC$ na equação 27.
[b] As influências das amostras estão na Tabela 3 e o valor de $s_c = SEC$ na equação 29.

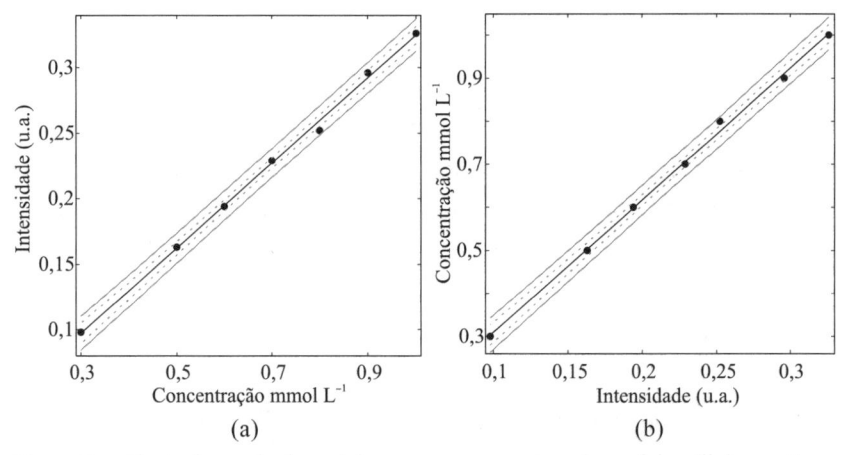

Figura 9 – Ajuste de quadrados mínimos para as amostras de porfirina (linha contínua central), as bandas de confiança da curva de calibração (linhas tracejadas internas na cor cinza) e as bandas de confiança para as previsões com 95% de confiança (linhas contínuas externas em cor cinza). (a) Modelo construído pelo método clássico. (b) Modelo construído pelo método inverso.

A amostra de número 3, que estava fora dos limites das bandas de confiança da curva de calibração, agora se encontra dentro dos novos limites e por enquanto não será considerada como uma amostra atípica.

Retornando ao exemplo das porfirinas, as concentrações estimadas por ambos os modelos para a amostra de previsão, cuja concentração real é igual a $c_p = 0{,}65$ mmol L^{-1} e cuja intensidade registrada foi de $A_p = 0{,}213$ u.a., foram idênticas e iguais a $\hat{c}_p = 0{,}656$ mmol L^{-1} (expressão 17). Um fato importante é que, para o método inverso, a incerteza na concentração prevista é obtida diretamente da equação 33, e o resultado obtido foi $\hat{c}_p = 0{,}656 \pm 0{,}034$ mmol L^{-1} no nível de 95% de confiança e para $m = 1$. Já para o método clássico, o cálculo do intervalo de confiança na concentração para uma amostra previsão deve ser feito por meio da expressão analítica[30] indicada na equação 34, pois, a princípio, não se conhece a sua concentração, que é necessária para o cálculo da influência.

$$\hat{c}_p \pm t_{\alpha/2} s_{\hat{c}} = \hat{c}_p \pm t_{\alpha/2} \frac{s_A}{|b_1|} \sqrt{\frac{1}{m} + \frac{1}{I} + \frac{(A_p - \overline{A})^2}{b_1^2 \sum_{i=1}^{I}(c_i - \overline{c})^2}} \qquad (34)$$

Na equação 34, $s_{\hat{c}}$ é o desvio-padrão (ou o erro-padrão) da variável preditora e m é o número de repetições feitas para a amostra de previsão. I é o número de amostras do conjunto de calibração; b_1, a sensibilidade do modelo; $\overline{A}$ é a resposta média do conjunto de calibração; e c_i e $\overline{c}$ são as medidas experimentais da variável preditora (independente) e a concentração média do conjunto de calibração.

O resultado obtido utilizando o método clássico para a amostra de previsão foi exatamente o mesmo encontrado anteriormente pelo método inverso: $\hat{c}_p = 0{,}656 \pm 0{,}034$ mmol L^{-1} no nível de 95% de confiança. A Figura 10 apresenta os resultados que acabamos de discutir. Nessa

---

30 A variância de x é dada pela expressão simplificada da equação de propagação de erros: $\sigma_x^2 = \sigma_y^2 \left(\frac{\partial x}{\partial y}\right)^2 + \sigma_{\overline{y}}^2 \left(\frac{\partial x}{\partial \overline{y}}\right)^2 + \sigma_{b_1}^2 \left(\frac{\partial x}{\partial b_1}\right)^2$, sendo que $x = \overline{x} + \frac{1}{b_1}(y - \overline{y}); \sigma_y^2 = s_y^2$ para uma medida e $\sigma_{\overline{y}}^2 = \frac{1}{m} s_y^2$, se y é a média de m repetições; $\sigma_{\overline{y}}^2 = \frac{1}{I} s_y^2$ e $\sigma_{b_1}^2$ pode ser encontrado na equação 23. $\sigma_x^2 = \left(\frac{1}{b_1}\right)^2 \frac{s_y^2}{m} + \left(-\frac{1}{b_1}\right)^2 \frac{s_y^2}{I} + \left(-\frac{y - \overline{y}}{b_1^2}\right)^2 s_{b_1}^2$ e $s_x = \frac{s_y}{|b_1|} \sqrt{\frac{1}{m} + \frac{1}{I} + \frac{(y - \overline{y})^2}{b_1^2 \sum(x_i - \overline{x})^2}}$.

figura estão indicados: a intensidade medida para amostra de previsão, o valor estimado da concentração e o intervalo de confiança calculado com 95% de confiança, para ambos os métodos de regressão.

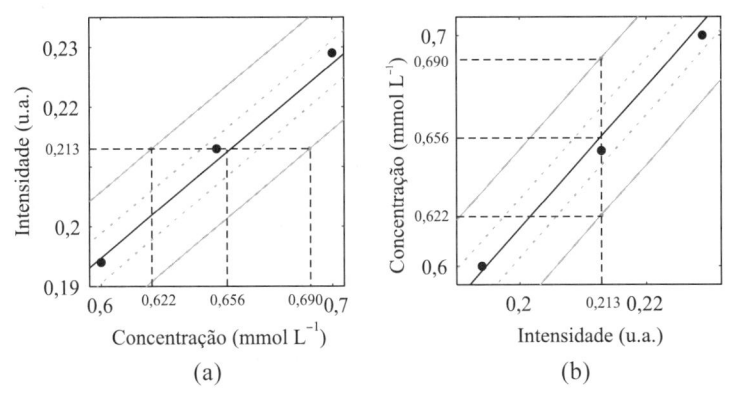

Figura 10 – Intervalos de confiança para a concentração prevista com 95% de confiança $(0{,}656 \pm 0{,}034 \text{ mmol L}^{-1})$. (a) Pelo método clássico de calibração. (b) Pelo método inverso de calibração.

As expressões 33 e 34 também nos informam que o intervalo de confiança diminui se forem feitas repetições. Por exemplo, se considerarmos que a amostra p foi preparada em duplicata ($m = 2$), o intervalo de confiança do valor médio da concentração estimada pelo método inverso cai de $\pm 0{,}034$ para $\pm 0{,}026$.

Limite de detecção

A concentração de um constituinte de interesse pode ser determinada em quantidades muito menores hoje, com a instrumentação de alta tecnologia disponível, do que quando se usavam os métodos clássicos de análise. Análises forenses, quando as drogas são testadas em níveis de traços na urina, e a determinação de poluentes em análises ambientais são atualmente procedimentos de rotina. Nessas situações, o analista enfrenta dois problemas: ele não quer errar afirmando que uma droga ou um poluente está presente em uma amostra quando na realidade não está, mas também não quer deixar de detectá-los quando algum deles estiver presente. É desejável que a probabilidade de cometer um desses dois erros seja mínima.

Uma questão que praticamente todo químico analítico envolvido na validação de um método aborda diz respeito aos limites de detecção (*LD*) e de quantificação (*LQ*). Reformulando o problema, o analista deverá estar preparado para identificar se uma intensidade fraca é realmente devido à presença da espécie de interesse ou se ela representa apenas o branco[31].

Antes de introduzir os parâmetros *LD* e *LQ*, vamos definir o nível crítico de um sinal, y_c, que é o valor no qual um sinal observado pode ser distinguido, com segurança, do branco, *br*. Se o sinal do branco fosse zero, com um desvio padrão igual a zero, qualquer sinal medido pelo instrumento seria significativo. Essa é uma situação ideal e irreal, pois na realidade o sinal do branco é diferente de zero. Basta registrar seu sinal várias vezes para verificar que existe uma dispersão ao redor do valor igual a zero. O nível crítico do sinal para um modelo construído pelo método clássico pode ser expresso como

$$\hat{y}_c = \mu_{br} + k_c \sigma_{br}, \tag{35}$$

onde μ_{br} e σ_{br} são, respectivamente, os valores populacionais da média e do desvio-padrão do sinal do branco e k_c é uma constante. Assumimos anteriormente que cada ponto no modelo de calibração (incluindo o branco) segue uma distribuição de probabilidade normal com desvio-padrão constante[12]. Aplicando, então, a estatística da distribuição normal padrão *z* com a constante k_c igual a z_α, determina-se o valor crítico do sinal. No nível de confiança α igual a 0,05, o valor tabelado de z_α é igual a 1,645 e o nível crítico do sinal se torna $\hat{y}_c = 1{,}645\sigma_{br}$ para $\mu_{br} = 0$. Com esse nível de risco, a probabilidade de detectar o constituinte de interesse em uma amostra do branco é de 5%[32]. Se o sinal do branco foi

---

31 Também conhecido como sinal de fundo — em inglês: *background*.
32 A aplicação da estatística da distribuição normal padrão é apropriada quando o número de amostras é grande. Se o número de amostras for menor do que 20, não se justifica usar esse valor crítico, mas sim o da distribuição *t* com (*I − p*) graus de liberdade. Para as porfirinas, no nível de confiança de 95% $k = t_{\alpha/2} = 2{,}571$ e $\hat{y}_c = \bar{y}_{br} + 2{,}571 s_{br}$.

medido várias vezes, $\bar{y}_{br}$ e s_{br} são boas estimativas dos respectivos valores populacionais, μ_{br} e σ_{br}, e a expressão 35 pode ser escrita como

$$\hat{y}_c = \bar{y}_{br} + k_c s_{br} \quad \text{ou} \quad \hat{y}_c = k_c s_{br} \text{ para } \bar{y}_{br} = 0. \tag{36}$$

Se não foram feitas medidas do branco, $\bar{y}_c$ e s_{br} podem ser determinados usando a própria equação matemática da curva de calibração. Se o analito não está presente, então $x = 0$ e o sinal medido corresponde ao valor esperado do branco, $\bar{y}_{br} = \hat{b}_0$, que é o intercepto do modelo, com um desvio-padrão dado pela expressão $s_{br} = s_y \sqrt{\dfrac{1}{m} + h_{br}}$, em que a influência do branco é calculada pela expressão $h_{br} = \mathbf{x}_0^T (\mathbf{X}^T \mathbf{X})^{-1} \mathbf{x}_0$ com $\mathbf{x}_0^T = \begin{bmatrix} 1 & 0 \end{bmatrix}$ e $m = 1$. Ao fazer o cálculo da influência do branco, obtém-se que $\mathbf{x}_0^T (\mathbf{X}^T \mathbf{X})^{-1} \mathbf{x}_0 = s_{b_0}^2 / s_y^2$. Considerando o nível de confiança indicado acima para a distribuição normal padrão ou a distribuição t de Student com $(I-p)$ graus de liberdade, chegamos às seguintes expressões para o nível crítico:

$$\hat{y}_c = \hat{b}_0 + z_\alpha s_y \sqrt{1 + h_{br}} = \hat{b}_0 + z_\alpha \sqrt{s_y^2 + s_{b_0}^2} \quad \text{ou}$$

$$\hat{y}_c = \hat{b}_0 + t_{\alpha/2} \sqrt{s_y^2 + s_{b_0}^2}. \tag{37}$$

Nessas expressões, o nível crítico foi definido como o limite superior do intervalo de confiança do sinal estimado com $(1-\alpha) \times 100\%$ de probabilidade para a concentração igual a zero, *i.e.*, ao intercepto do modelo foi adicionado o intervalo do limite de confiança superior. Considera-se, então, que, com $(1-\alpha) \times 100\%$ de probabilidade, os sinais acima do nível crítico dificilmente seriam devido ao branco, e que os sinais abaixo de $\bar{y}_c$ indicariam amostras do branco.

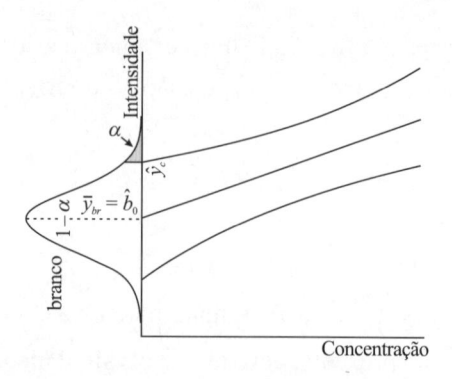

Figura 11 – Determinação do nível crítico do sinal $\hat{y}_c$ no nível de confiança α.

O gráfico da Figura 11 apresenta a distribuição normal do sinal do branco (a população do branco), em que é indicado o nível $\hat{y}_c$, determinado com um nível de confiança α.

Antes de procedermos ao cálculo dos limites de detecção e de quantificação, é necessário introduzir uma ferramenta estatística chave, que é o teste de hipóteses. Uma hipótese estatística denota uma afirmação sobre um ou mais parâmetros da distribuição de uma população, que precisa ser testada. Vamos introduzir as hipóteses nula e alternativa e os dois erros que podem ser cometidos ao testá-las, que são os erros do tipo I e os do tipo II. A hipótese nula, designada como H_0, indica a hipótese a ser testada. Se o valor testado é rejeitado, a hipótese alternativa, H_1, deve ser aceita.

Ao aplicar um teste de hipóteses, estamos analisando as chances de tomar a decisão incorreta. Ao rejeitar H_0 quando ela é verdadeira, tomamos a decisão incorreta e cometemos o erro do tipo I (designado de falso positivo). De maneira semelhante, ao aceitarmos H_0 quando ela é falsa (se H_0 é falsa, a hipótese alternativa H_1 é verdadeira e está sendo rejeitada), incorremos no erro do tipo II, designado de falso negativo[33].

---

33 Um exemplo contundente do teste de hipóteses pode ser aplicado a um julgamento em que a hipótese nula, descrita como H_0, é a seguinte: o réu não é culpado (ele é inocente); e a hipótese alternativa H_1 é, como o próprio nome diz, a opção alternativa: o réu é culpado. Ao rejeitar a hipótese nula quando ela é verdadeira, cometemos o erro do tipo I, que é equivalente a mandar um inocente para a cadeia (falso positivo), enquanto cometer um erro do tipo II implica deixar um criminoso em liberdade (falso negativo). Ambos os erros são totalmente distintos e gravíssimos.

Esses dois erros são distintos e tomar a decisão incorreta em qualquer um dos casos pode causar sérios problemas. Em um teste de hipótese fixa-se a probabilidade máxima de que ocorra um erro do tipo I, que designamos de nível de confiança ou significância do teste, α. Supondo que α seja igual a 0,05, a probabilidade de rejeitar H_0 quando ela deveria ser aceita é 5% (5 chances em 100). Em linguagem usual, diz-se que "H_0 foi rejeitada no nível de significância 0,05". Por outro lado, $(1 - \alpha) \times 100\%$ é a probabilidade de tomar a decisão correta.

Para os erros do tipo II, usa-se o nível de confiança β, que nos dá a probabilidade de aceitar a hipótese nula quando ela é falsa (probabilidade de cometer um erro do tipo II). β é conhecido como o *poder* do teste estatístico. Ao reduzir o valor de α, evita-se que erros mais sérios do tipo I sejam cometidos. Por outro lado, aumentam-se as chances de cometer erros do tipo II, e vice-versa.

Após essa rápida introdução, vamos retornar ao problema químico e introduzir as duas hipóteses.

Para uma amostra P, a hipótese nula pode ser descrita como:

H_0: a espécie de interesse não está presente na amostra P, *i.e.*, o sinal da amostra não é significativamente diferente do sinal do branco, uma vez que a amostra P e o branco pertencem à mesma população.

$$H_0: y_p = y_{br}$$

A hipótese alternativa, então, se torna:

H_1: a espécie de interesse está presente na amostra P, *i.e.*, o seu sinal é significativamente maior do que o do branco, pois a amostra P provém de outra população que não é a do branco.

$$H_1: y_p > y_{br}$$

Comete-se o erro do tipo I quando o constituinte de interesse está ausente em P e H_0 é rejeitada com uma probabilidade α (falso positivo). Por outro lado, ao aceitar a hipótese nula quando a espécie de interesse está presente na amostra (falso negativo), incorremos no erro do tipo II com probabilidade β. Aceitar ou rejeitar a hipótese nula vai depender do nível crítico do sinal y_c.

Ao analisarmos uma amostra P que contém apenas o branco, mas cuja resposta medida foi $y_p > y_c$, inferimos que ela pertence à área sombreada da curva da Figura 11. Existe uma probabilidade de 5% ($\alpha = 0{,}05$)

de tomar a decisão incorreta de que a espécie de interesse está presente ou de cometer um erro do tipo I afirmando que a amostra P não pertence à população do branco (falso positivo). Se a probabilidade de rejeitar H_0 é α, a probabilidade de essa hipótese ser aceita é $(1-\alpha)$, ou seja, a decisão correta é tomada com 95% de confiança.

A seguir, vamos considerar um novo experimento em que a amostra P contém a espécie de interesse com concentração igual a c_p e cuja resposta instrumental medida foi y_p. Essa amostra pertence a outra população (não à do branco), descrita por uma gaussiana com média $\hat{y}_p = \bar{y}_p$ e desvio-padrão $s_{\hat{y}}$. Nesse caso a hipótese alternativa é verdadeira e incorremos em um erro do tipo II ao rejeitá-la (ao não detectar a espécie de interesse quando ela estava presente). O gráfico da Figura 12 descreve essa situação, na qual o máximo da nova distribuição corresponde ao valor médio do sinal da amostra P, $\bar{y}_P$, α é o nível de confiança do nível crítico e β é o nível de confiança da amostra (que corresponde à área sombreada inferior).

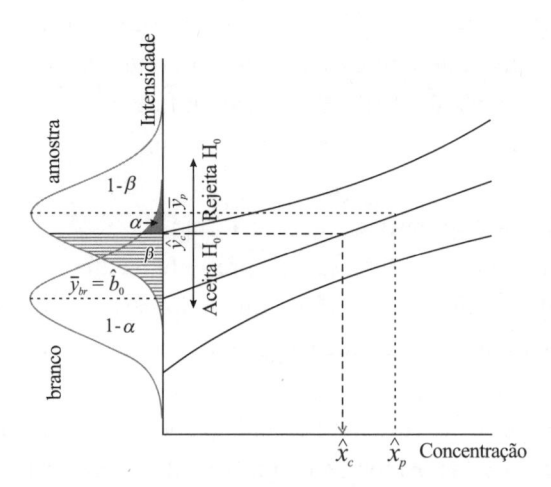

Figura 12 – Indicação do teste de hipóteses para uma amostra P que contém a espécie de interesse e cuja probabilidade de cometer o erro do tipo II (β) é muito maior do que a probabilidade de cometer o erro o do tipo I (α). A região acima de $\hat{y}_c$, indicada como "rejeita H_0", é a região em que a hipótese alternativa, H_1, é verdadeira $(1-\beta)$. As gaussianas têm a mesma abertura, indicando que as variâncias do branco e da amostra são iguais $s_{br}^2 = s_p^2$.

Na Figura 12, vê-se que β é bem maior do que α. Isso quer dizer que a probabilidade de cometer um erro do tipo II é maior e que em β

chances dentre 100 falhamos em detectar o constituinte de interesse quando ele está presente. Para uma amostra contendo a espécie de interesse em concentração equivalente à do nível crítico[34], o valor de β é igual a 0,5 e a probabilidade de falharmos em detectar o constituinte é de 50% (que é extremamente alta!). Toda essa discussão foi feita para deixar bem claro que o nível crítico não considera a ocorrência do erro do tipo II. Aumentando o valor médio do sinal da população da amostra P, o valor de β se torna cada vez menor. O ideal seria escolher um sinal médio, $\bar{y}_p$, para o qual $\alpha = \beta$, reduzindo substancialmente a chance de cometer um erro do tipo II. Nessas condições, o sinal medido é verdadeiro com risco de $(1 - \alpha) \times 100\%$ tanto para falso positivo quanto para falso negativo. A resposta esperada do sinal para a situação em que ambas as probabilidades são iguais identifica o limite de detecção, y_D. O gráfico da Figura 13 exemplifica como y_D é definido. Assumindo que o branco e a amostra D sigam a mesma distribuição normal, $s_{br}^2 = s_D^2$, e de acordo com a definição do nível crítico na expressão 36, o limite de detecção para $\alpha = \beta$ pode ser calculado pela expressão a seguir,

$$\hat{y}_D = \hat{y}_c + k_D s_D = \bar{y}_{br} + k_c s_{br} + k_D s_D = \hat{b}_0 + 2k s_{br}, \qquad (38)$$

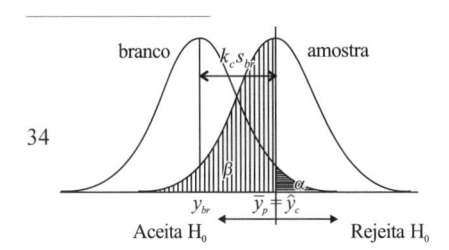

onde $\quad k_D = k_c = k$.

[34] Em 50% das vezes o constituinte de interesse é detectado como presente, mas na outra metade ele será reportado como ausente, pois $k_P = 0$.

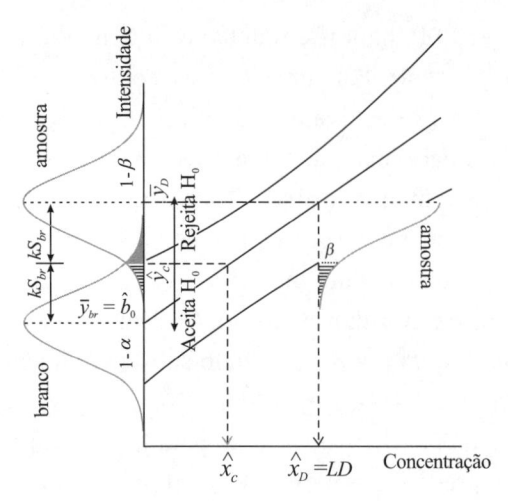

Figura 13 – Definição do limite de detecção do sinal e determinação do limite de detecção no domínio da concentração, LD, assumindo que as duas gaussianas têm a mesma forma, $s_{br}^2 = s_D^2$, e que o valor de $k_D = k_c = k$ quando α for igual a β.

Uma vez definidos o nível crítico do sinal e o limite de detecção do sinal, o limite de detecção no domínio da concentração, LD, pode ser calculado fazendo a substituição de y_D na equação do modelo de regressão ($y_D = A_D$; $x_D = c_D = LD$). A Figura 13 ilustra como o LD pode ser obtido graficamente.

$$LD = \hat{c}_D = \frac{\hat{A}_D - \hat{b}_0}{\hat{b}_1} \tag{39}$$

Por definição, o limite de detecção, LD, é a menor concentração que pode ser detectada pela técnica instrumental com um nível de confiança α e que seja distinta do sinal do branco. Não podemos nos esquecer de que o valor obtido para LD provém, pela própria definição, de uma decisão qualitativa. A Tabela 8 resume as alternativas para o cálculo do limite de detecção supondo que o branco e a amostra D sigam a mesma distribuição normal ($\sigma_{br}^2 = \sigma_P^2$).

Tabela 8 – Determinação do nível crítico do sinal e do limite de detecção quando α é igual a β

Nível crítico y_c	Distingue um sinal químico do sinal do branco	$\boxed{\hat{y}_c = \mu_{br} + k_c \sigma_{br}}$ $\hat{y}_c = \bar{y}_{br} + z_\alpha s_{br}$ [a] $\hat{y}_c = \hat{b}_0 + z_\alpha s_{br}$ ou $\hat{y}_c = \hat{b}_0 + t_{\alpha/2} s_{br}$ [b]
Limite de detecção do sinal y_D	Mede qualitativamente a capacidade de detecção do constituinte	$\boxed{\hat{y}_D = \mu_{br} + k_c \sigma_{br} + k_D \sigma_D = 2k\sigma_{br}}$ $\hat{y}_D = \bar{y}_{br} + z_\alpha s_{br} + z_\beta s_D = \bar{y}_{br} + 2z_\alpha s_{br}$ [c] $\hat{y}_D = \hat{b}_0 + 2z_\alpha s_{br}$ ou $\hat{y}_D = \hat{b}_0 + 2t_{\alpha/2} s_{br}$ [d]

Para um sistema que segue a lei de Beer: $\bar{y}_{br} = 0$ e $\hat{b}_0 = 0$.

[a] Foram feitas várias medidas do branco e o número de amostras > 20; $k_c = z_\alpha$ para a distribuição normal padrão no nível de confiança α.
[b] Não foram feitas medidas do branco. Usa-se a distribuição normal padrão z ou o teste t de Student com $I - p$ graus de liberdade no nível de confiança α e $s_{br} = \sqrt{s_y^2 + s_{b_0}^2}$
[c] Foram feitas várias medidas do branco; $\sigma_{br} = \sigma_D$ e $\alpha = \beta$ e o número de amostras > 20.
[d] Não foram feitas medidas do branco; $\sigma_{br} = \sigma_D$ e estimados por $s_{br} = \sqrt{s_y^2 + s_{b_0}^2}$; $\alpha = \beta$, onde $k_c = k_D = k$.

A Tabela 8 e a Figura 13 mostram claramente de onde aparece o fator 2 na determinação do limite de detecção do sinal. Como todos esses cálculos dependem do intervalo de confiança, é importante que o *LD* esteja sempre acompanhado do nível de significância selecionado. Quanto maior for o nível de confiança, maior será o nível crítico, o limite de detecção do sinal e, portanto, da espécie de interesse no domínio da concentração.

Resumindo os resultados da Tabela 8, as equações 40 e 41 apresentam as expressões finais para o cálculo do limite de detecção do sinal no nível de confiança de 95%, assumindo que $\bar{y}_{br} = 0$ e que $\hat{b}_0 = 0$.

$$\hat{y}_D = 2z_\alpha s_{br} = 3{,}29\, s_{br} \tag{40}$$

ou

$$\hat{y}_D = 2t_{\alpha/2} s_{br} \tag{41}$$

Uma vez definido o limite de detecção, vamos retornar ao exemplo das porfirinas e calcular os limites de detecção do sinal e do analito no domínio da concentração usando um nível de confiança de $(1-\alpha) = 95\%$. Como foram feitas apenas sete medidas e nenhuma delas do branco, o limite de detecção não pode ser calculado usando a expressão 40, e a única opção é calculá-lo usando o intercepto da curva de calibração como estimativa do valor médio do branco. Vimos anteriormente que o intercepto não foi significativamente diferente de zero nesse nível de confiança (equação 28), e o limite de detecção do sinal da porfirina se resume ao indicado na expressão 41, em que o valor de $s_{br} = s_y = 0{,}004$ e $t_{\alpha/2} = 2{,}571$ para os cinco graus de liberdade.

$$\hat{A}_D = 2 \times 2{,}571 \times 0{,}004 = 0{,}021 \text{ u.a.} \qquad (42)$$

O limite de detecção da porfirina no domínio da concentração com 95% de confiança é calculado pela expressão 39, sabendo que $\hat{b}_0 = 0$.

$$LD = \frac{A_D}{\hat{b}_1} = 0{,}063 \text{ mmol L}^{-1} \qquad (43)$$

Os resultados obtidos para os limites de detecção do sinal e no domínio da concentração indicam que todas as amostras estão acima do limite de detecção.

Refazendo todos os cálculos no nível de confiança de 99%, $t_{\alpha/2} = 4{,}032$ e $A_D = 2 \times t_{\alpha/2} \times s_A = 2 \times 4{,}032 \times 0{,}004 = 0{,}032$ u.a. e $LD = 0{,}099$ mmol L^{-1}. Esses resultados confirmam que, ao aumentar o nível de confiança, o limite de detecção do sinal e o LD também aumentam.

Antes de introduzir o limite de quantificação, LQ, vamos falar do desvio-padrão relativo, que é utilizado no cálculo do LQ.

Desvio-Padrão Relativo

Uma nova figura de mérito a ser introduzida é o desvio-padrão relativo, RSD[35], que é definido como a razão entre o erro estimado e

---

35 Do inglês: *Relative Standard Deviation*.

o valor esperado da medida e calculado de acordo com a expressão 44. O desvio-padrão σ do sinal (ou a sua estimativa s) representa a dispersão dos resultados ao redor da média (ou a sua estimativa). A vantagem de usá-lo é que essa é uma grandeza adimensional, dada em termos de % e que pode ser considerada como uma medida de precisão.

$$RSD = 100\frac{\sigma}{\mu}\% \qquad (44)$$

Considerando que foram feitas várias medidas instrumentais de uma amostra contendo o constituinte de interesse com concentração equivalente à do limite de detecção, espera-se que em 50% das análises o sinal medido esteja abaixo do limite de detecção. Supondo que $\alpha = 0{,}05$, $\hat{b}_0 = 0$ e que $\bar{y}_D = \hat{y}_D = 2z_\alpha s_{br}$, o desvio-padrão relativo dessas medidas, calculado pela equação 44, produz o seguinte resultado:

$$RSD = 100\frac{s_{br}}{2z_\alpha s_{br}} = \frac{100}{2 \times 1{,}645} = 30{,}4\%. \qquad (45)$$

Para uma análise quantitativa, esse resultado está longe de ser adequado, pois, para uma boa precisão, esse valor deveria estar abaixo de 10%.

Limite de quantificação ou de determinação

O limite de quantificação, LQ, é usado para definir o limite inferior de uma medida quantitativa precisa, ao contrário do LD, que expressa apenas a detecção qualitativa. Assumindo que uma medida quantitativa com boa precisão deve produzir um desvio-padrão relativo menor do que 10%, o valor de 10% é considerado o limite na expressão 45, indicando que o valor médio no denominador deveria ser igual a $10s_{br}$. Essa é a razão pela qual o valor de dez vezes o desvio-padrão do branco foi sugerido como o limite quantitativo do sinal, y_Q, e

$$LQ = \frac{10s_{br}}{\hat{b}_1}, \qquad (46)$$

como o limite de quantificação do constituinte de interesse. A representação gráfica do limite quantitativo do sinal é apresentada na Figura 14.

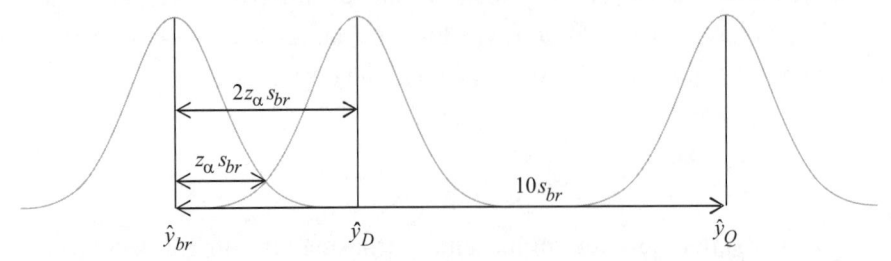

Figura 14 – Limite de quantificação do sinal definido como 10 vezes o desvio-padrão do branco $\hat{y}_Q \approx 3(2 \times 1{,}645 s_{br})$

Fazendo os cálculos do limite de quantificação para as amostras de porfirina pela equação 46, todas elas estão acima do limite, uma vez que o valor obtido foi de $LQ = 0{,}12$ mmol L^{-1}.

O valor de y_Q é influenciado pelo nível de ruído do sistema, e a precisão do método será melhorada, se forem feitas replicatas. Outro fator importante é que é praticamente impossível fazer medidas quantitativas de amostras cujas concentrações estão próximas do limite de detecção da espécie de interesse. Nessas situações, pode-se apenas detectar a sua presença, mas o valor real da concentração deve apresentar um erro considerável (grandes intervalos de confiança).

Limites de detecção e de quantificação para o método inverso de calibração

A determinação do LD de uma curva de calibração obtida pelo método inverso é muito semelhante à do método clássico, com a vantagem de que ele é determinado diretamente no domínio da concentração. Após a obtenção do modelo inverso e das bandas de confiança usando a equação 33 para $\hat{y} = \hat{c}_c$ e $s_y = s_c$, calcula-se o nível crítico do sinal. O nível crítico aqui é a resposta instrumental correspondente a uma amostra do branco (a concentração da espécie de interesse é igual a zero) com uma probabilidade α de cometer um erro do tipo I. A Figura 15 indica o nível crítico do sinal, $\hat{A}_c$, que é a resposta correspondente à interseção do intervalo de confiança inferior para uma amostra sem o componente de interesse. Como no caso anterior, a concentração correspondente ao limite de detecção do sinal deve considerar a probabilidade α de cometer um erro do tipo I e a probabilidade β de cometer um erro do tipo II.

O limite de detecção do constituinte de interesse para esse modelo de calibração é dado pela concentração estimada com probabilidade β de cometer um erro do tipo II, para a resposta instrumental na concentração zero estimada com uma probabilidade α de cometer um erro do tipo I (equações 37, 40 e 41).

$$\begin{cases} \hat{A}_D = \hat{b}_0 + 2z_\alpha s_{br} \\ \text{ou} \\ \hat{A}_D = \hat{b}_0 + 2t_{\alpha/2} s_{br} \end{cases}$$

$$\begin{cases} LD = \hat{b}_0 + 2z_\alpha s_{br} \hat{b}_1 \\ \text{ou} \\ LD = \hat{b}_0 + 2t_{\alpha/2} s_{br} \hat{b}_1 \end{cases} \quad (47)$$

$$LQ = 10 s_{br} \hat{b}_1$$

A Figura 15 ilustra a determinação do limite de detecção com as respectivas probabilidades de cometer ambos os erros, do tipo I e do tipo II. Dependendo dos níveis α e β fixados, o intervalo de confiança varia, e isso pode afetar a detecção do analito na amostra.

Para uma nova amostra P, cujo sinal medido foi A_P, estima-se a concentração utilizando a equação do modelo. Então é feita a comparação com o limite de detecção. Na Figura 15 a concentração estimada para essa amostra foi menor que o limite de detecção e ela não é detectável nos níveis de probabilidade $\alpha = \beta$ de cometer os erros do tipo I e do tipo II. Para que ela seja detectável, a concentração estimada deve ser $\hat{c}_P \geq LD$.

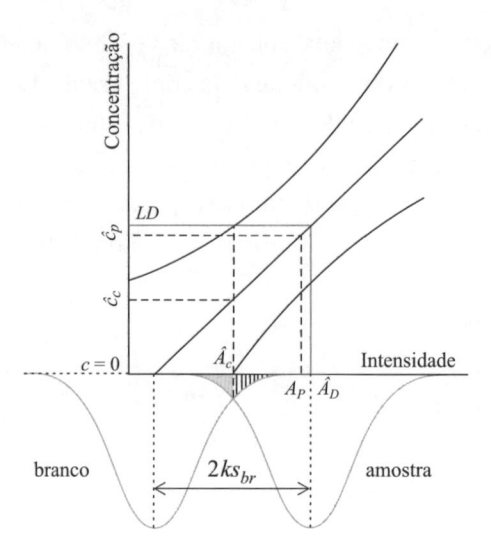

Figura 15 – Limite de detecção no domínio da concentração e da resposta instrumental para o método inverso de calibração. A concentração estimada $\hat{c}_P < LD$ para a amostra P cuja intensidade medida foi A_P indica que o constituinte não é detectável com probabilidade α de cometer um erro do tipo I e probabilidade β de cometer um erro do tipo II. $\hat{A}_c$ é a intensidade crítica estimada.

Para finalizar, vamos fazer os cálculos do exemplo das amostras de porfirina, para $\hat{b}_0 = 0$ (equação 28) e s_c igual a $1,23 \times 10^{-2}$ (equação 29), usando a segunda opção da equação 47. Os valores do limite de detecção no domínio da concentração e do sinal foram idênticos aos obtidos pelo método clássico.

4.3 Por que usar calibração multivariada?

Os métodos univariados, tanto o clássico quanto o inverso, têm a vantagem de ser fáceis de entender e de programar. No entanto, na prática eles são muito limitados, pois assumem que a resposta medida é influenciada unicamente pelo constituinte de interesse. Supõe-se *a priori* uma seletividade total ou, no caso de haver algum interferente presente, que a sua contribuição seja um acréscimo constante na intensidade, podendo ser facilmente subtraída. Em sistemas complexos, com mais de um componente químico, uma única medida raramente é suficiente para descrever o sistema ou prever uma propriedade quantitativa de um deles. Portanto, o método univariado que acabamos de introduzir deve ser expandido para considerar um número maior de medidas experimentais realizadas em uma mesma amostra.

O exemplo das amostras de porfirina será novamente usado para ilustrar a vantagem de utilizar mais de uma resposta instrumental para cada amostra. Além das intensidades no comprimento de onda $\lambda_1 = 619$ nm, serão incluídas as intensidades em $\lambda_2 = 663$ nm, conforme indicado na Figura 16. Já foi comentado no capítulo 3 que essas duas variáveis são altamente correlacionadas (ver Figura 2 do capítulo 3).

Na metodologia multivariada, a concentração da espécie porfirínica na i-ésima amostra é descrita como uma função linear das duas intensidades A_{i1} e A_{i2}. O método inverso foi escolhido para construir o modelo de calibração, mas o método clássico também poderia ser aplicado.

Em termos matriciais, a matriz **A** é constituída de três colunas e o modelo linear é muito semelhante ao descrito nas equações 15 e 16, com a diferença de que o vetor dos coeficientes de regressão tem três elementos, sendo que o primeiro deles descreve o termo constante do modelo (equação 48).

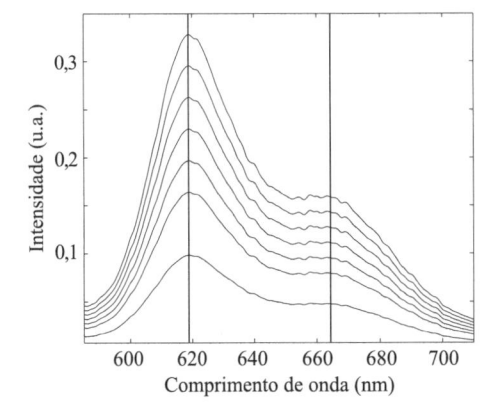

Concentração mmol L^{-1}	Intens. u.a. 619 nm	Intens. u.a. 663 nm
1,0	0,326	0,159
0,9	0,296	0,144
0,8	0,252	0,130
0,7	0,229	0,112
0,6	0,194	0,095
0,5	0,163	0,080
0,3	0,098	0,047

Figura 16 – Espectros, intensidades de emissão e as respectivas concentrações das amostras de porfirina.

$c_i = b_0 + b_1 A_{i1} + b_2 A_{i2} + e_i;$

$$\begin{bmatrix} c_1 \\ c_2 \\ c_3 \\ c_4 \\ c_5 \\ c_6 \\ c_7 \end{bmatrix} = \begin{bmatrix} 1 & 0,326 & 0,159 \\ 1 & 0,296 & 0,144 \\ 1 & 0,252 & 0,130 \\ 1 & 0,229 & 0,112 \\ 1 & 0,194 & 0,095 \\ 1 & 0,163 & 0,080 \\ 1 & 0,098 & 0,047 \end{bmatrix} \begin{bmatrix} b_0 \\ b_1 \\ b_2 \end{bmatrix} + \begin{bmatrix} e_1 \\ e_2 \\ e_3 \\ e_4 \\ e_5 \\ e_6 \\ e_7 \end{bmatrix} ;$$ (48)

$$\hat{\mathbf{b}} = \left(\mathbf{A}^T \mathbf{A} \right)^{-1} \mathbf{A}^T \mathbf{c} = \begin{bmatrix} \hat{b}_0 \\ \hat{b}_1 \\ \hat{b}_2 \end{bmatrix}.$$

Os coeficientes de regressão do modelo obtido para as amostras de porfirina foram $\hat{b}_0 = 0,004$, $\hat{b}_1 = 1,059$ e $\hat{b}_2 = 4,070$ e a equação matemática final tem a seguinte forma $\hat{c}_i = +\ 0,004 + 1,059 A_{i1} + 4,070 A_{i2}$. Os resultados das concentrações estimadas pelo modelo inverso bivariado estão na Tabela 9, juntamente com os resultados obtidos para o modelo univariado e os resíduos, $e_i = c_i - \hat{c}_i$, para ambos os casos. Já vimos para o método univariado que a sensibilidade, SEN, é a razão da variação no sinal medido pela variação na concentração, $(\Delta A / \Delta c)$, e tem unidade (u.a. intensidade) × (mmol $L^{-1})^{-1}$. No método multivariado inverso uma medida única dos dois coeficientes do vetor de regressão pode ser definida como o inverso do módulo dos coeficientes lineares.

$$SEN = \frac{1}{\sqrt{\hat{b}_1^2 + \hat{b}_2^2}} = 0,238$$ (49)

O termo constante é em geral desprezível e a sensibilidade é representada como o inverso do módulo do vetor de regressão,

$$SEN = \frac{1}{\|\mathbf{b}\|} = \frac{1}{\sqrt{\mathbf{b}^T \mathbf{b}}}.$$ (50)

Tabela 9 – Resultados das concentrações estimadas pelos modelos uni e bivariados e os respectivos erros (mmol L^{-1})

	Concentração c_i	Conc. est.[a] $\hat{c}_i$	Conc. est.[b] $\hat{c}_i$	Resíduo[a] e_i	Resíduo[b] e_i
1	1,0	1,003	0,996	-0,003	0,004
2	0,9	0,911	0,904	-0,011	-0,004
3	0,8	0,776	0,800	0,024	-0,000
4	0,7	0,706	0,702	-0,006	-0,002
5	0,6	0,598	0,596	0,002	0,004
6	0,5	0,503	0,502	-0,003	-0,002
7	0,3	0,303	0,299	-0,003	0,001

[a] Modelo inverso univariado $\hat{c}_i = + 0{,}002 + 3{,}071 A_i$
[b] Modelo inverso multivariado $\hat{c}_i = + 0{,}004 + 1{,}059 A_{i1} + 4{,}070 A_{i2}$

Comparando os resultados entre os modelos uni e bivariados, a diferença entre as concentrações experimentais e estimadas é basicamente da mesma ordem de magnitude, exceto para a amostra número 3, com concentração igual a 0,8 mmol L^{-1}, a qual no modelo univariado apresentou um resíduo muito alto (0,024 mmol L^{-1}). Com a inclusão de uma variável a mais no modelo, esse resíduo diminuiu drasticamente. A diferença entre os valores reais da concentração de porfirina e os estimados (Tabela 9) pode ser acompanhada pelo gráfico das concentrações estimadas *versus* os resíduos, que é apresentado na Figura 17. Nesse gráfico foram incluídos os resíduos obtidos pelos modelos uni e bivariado. É visível a mudança de comportamento nos resíduos quando se utilizam as duas variáveis simultaneamente. Como mencionado anteriormente, gráficos dessa natureza são importantes para observar se há alguma tendência, e o ideal é que os pontos estejam distribuídos aleatoriamente ao redor da origem, demonstrando a linearidade do modelo. É notável que no caso do modelo bivariado, os resíduos estão bem distribuídos, e a amostra de número 3, que aparentava um comportamento atípico, agora se apresenta bem semelhante às restantes. No entanto, a soma dos resíduos, que era zero no modelo univariado, é bem pequena (0,001 mmol L^{-1}), mas diferente de zero no modelo multivariado.

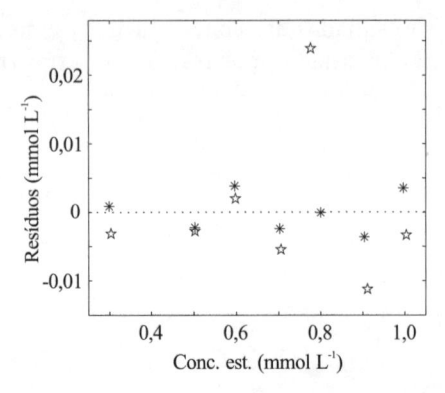

Figura 17 – Gráfico dos resíduos das concentrações, e_i, versus os valores das concentrações estimadas, $\hat{c}_i$. As estrelas representam os resíduos obtidos pelo modelo univariado e os asteriscos representam os respectivos valores para o modelo bivariado.

A seguir, será feita a análise de variância, para verificar o efeito da inclusão de uma nova variável na qualidade do modelo obtido. A Tabela 10 contém os resultados para ambos os modelos construídos pelo método inverso: o univariado e o bivariado. O número de parâmetros, p, que era dois no modelo univariado, passa a ser igual a três no modelo bivariado.

Tabela 10 – Resultados da análise de variância[a] para os modelos univariado e bivariado

	Análise de variância	
	Modelo inverso univariado	Modelo inverso bivariado
SQ_T	3,640	3,640
SQ_M	3,291	3,291
SQ_{Tcor}	0,349	0,349
SQ_{reg}	0,348	0,349
SQ_{res}	**7,602 × 10^{-4}**	**5,230 × 10^{-5}**
Razão F	2,288 × 10^3	3,332 × 10^4
R^2	0,998	0,998
R'^2	0,997	0,997
$F_{0,05(p-1;I-p)}$ [b]	6,61	6,94
$F_{0,01(p-1;I-p)}$ [c]	16,26	18,00

[a] Veja a definição dos parâmetros na Tabela 4 e de R'^2 na nota 24.
[b] 95% de confiança.
[c] 99% de confiaça.

Comparando os resultados da Tabela 10, os valores das somas quadráticas dos resíduos, SQ_{res}, sofreram um ligeiro decréscimo. O valor de F calculado é de uma ordem de grandeza maior no modelo bivariado. Comparando o valor calculado de F com os valores tabelados para os dois níveis de confiança considerados, concluímos que o modelo bivariado também é robusto.

Ao calcular o desvio-padrão relativo, RSD (eq. 44) que é dado pela razão entre a raiz da soma quadrática dos resíduos dividida por $(I-1)$, $s = \sqrt{\dfrac{SQ_{res}}{I-1}}$, e o valor médio das concentrações experimentais $\bar{c}$, os resultados obtidos de 1,64% para o modelo univariado e 0,43% para o modelo bivariado, estão bem abaixo do limite de 5%.

Antes de introduzir os métodos multivariados, é interessante comentar a respeito do pré-processamento, que em geral é aplicado aos dados ao construir modelos de regressão multivariada. A notação a seguir considera a matriz das variáveis preditoras como $\mathbf{X}$ e o vetor da variável dependente como $\mathbf{y}$, que é a notação usual para o método inverso de regressão. Na grande maioria dos casos, os dados são centrados na média. Se for considerado o intercepto, basta substituir $\mathbf{X}$ por $[\mathbf{1}\ \mathbf{X}]$, em que $\mathbf{1}$ é um vetor-coluna ($I \times 1$) com todas as coordenadas iguais a 1. Se os dados forem centrados na média, a matriz $\mathbf{X}$ das variáveis preditoras é substituída pela matriz $[\mathbf{X} - \mathbf{1}\bar{\mathbf{x}}^T]$ e o vetor $\mathbf{y}$, da variável dependente, por $[\mathbf{y} - \mathbf{1}\bar{y}]$. A equação geral para o modelo com os dados centrados na média é escrita como $(\mathbf{y} - \mathbf{1}\bar{y}) = (\mathbf{X} - \mathbf{1}\bar{\mathbf{x}}^T)\mathbf{b}_{cm} + \mathbf{e}$, onde $\mathbf{b}_{cm}$ é o vetor de regressão dos dados centrados na média. Comparando o vetor de regressão desse modelo com o vetor de regressão do modelo que considera o intercepto, $\mathbf{y} = \mathbf{X}\mathbf{b}_{cm} + (\mathbf{1}\bar{y} - \mathbf{1}\bar{\mathbf{x}}^T\mathbf{b}_{cm}) + \mathbf{e} = \mathbf{X}\mathbf{b}_{cm} + \mathbf{1}b_0 + \mathbf{e}$, concluímos que o intercepto b_0 pode ser facilmente encontrado quando o modelo é construído com os dados centrados na média usando a equação 51.

$$b_0 = \bar{y} - \bar{\mathbf{x}}^T\mathbf{b}_{cm} \tag{51}$$

O vetor de regressão para o modelo com intercepto, calculado a partir dos dados centrados na média é obtido incorporando o termo constante b_0, calculado segundo a equação 51, ao vetor de regressão dos dados centrados na média, $\mathbf{b} = \begin{bmatrix} b_0 \\ \mathbf{b}_{cm} \end{bmatrix}$.

Centrando na média os dados das porfirinas indicados na Tabela da Figura 16 e construindo um modelo da regressão com esses dados se obtém o vetor de regressão $\mathbf{b}_{cm} = \begin{bmatrix} 1,059 \\ 4,070 \end{bmatrix}$. Ao aplicar a equação 51 para o cálculo de b_0, o valor encontrado foi de 0,004. Os valores de concentração estimados pelo modelo de regressão com os dados centrados na média devem ser atualizados, com a adição do intercepto b_0; $\hat{\mathbf{y}} = \mathbf{X}\mathbf{b}_{cm} + \mathbf{1}b_0$.

4.4 Métodos de regressão multivariada (Calibração)

Uma vez introduzidos os modelos lineares univariados clássico e inverso, inclusive com a interpretação geométrica e as figuras de mérito, ficará muito mais fácil generalizar a metodologia para os dados multivariados. Além dos métodos de regressão multivariados clássico e inverso, consideraremos dois outros que, na maioria dos casos, são mais adequados, dependendo do conjunto de dados e do objetivo da análise. Dados instrumentais de espectroscopia, em que as respostas são as intensidades medidas e a propriedade de interesse é a concentração de um constituinte, serão utilizados para desenvolver as metodologias, mas os mesmos métodos são adequados para outros tipos de dados.

A seguir estão listados os quatro métodos mais populares de regressão linear e as respectivas siglas, utilizadas internacionalmente[36].

Regressão por quadrados mínimos – clássico	**(CLS)**
Regressão linear múltipla	**(MLR)**
Regressão por componentes principais	**(PCR)**
Regressão por quadrados mínimos parciais	**(PLS)**

---

36 Do inglês: CLS = *Classical Least Squares*; MLR = *Multiple Linear Regression*. PCR = Principal *Component Regression*; PLS = *Partial Least Squares*.

O esquema abaixo indica de modo geral a adequação de cada um dos métodos multivariados de calibração aos diferentes problemas que podem ser encontrados. Vamos comentar e exemplificar cada um deles, mas de longe, o mais popular é o método de regressão por quadrados mínimos parciais, PLS.

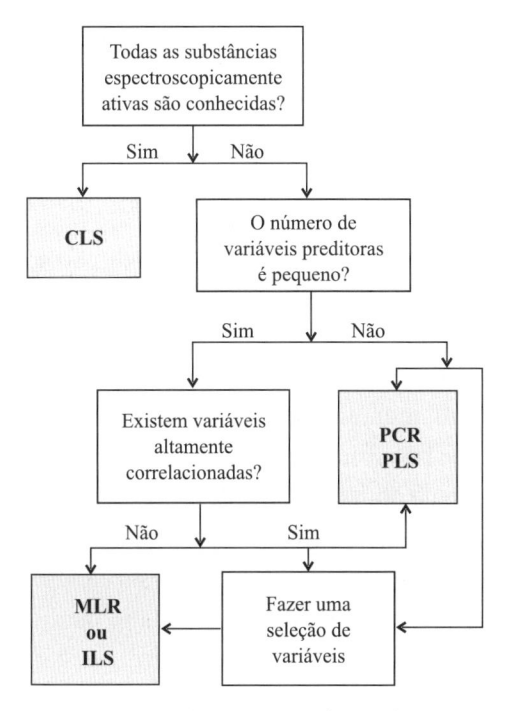

Esquema 2 – Métodos multivariados de regressão mais populares na Química e a indicação da sua utilização dependendo do conjunto de dados.

Conhecendo todas as substâncias espectroscopicamente ativas, o método clássico é provavelmente o que produzirá os melhores resultados. Mas situações como essa na resolução de problemas químicos não são muito frequentes e esse método tem aplicações limitadas. Se o número de variáveis é pequeno e o coeficiente de correlação entre elas não é alto, o método MLR é a escolha adequada. Por exemplo, esse método é muito utilizado nos estudos de QSAR, em que o número mínimo de compostos para cada descritor (variável preditora também chamada de variável independente) é cinco e o coeficiente de correlação entre eles não deve ultrapassar o valor de 0,7. Um problema muito comum nos laboratórios químicos e também na indústria é a quantificação de um constituinte de interesse em misturas complexas que envolvem um ou mais interferentes não identificados e um grande número de variáveis preditoras. Para esses casos, temos que recorrer ao método inverso MLR após efetuar uma seleção de variáveis criteriosa ou aos métodos de projeção, PCR e PLS que são insensíveis às colinearidades existentes entre as variáveis preditoras. A seguir, vamos discutir e exemplificar os métodos mencionados no Esquema 2, individualmente.

4.4.1 Regressão pelo Método dos Quadrados Mínimos Clássico – CLS

Esse método de regressão também é denominado na literatura como: Método da Matriz K, Método da Calibração Direta ou Método de Calibração Total.

Em se tratando de amostras de vários constituintes, a análise dos espectros está fundamentada na propriedade de aditividade da lei de Beer, que pode ser resumida da seguinte maneira: A resposta em um dado comprimento de onda é a soma das intensidades de todas as espécies químicas ativas naquele comprimento de onda. Por exemplo, para dois constituintes químicos, 1 e 2, cujas absorbâncias são A_1 e A_2 em um dado comprimento de onda, a intensidade medida será dada por $A = A_1 + A_2$. Assumindo a lei de Beer como válida, a intensidade medida é descrita pela equação $A = b_1 c_1 + b_2 c_2 + e$. Portanto, são necessárias, no mínimo, duas equações para encontrar uma relação quantitativa entre as intensidades e as concentrações das duas espécies. A matriz das intensidades, designada aqui como **A**, terá no mínimo duas colunas.

No método CLS, as respostas instrumentais medidas são modeladas como uma função das concentrações, *i.e.*, intensidade $= f$ (composição). Já foi comentado na seção anterior que esse método representa a estrutura causal, *i.e.*, a mudança na concentração (a causa) produz um efeito na resposta, que é a intensidade. Entretanto seu uso prático é limitado porque, para uma cela de comprimento unitário, é necessário conhecer os coeficientes de absortividade molar de todos os constituintes químicos presentes na amostra em todos os comprimentos de onda considerados.

Para a construção do modelo de regressão, primeiro se prepara o conjunto de calibração com amostras representativas do problema que se quer estudar. Assumindo que ele seja constituído de uma série de I misturas contendo L constituintes químicos $l = 1, 2..., L$, de concentrações conhecidas, $c_{i1}, c_{i2}..., c_{iL}$, para cada uma delas, $i = 1, 2..., I$, são adquiridas as intensidades em J comprimentos de onda, A_{ij} ($j = 1, 2, 3..., J$). Finalmente, a equação matemática que relaciona as intensidades às concentrações pode ser encontrada. Para fins de ilustração, utilizaremos um conjunto de misturas com apenas dois constituintes químicos e quatro respostas instrumentais medidas para cada uma delas ($L = 2$ e $J = 4$).

O termo constante do modelo (o intercepto) não será considerado, para simplificar a visualização. Ele poderia ser considerado, ao incluir uma coluna extra de "uns" na matriz das concentrações, como fizemos anteriormente, e uma linha extra na matriz **B**, como se fosse um pseudoconstituinte com concentração constante em todas as amostras. Em termos matriciais, o modelo CLS é muito semelhante ao da equação 6, com a diferença de que agora **A**, os parâmetros do modelo e os resíduos deixaram de ser vetores. Todos eles são matrizes e estão representados em detalhes no Esquema 3. Nessa expressão, a matriz de resíduos, **E**, contém os erros espectrais, um para cada comprimento de onda registrado, para cada amostra.

$$\mathbf{A} = \mathbf{C}\mathbf{B} + \mathbf{E}$$

$$\begin{array}{c} \mathbf{a}_1^{\mathrm{T}} \\ \\ \\ \mathbf{a}_i^{\mathrm{T}} \\ \\ \mathbf{a}_I^{\mathrm{T}} \end{array}
\overset{\begin{array}{cccc} \mathbf{a}_1 & \mathbf{a}_2 & \mathbf{a}_3 & \mathbf{a}_4 \end{array}}{\begin{bmatrix} - & - & - & - \\ - & - & - & - \\ - & - \;\; \mathbf{A} & - & - \\ A_{i1} & A_{i2} & A_{i3} & A_{i4} \\ - & - & - & - \\ - & - & - & - \end{bmatrix}}
=
\begin{array}{c} 1 \\ \\ \\ \\ \\ I \end{array}
\overset{\begin{array}{cc} \mathbf{c}_1 & \mathbf{c}_2 \end{array}}{\begin{bmatrix} - & - \\ - & - \\ - \;\; \mathbf{C} & - \\ c_{i1} & c_{i2} \\ - & - \\ - & - \end{bmatrix}}^{L=2}
\times
\begin{bmatrix} b_{11} & b_{12} & b_{13} & b_{14} \\ & \mathbf{B} & & \\ b_{21} & b_{22} & b_{23} & b_{24} \end{bmatrix}^{J=4}
+
\begin{array}{c} 1 \\ \\ \\ \\ \\ I \end{array}
\begin{bmatrix} - & - & - & - \\ - & - & - & - \\ - & - \;\; \mathbf{E} & - & - \\ e_{i1} & e_{i2} & e_{i3} & e_{i4} \\ - & - & - & - \\ - & - & - & - \end{bmatrix}^{J=4}$$

Esquema 3 – Representação matricial do modelo matemático para o método multivariado CLS. O conjunto de calibração é constituído de I amostras contendo duas espécies químicas para as quais foram medidas quatro respostas instrumentais.

É comum encontrar a equação do esquema 3 escrita como **A** = **CK** + **E**, uma vez que esse método é também chamado de método da matriz K. Para evitar a introdução de muitos símbolos, decidimos manter a mesma notação da análise univariada. Acreditamos que mantendo a notação semelhante, seja mais fácil para o leitor acompanhar todo o desenvolvimento multivariado.

Executando as operações indicadas no esquema 3, a intensidade da amostra i no comprimento de onda λ_j é dada pela soma das intensidades dos dois constituintes nesse comprimento de onda

$$A_{ij} = A_{1j} + A_{2j} = c_{i1}b_{1j} + c_{i2}b_{2j} + e_{ij}. \tag{52}$$

Cada linha l ($l = 1, 2..., L$) da matriz $\mathbf{B}$ ($L \times J$) se refere a uma espécie química. Ela contém os coeficientes de absortividade molar, um para cada comprimento de onda, $\mathbf{b}_l^T = [b_{l1} \quad b_{l2} \quad b_{l3} \quad b_{l4}]$, correspondendo ao espectro de uma espécie química com concentração unitária e, medido em cela de comprimento unitário (que em geral designamos de espectro puro). O espectro da amostra i também é um vetor-linha contendo as quatro intensidades $\mathbf{a}_i^T = [A_{i1} \quad A_{i2} \quad A_{i3} \quad A_{i4}]$. A coluna $\mathbf{a}_j$ da matriz $\mathbf{A}$ é um vetor que contém as intensidades para todas as amostras no comprimento de onda λ_j.

Determina-se a matriz $\mathbf{B}(2 \times 4)$ minimizando a soma quadrática dos resíduos. No caso univariado, a matriz de concentrações era formada por duas colunas (ver equação 6), uma de unidades para considerar o intercepto e outra com as concentrações de fato (ver equação 6). No presente caso, temos dois vetores de concentrações, cada um referente a uma espécie química. O problema matemático a ser resolvido é idêntico ao univariado. O objetivo é projetar os quatro vetores $\mathbf{a}_j$ no plano definido pelas concentrações dos dois constituintes, tal que as suas distâncias ao plano sejam mínimas. A Figura 18 ilustra geometricamente o processo de modelagem para o vetor-coluna $\hat{\mathbf{a}}_1 = \hat{b}_{11}\mathbf{c}_1 + \hat{b}_{21}\mathbf{c}_2$. Os quatro vetores de resíduos, que são ortogonais ao plano gerado pelos dois vetores de concentração (pertencem ao hiperplano $\mathbf{H}^\perp$, ortogonal ao plano $\mathbf{H}$), são minimizados simultaneamente. O produto escalar de cada um deles com os vetores do plano é zero, como indicado na expressão 53.

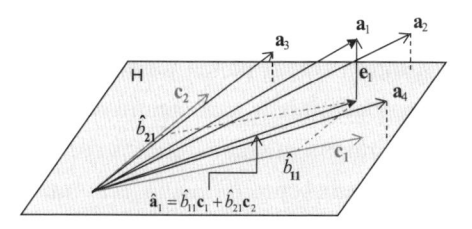

Figura 18 – Ilustração geométrica do método CLS. Os vetores c_1 e c_2 geram o espaço-coluna de C onde serão projetados os vetores das intensidades, de maneira que os resíduos sejam mínimos, *i.e.*, ortogonais ao plano.

$$C^T E = \begin{bmatrix} 0 & 0 & 0 & 0 \\ 0 & 0 & 0 & 0 \end{bmatrix}$$

$$E = A - CB \qquad (53)$$

$$C^T E = C^T [A - CB] \Rightarrow C^T A = C^T CB$$

$$\hat{B} = (C^T C)^{-1} C^T A = C^+ A = \begin{bmatrix} b_{11} & b_{12} & b_{13} & b_{14} \\ b_{21} & b_{22} & b_{23} & b_{24} \end{bmatrix}$$

O produto $(C^T C)^{-1} C^T$ é a pseudoinversa da matriz C e representada como C^+. (Já foi comentado anteriormente que C não é invertível porque não é uma matriz quadrada). Na linguagem do MATLAB, a matriz B (também chamada de K) pode ser calculada usando a expressão

$$\boxed{B=inv(C'*C)*C'*A}$$

mas já foi mencionado anteriormente que numericamente é mais eficiente usar o comando abaixo.

$$\boxed{B= C \backslash A}$$

Essa equação só é válida para misturas contendo esses dois constituintes. O que aconteceria se um composto interferente absorvesse em um dos quatro comprimentos de onda considerados nesse exemplo? Como não há nenhum termo na equação para considerar esse composto explicitamente, o modelo obtido não seria realístico e, portanto, não seria apropriado para previsões. E as contribuições extras, como, por exemplo, o deslocamento da linha de base ou alguma mudança nos espectros causada por uma variação na temperatura ou devido a interações intermoleculares, que podem não estar sendo consideradas? Podem-se aplicar técnicas de pré-tratamento para fazer correções *a priori* nos dados espectrais e esse é o procedimento indicado, entretanto o problema nem sempre é integralmente resolvido. Com esses poucos argumentos conclui-se que esse método tem aplicações limitadas e só vai dar bons resultados quando for aplicado a sistemas bem controlados de misturas de substâncias puras, como, por exemplo, em misturas de gases.

Cada amostra do conjunto de calibração é representada por um ponto no espaço de dimensão J em que cada frequência ou comprimento de onda corresponde a um eixo do sistema de coordenadas. Note-se que o modelo que acabamos de construir foi obtido fazendo uma mudança de base para o espaço-coluna de **C**, que nesse caso específico é um plano, no qual os vetores da nova base não são necessariamente ortogonais entre si e correspondem cada um ao espectro de uma espécie química *l*. O modelo CLS pode ser considerado como uma análise de fatores (ver equação 3 do capítulo 3, $\mathbf{X} = \mathbf{TL}^T$), pois a matriz **A** foi decomposta nas duas matrizes: a matriz **C**, que seria coincidente com a matriz de escores, e a matriz **B**, equivalente à transposta da matriz de pesos, **L**.

Como ilustração, vamos considerar uma reação química simulada que segue uma cinética de primeira ordem na qual o reagente R com concentração[37] inicial $[R]_0$ igual a 0,01 mol L^{-1} produz o produto P com a formação de um intermediário B. O mecanismo da reação se encontra na expressão 54, em que k_1 e k_2 são as constantes de velocidade da primeira e da segunda etapa da reação, respectivamente. Essas constantes são conhecidas: $k_1 = 0,08$ s^{-1} e $k_2 = 0,05$ s^{-1}. Como k_1 é ligeiramente maior que k_2, o produto intermediário B sofre um acúmulo nos instantes iniciais e então é totalmente consumido para formar o produto P. A reação foi monitorada por um espectrofotômetro que mede a absorbância do meio reacional a cada segundo, durante 90 segundos.

---

37 O símbolo [ ] indica concentração, *i.e.*, [X] representa a concentração do constituinte X. O subíndice $[X]_0$ indica que é no instante inicial (t = 0).

$$R \xrightarrow{k_1} B \xrightarrow{k_2} P \qquad (54)$$

Do ponto de vista químico, a pergunta a ser respondida é a seguinte: Para uma reação química monitorada espectroscopicamente com intervalos regulares de tempo, é possível identificar cada um dos compostos envolvidos, se a cinética da reação é conhecida?

Sabendo que a reação acima segue uma cinética de primeira ordem, com $[R]_0$, k_1 e k_2 conhecidos, podem-se usar as leis da teoria cinética para determinar o comportamento funcional da reação.

Pela lei de conservação das massas, $[R]_0 = [R] + [B] + [P]$ em qualquer instante. As equações de velocidade de consumo de reagente e de produção do produto estão indicadas abaixo:

$$\frac{d[R]}{dt} = -k_1[R]; \qquad \frac{d[B]}{dt} = +k_1[R] - k_2[B]; \qquad \frac{dP}{dt} = +k_2[B]. \qquad (55)$$

Integrando essas equações de velocidade (o leitor deve consultar um livro-texto de físico-química para o desenvolvimento algébrico), obtêm-se as expressões abaixo, que descrevem as concentrações dos três constituintes, R, B e P, em função do tempo:

$$[R] = [R]_0 e^{-k_1 t};$$

$$[B] = [R]_0 \frac{k_1}{k_2 - k_1} \left(e^{-k_1 t} - e^{-k_2 t} \right);$$

$$[P] = [R]_0 \left(1 + \frac{k_1 e^{-k_2 t} - k_2 e^{-k_1 t}}{k_2 - k_1} \right) = [R]_0 - [R] - [B]. \qquad (56)$$

Substituindo os valores conhecidos de $[R]_0$, k_1 e k_2 nas expressões acima, para cada valor de $t = 0, 1, 2..., 90$ s, determinam-se as concentrações do reagente R, do produto intermediário B e do produto final da reação P ao longo do tempo. Esse é um modelo teórico que segue as leis da cinética química. Essa metodologia que acabamos de aplicar é chamada de *hard modeling*. A Figura 19 mostra como a concentração de cada um dos constituintes da reação varia ao longo do tempo.

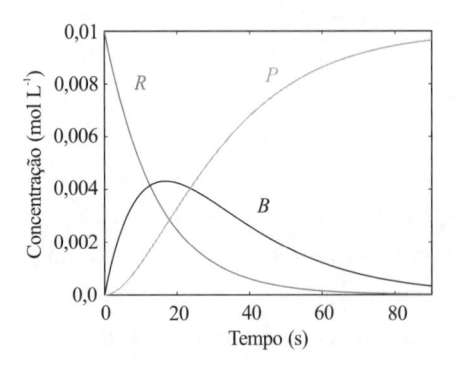

Figura 19 – Perfil cinético obtido para o reagente *R*, para o produto intermediário *B* e para o produto final da reação *P*, durante os 90 segundos da reação. Eles foram obtidos por meio das equações da lei de velocidade indicadas no texto (equação 56).

Foi mencionado que os espectros do meio reacional são conhecidos nesse exemplo. Eles foram obtidos a partir dos espectros simulados de cada componente químico na faixa de 450 a 700 nm com incremento de 1 nm e que estão indicados na Figura 20a. Essa figura inclui também o espectro da mistura em um dado instante da reação. Usando os perfis cinéticos (equação 56) e os espectros simulados de *R, B* e *P*, obtivemos todos os espectros do meio reacional. As Figuras 20b e 20c apresentam os espectros simulados para todo o tempo de reação (91 espectros). A esses espectros foi adicionado um ruído aleatório proporcional à intensidade (Figura 20d para todas as misturas e pontos da Figura 20a para uma delas). Os dados disponíveis foram organizados em duas matrizes. A primeira delas é a matriz **A** (91×251), que contém em suas linhas os espectros simulados ao longo do tempo, e a outra é a matriz **C** (91×3), na qual está a informação a respeito da composição dos três constituintes *R, B* e *P* em cada instante da reação.

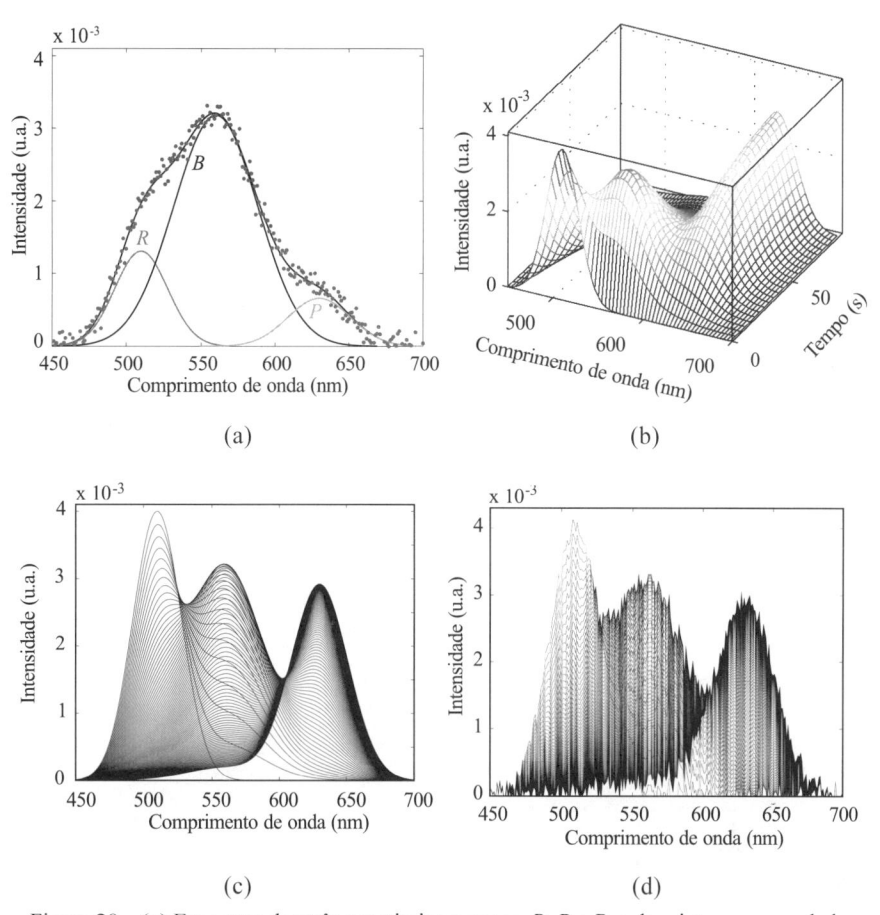

Figura 20 – (a) Espectros dos três constituintes puros, R, B e P, e da mistura em um dado instante da reação; os pontos são do espectro da mistura com ruído adicionado. (b) Espectros obtidos durante os 90 segundos da reação simulada. (c) Espectros sobrepostos referentes aos 90 segundos da reação, sem a adição de ruído aleatório. (d). Espectros sobrepostos referentes aos 90 segundos da reação, após a adição de ruído aleatório.

Do ponto de vista matemático, o método CLS é a ferramenta ideal para resolver esse problema, que é formulado da seguinte maneira: conhecendo as matrizes **A** e **C** que satisfaçam à equação **A** = **CB** + **E**, deseja-se encontrar **B** (3×251) fazendo um ajuste de quadrados mínimos. Nessa reação estão envolvidos apenas três constituintes e a matriz **B** tem dimensões (3×251), sendo que cada linha contém o espectro puro de uma das espécies que absorvem na região espectral considerada. A matriz **B** é calculada conforme indicado na expressão 53,

$\hat{\mathbf{B}} = (\mathbf{C}^T\mathbf{C})^{-1}\mathbf{C}^T\mathbf{A} = \mathbf{C}^+\mathbf{A}$. Esse é um modelo de caráter empírico, que designamos de *soft model*. Os espectros obtidos para o reagente R, para o produto intermediário B e para o produto final P estão na Figura 21, que inclui para comparação, os espectros respectivos simulados sem o ruído aleatório adicionado. Vê-se que o método CLS pode ser aplicado com sucesso como uma ferramenta para a resolução de curvas quando não há interferentes presentes ou outras fontes de variação sistemática.

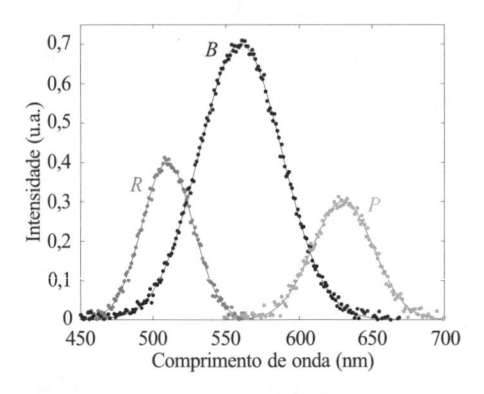

Figura 21 – Espectros dos três constituintes calculados pelo método CLS (pontos). Para comparação foram incluídos os espectros simulados sem o ruído adicionado (linhas).

Nesse exemplo que apresentamos, **A** e **C** eram conhecidos e determinamos o espectro de cada espécie química em concentração unitária (espectros puros). Como um próximo exemplo, vamos resolver o problema contrário, assumindo que conhecemos os espectros do meio reacional e os espectros puros de cada um dos constituintes A, B e P, para mostrar que o método CLS pode ser aplicado para determinar os perfis cinéticos de cada um deles. Em outras palavras, conhecendo as matrizes **A** e **B,** deseja-se estimar a matriz **C**.

Novamente, se **A** e **B** satisfazem à equação $\mathbf{A} = \mathbf{CB} + \mathbf{E}$, é possível obter os perfis cinéticos, desde que se faça o tratamento matricial adequado. Para obter a matriz **C** é necessário calcular a pseudoinversa da matriz **B**, o que é impossível, uma vez que $J \gg 3$. Nesse caso, tomar a transposta em ambos os lados da equação acima, $\mathbf{A}^T = (\mathbf{CB})^T + \mathbf{E}^T$, vai permitir resolver o problema de quadrados mínimos, cuja solução está na equação 57.

$$\hat{\mathbf{C}}^T = \left(\mathbf{BB}^T\right)^{-1}\mathbf{BA}^T \quad \text{ou} \quad \hat{\mathbf{C}}^T = \left(\mathbf{B}^T\right)^+ \mathbf{A}^T. \tag{57}$$

O resultado desejado é obtido tomando a transposta da equação 57: $\hat{\mathbf{C}} = \mathbf{A}^T\mathbf{B}^+$.

Os perfis cinéticos estimados por essa metodologia estão na Figura 22, superpostos aos perfis obtidos pela expressão analítica, para comparação.

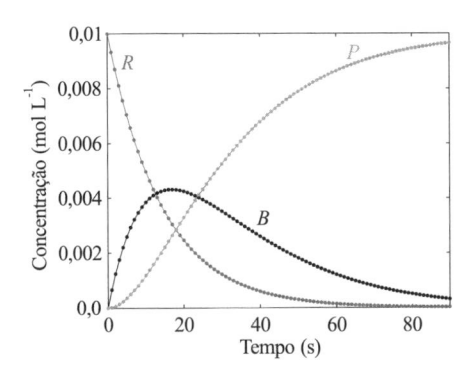

Figura 22 – Variação das concentrações do reagente, do produto intermediário e do produto final durante os 90 segundos de reação. Resultados obtidos pelo método CLS (pontos) e calculados pelas equações de velocidade (linhas contínuas).

Esse exemplo que acabamos de apresentar é interessante do ponto de vista químico e matemático, pois utiliza as duas metodologias: *hard* e *soft modeling*.

Como um último exemplo, vamos considerar um pequeno conjunto de misturas de três componentes químicos. Foram preparadas oito soluções para formar o conjunto de calibração com os seguintes compostos:

$$\begin{cases} 2,4\text{ - Dinitro-fenol } (2,4\text{ - DNF}); \\ 2,5\text{ - Dinitro-fenol } (2,5\text{ - DNF}); \\ o\text{ - Nitro-fenol (ONF)}. \end{cases}$$

As absorbâncias das soluções foram registradas na região do UV-Vis com comprimentos de onda variando de 310 a 570 nm com resolução de 4 nm. A Figura 23 contém os espectros registrados para os três componentes com concentração unitária (os coeficientes de absortividade molar) e as respectivas estruturas moleculares. Os compostos são bem similares e os espectros refletem essa semelhança. Cada um apresenta uma banda e elas são quase que totalmente sobrepostas.

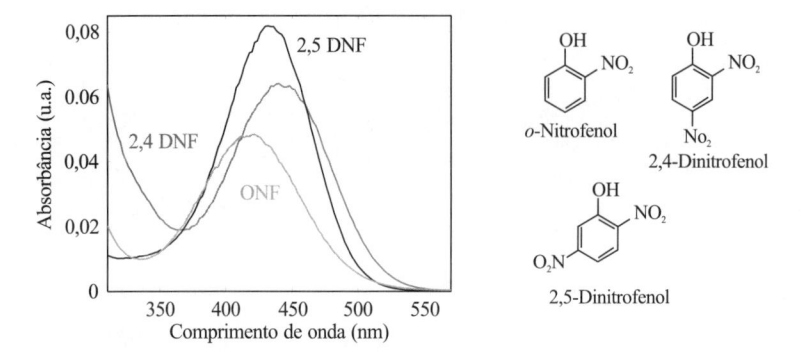

Figura 23 – Coeficientes de absortividade molar dos três nitrofenóis e suas estruturas químicas, indicando a semelhança estrutural e espectral.

A composição das oito misturas está indicada abaixo, já na forma matricial em que cada linha da matriz **C** se refere a uma mistura e contém as concentrações dos três nitrofenóis considerados neste estudo (em unidades 10^{-3} mol L^{-1}).

$$\mathbf{C} = \begin{bmatrix} 1,0 & 3,0 & 5,0 \\ 4,0 & 1,0 & 7,0 \\ 6,0 & 2,0 & 1,0 \\ 1,0 & 1,0 & 1,0 \\ 6,0 & 5,0 & 3,0 \\ 3,0 & 3,0 & 4,0 \\ 1,0 & 5,0 & 8,0 \\ 4,0 & 1,0 & 2,0 \end{bmatrix} \times 10^{-3} \text{ mol L}^{-1}$$

(colunas: 2,4-DNF   2,5-DNF   ONF)

Os espectros também foram organizados em uma matriz **A** (8 × 131). A Figura 24 apresenta os espectros das oito soluções. À primeira vista, parece que há apenas um componente químico, no entanto, observando mais cuidadosamente, vê-se que há um ligeiro deslocamento na posição dos máximos da banda.

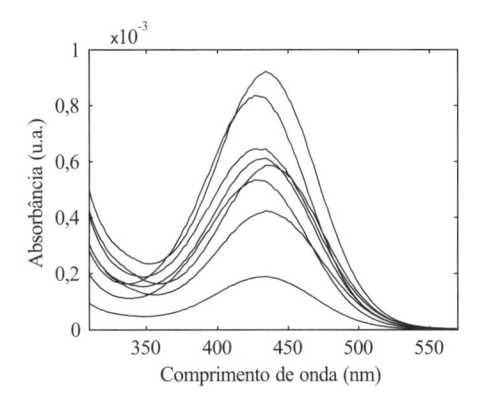

Figura 24 – Espectros das oito misturas de nitrofenóis.

Os dados não foram centrados na média, pois não apresentam deslocamento da linha de base (*offset*). Também não foi incluída a coluna de unidades (ver equação 6) na matriz **C** e consequentemente o termo constante no modelo CLS é inexistente. Uma vez conhecidas as matrizes **A** e **C**, o método CLS será utilizado para estimar a matriz **B̂** conforme a equação 53. Essa matriz tem três linhas, cada uma contendo os coeficientes de absortividade de um nitrofenol, e 131 colunas. Os resultados obtidos estão indicados na Figura 25, na qual se pode ver que, não havendo problemas de linha de base e se a razão S/R é razoável, a concordância entre os espectros puros e os estimados pelo modelo CLS é excelente. As pequenas diferenças que ocorrem são originadas pelo erro aleatório nas absorbâncias.

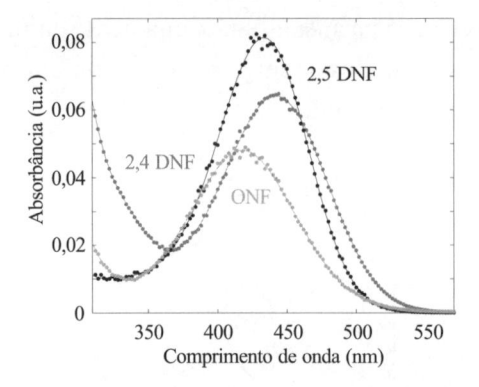

Figura 25 – Gráfico das linhas da matriz **B** estimada pelo método CLS (···) e os respectivos espectros puros para comparação (—).

Uma vez estimada a matriz $\hat{\mathbf{B}}$, pode-se testar o modelo prevendo a concentração desses três nitrofenóis em uma solução p preparada com os mesmos componentes, em concentrações conhecidas, $\mathbf{c}_p$. Usando a mesma notação matricial anterior,

$$\mathbf{c}_p^T = \begin{matrix} \text{2,4-DNF} & \text{2,5-DNF} & \text{ONF} \\ [\ 5{,}0 & 4{,}0 & 2{,}0] \end{matrix} \times 10^{-3}\, \text{mol L}^{-1}. \tag{58}$$

A seguir, registrou-se o espectro, $\mathbf{a}_p$, dessa amostra de previsão e, como a matriz $\hat{\mathbf{B}}$ já é conhecida, é possível estimar a concentração de cada componente nessa mistura usando a equação $\mathbf{a}_p^T = \hat{\mathbf{c}}_p^T \hat{\mathbf{B}}$. No entanto, a matriz **B** tem um número maior de colunas do que de linhas, e as concentrações não podem ser determinadas diretamente. De maneira semelhante ao exemplo anterior, deve-se tomar a transposta em ambos os lados da equação ($\mathbf{a}_p = \hat{\mathbf{B}}^T \hat{\mathbf{c}}_p$) e fazer as multiplicações indicadas na expressão 57. Finalmente, as concentrações dos três componentes podem ser obtidas usando a expressão 59. Nessa expressão, o espectro $\mathbf{a}_p$ e a concentração $\mathbf{c}_p$ estão na forma de vetores-coluna.

$$\hat{\mathbf{c}}_p = \left(\hat{\mathbf{B}}^T \right)^+ \mathbf{a}_p \tag{59}$$

Os resultados abaixo indicam que as concentrações estimadas são de boa qualidade, com um erro percentual acima de 1% apenas para o o-Nitrofenol.

$$\hat{\mathbf{c}}_p^T = [5{,}03 \quad 3{,}96 \quad 2{,}03] \times 10^{-3}\,\text{mol}\,L^{-1} \tag{60}$$

Para encerrar a discussão sobre o método CLS, vamos fazer um resumo das suas vantagens e desvantagens. Esse método é simples e muito fácil de entender, uma vez que é uma extensão direta do método clássico univariado, quando colocado na forma matricial. A principal desvantagem do método é que, para cada amostra do conjunto de calibração, é necessário conhecer as concentrações de *todas* as espécies espectroscopicamente ativas na região de interesse, e isso restringe a sua aplicação. Uma possível solução para esse problema seria selecionar diferentes regiões espectrais e modelá-las separadamente. Essa tática pode ser útil para identificar as regiões do espectro em que os interferentes absorvem e modelar apenas as regiões seletivas para os constituintes de interesse. Uma vez podendo ser aplicado, o método CLS produz como resultado o espectro de cada um dos constituintes das misturas, o que é uma grande vantagem.

Na etapa de previsão, esse método permite determinar simultaneamente as concentrações dos vários componentes da mistura de previsão, no entanto o cálculo não é direto, pois exige uma operação extra para o cálculo da matriz $\left(\hat{\mathbf{B}}^T\right)^+$.

Ainda sobre a vantagem de usar várias intensidades (designada como vantagem multicanal), já foi mostrado anteriormente que a razão S/R melhora quando adicionamos medidas. Isso ocorre porque o sinal do erro é aleatório e com sinais positivos e negativos que se cancelam quando adicionados, produzindo um efeito médio que pode reduzir a quantidade de erro no modelo de calibração. Isso não quer dizer que incluir centenas de variáveis indiscriminadamente vai melhorar a qualidade do modelo. Ele será melhor se o componente químico de interesse absorver nos comprimentos de onda selecionados. Variáveis constituídas unicamente de ruído são interpretadas como "fantasma" pelo método, que tende a modelar toda a variância da matriz **A**, colocando em risco a qualidade do modelo[38].

4.4.2 Regressão pelo Método dos Quadrados Mínimos Inverso – ILS

O segundo método de calibração multivariada a ser discutido é o método dos quadrados mínimos inverso, mais popularmente conhecido como Regressão Linear Múltipla (MLR)[39]. Esse método também é designado na literatura como Método da Matriz P ou Método Indireto.

Como vimos na análise univariada, esse é o método que quimicamente não segue a estrutura causal da lei de Beer, pois considera as concentrações como função das absorbâncias, mas tem a grande vantagem de evitar sérias restrições do método clássico. Uma delas é que no método CLS as absorbâncias, que em geral têm erro experimental menor do que o das concentrações determinadas por métodos de referência, são colocadas no eixo das abscissas.

Representaremos a matriz das variáveis preditoras como **X**, por estarem no eixo das abscissas, e a das variáveis dependentes como **Y**, pois estão no eixo das ordenadas. A equação matemática do método de regressão MLR, tal como indicado no esquema 4, é uma generalização da expressão 15, em que haviam sido considerados apenas uma espécie química e uma intensidade espectral.

---

[38] O processo de *signal everaging* é obtido registrando o espectro várias vezes e somando os espectros individuais. Assumindo que o erro segue uma distribuição aleatória, o sinal analítico, que é coerente no tempo, é aumentado. A magnitude do sinal, S, aumenta linearmente com o número de *scans*, N, ($S \propto N$, $S = k_S N$). Com respeito ao ruído, a variância associada com a soma de erros independentes é igual à soma de suas variâncias (da teoria de propagação de erros) $\sigma_N^2 = \sum_{n=1}^{N} \sigma_n^2 = N\sigma^2$; $\sigma_N = \sqrt{N}\sigma$. Portanto, a média dos erros aleatórios aumenta linearmente com a raiz quadrada do número de *scans*, $R \propto \sqrt{N} = k_R \sqrt{N}$. Concluindo, a razão sinal/ruído varia linearmente com a raiz quadrada do número de *scans* ($S/R = \dfrac{k_S N}{k_R \sqrt{N}} = k\sqrt{N}$).

[39] Do inglês: *Multiple Linear Regression*.

$$Y = XB + E$$

$$\begin{bmatrix} y_{11} & \cdots & y_{1L} \\ \vdots & & \vdots \\ y_{i1} & \mathbf{Y}_l & y_{iL} \\ \vdots & & \vdots \\ y_{I1} & \cdots & y_{IL} \end{bmatrix} = \begin{bmatrix} 1 & x_{11} & \cdots & & \cdots & x_{1J} \\ \vdots & \vdots & & & & \vdots \\ 1 & x_{i1} & x_{i2} & \cdots \mathbf{X} \cdots & x_{i,J-1} & x_{iJ} \\ \vdots & \vdots & & & & \vdots \\ 1 & x_{I1} & \cdots & & \cdots & x_{IJ} \end{bmatrix} \begin{bmatrix} b_0 & \cdots & b_0 \\ b_{11} & & b_{1L} \\ \vdots & & \vdots \\ b_{j1} & \mathbf{B} & b_{jL} \\ \vdots & & \vdots \\ b_{J1} & \cdots & b_{JL} \end{bmatrix} + \begin{bmatrix} e_{11} & \cdots & e_{1L} \\ \vdots & & \vdots \\ e_{i1} & \mathbf{E} & e_{iL} \\ \vdots & & \vdots \\ e_{I1} & \cdots & e_{IL} \end{bmatrix}$$

Esquema 4 – Representação matricial do Método de Regressão Linear Múltipla, MLR.

Nesse esquema, **B** é a matriz dos coeficientes de regressão, **E** é a matriz de erros nas concentrações e **Y** é a matriz das concentrações, todas elas com L colunas, sendo uma para cada constituinte químico l: $\mathbf{b}_l$, $\mathbf{e}_l$, e $\mathbf{y}_l$, respectivamente.

O interessante nesse caso é que o modelo independe do número de componentes L, *i.e.*, os elementos em diferentes colunas são independentes e, portanto, temos um modelo individual para cada componente l. Em outras palavras, podem-se calcular os coeficientes de regressão para um único componente químico tornando possível quantificá-lo na presença de outros constituintes não caracterizados, que seriam considerados meros interferentes.

Como grande parte dos problemas químicos de interesse são constituídos de misturas complexas com uma única espécie de interesse, a seguir vamos nos restringir a esses casos (as matrizes **Y**, **B** e **E** passam a ser os vetores-coluna **y**, **b** e **e**, respectivamente), se bem que a metodologia é a mesma para quaisquer constituintes. O modelo de regressão final para um constituinte de interesse é escrito como indica a equação 61.

$$y_i = b_0 + \sum_{j=1}^{J} x_{ij} b_j + e_i \qquad \text{para} \qquad i = 1, 2, 3, ..., I. \qquad (61)$$

Para efeito de visualização, vamos considerar um conjunto com I amostras de misturas complexas, mas contendo apenas um constituinte químico de interesse, para as quais foram medidas as absorbâncias em dois comprimentos de onda, $J = 2$.

$$\begin{bmatrix}-\\\vdots\\\mathbf{y}\\-\\-\end{bmatrix} = \begin{bmatrix}\overset{\mathbf{x}_1}{-} & \overset{\mathbf{x}_2}{-}\\\vdots & \vdots\\ & \mathbf{X}\\-&-\\-&-\end{bmatrix}_I \begin{bmatrix}-\\\mathbf{b}\\-\end{bmatrix}_2 + \begin{bmatrix}-\\\vdots\\\mathbf{e}_y\\-\\-\end{bmatrix}_I \quad (62)$$

conc. do analito   *Espectros*   *vetor de regressão*   *vetor de erros*

Para um modelo com intercepto, a matriz $\mathbf{X}$ é substituída por $\mathbf{X} = \begin{bmatrix}\mathbf{1} & \mathbf{X}\end{bmatrix}$. Ao considerar os dados centrados na média, usa-se $[\mathbf{X} - \mathbf{1}\bar{\mathbf{x}}^T]$, em que $\bar{\mathbf{x}}^T$ é o vetor-linha contendo as médias das colunas de $\mathbf{X}$, e $[\mathbf{y} - \mathbf{1}\bar{y}]$, onde $\bar{y}$ é o valor médio da propriedade de interesse. Nesse caso, o termo b_0 não existe na equação 62.

O vetor de regressão, que contém os coeficientes de regressão, um para cada variável, é obtido pelo método dos quadrados mínimos e está esquematizado geometricamente na Figura 26.

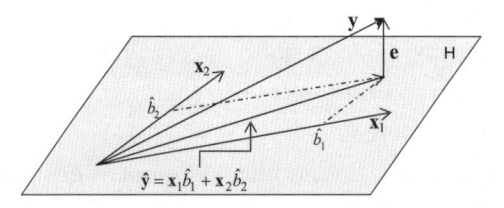

Figura 26 – Ilustração geométrica da construção do modelo de calibração usando o método MLR.

Essa figura mostra que, ao construir o modelo de regressão, o vetor $\mathbf{y}$ é projetado no plano H definido pelas colunas de $\mathbf{X}$ e cuja projeção é dada por $\hat{\mathbf{y}} = \mathbf{x}_1\hat{b}_1 + \mathbf{x}_2\hat{b}_2$.

O vetor de resíduos está no hiperplano $H^\perp$, cuja dimensão é $(I-2)$ e que é perpendicular ao plano H. Portanto, o produto escalar de $\mathbf{e}$ com todas as colunas de $\mathbf{X}$ é um vetor nulo.

$$\mathbf{x}_j^T \mathbf{e} = 0 = \sum_{i=1}^{I} x_{ij} e_i \qquad \text{para } j=1, 2 \qquad \Rightarrow \mathbf{X}^T \mathbf{e} = \begin{bmatrix}0\\0\end{bmatrix}. \qquad (63)$$

Repetindo o mesmo procedimento feito para o método inverso univariado, ao substituir $\mathbf{e} = \mathbf{y} - \mathbf{Xb}$ na expressão 63 e fazendo as devidas multiplicações, obtém-se a seguinte expressão para o vetor de regressão:

$$\hat{\mathbf{b}} = (\mathbf{X}^T\mathbf{X})^{-1}\mathbf{X}^T\mathbf{y} = \mathbf{X}^+\mathbf{y}, \tag{64}$$

que em linguagem do MATLAB pode ser facilmente calculado como indicado abaixo.

```
b = X \ y
```

Para exemplificar a construção de um modelo de calibração usando o método MLR, vamos retornar ao exemplo dos nitrofenóis, considerando o *o*-Nitrofenol como o composto de interesse e os outros dois constituintes das misturas, como interferentes. O *o*-Nitrofenol foi escolhido porque o seu espectro está totalmente recoberto pelos espectros dos dois interferentes, não havendo nenhuma região seletiva e é o composto que apresenta o sinal mais fraco em quase toda essa região estudada (ver Figura 23). O vetor de regressão deveria ser estimado usando a expressão 64, mas, verificando as dimensões da matriz $\mathbf{X}(8 \times 131)$, vemos que ela tem mais colunas do que linhas. Isso quer dizer que a matriz inversa de $\mathbf{X}^T\mathbf{X}$, necessária para o cálculo da matriz pseudoinversa de $\mathbf{X}$, não existe. A Figura 27 exemplifica claramente o que ocorre para uma matriz $\mathbf{X}(2 \times 3)$. O espaço-coluna de $\mathbf{X}$ é um plano; os três vetores $\mathbf{x}_1$, $\mathbf{x}_2$ e $\mathbf{x}_3$ pertencem a esse plano, como indicado na Figura 27a, e os parâmetros do modelo podem ser calculados por qualquer dupla de vetores. O vetor de regressão calculado selecionando $\mathbf{x}_1$ e $\mathbf{x}_2$ (Figura 27b) é diferente daquele obtido se forem selecionados $\mathbf{x}_1$ e $\mathbf{x}_3$ (Figura 27c). Enfim, não existe uma representação única para $\mathbf{y}$ no plano e um conjunto único de parâmetros *b* para formar o vetor de regressão $\mathbf{b}$. Este é o grande problema com o método MLR, que requer uma seleção prévia dentre as variáveis preditoras para viabilizar o cálculo da matriz inversa.

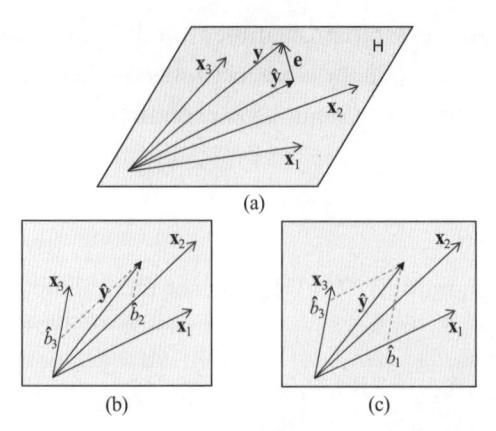

Figura 27 – Gráficos que ilustram a inexistência de um modelo de calibração quando o número de variáveis é maior do que o de amostras, pois não há uma representação única para $\hat{y}$. (a) Projeção de y no espaço-coluna de X. (b) Vetor de regressão obtido usando os vetores x_1 e x_2. (c) Vetor de regressão obtido usando os vetores x_1 e x_3.

Deve-se, então, proceder à seleção de um conjunto apropriado de variáveis, para que o problema de inversão da matriz $X^T X$ seja sanado. Retornando ao exemplo dos nitrofenóis, uma sugestão seria selecionar as variáveis correspondentes aos comprimentos de onda de máxima intensidade da Figura 23: 414 nm para o ONF; 432 nm para o 2,5 DNF; e 444 nm para o 2,4 DNF. Como temos oito amostras e selecionamos apenas três variáveis, o vetor de regressão pode ser calculado sem problemas utilizando a equação 64.

Para prever a concentração do ONF da mesma amostra de previsão utilizada anteriormente e representada na expressão 58, basta substituir o vetor de regressão que acabamos de calcular, na expressão abaixo:

$$\hat{c}_{ONF} = x_p^T \hat{b}, \tag{65}$$

em que x_p^T contém as intensidades das três variáveis selecionadas do espectro designado anteriormente como a_p^T. Conforme a expressão 65, a concentração é prevista diretamente neste caso, ao contrário do método clássico, no qual duas matrizes inversas tinham de ser calculadas: uma para obter **B** e outra para calcular a matriz pseudoinversa de $\mathbf{B}^T$.

Na equação 66 estão os resultados das concentrações estimadas para os modelos com e sem intercepto. Os coeficientes de regressão para cada comprimento de onda apresentam certa semelhança nos dois modelos, e o valor do intercepto é bem pequeno.

$$\hat{c}_{ONF} = 0,0004 + 22,07x_{414} + 70,40x_{432} - 89,02x_{444} = 2,82 \times 10^{-3} \text{ mol L}^{-1}$$

$$\hat{c}_{ONF} = 27,51x_{414} + 61,76x_{432} - 84,56x_{444} = 2,75 \times 10^{-3} \text{ mol L}^{-1}$$

(66)

Comparando as concentrações estimadas pelas equações acima com o valor real indicado na expressão 58, que é 2,0 × 10^{-3} mol L^{-1}, será que os resultados obtidos para a seleção de variáveis proposta são boas estimativas da concentração do ONF? A previsão feita pelo método clássico apresentou um erro de 1,5%, enquanto pelo método inverso o menor erro foi de 27,3%. Para se ter uma ideia da extensão do problema, foram feitos os cálculos para os outros dois componentes das misturas usando o modelo sem intercepto, e os resultados não foram animadores: 4,62 × 10^{-3} mol L^{-1} para o 2,4-DNF e 3,87 × 10^{-3} mol L^{-1} para 2,5-DNF. Com certeza, a sugestão de selecionar os comprimentos de onda de máxima intensidade para cada constituinte não foi uma boa opção. O que poderia ser feito para melhorar os resultados? uma nova seleção de variáveis, tentando escolher aquelas que são mais seletivas para cada espécie química. Por exemplo, poderíamos selecionar as três variáveis preditoras correspondentes aos seguintes comprimentos de onda: 364 nm 464 nm e 528 nm (ver Figura 23). Os modelos de regressão foram refeitos para essas novas variáveis, e os resultados se encontram na expressão 67.

$$\hat{c}_{ONF} = 92,35x_{364} - 31,32x_{464} - 7,00x_{528} = 2,01 \times 10^{-3} \text{ mol L}^{-1}$$

(67)

$$\hat{c}_{ONF} = -0,0001 + 92,64x_{364} - 31,36x_{464} - 5,28x_{528} = 2,01 \times 10^{-3} \text{ mol L}^{-1}$$

O elemento b_0 do modelo com intercepto é bem próximo de zero (−0,0001) e pode ser considerado desprezível. Além disso, os dois coeficientes de regressão mais significativos apresentam diferenças insignificantes de um modelo para outro da equação 67. Esses resultados eram esperados, uma vez que os espectros não apresentam problemas de linha na base. As concentrações previstas por esses dois novos modelos de regressão para o composto o-Nitrofenol foram idênticas e de excelente qualidade. O mesmo aconteceu para os outros constituintes cujas concentrações previstas pelos dois modelos foram iguais a $4{,}97 \times 10^{-3}$ mol L^{-1} e $4{,}05 \times 10^{-3}$ mol L^{-1} para o 2,4-DNF e o 2,5-DNF, respectivamente. Esses resultados são bem próximos dos valores reais e dos obtidos pelo método clássico. A esta altura, já está claro para o leitor que fazer a seleção das variáveis é um problema crucial, mas não trivial. Finalmente, como os resultados seriam afetados pela inclusão de uma nova variável preditora? Se essa nova variável estiver próxima à região mais seletiva para o composto o-Nitrofenol, isso pode melhorar ligeiramente os resultados.

Para complementar esse exemplo, vamos adicionar um interferente à amostra de previsão, para mostrar que, ao fazer previsões em amostras que possuem interferentes não modelados (interferentes que não estavam presentes na construção do modelo), os resultados produzidos são inadequados. A Figura 28 contém os espectros individuais de cada componente químico, o espectro de um interferente que foi adicionado e os espectros da mistura, com e sem o interferente.

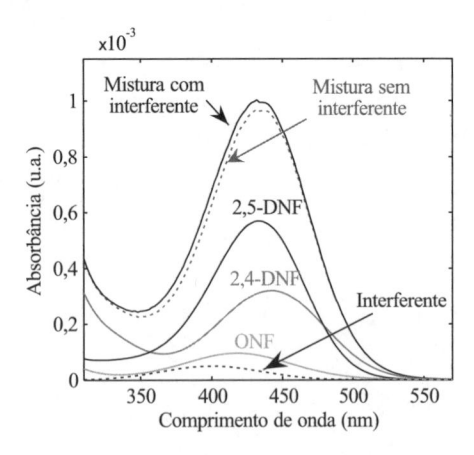

Figura 28 – Espectro de um interferente e os espectros da amostra de previsão com e sem o interferente adicionado. Estão incluídos também os espectros puros dos três nitrofenóis.

O valor obtido na previsão da concentração do *o*-Nitrofenol, para essa amostra contendo o interferente, foi de $4{,}40 \times 10^{-3}$ mol L^{-1}. Como era previsível, esse resultado está muito distante do esperado.

Um aspecto importante a ser considerado no método MLR é a existência de colinearidade entre as variáveis, o que quer dizer que o ângulo entre elas é pequeno e elas têm praticamente a mesma direção. Isso causa dificuldades na inversão da matriz $\mathbf{X}^T\mathbf{X}$, tornando o problema instável do ponto de vista matemático. O determinante da matriz $\mathbf{X}^T\mathbf{X}$ é próximo de zero, fazendo com que ela seja mal condicionada[40], e a matriz inversa não é confiável. Voltando ao exemplo da matriz $\mathbf{X}$ com duas colunas $\mathbf{x}_1$ e $\mathbf{x}_2$, a Figura 29 nos dá uma visão geométrica do que ocorre quando esses dois vetores são quase paralelos. Pode haver dificuldade na definição do plano gerado por eles e no qual $\mathbf{y}$ é projetado, produzindo um modelo de baixa qualidade. Portanto, especialmente em dados espectroscópicos, em que existe uma alta correlação entre as variáveis, ao fazermos a seleção de variáveis, temos de estar atentos para o fato de que não deve haver uma alta correlação entre elas. No caso de a matriz $\mathbf{X}$ não ser constituída de intensidades e o experimento ter sido realizado de acordo com um planejamento experimental, as colunas de $\mathbf{X}$ serão ortogonais (ou aproximadamente ortogonais) e esse problema já não existe. Concluindo, para que o método MLR seja aplicado com sucesso, não basta que o número de variáveis seja menor do que o número de amostras, mas é necessário também que a correlação entre elas não seja alta.

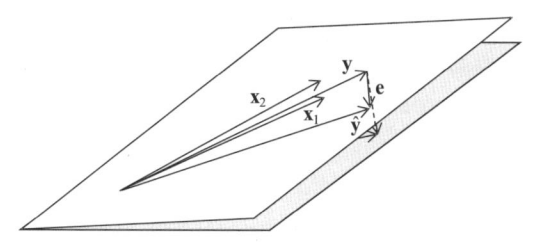

Figura 29 – Ilustração do problema de colinearidade entre as variáveis $\mathbf{x}_1$ e $\mathbf{x}_2$. Há dificuldade na definição do plano gerado por elas e, como consequência, na projeção do vetor $\mathbf{y}$.

---

40 O número de condição de uma matriz é definido como a razão entre o maior e o menor autovalor dessa matriz. Se ela é bem definida, o inverso do número de condição da matriz é próximo de um, e próximo de zero, se a matriz é mal condicionada.

Finalmente, faremos um resumo das vantagens e das desvantagens do método inverso – MLR. Uma grande vantagem desse método é que não é necessário conhecer as concentrações de todas as espécies espectroscopicamente ativas nas amostras do conjunto de calibração. Os interferentes, as impurezas e os efeitos de linha de base, desde que presentes em todas elas, são tratados sem problemas. Esta é conhecida como a vantagem de primeira ordem. Com os instrumentos de alta resolução à disposição do analista, o erro experimental é pequeno. Já as concentrações determinadas por métodos de referência podem estar sujeitas a erros maiores. Este é um ponto positivo do método, que considera os dados instrumentais na matriz $\mathbf{X}$, na qual se assume que não existe erro.

Uma desvantagem do método MLR é que o número de variáveis é limitado pelo número de amostras do conjunto de calibração (número de amostras > número de variáveis preditoras). O processo de seleção das variáveis pode ser tedioso e não é simples encontrar um conjunto ótimo. No entanto, se elas são cuidadosamente escolhidas, o modelo é, em geral, de boa qualidade, pois as variáveis altamente correlacionadas entre si, ou aquelas que não apresentam correlação com a propriedade de interesse (por exemplo, aquelas que têm grandes contribuições de interferentes), foram excluídas.

Ao contrário do método CLS, não é necessário conhecer o espectro do componente de interesse. Outra vantagem desse método em relação ao método CLS é que a previsão da propriedade de interesse é feita pela mesma equação usada para construir o modelo de regressão, não havendo a necessidade de cálculos matriciais adicionais.

Os mesmos comentários feitos para o método anterior sobre a vantagem multicanal e a inclusão de variáveis contendo apenas ruído também se aplicam ao método MLR. Entretanto, é preciso estar ciente de que a exclusão de um número expressivo de variáveis durante o processo de seleção pode causar a perda da vantagem multicanal.

Uma das vantagens de usar mais variáveis, mesmo que parcialmente redundantes, como no exemplo das porfirinas, é que mais informação acerca do problema é fornecida para a construção do modelo de regressão. Suponhamos que, para uma certa quantidade de comprimentos de onda, a relação entre a intensidade e a concentração seja linear, mas a sensibilidade e o grau de linearidade em cada comprimento de onda sejam ligeiramente diferentes. A inclusão de todas essas variáveis será útil e a qualidade do modelo será melhor. Outra vantagem de usar mais variáveis é que os modelos se tornam mais sensíveis à detecção de amostras com comportamento atípico, que são mais facilmente detectadas se o seu espectro se apresentar diferenciado. Após essa discussão, deve-se deixar claro que não é aconselhável usar um grande número de variáveis indiscriminadamente. Elas devem ser examinadas para nos certificarmos de que a região em que se localizam está livre de artefatos e tem uma boa razão S/R. Se somente uns poucos comprimentos de onda têm sensibilidade e linearidade suficientes, usar muitos deles vai contribuir para a amplificação do ruído.

Encerramos aqui a apresentação de dois dos métodos multivariados de regressão citados no Esquema 2. Foi necessário recorrer às técnicas multivariadas porque o uso de uma única variável não é suficiente, na grande maioria dos casos, para prever satisfatoriamente a propriedade de interesse, devido à presença de impurezas, interferentes etc. Infelizmente, não existem métodos perfeitos e que resolvam todos os problemas. O método CLS apresenta o sério problema de assumir *a priori* o conhecimento das concentrações de todas as espécies espectroscopicamente ativas no conjunto de calibração, e isso é praticamente impossível no mundo real. O método MLR também tem seus pontos negativos, pois, para não haver problemas na inversão da matriz $\mathbf{X}^T\mathbf{X}$, o número de variáveis é praticamente limitado pelo número de constituintes químicos nas amostras do conjunto de calibração. Temos aqui duas opções: desprezar muitas das variáveis para tentar reduzir a dimensão dos dados ou aumentar o número o de amostras. Já vimos que encontrar variáveis que contenham informação seletiva não é uma tarefa simples; por outro lado preparar novas amostras para expandir o conjunto de calibração pode ser, do ponto de vista prático, impossível. Uma solução para resolver esse impasse seria procurar por algum método que não imponha restrições quanto ao número de variáveis, como no método CLS, e que, por outro lado, considere apenas a concentração do componente de interesse, como no método MLR. Para nossa satisfação, existem métodos que satisfazem a esses critérios mencionados, mas com certeza eles também não vão resolver todos os problemas. Tais métodos são baseados na compressão dos dados e fazem uso da análise de fatores. Os métodos de regressão por componentes principais, PCR, e de regressão por quadrados mínimos parciais, PLS, são dois deles. A principal característica desses dois métodos é que os dados originais são projetados em um subespaço, de dimensão menor, no qual praticamente só as informações relevantes são mantidas. A diferença conceitual entre esses dois métodos está na maneira como os fatores são calculados. No método PCR, o subespaço é gerado pelas componentes principais, que explicam a variação na matriz **X**. Já no método PLS, o subespaço é gerado pelas variáveis latentes, VL, que contêm informações tanto da matriz de dados **X** quanto da propriedade de interesse, **y**.

Uma grande vantagem dos métodos baseados na análise de fatores é que eles funcionam relativamente bem nos casos em que os espectros apresentam ruídos razoáveis. Não estamos afirmando que o analista deve se descuidar na aquisição dos espectros, mas que, se mesmo depois de se esforçar para obter espectros da melhor qualidade, estes apresentarem um nível de ruído considerável, os métodos que usam análise de fatores são mais susceptíveis de produzir melhores modelos do que outros métodos. Isso decorre do fato de que, ao projetar os dados em subespaços de dimensão reduzida, os fatores que modelam informações irrelevantes são eliminados, reduzindo, assim o nível de ruído experimental no modelo. Os métodos de regressão PCR e PLS também são conhecidos na literatura como métodos de projeção ou métodos bilineares, uma vez que é feita uma decomposição bilinear da matriz **X**.

Os métodos baseados na análise de fatores quantificam bem os constituintes de interesse na presença de interferentes sem saber exatamente onde eles absorvem, desde que eles absorvam em alguma região do espectro. Além disso, não há necessidade de encontrar uma banda isolada em que apenas a espécie de interesse absorva, e a sobreposição de bandas não é um problema. Com respeito à quantificação da espécie de interesse em novas amostras, os modelos construídos pelos métodos PCR e PLS produzem bons resultados, desde que os interferentes presentes nas amostras do conjunto de calibração estejam presentes nas amostras de previsão e suas concentrações (dos interferentes) variem de maneira semelhante.

Como em todos os outros, os métodos de regressão baseados na análise de fatores também têm desvantagens. Uma delas é que, ao fazer a projeção dos dados em um subespaço de dimensão reduzida, os modelos passam a ser tendenciosos[41] (não são livres de viés), e o critério de minimização da soma quadrática dos resíduos já não é mais o mesmo do método MLR ($min\ \mathbf{e}^T\mathbf{e} = min\ (\mathbf{y} - \mathbf{Xb})^T(\mathbf{y} - \mathbf{Xb})$). Outra desvantagem é sua complexidade. Já foi visto no capítulo 3 que a matemática envolvida na análise de componentes principais é relativamente elaborada, e a construção dos modelos de regressão bilineares é, por natureza, mais complexa. Várias tentativas são feitas antes de se obter um modelo de regressão satisfatório.

A seguir veremos em detalhes as características particulares de cada um desses dois métodos de regressão: PCR e PLS.

4.4.3 Regressão pelo método das Componentes Principais – PCR

O Método de Regressão por Componentes Principais utiliza as mesmas etapas da análise PCA. Inicialmente, os dados são decompostos e filtrados ao fazer a análise de componentes principais de $\mathbf{X}$. A matriz de pesos $\mathbf{L}_A$ forma uma base ortonormal para o espaço-linha de $\mathbf{X}$ e a matriz de escores $\mathbf{T}_A$ forma uma base ortogonal para o espaço-coluna de $\mathbf{X}$. A matriz de resíduos, $\mathbf{E}$, contém a informação em $\mathbf{X}$ que não foi modelada. As expressões 68 e 69 expressam as duas etapas da construção do modelo de regressão.

$$\mathbf{X} = \mathbf{T}_A \mathbf{L}_A^T + \mathbf{E} = \mathbf{X}_A + \mathbf{E} \tag{68}$$

$$\mathbf{y} = \mathbf{T}_A \mathbf{q} + \mathbf{e} \tag{69}$$

O vetor de regressão, $\mathbf{q}$, é estimado pelo método de quadrados mínimos (ver equação 70), exatamente como foi feito no método MLR,

---

[41] Do inglês: *biased*.

mas projetando o vetor de regressão no espaço-coluna de **X**, de dimensão A, H_A, como indicado na expressão 69.

$$y = q_1 t_1 + \cdots + q_A t_A + e_y \quad \Rightarrow \quad \hat{q} = \left(T_A^T T_A\right)^{-1} T_A^T y \tag{70}$$

O termo independente q_0 não existe porque, em geral, os dados são centrados na média ou autoescalados antes da construção dos modelos de calibração e não foi adicionada a coluna de unidades na matriz **X**. Ao centrar os dados na média, a matriz **X** da equação 68 é substituída por $X - 1\bar{x}^T$, em que $\bar{x}^T$ é o vetor linha contendo as médias das colunas de **X**, e o vetor **y** é substituído por $y - 1\bar{y}$ na equação 69. A matriz de escores é perfeita para o uso do método inverso de regressão, pois o problema de colinearidade entre as variáveis é inexistente. As colunas da matriz **T** são ortogonais, a matriz $T^T T$ é diagonal e a operação inversa indicada na expressão 70 é facilmente realizada.

Há, entretanto, um sério problema com a equação 70. A propriedade de interesse está descrita como uma combinação linear de escores (lembre-se de que o vetor de regressão foi calculado no espaço-coluna de **X** gerado por T_A) e, portanto, não é possível interpretar os resultados quimicamente. A interpretação do modelo de regressão construído pelo método PCR se torna viável, se o vetor **q** for expresso no espaço-linha de **X** gerado por L_A^T, em termos dos coeficientes de regressão relativos às variáveis originais e que se encontram no vetor **b**. Sabe-se que $X = TL^T$ e, como **L** é uma matriz ortonormal, então $T = XL$. Substituindo T_A por L_A na expressão 71, torna-se claro que a solução para $\hat{b}$ é $L_A \hat{q}$ ou $\hat{q} = L_A^T \hat{b}$. Pode-se usar indistintamente **X** ou X_A na expressão 71, uma vez que o vetor de regressão pertence ao subespaço H_A.

$$\hat{y} = T_A \hat{q} = XL_A \hat{q} = X\hat{b} \quad \Rightarrow \quad \hat{b} = L_A \hat{q} = L_A \left(T_A^T T_A\right)^{-1} T_A^T y \tag{71}$$

O método PCR combina características dos métodos vistos anteriormente, CLS e MLR, e vai mais além, pois, ao definir o espaço de dimensão reduzida, os dados são truncados e remove-se ruído que ao final não é modelado. Ele é baseado no método inverso, assim como MLR, e usa todas as variáveis originais, como no método clássico. Não há problemas em usar mais variáveis do que amostras, $(J > I)$, pois todas elas estão representadas nas PC por intermédio dos pesos **L**. O único problema aqui é a escolha de A, o número de PC a ser incluído no modelo de calibração.

Do ponto de vista algébrico, o modelo PCR pode ser calculado pela técnica SVD, que foi introduzida no capítulo anterior, quando falamos sobre a análise de componentes principais. Em resumo, a matriz de dados **X** é decomposta nas matrizes **U**, **V** e **S**, tal que apenas as A primeiras componentes principais são conservadas ($\mathbf{X} = \mathbf{X}_A + \mathbf{E}$) ao truncar os dados. As expressões abaixo mostram como o vetor de regressão é calculado usando a decomposição por valores singulares, SVD.

$$[\mathbf{y}] = [\mathbf{X}_A][\mathbf{b}] + \mathbf{e}_y,$$

$$\Downarrow$$

$$[\mathbf{y}]_I = [\mathbf{U}_A]_I^A [\mathbf{S}_A]_A^A [\mathbf{V}_A^T]_A^J [\mathbf{b}]_J^1 + \mathbf{e}_y. \quad (72)$$

Uma vez que as matrizes **U** e **V** são ortonormais, as suas inversas são facilmente calculadas: $\mathbf{U}^{-1} = \mathbf{U}^T$ e $\mathbf{V}^{-1} = \mathbf{V}^T$. A matriz $\mathbf{S}_A$ dos valores singulares é diagonal e quadrada e, para calcular a sua inversa, basta tomar o inverso dos elementos da diagonal. Introduzindo esses resultados na expressão acima, obtém-se o vetor de regressão.

$$[\hat{\mathbf{b}}] = [\mathbf{V}_A \ \mathbf{S}_A^{-1} \ \mathbf{U}_A^T][\mathbf{y}] \quad (73)$$

A matriz $\mathbf{S}_A^{-1}$, cujos elementos são $1/s_{aa}$, pode não ser confiável quando componentes principais com autovalores ($\lambda_a = s_{aa}^2$) muito pequenos são retidas no modelo. Como mencionado anteriormente, a escolha de *A* é uma das etapas mais importantes na construção dos modelos e é crucial para a inversão da matriz **S**. Esse assunto será abordado na seção de validação dos modelos. Abaixo estão os comandos a serem usados no software MATLAB para o cálculo do vetor de regressão.

```
% X é a matriz de dados
% A é o número de fatores no modelo
% y é o vetor da variável dependente
[u s v] = svd(X);
b = v(:,1:A) * inv(s(1:A,1:A)) * u(:,1:A)' * y;
```

O vetor de regressão estimado pela expressão 73 para o método PCR pode ser comparado com o vetor de regressão estimado para o método MLR e que já foi definido anteriormente na expressão 64. No método PCR, a matriz **S** não pode ter valores singulares excessivamente pequenos. No método MLR, a matriz X^TX não pode ser quase singular. Não havendo evidências desses problemas mencionados, o modelo PCR deve coincidir com o modelo MLR quando todas as componentes principais forem conservadas, *i.e.*, quando não houver compressão dos dados ($A = min\{I, J\}$).

Esses dois métodos também podem ser comparados geometricamente. A Figura 30 ilustra, para um exemplo simples de duas variáveis, x_1 e x_2, como os vetores de regressão são obtidos para cada método.

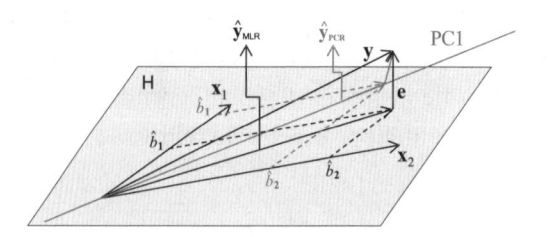

Figura 30 – Representação geométrica do método PCR em que o vetor **y** é projetado em PC1. Para comparação, foi representado o método MLR no qual **y** é projetado ortogonalmente no plano.

O vetor estimado $\hat{y}_{MLR}$ é a projeção ortogonal de **y** no espaço gerado por x_1 e x_2, enquanto, no método PCR, $\hat{y}_{PCR}$ é a projeção de **y** no subespaço gerado por PC1 (uma reta para $A = 1$). Está claro que a distância perpendicular ao plano é sempre a melhor projeção, fazendo com que o ajuste feito pelo método MLR seja superior ao do método PCR. No método MLR, ao contrário do método PCR, o vetor de regressão é livre de viés (não é tendencioso). Por outro lado, quando existe colinearidade entre as variáveis e o método MLR apresenta problemas do ponto de vista matemático, não existe problema algum com a aplicação do método PCR, uma vez que pequenas variações em x_1 e x_2 praticamente não vão alterar a direção de PC1.

No exemplo da Figura 27 o método MLR não pôde ser aplicado e, no entanto, a construção do modelo PCR é imediata. O método PCR gera um subespaço do espaço 2D definido por x_1, x_2, e x_3, que pode ser uma reta para $A = 1$ ou um plano passando pela origem quando $A = 2$. A melhor reta ou o melhor plano é encontrado fazendo uso da análise de componentes principais quando é definida a direção PC1 ou o plano PC1 × PC2. A seguir, projeta-se **y** no subespaço mais adequado dentre esses dois e determina-se o vetor de regressão, **b**.

Uma vez introduzido o método PCR, ele será aplicado ao conjunto de dados dos nitrofenóis (**X** = (8 × 131)) com o objetivo de construir um modelo de regressão para o *o*-Nitrofenol. A matriz **X** é de posto completo ($min\{I, J\} = 8$) devido aos erros experimentais, indicando que os autovalores $\lambda_a = s_{aa}^2$ são maiores do que zero para os oito fatores.

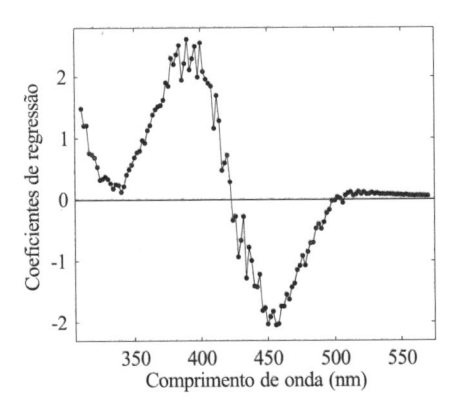

Figura 31 – Gráfico dos coeficientes de regressão (um para cada comprimento de onda) estimados pelo método PCR para um modelo com três componentes principais.

Os dados foram centrados na média, como é usual na construção de modelos que usam a decomposição bilinear e, então, o número máximo de fatores é subtraído de uma unidade porque um grau de liberdade foi usado no cálculo da média ($A_{max} = 7$). A Figura 31 contém os valores estimados dos coeficientes de regressão (**b** = (1 × 131) para um modelo com apenas três fatores ($A = 3$).

Por que foram considerados apenas três fatores, se o número máximo é sete? Porque sabemos *a priori* que as amostras de nitrofenóis são misturas de três espécies químicas e, como não há problemas de linha de base e o nível de ruído não é alto, é de esperar que o número de fatores seja igual ao número de constituintes nas misturas. Além disso, os autovalores (s_{aa}^2) obtidos para as quatro primeiras PC, em ordem decrescente, foram, respectivamente: $3,53 \times 10^{-3}$, $0,84 \times 10^{-3}$, $0,27 \times 10^{-3}$, e $0,04 \times 10^{-3}$. Como a ordem de grandeza do quarto autovalor é menor do que a dos três primeiros, tem-se mais uma indicação de que três fatores é um número apropriado para o modelo de regressão. Um gráfico dos pesos também é uma ferramenta que pode ser útil na verificação do número de componentes principais a serem incluídos no modelo. A Figura 32 apresenta os pesos dos quatro primeiros fatores.

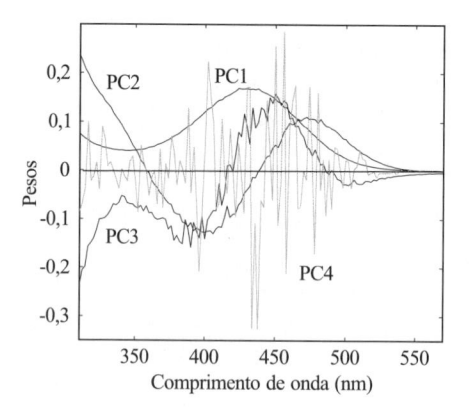

Figura 32 – Gráfico dos pesos relativos às quatro primeiras componentes principais e obtidos para os dados centrados na média. Os pesos da terceira componente principal já apresentam certo grau de ruído.

Cada fator descreve certa quantidade de variância dos dados experimentais. Os primeiros fatores descrevem as informações mais relevantes. Os seguintes descrevem principalmente o ruído experimental. A primeira componente principal tem a característica dos espectros das amostras. Já a componente principal PC4 não tem característica alguma de espectro e descreve quase que somente o ruído experimental. É muito interessante comparar os pesos obtidos aqui com os espectros puros obtidos no modelo CLS, que também é um método de análise de fatores. Excetuando o primeiro fator, eles não se assemelham a nenhum dos espectros. Cada fator é definido de maneira a descrever o máximo de variância do conjunto de dados e essa variância tem uma origem diversificada. Não existe aqui um fator descrevendo a variância exclusiva do o-Nitrofenol. Na realidade, as componentes principais não são espectros, em princípio são vetores abstratos sendo, em geral, difícil lhes atribuir um significado físico claro. Os algoritmos usados para a análise de componentes principais não têm como captar a causa da variância, apenas tentam descrevê-la da maneira mais eficiente possível.

Uma vez estimado o vetor de regressão, iremos prever a concentração do ONF, que foi, neste caso, igual a $2{,}02 \times 10^{-3}$ mol L^{-1}. Foram construídos modelos para as outras espécies, e os valores das concentrações previstas foram $5{,}03 \times 10^{-3}$ mol L^{-1} para o 2,4-DNF e $3{,}96 \times 10^{-3}$ mol L^{-1} para o 2,5-DNF. Os erros calculados estão abaixo de 1%, e as concentrações estimadas são comparáveis às obtidas pelos métodos anteriores.

Resta, ainda, discutir mais claramente a respeito do pré-processamento, que em geral é aplicado aos dados quando se usa a análise de fatores. O modelo de calibração foi construído com os dados centrados na média e a seguir calcularemos o intercepto, que, incorporado aos coeficientes de regressão, produz o vetor de regressão para o modelo tradicional com intercepto. O elemento b_0 foi calculado utilizando a equação 51 e produziu um valor igual a $4{,}53 \times 10^{-5}$ para o ONF. Esse valor de intercepto é bem pequeno e, aparentemente, não significativo. Se o intercepto é considerado na matriz $\mathbf{X}$ como foi feito anteriormente, basta substituir $\mathbf{X}$ por $[\mathbf{1}\ \ \mathbf{X}]$. Com a inclusão do vetor $\mathbf{1}$ na matriz original, deve-se considerar um fator a mais na construção do modelo. Ao fazer a decomposição dos dados, o vetor de pesos para PC1 tem o primeiro elemento igual a 1, e os outros, iguais a zero. Como o valor de b_0

não foi significativo, os resultados obtidos sem a adição da coluna de unidades em **X** e usando um fator a menos no modelo foram os mesmos. A previsão da concentração de ONF na amostra de previsão utilizando o modelo de regressão com intercepto na matriz original foi idêntica à obtida para os dados centrados na média.

Já foram comentadas algumas vantagens do método PCR. Devemos enfatizar a grande vantagem da remoção de ruído quando é feita a decomposição e a compressão dos dados instrumentais, o que não é possível nos outros métodos vistos anteriormente. Duas desvantagens devem ser lembradas. Uma é que, por ser matematicamente tendencioso e mais complexo, a construção do modelo é bem mais trabalhosa. A outra é que somente a matriz **X** é usada na modelagem. Isso resulta em uma fragilidade do método, no caso em que o constituinte de interesse apresente um sinal muito fraco e, portanto, não influencie fortemente nas primeiras componentes principais, podendo ser necessário incluir um número maior de fatores no modelo.

Resumindo, a construção de um modelo PCR envolve duas etapas. A primeira, quando se faz a compressão da matriz **X**, e a segunda quando é feita a projeção do vetor, **y**, no subespaço gerado pelas componentes principais. Nenhuma informação a respeito da concentração foi incorporada ao cálculo dos fatores, e eles podem capturar outras fontes de variação além daquelas causadas por mudanças na concentração do constituinte de interesse. O método PLS nesse aspecto tem a vantagem de ser um método que envolve uma única etapa, já incorporando a informação da propriedade de interesse no cálculo dos fatores, como veremos a seguir.

4.4.4- Regressão pelo Método dos Quadrados Mínimos Parciais – PLS

A regressão por quadrados mínimos parciais é o outro método tendencioso que emprega a análise de fatores. Esse é de longe o método de regressão mais popular em Quimiometria. O método PLS domina as aplicações de espectroscopia na região do infravermelho médio e próximo e na área de QSAR. O tratamento estatístico de blocos de variáveis foi introduzido no início da década de 1960 como uma alternativa à correlação canônica tradicional (a regressão multivariada é um caso especial de correlação canônica). Nos anos 1970 Herman Wold usou essa abordagem na área de economia e a denominou PLS[42]. A versão quimiométrica do método foi desenvolvida por seu filho Svante, poucos anos depois, para modelar dados com variáveis altamente correlacionadas em substituição ao método de quadrados mínimos. A versão original do método consistia em obter uma sequência de modelos parciais ajustados por quadrados mínimos a dois blocos de matrizes (**X** e **Y**).

Como no método PCR, a motivação do método é aproximar o espaço das medidas originais por um de dimensão reduzida, mas com a diferença de que alguma restrição é imposta na decomposição da matriz **X** direcionando-a para uma solução cujo alvo é a propriedade de interesse. Os fatores, que designamos aqui de variáveis latentes, obviamente não são iguais aos obtidos na decomposição SVD. Eles são definidos de modo a manter um compromisso entre a explicação da variância em **X** e a previsão da variável dependente, **y**. Por isso, a informação da propriedade de interesse é incluída no cálculo das variáveis latentes, que são mais eficientes para capturar as informações relevantes para a construção do modelo de calibração do que os fatores do método PCR.

Ao contrário do método PCR, o modelo PLS é construído em uma única etapa, na qual as informações da matriz **X** e da propriedade de interesse são consideradas durante a decomposição e a compressão dos dados, o que é justificável, se os valores da propriedade de interesse forem confiáveis. No método PCR, cada um dos fatores é obtido de maneira a descrever a máxima variância possível em **X**. Será que o espaço gerado por esses fatores está otimizado para prever **y**? Certamente que não.

As equações gerais do modelo de regressão PLS (modelo bilinear de um bloco e um vetor) são as mesmas usadas para construir o modelo PCR e se encontram nas expressões 68 e 69. Para o método PLS, cada variável latente, que relaciona **X** e a propriedade de interesse **y**, é obtida maximizando a covariância entre os escores **t**, da matriz **X**, e **y**. Com

---

42 Wold, H. em *Perspectives in Probability and Statistics*, ed. J. Gani, Academic Press, London, UK, 1975.

essa definição dos fatores, estamos otimizando a decomposição na direção da previsão da propriedade **y**. Uma pergunta que se ouve com frequência é a seguinte: Por que esse nome de quadrados mínimos parciais? Pode-se considerar que o termo "parcial" se deve ao fato de que a solução de quadrados mínimos não se aplica a qualquer conjunto de pesos **L**, mas somente àqueles que satisfazem à restrição indicada anteriormente (de maximizar covariância entre **t** e **y**).

Há duas variantes do método PLS, conhecidas como PLS1 e PLS2. No método PLS1, cada coluna **y** é modelada individualmente, *i.e.*, para cada constituinte de interesse é calculado um conjunto separado de escores e variáveis latentes. No método PLS2 calcula-se um único conjunto de escores e variáveis latentes para todas as colunas da matriz **Y**, que é comum a todas as propriedades de interesse que estão sendo modeladas. Neste livro consideraremos apenas o método PLS1 e, portanto, não utilizaremos o indicador "1" no nome do método, modelo ou algoritmo.

O algoritmo NIPALS[43], proposto por Wold, e sua versão não ortogonal, proposta por Martens & Naes[2], foram os primeiros algoritmos PLS usados para construir modelos de regressão. O Quadro 1 apresenta um algoritmo NIPALS extraído do livro de calibração multivariada de Martens & Naes[2].

---

43 Geladi, P. e Kowalski, B. R. 'Partial least-squares regression: A tutorial'. *Anal. Chim. Acta* 1986; **185**: 1-17.

PRÉ-PROCESSE **X** e **y**
CALCULE A PRIMEIRA VARIÁVEL LATENTE
BLOCO **X** $\begin{cases} \mathbf{X} = \mathbf{y}\mathbf{w}_1^T + \mathbf{E}_x & (\mathbf{X}^T = \mathbf{w}_1\mathbf{y}^T + \mathbf{E}_x^T) \\ \hat{\mathbf{w}}_1 = \mathbf{X}^T\mathbf{y}(\mathbf{y}^T\mathbf{y})^{-1} & (fator\text{-}peso) \\ \hat{\mathbf{w}}_1 = \hat{\mathbf{w}}_1/\sqrt{\hat{\mathbf{w}}_1^T\hat{\mathbf{w}}_1} & (normalização) \\ \mathbf{t}_1 = \mathbf{X}\hat{\mathbf{w}}_1 & (escores) \\ \mathbf{X}^T = \mathbf{l}_1\mathbf{t}_1^T \Rightarrow \hat{\mathbf{l}}_1 = \mathbf{X}^T\mathbf{t}_1(\mathbf{t}_1^T\mathbf{t}_1)^{-1} & (pesos) \end{cases}$
BLOCO **y** $\begin{cases} \text{Regressão do vetor } \mathbf{y} \text{ no vetor } \mathbf{t}_1 \\ \mathbf{y} = \mathbf{t}_1 q_1 + \mathbf{f} \Rightarrow \hat{q}_1 = (\mathbf{t}_1^T\mathbf{t}_1)^{-1}\mathbf{t}_1^T\mathbf{y} \end{cases}$
ATUALIZE **X** e **y** $\begin{cases} \mathbf{E} = \mathbf{X} - \mathbf{t}_1\mathbf{l}_1^T \\ \mathbf{f} = \mathbf{y} - \mathbf{t}_1 q_1 \\ \mathbf{X} = \mathbf{E} \\ \mathbf{y} = \mathbf{f} \end{cases}$
REPITA OS CÁLCULOS PARA AS PRÓXIMAS VARIÁVEIS LATENTES
CALCULE O VETOR DE REGRESSÃO $\hat{\mathbf{b}} = \mathbf{W}(\mathbf{L}^T\mathbf{W})^{-1}\mathbf{q}$

Quadro 1 – Algoritmo do método NIPALS

Vimos no método PCR que as colunas de **T** (autovetores de $\mathbf{XX}^T$) são ortogonais e **L** é uma matriz ortonormal (suas colunas são os autovetores de $\mathbf{X}^T\mathbf{X}$). A questão agora é como calcular os escores e os pesos para o método PLS. Se pretendemos utilizar ambas as equações 68 e 69, com a restrição de maximizar a variância entre os escores e a variável dependente para obter um bom ajuste, devemos abrir mão de alguma restrição de ortogonalidade. Podemos manter os escores ou os pesos ortogonais. No algoritmo original, os escores foram mantidos ortogonais.

Para ajustar as equações 68 e 69, três quantidades são estimadas para cada variável latente a ($a = 1, 2..., A$): o vetor de escores $\mathbf{t}_a$, o vetor de pesos $\mathbf{l}_a$ e o parâmetro q_a. Segundo a expressão 68, os escores são descritos como uma combinação linear das variáveis originais, que escreveremos aqui como

$$\mathbf{T} = \mathbf{XW}, \tag{74}$$

em que $\mathbf{W}$ é designada como matriz de fatores-peso[44], para não confundir com a matriz de pesos $\mathbf{L}$.

A restrição de que os vetores $\mathbf{t}$ e $\mathbf{y}$ sejam altamente correlacionados é assegurada fazendo cada fator-peso $\mathbf{w}$ proporcional à covariância entre $\mathbf{X}$ e $\mathbf{y}$. Conforme indicado no Quadro 1, o algoritmo é iniciado estimando os elementos do fator-peso, $\mathbf{w}$, para a primeira variável latente, $\hat{\mathbf{w}}_1 = \mathbf{X}^T \mathbf{y}(\mathbf{y}^T \mathbf{y})^{-1}$. Eles são os coeficientes de regressão de um ajuste de quadrados mínimos das colunas de $\mathbf{X}$ em $\mathbf{y}$. Esse vetor de regressão, definido no espaço das variáveis originais, é então normalizado. Do ponto de vista algébrico, essas duas etapas podem ser resumidas em um único cálculo, em que cada fator-peso é obtido como

$$\mathbf{w}_1 = \frac{\mathbf{X}^T \mathbf{y}}{\|\mathbf{X}^T \mathbf{y}\|}. \tag{75}$$

A seguir, calcula-se o vetor de escores cujos elementos são as coordenadas das amostras nesse fator-peso que acabamos de calcular. Ele também é representado por uma combinação linear das variáveis originais, $\mathbf{t}_1 = \mathbf{X}\hat{\mathbf{w}}_1$, como indicado na expressão 74.

Do ponto de vista geométrico, para uma matriz de dados com três variáveis, $\mathbf{x}_1$, $\mathbf{x}_2$, e $\mathbf{x}_3$, cada uma delas é projetada no vetor $\mathbf{y}$ quando se estimam os coeficientes de regressão $\hat{w}_1$, $\hat{w}_2$ e $\hat{w}_3$, conforme indicado na Figura 33a. O vetor definido por esses três elementos, $\hat{\mathbf{w}}_1^T = [\hat{w}_1 \ \hat{w}_2 \ \hat{w}_3]$, define a direção indicada no espaço 3D da Figura 33b. O vetor de

---

[44] Do inglês: *weights*.

escores t_1, cujos elementos são as coordenadas de cada amostra, está também indicado na Figura 33b.

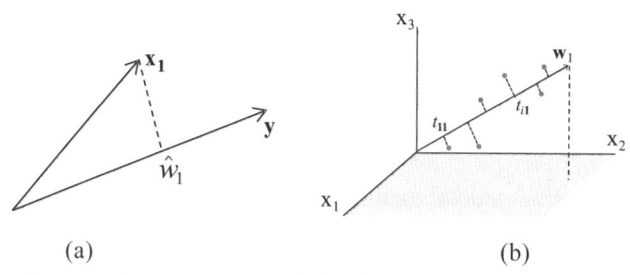

(a)   (b)

Figura 33 – (a) Projeção da coluna x_1 de X, de dimensão ($I \times 1$), em y ilustrando a determinação da coordenada w_1 do vetor w_1. (b) O vetor w_1, que é definido no espaço original das variáveis, define a direção do vetor t_1 de dimensão ($I \times 1$).

O vetor de escores t_1 é, então, utilizado para estimar o vetor de pesos l_1 e o coeficiente q_1. Ambos são determinados por um ajuste de quadrados mínimos, por meio das expressões 68 e 69. Conforme a equação 68, $X = t_1 l_1^T + E$. Fazendo-se a regressão das colunas de X no vetor de escores t_1, temos:

$$X^T = l_1 t_1^T \quad \Rightarrow \quad \hat{l}_1 = X^T t_1 \left(t_1^T t_1\right)^{-1}. \tag{76}$$

Esse vetor de pesos deve ser calculado, pois será usado mais adiante, no cálculo da matriz de resíduos, E.

A interpretação geométrica é idêntica à da Figura 33a, mas agora x_1 é projetado em t_1, e l_1 é o coeficiente de regressão. O vetor estimado $\hat{l}_1^T = \begin{bmatrix} \hat{l}_1 & \hat{l}_2 & \hat{l}_3 \end{bmatrix}$ também está definido no espaço original, como o vetor w_1 da Figura 33b.

Segundo a equação 69, $y = t_1 q_1 + f$. Fazendo o ajuste de quadrados mínimos da variável dependente nos escores, estima-se q_1 e obtém-se a equação do modelo ajustado com uma variável latente.

$$\hat{q}_1 = \left(t_1^T t_1\right)^{-1} t_1^T y \tag{77}$$

Geometricamente, essa etapa da construção do modelo de calibração corresponde à projeção de y em t_1, como indicado na Figura 34.

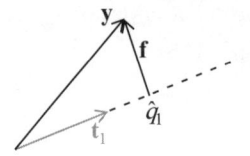

Figura 34 – Ao fazer a regressão de **y** em **t**$_1$, estima-se o coeficiente de regressão, q_1, e o vetor de resíduos, **f**.

A última etapa do algoritmo indicado no Quadro 1 é a atualização de **X** e **y** para o cálculo da próxima variável latente. São calculados a matriz **E** dos resíduos de **X** e o vetor **f** dos resíduos de **y**. Os dados são preparados para o cálculo da segunda variável latente e, assim, o processo continua até que os *A* fatores tenham sido calculados.

A Figura 35 nos dá uma visão gráfica da construção do modelo PLS com duas variáveis latentes, com o objetivo de auxiliar na interpretação do método. Na Figura 35a, os dados originais são projetados no plano formado pelas variáveis latentes VL1 × VL2, e na Figura 35b se faz o ajuste de quadrados mínimos de **y** no plano (**t**$_1$ × **t**$_2$), lembrando que a covariância entre eles foi maximizada.

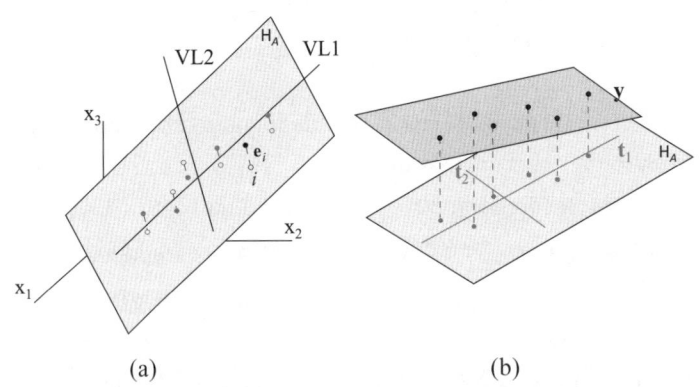

(a)   (b)

Figura 35 – (a) Construção do modelo PLS com duas variáveis latentes, no bloco **X**, que relaciona **X**, **L** e **T**. Os círculos cheios indicam a projeção das amostras do espaço **x**$_1$, **x**$_2$, **x**$_3$, no subespaço gerado por **l**$_1$, **l**$_2$, e **e**$_i$ é o resíduo da *i*-ésima amostra. (b) Modelo ajustado no bloco **Y**, quando se relaciona **y** e **T**.

Deve-se chamar a atenção para o fato de que o cálculo de cada fator não é um processo iterativo, como para o cálculo das componentes principais pelo método NIPALS. A matriz de fatores-peso resultante,

$\mathbf{W}_A = [\mathbf{w}_1 \ \mathbf{w}_2 \cdots \mathbf{w}_A]$, é ortonormal; a matriz $\mathbf{T}_A = [\mathbf{t}_1 \ \mathbf{t}_2 \cdots \mathbf{t}_A]$ é ortogonal; $\mathbf{L}_A = [\mathbf{l}_1 \ \mathbf{l}_2 \cdots \mathbf{l}_A]$ é a matriz das variáveis latentes e $\mathbf{q}^T = [q_1 \ q_2 \cdots q_A]$ é o vetor, de dimensão A, dos coeficientes da regressão de $\mathbf{y}$ em $\mathbf{t}$.

Antes de calcularmos o vetor de regressão, é interessante fazer alguns comentários sobre as matrizes calculadas. Os escores foram definidos para cada fator como $\mathbf{Xw} = \mathbf{t}$, isto é:

$$\begin{cases} \mathbf{t}_1 = \mathbf{Xw}_1, \\ \mathbf{t}_2 = \mathbf{X}_1\mathbf{w}_2 = \left(\mathbf{X} - \mathbf{t}_1\mathbf{l}_1^T\right)\mathbf{w}_2, \\ \quad \vdots \\ \mathbf{t}_a = \mathbf{X}_{a-1}\mathbf{w}_a = \left(\mathbf{X} - \mathbf{t}_1\mathbf{l}_1^T - \cdots - \mathbf{t}_{a-1}\mathbf{l}_{a-1}^T\right)\mathbf{w}_a. \end{cases} \quad (78)$$

Pelo que acabamos de mostrar nas expressões da equação 78, ao fazer a multiplicação $\mathbf{XW}_A$, não se obtém a matriz de escores, $\mathbf{T}_A$. Aparecem nessas equações da expressão 78, multiplicações do tipo $\mathbf{l}_k^T\mathbf{w}_a$ para $k = 1, 2..., a - 1$. Verificando o produto de matrizes $\mathbf{L}_A^T\mathbf{W}_A$, encontramos uma matriz bidiagonal superior com todos os elementos da diagonal principal iguais a um[45]. Portanto, a expressão geral do vetor de escores é reduzida a $\mathbf{t}_a = \left(\mathbf{X} - \mathbf{t}_{a-1}\mathbf{l}_{a-1}^T\right)\mathbf{w}_a$. Rearranjando essa expressão, temos que $\mathbf{Xw}_a = \mathbf{t}_a + \mathbf{t}_{a-1}\mathbf{l}_{a-1}^T\mathbf{w}_a$ e, finalmente, comparando com as equações da expressão 78 e com o produto $\mathbf{L}_A^T\mathbf{W}_A$ indicado na nota 45, concluímos que $\mathbf{XW}_A = \mathbf{T}_A\mathbf{L}_A^T\mathbf{W}_A$. Multiplicando à direita de ambos os lados dessa equação pela inversa de $\mathbf{L}_A^T\mathbf{W}_A$, chega-se à expressão da matriz de escores, necessária para determinar o vetor de regressão, assumindo que $\mathbf{X}$ e $\mathbf{y}$ foram centrados na média anteriormente.

45 $\mathbf{L}_A^T\mathbf{W}_A = \begin{bmatrix} 1 & \mathbf{l}_1^T\mathbf{w}_2 & 0 & \cdots & & & 0 \\ 0 & 1 & \mathbf{l}_2^T\mathbf{w}_3 & & & & \\ & & 1 & & & & \vdots \\ & & & \ddots & \mathbf{l}_a^T\mathbf{w}_{a+1} & & \\ \vdots & & & & 1 & & 0 \\ & & & & & \ddots & \mathbf{l}_{A-1}^T\mathbf{w}_A \\ 0 & & \cdots & & & 0 & 1 \end{bmatrix}.$

$$XW_A(L_A^T W_A)^{-1} = T_A \tag{79}$$

Substituindo esse resultado na equação geral do modelo de regressão (expressão 69), obtemos o vetor de regressão desejado.

$$\hat{y} = T_A \hat{q} = XW_A(L_A^T W_A)^{-1}\hat{q} \quad \Rightarrow \quad \hat{b} = W_A(L_A^T W_A)^{-1}\hat{q} \tag{80}$$

A seguir apresentamos a rotina a ser usada na construção do modelo PLS, com A variáveis latentes para uma matriz X de dados, e o vetor y com os valores da propriedade de interesse, assumindo que os dados foram previamente centrados na média.

```
for i = 1:A
    W(:,i) = X' * y * inv(norm(X' * y));
    T(:,i) = X * W(:,i);
    q(i) = T(:,i)' * y / (T(:,i)' * T(:,i));    %q é um vetor-linha
    L(:,i) = X' * T(:,i) / (T(:,i)' * T(:,i));
    E = X - T(:,i) * L(:,i)';
    f0 = y - q(i) * T(:,i);
    X = E;
    y = f0;
end
b = W(:,1:A) * inv(L(:,1:A)' * W(:,1:A)) * q(1:A)';
```

Esse algoritmo que acabamos de ver é conhecido como o algoritmo NIPALS tradicional. Diversos outros algoritmos foram propostos com o intuito de melhorar a velocidade de execução e a compreensão do método. Dentre os mais comuns, podemos citar: o NIPALS modificado[46], o Kernel[47], o SIMPLS[48] e o PLS bidiagonal[49,50].

---

46 Dayal, B. S. e MacGregor, J. F. 'Improved PLS algorithms', *J. Chemom.* **11** (1997) 73-85.
47 Lindgren, F.; Geladi, P. e Wold, S. 'The kernel algorithm for PLS', *J. Chemom.* **7** (1993) 45-59.
48 De Jong, S. 'SIMPLS: an alternative approach to partial least square regression', *Chemometrics Intell. Lab. Syst.* **18** (1993) 251-263.
49 Manne, R. 'Analysis of 2 partial-least-squares algorithms for multivariate calibration', *Chemometrics Intell. Lab. Syst.* **2** (1987) 187-197.
50 Wu, W. e Manne, R. 'Fast regression methods in a Lanczos (or PLS-1) basis. Theory and applications', *Chemom. Intell. Lab. Syst.* **51** (2000) 145-161.

Comparando os resultados obtidos pelos métodos PCR e PLS, a diferença está em quanto o vetor **y** influencia na compressão dos dados; no método PCR ele não tem influência alguma, mas no PLS, sim. Pela própria concepção dos dois métodos, no método PCR os fatores são gerados em ordem decrescente da variância que eles descrevem, o que não acontece com o método PLS, que maximiza a correlação entre os escores e a variável dependente. Em um gráfico de autovalores (variâncias) *vs* o número de fatores no modelo, tem-se uma curva decrescente, à medida que se aumenta o número de fatores para o método PCR, mas não necessariamente para o método PLS.

Aplicando o método PLS ao conjunto de dados dos nitrofenóis, o resultado obtido para a concentração de *o*-Nitrofenol na amostra de previsão foi idêntico ao obtido pelo método PCR ($2,02 \times 10^{-3}$ mol L^{-1}).

Para entender melhor o método PLS, vamos fazer uma comparação entre os pesos e os fatores-peso obtidos na construção do modelo de calibração do ONF (Figura 36).

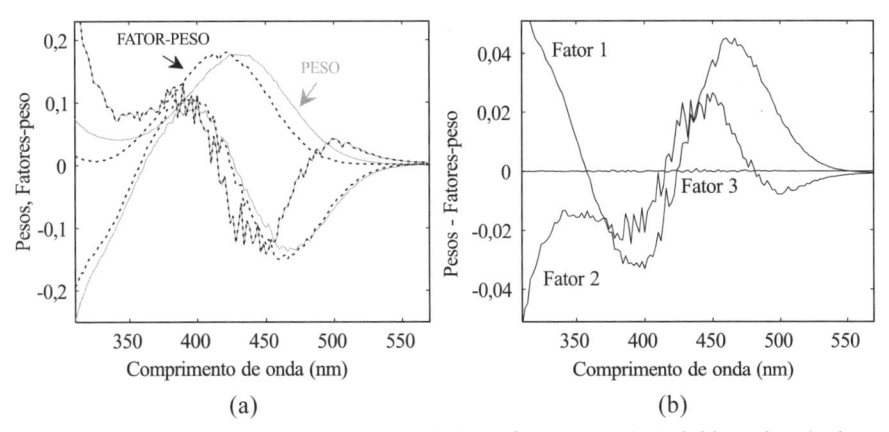

Figura 36 – (a) Comparação entre os pesos (—) e os fatores-peso (---) obtidos pelo método PLS na construção do modelo de regressão para o ONF. (b) Gráfico da diferença entre os pesos e os fatores-peso. Foram plotados apenas os três primeiros fatores, pois o quarto é constituído basicamente de ruído.

O primeiro gráfico contém os pesos e os fatores-peso para um modelo de três variáveis latentes, e o segundo gráfico mostra a diferença entre eles, para enfatizar como eles diferem entre si nesse exemplo dos nitrofenóis. Na primeira variável latente, a diferença entre eles é principalmente um deslocamento. O fator-peso está deslocado na direção do pico do ONF. À medida que o número de variáveis latentes aumenta, os pesos e fatores-peso se tornam cada vez mais semelhantes, e para VL3 eles são praticamente idênticos, como mostra a Figura 36b. A Figura 37 compara os pesos obtidos para os três primeiros fatores, pelos métodos PCR e PLS para o modelo de regressão do ONF. De maneira geral, eles apresentam as mesmas tendências, e o primeiro fator é o mais parecido para os dois métodos.

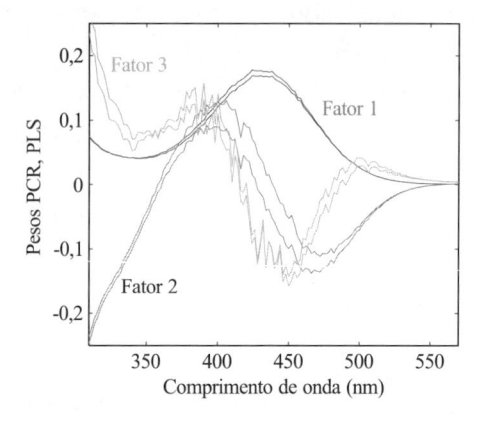

Figura 37 – Pesos obtidos pelos métodos PCR e PLS para os dados do ONF, mostrando que eles têm características muito similares.

4.4.5 Conclusões

Fazendo um apanhado geral dos principais métodos vistos neste capítulo, dentre os que não são baseados na análise de fatores, o método MLR é o de maior interesse para a construção de modelos de calibração e requer a inversão de uma matriz, o que pode ser problemático, se houver colinearidade entre as variáveis. Uma seleção dentre as variáveis originais é necessária para eliminar aquelas que apresentam alto coeficiente de correlação entre si, com o cuidado de não excluir variáveis importantes, pois pode ser prejudicial para o modelo. Vimos dois métodos bilineares que utilizam a análise de fatores, PCR e PLS. Ambos decompõem e truncam a matriz **X**, gerando o subespaço de dimensão A ($A < min\{I, J\}$) e, então, usam o método inverso para estimar a relação entre a matriz de escores $\mathbf{T}_A$ e **y**. Uma questão que se ouve com frequência é sobre a qualidade desses dois métodos: Qual dos dois é o melhor? Não existe uma resposta definitiva para essa pergunta. Na teoria, espera-se que o método PLS produza melhores resultados, uma vez que os fatores e os escores são definidos para incorporar mais informação da propriedade de interesse na construção do modelo. No entanto, há casos na literatura nos quais o desempenho dos modelos PCR é melhor. Na maioria das vezes, ambos os métodos produzem resultados semelhantes; em geral, o número de fatores no modelo que usa o método PCR é maior do que o número de fatores no modelo PLS.

A compressão dos dados é a grande vantagem dos métodos que usam a decomposição bilinear porque elimina a necessidade de diminuir drasticamente o número de variáveis preditoras e, além disso, filtra os dados eliminando parte do ruído da matriz **X**. Ao fazer essa compressão, o número de parâmetros do modelo e a sua complexidade decrescem, mas, por outro lado, eles se tornam tendenciosos. Para os métodos univariados e MLR, se os resíduos são aleatórios, independentes e identicamente distribuídos (com média zero e variância igual a σ_y^2)[12], então s_y^2, a média quadrática dos resíduos, MSE, (Tabela 4 e equação 20), é uma estimativa não tendenciosa da variância do erro populacional σ_y^2, e os coeficientes de regressão são livres de viés. Como os modelos bilineares são por natureza tendenciosos, essa suposição acima não é mais válida, e as variâncias dos resíduos das amostras não são mais idênticas, mas variam de amostra para amostra. Ao aumentar o número de fatores no modelo, aumenta-se a sua complexidade e a variância explicada de **X**, fazendo com que o ajuste seja melhor, mas, por outro lado, diminui-se a tendência. Um modelo PCR ou PLS no qual não foi feita a compressão dos dados ($A = min\{I, J\}$) deve ser idêntico ao modelo MLR, que não é tendencioso, se os resíduos satisfazem aos critérios mencionados acima. Essa tendência nos métodos que usam a decomposição bilinear é causada pela presença de erro sistemático no modelo devido às informações em **X** que não foram modeladas.

Desde o início deste capítulo enfatizamos que o objetivo final da construção de um modelo de calibração é aplicar a equação matemática obtida para descrever novas amostras. Um modelo pode apresentar um ajuste excelente, mas não necessariamente uma boa previsão.

Um gráfico muito usado na literatura para ilustrar o comportamento do erro de previsão em modelos tendenciosos é apresentado na Figura 38. A tendência e a variância explicada de **X** contribuem para o aumento do erro de previsão. No início, quando o número de fatores é pequeno e o erro de previsão é alto, o modelo está subajustado[51] porque informações importantes foram desconsideradas ao construí-lo. À medida que os fatores são adicionados, incorporam-se informações relevantes ao modelo, e naturalmente a variância explicada de **X** aumenta, enquanto a tendência e o erro de previsão decrescem. Após o número ótimo de fatores quando a curva passa pelo mínimo, o erro de previsão volta a crescer, indicando que o modelo de calibração está mais complexo do que o desejado com a introdução de informação em excesso, e ocorre o superajuste[52]. Enquanto isso, a tendência continua decrescendo e a variância explicada de **X**, aumentando. A Figura 38 mostra esquematicamente que essas contribuições opostas na qualidade do modelo devem ser harmonizadas para que ele apresente um balanço adequado entre a tendência e a variância, e esteja otimizado para fazer previsões.

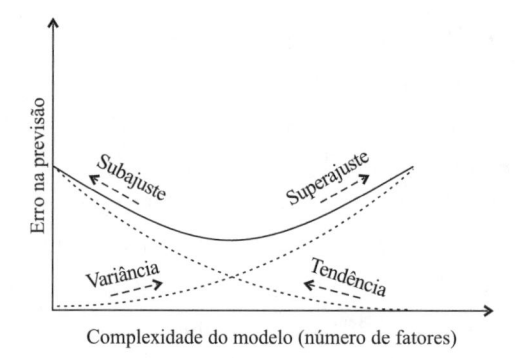

Figura 38 – Comportamento da variância e tendência (viés) nos modelos PLS e PCR em geral, indicados pelas linhas tracejadas. A linha cheia indica o comportamento do erro na previsão.

---

51 Do inglês: *underfitted*.
52 Do inglês: *overfitting*.

4.5 Validação dos modelos de regressão multivariada

Vimos na Figura 38 que o modelo final deve estar otimizado para fazer previsões, e o objetivo desta seção é apresentar os métodos e discutir as estratégias que nos permitem validar um modelo de regressão proposto. Isso se faz necessário para que a previsão da propriedade de interesse de novas amostras seja da melhor qualidade possível.

Uma vez selecionadas as amostras do conjunto de calibração e coletados os dados dos blocos **X** e **y**, eles são pré-tratados de acordo com a necessidade. A seguir, são construídos vários modelos e, ao final, o melhor deles é selecionado. O modelo de calibração a ser proposto deve ser testado por um conjunto de amostras, para as quais a propriedade de interesse **y** e os respectivos dados em **X** são conhecidos, mas que não foram utilizadas durante a etapa de calibração. Essa estratégia é conhecida como validação externa do modelo e o conjunto de amostras é denominado conjunto de teste ou conjunto externo de validação. A propriedade de interesse é estimada para esse conjunto externo e os resultados são comparados com os reais, com o objetivo de testar a capacidade preditiva do modelo. Os resíduos encontrados devem ser pequenos, aleatórios, não correlacionados, devem seguir uma distribuição normal e, além disso, ser maiores do que os erros no bloco **X**. Quantas amostras deve ter um conjunto externo de validação? O ideal é que esse número seja semelhante ao número de amostras do conjunto de calibração. As normas da ASTM E1655[9] recomendam que para um modelo de regressão com 5 fatores ou menos (dados centrados na média), o conjunto de validação deve ter no mínimo 20 amostras. Caso contrário, o tamanho do conjunto de validação é 4 vezes o número de fatores no modelo. Não sendo possível, o conjunto de validação externa deve ter pelo menos 30% do número de amostras do conjunto de calibração. Normalmente o que se faz é repartir o conjunto de calibração em dois conjuntos menores; um deles é usado para construir o modelo e o outro, para validá-lo.

Se o método de calibração for baseado na análise de fatores, usa-se uma etapa extra no processo de validação, denominada de validação interna do modelo. Este procedimento tem dois objetivos. O primeiro deles é a detecção de amostras problemáticas, que apresentam problemas na matriz **X** das variáveis preditoras ou nos valores da propriedade de interesse. O segundo objetivo é estimar o número ótimo de fatores de modo a satisfazer, da melhor maneira, o compromisso indicado na Figura 38. Vários modelos, construídos com diferentes números de fatores, são testados nesta fase, quando é feita a validação cruzada que veremos na seção 4.5.2.

4.5.1 Detecção de amostras anômalas

Ao verificar a qualidade do conjunto de calibração a ser usado para a construção do modelo de regressão, deve-se assegurar que as amostras formem um conjunto homogêneo. Se o perfil de uma amostra é diferente do das restantes, ela poderá ter uma influência inadequada no modelo, sendo uma amostra anômala em potencial (também designada como atípica ou com um comportamento diferenciado). Em geral, ela tem características distintas no gráfico de escores, uma vez que é inconsistente com o restante do grupo. A inclusão de amostras indesejáveis pode prejudicar a qualidade e o desempenho do modelo de regressão.

Amostras anômalas ocorrem por diferentes razões. Dentre elas, podemos citar os erros de digitação, os erros de laboratório, como, por exemplo, na determinação da propriedade de interesse por algum método de referência, e os erros instrumentais, quando o espectro da amostra em questão é de baixa qualidade. Ao detectar uma amostra problemática, o analista deve ser alertado e, então, decide-se que providência tomar. O ideal seria repetir a análise experimental. Muitas vezes é impossível repetir a análise e, se necessário, tal amostra deve ser excluída do conjunto. Por outro lado, é muito comum, especialmente na indústria, que uma amostra altamente informativa se apresente como atípica, não devendo ser excluída do modelo. Ela pode ter um comportamento diferenciado apenas porque, sozinha, descreve um tipo de variabilidade importante do bloco **X**.

Existem vários métodos estatísticos na literatura que podem ser aplicados para a detecção e exclusão de amostras anômalas. Considerando os modelos que usam a análise de fatores, dois parâmetros estatísticos importantes para a detecção dessas amostras e que serão apresentados neste capítulo são: a influência ou alavancagem e o resíduo de Student.

Influência ou alavancagem

A influência de uma amostra indica exatamente o que o nome diz: a sua capacidade de influenciar na estimativa dos coeficientes de regressão. Já foi comentado a respeito da influência na seção 4.2, quando foram construídas as bandas de confiança da curva de calibração e das previsões.

Para o cálculo da influência das amostras do conjunto de calibração, necessitamos da matriz de projeção denominada matriz chapéu, $\mathbf{H}$, que relaciona os valores observados na variável dependente $\mathbf{y}$ com os valores estimados $\hat{\mathbf{y}}$, e que já foi definida na equação 11. Vamos assumir inicialmente que os dados estão centrados na média e, então, estenderemos para os modelos com intercepto.

A influência da amostra i é dada pelo respectivo elemento da diagonal h_{ii} da matriz $\mathbf{H}$ e é calculada para o método PCR, como indicado na expressão 81.

$$\hat{\mathbf{y}} = \mathbf{H}\mathbf{y} = \mathbf{X}\hat{\mathbf{b}} = \underbrace{\mathbf{X}\mathbf{L}_A\left(\mathbf{T}_A^T\mathbf{T}_A\right)^{-1}\mathbf{T}_A^T}_{\mathbf{H}}\mathbf{y} \tag{81}$$

Na expressão acima, foi usado o vetor de regressão obtido na expressão 71 para o método PCR, $\hat{\mathbf{b}} = \mathbf{L}_A\left(\mathbf{T}_A^T\mathbf{T}_A\right)^{-1}\mathbf{T}_A^T\mathbf{y}$.

De modo semelhante, a matriz $\mathbf{H}$ para o método PLS é calculada substituindo o vetor $\hat{\mathbf{b}}$ dado pela equação 80,

$$\hat{\mathbf{y}} = \mathbf{H}\mathbf{y} = \mathbf{X}\hat{\mathbf{b}} = \mathbf{X}\mathbf{W}_A\left(\mathbf{L}_A^T\mathbf{W}_A\right)^{-1}\hat{\mathbf{q}} = \underbrace{\mathbf{X}\mathbf{W}_A\left(\mathbf{L}_A^T\mathbf{W}_A\right)^{-1}\left(\mathbf{T}_A^T\mathbf{T}_A\right)^{-1}\mathbf{T}_A^T}_{\mathbf{H}}\mathbf{y}, \tag{82}$$

em que se usou a expressão 77 para o vetor $\hat{\mathbf{q}}$, de dimensão $(A \times 1)$. Em ambas as expressões, 81 e 82, vê-se que a matriz chapéu depende da dimensão do subespaço dos fatores, A, e a influência de uma amostra vai mudar dependendo do número de fatores usados no modelo de regressão.

A soma das influências de todas as amostras é o traço da matriz **H**, que é igual ao número de fatores no modelo, A.

Se for considerado o intercepto, adiciona-se o vetor **1** na matriz das variáveis preditoras, $\mathbf{X} = [\mathbf{1}\ \mathbf{X}]$, e a influência de cada amostra do conjunto de calibração inclui a contribuição do intercepto, que é igual a $1/I$. Para um modelo PCR, a matriz **H** se torna, então,

$$\mathbf{H} = \frac{1}{I}\mathbf{I} + \mathbf{X}\mathbf{L}_A\left(\mathbf{T}_A^T\mathbf{T}_A\right)^{-1}\mathbf{T}_A^T. \tag{83}$$

Na equação acima, $\mathbf{I}(I \times I)$ é a matriz identidade.

Analisando a matriz **H** das expressões 81 e 82, vê-se que elas podem ser simplificadas ao usarmos a propriedade da matriz **T** de ser ortogonal, e o produto $\left(\mathbf{T}_A^T\mathbf{T}_A\right)^{-1}$, de ser uma matriz diagonal que contém o inverso das variâncias dos respectivos fatores. Para o método PCR, a expressão da tendência da amostra i se reduz a

$$h_{ii} = \sum_{a=1}^{A} \frac{t_{ia}^2}{\lambda_a}, \tag{84}$$

em que o autovalor λ_a é igual a $\mathbf{t}_a^T\mathbf{t}_a = s_{aa}^2$, conforme a expressão 22 do capítulo 3. Essa expressão acima nos permite dar uma interpretação geométrica à influência das amostras. A influência (que é sempre $\geq$ zero) é uma medida da distância da amostra ao centroide do conjunto de dados, no subespaço definido pelos A fatores (PC ou VL). A Figura 39 destaca duas amostras, i e k, originalmente definidas no espaço $\mathbf{x}_1$, $\mathbf{x}_2$, $\mathbf{x}_3$, e que foram projetadas no subespaço gerado por dois fatores. Amostras do conjunto de dados que estão distantes do centro, como a amostra i, são mais influentes, enquanto a amostra k apresenta uma baixa influência no modelo, pois está próxima do centroide.

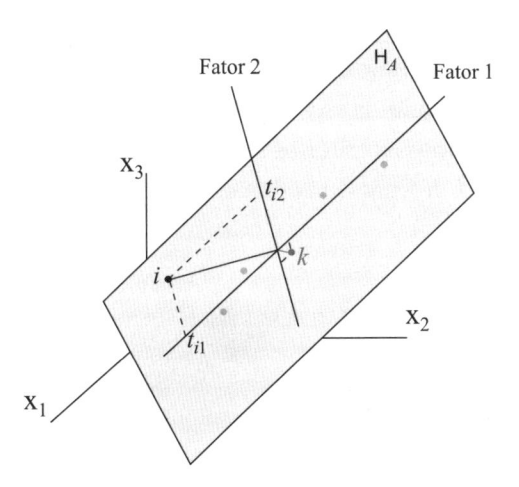

Figura 39 – Gráfico de amostras no espaço-linha de **X**, indicando que a amostra *i* tem uma alta influência no modelo (está distante do centro dos dados) e que a amostra *k* tem uma influência baixa (está próxima do centro).

À medida que a complexidade do modelo aumenta (aumentando o número de fatores), h_{ii} também cresce até um limite máximo, quando $A = min \{I, J\}$, para um modelo com intercepto, ou ($A = min \{I, J\} - 1$), para um modelo com os dados centrados na média. Se um modelo de calibração foi construído com dois fatores, a soma das influências das amostras é igual a 2,0, que é o número de fatores e que, por sua vez, é igual ao traço da matriz **H**. Para o número máximo de fatores, todas as amostras têm a mesma influência no modelo, que é o que ocorre quando se aplica o método MLR. Para um modelo com intercepto, a influência máxima é igual a 1,0 e, para um modelo de calibração com os dados centrados na média, a influência máxima é igual a (1,0 – 1/*I*). Para os dados centrados na média, a influência média das amostras em um modelo de regressão com *A* fatores é dada pela expressão 85. Para modelos com intercepto, deve-se adicionar o termo 1/*I*.

$$h_{med} = \frac{\sum_{i=1}^{I} h_{ii}}{I} = \frac{A}{I} \tag{85}$$

Quando A é menor que o máximo, temos uma regra prática, que nos permite distinguir amostras com comportamento atípico, que pode ser dada como indicado na expressão 86, por duas ou três vezes a influência média. Ambos os critérios são comuns na literatura[53]. Amostras com influência $h_{ii} > h_{crit}$ são consideradas suspeitas e devem ser analisadas caso a caso.

$$h_{crit} = \frac{2A}{I} \quad \text{ou} \quad h_{crit} = \frac{3A}{I} \ . \tag{86}$$

A seguir se encontra o algoritmo na linguagem do MATLAB para o cálculo das influências para um modelo de calibração construído pelo método PCR com A fatores.

```
[u s v] = svd(X);
t = u * s;
for a = 1:A
    H = X * v(:,1:a) * inv(t(:,1:a)' * t(:,1:a)) * t(:,1:a)';
    h = diag(H);
end

%Cálculo da influência de uma nova amostra p cujo espectro é xp
tp = xp' * v(:,1:A);
hp = tp * inv(t(:,1:A)' * t(:,1:A)) * tp';
```

Fazendo o cálculo das influências das oito misturas dos nitrofenóis para o modelo construído anteriormente com três fatores e com os dados centrados na média, os valores obtidos foram: 0,167; 0,749; 0,300; 0,540; 0,559; 0,013; 0,515; e 0,157. O valor crítico para as amostras desse modelo, usando o critério $h_{crit} = 2h_{med}$, é igual a 0,750, e usando o critério $h_{crit} = 3h_{med}$, é igual a 1,125. Todas as amostras apresentam um comportamento adequado, e a amostra dois se encontra no limite da influência. Por outro lado, a amostra seis tem uma influência bem mais baixa do que as restantes, o que é justificável, uma vez que ela se encontra bem

---

53 As normas E1655[9] da ASTM sugerem, para dados de espectroscopia na região do infravermelho, o valor da influência crítica como sendo igual a três vezes a influência média.

próxima à origem para os dados centrados na média. A Figura 40 apresenta os valores de influência das oito misturas dos nitrofenóis calculados para o número de fatores variando de um até o máximo, que é sete. Todos esses resultados foram incluídos para que o leitor tenha uma ideia de como a influência de cada uma das amostras varia quando a complexidade de um modelo de regressão cresce até o limite, quando todas elas têm valores iguais a $1,0 - 1/I = 0,875$, para um modelo com sete fatores. A curva tracejada inferior indica as influências das amostras quando o número de fatores é igual a um. Os valores são maiores para as amostras de número 4, 5, 7 e 8, enquanto as outras restantes têm influências próximas de zero, uma vez que a soma total para as oito amostras deve ser igual a 1,0 (igual a A). A linha contínua indica as influências das amostras para o modelo de regressão final, que é aquele com três fatores. A amostra dois é a que chama a atenção, pois a sua influência que tinha valores próximos de zero para modelos com um e dois fatores, salta para um valor próximo do crítico ($h_{crit} = 2h_{med} = 0,750$). Essa é a amostra que se encontra mais distante do centro dos dados nesse modelo de calibração.

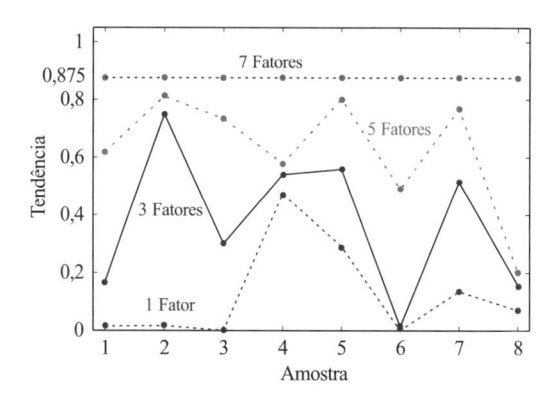

Figura 40 – Valores de influência para modelos de regressão PCR construídos com 1, 3, 5 e 7 fatores para o ONF com os dados centrados na média.

Para o cálculo da influência de novas amostras, basta projetá--las no espaço-linha (subespaço A) e obter os seus escores. As normas E1655 da ASTM[9] sugerem comparar a influência da amostra de previsão p com o maior valor de influência do conjunto de calibração, que nesse exemplo é 0,749. Deve-se estar atento para os valores de

$h_p > h_{max} = 0{,}749$, pois indicam que a previsão pode não ser confiável. Foi feito o cálculo da influência para a amostra de nitrofenol que foi usada como teste, e o resultado indica que ela não tem influência alta ($h_p = 0{,}295$) e se encontra dentro do domínio de regressão.

Uma amostra de previsão pode apresentar influência acima do desejado por vários motivos. Por exemplo, quando a concentração da espécie de interesse estiver fora dos limites de concentração das amostras do conjunto de calibração, ainda que ela tenha os mesmos constituintes que as outras, ou quando ela apresentar diferenças espectrais, devido à presença de alguma impureza que não estava presente nas amostras do conjunto de calibração. Também quando o nível de ruído espectral for substancialmente maior; ou, ainda, quando o seu espectro apresentar algum problema na linha de base que o faça muito diferente dos outros. Em todas essas situações, a tendência da amostra de previsão pode estar fora do limite aceitável, indicando que ela não pertence ao domínio da calibração. Para exemplificar, vamos propor uma nova amostra de previsão bem parecida com a anterior, aumentando apenas a concentração do interferente 2,5-DNF, de $4{,}0 \times 10^{-3}$ mol L^{-1} para $8{,}0 \times 10^{-3}$ mol L^{-1}. Apesar de o 2,5-DNF não ser o constituinte de interesse, a sua concentração se encontra fora dos limites considerados no conjunto de calibração. A concentração estimada do ONF nessa nova amostra foi excelente ($2{,}02 \times 10^{-3}$ mol L^{-1}), mas o mesmo não acorreu com a sua influência ($h_p = 1{,}468$), que está muito além do permitido, indicando que ela não pertence ao domínio do conjunto de calibração.

A influência não é importante apenas para detectar amostras atípicas. Ela também é usada no cálculo de incertezas de valores estimados, como vimos ao considerar o cálculo das figuras de mérito dos métodos univariados na seção 4.2. Nesse exemplo que acabamos de apresentar, o problema não está na concentração do ONF, mas no espectro da amostra de previsão e, como a sua influência foi alta, a incerteza na concentração também será alta. Todos os resultados de influência apresentados acima foram calculados usando um modelo de calibração construído pelo método PCR com três fatores e para os dados centrados na média. Se adicionarmos $1/I = 0{,}125$ a cada valor de influência, os resultados serão idênticos aos obtidos para um modelo PCR com intercepto e quatro fatores.

A seguir passaremos à analise dos resíduos, que são importantes não somente para a aferição do modelo, mas também para auxiliar na detecção de amostras atípicas.

Resíduos de Student

Já vimos a importância da análise dos resíduos em seção anterior, quando introduzimos os métodos univariados de regressão. Na Tabela 4 foram definidas a soma quadrática dos resíduos e também a sua média quadrática, MSE^{25}, que é uma estimativa da variância de y que não foi modelada. Vimos também que, se o vetor de erros da curva de calibração segue uma distribuição normal com média zero e variância populacional σ_y^2 (erros com variância constante para todas as amostras)[12], então s_y^2 é uma estimativa não tendenciosa da variância populacional ($\sigma_{y_i}^2 = \sigma_y^2 = s_y^2$). Além disso, definimos a raiz quadrada de s_y^2 como uma estimativa do erro-padrão de calibração e SEC^{26}. O objetivo neste momento é estender o assunto para os métodos que usam a análise de fatores (bilineares) e que são tendenciosos.

Foi visto anteriormente (equação 12) que o vetor dos resíduos da variável dependente para os modelos de regressão pode ser escrito como $\mathbf{e} = \mathbf{Py} = (\mathbf{I} - \mathbf{H})\mathbf{y}$. Supondo que o modelo inverso não seja tendencioso, $\mathbf{y} = \mathbf{X}\boldsymbol{\beta} + \boldsymbol{\varepsilon}$, em que $\boldsymbol{\varepsilon}$ é o vetor de erros em $\mathbf{y}^{54}$, que são independentes e identicamente distribuídos com média zero e variância igual a σ_y^2. Fazendo a substituição na expressão anterior, obtém-se que

$$\mathbf{e} = \mathbf{Py} = (\mathbf{I} - \mathbf{H})(\mathbf{X}\boldsymbol{\beta} + \boldsymbol{\varepsilon}) = (\mathbf{I} - \mathbf{H})\mathbf{X}\boldsymbol{\beta} + (\mathbf{I} - \mathbf{H})\boldsymbol{\varepsilon} = (\mathbf{I} - \mathbf{H})\boldsymbol{\varepsilon}, \qquad (87)$$

pois a matriz $\mathbf{H}$ é idempotente e o termo $(\mathbf{I} - \mathbf{H})\mathbf{X}\boldsymbol{\beta}$ é igual a zero. Assumindo que os elementos fora da diagonal de $\mathbf{H}$ sejam pequenos,

---

54 O símbolo $\boldsymbol{\varepsilon}$, que na equação 20 era $\mathbf{e}$, está sendo usado aqui apenas para não confundir com $\mathbf{e}$, que agora se refere aos resíduos em y dos modelos bilineares que são tendenciosos.

$$e_i = \varepsilon_i - h_{ii}\varepsilon_i \quad \text{e} \quad \text{var}(e_i) = (1 - h_{ii})\sigma_y^2. \tag{88}$$

Essa expressão é muito importante porque, devido à presença da influência, a variância dos resíduos não é mais constante, como indicado na figura da nota 12, mas varia de amostra para amostra. Vimos anteriormente que, para modelos não tendenciosos, os resíduos seguem uma distribuição normal com média zero e matriz de variância-covariância igual a s_y^2. Para os modelos bilineares, a situação é outra; os resíduos e_i seguem uma distribuição normal com média zero e matriz de variância-covariância igual a $(\mathbf{I} - \mathbf{H})\sigma_y^2$ ou $(\mathbf{I} - \mathbf{H})s_y^2$, se s_y^2 for uma boa estimativa de σ_y^2.

Foi discutido na seção anterior que, para os dados centrados na média, a influência máxima de uma amostra do conjunto de calibração é igual a $(1 - 1/I)$ (ou 1,0 para um modelo com intercepto). De acordo com a expressão 88, se a influência de uma amostra do conjunto de calibração é alta, a variância do seu resíduo deve ser próxima de zero, indicando que o modelo está deslocado na direção dessa amostra (seu poder de alavancagem é bastante alto). Como consequência, a equação matemática do modelo de regressão estará perturbada pela influência dessa amostra, fazendo com que ela apresente um resíduo mais baixo do que o real, e os diagnósticos baseados nos resíduos não serão capazes de detectá-la. Ainda de acordo com a equação 88, amostras com influência baixa, que estão próximas do centroide dos dados, produzem uma boa estimativa da variância populacional ($s_y^2 \approx \sigma_y^2$). Assumindo que a média quadrática $s_y^2 = \dfrac{SQ_{res}}{I - A}$ seja uma boa estimativa de σ_y^2, a ideia é propor, então, um resíduo padronizado, obtido dividindo o resíduo por uma estimativa de seu próprio desvio-padrão, $std(e_i) = \sqrt{(1 - h_{ii})}s_y$. Esse resíduo padronizado é denominado resíduo de Student e calculado como

$$r_i = \frac{e_i}{s_y\sqrt{(1 - h_{ii})}} = \frac{y_i - \hat{y}_i}{SEC\sqrt{(1 - h_{ii})}}. \tag{89}$$

Uma vantagem de adotar essa definição para o resíduo em y é que ele apresenta média igual a zero e desvio-padrão igual a um. Uma desvantagem é que o cálculo do desvio-padrão $s_y^2 = SEC$ inclui todas as amostras do conjunto de calibração. Se no modelo de regressão há alguma amostra com comportamento diferenciado, s_y^2 é uma estimativa tendenciosa da variância populacional σ_y^2, o que, com certeza, irá afetar o cálculo dos resíduos de todas as outras amostras do conjunto de calibração (eles serão menores). O ideal é que esse resíduo seja calculado durante a validação interna cruzada, quando a amostra i não está presente na construção do modelo e, então, e_i não participa do cálculo de s_y. Neste contexto, o resíduo de Student tem média zero, desvio-padrão igual a um e segue uma distribuição t de Student com $I - p$ graus de liberdade, se o número de amostras é pequeno, ou uma distribuição normal, se o número de amostras é grande. Os comandos do *software* MATLAB para o cálculo de r_i serão incluídos, juntamente com o algoritmo apresentado para a validação cruzada, na próxima seção.

Ao mudar o número de fatores no modelo, o vetor de regressão é alterado, os valores estimados da propriedade de interesse nas amostras do conjunto de calibração serão diferentes, as tendências mudam e finalmente, mudam os resíduos. Cada modelo de regressão dá origem a um conjunto de resíduos de Student. Ao fazer um gráfico desses resíduos, as amostras devem estar aleatoriamente espalhadas ao redor da origem, indicando que os resíduos seguem uma distribuição normal. Assumindo uma distribuição normal no nível de probabilidade 95% ($\alpha = 0,05$), o valor crítico dos resíduos é determinado através do teste t bilateral com $I - A$ graus de liberdade. Se o número de amostras é alto (maior que 100), os resíduos estarão limitados pelo intervalo ± 1,96 e, em geral, se usa o intervalo ± 2,0. Se uma amostra anômala apresenta um resíduo de Student significativamente maior que o das outras amostras do conjunto de calibração, o mais provável é que o problema esteja na amostra e não no modelo.

Os resíduos de Student das concentrações do *ONF* serão calculados e apresentados na próxima seção, quando for feita a validação cruzada para determinar o número ótimo de fatores no modelo de regressão. Para a detecção de amostras anômalas é conveniente usar um gráfico combinado da influência (relacionada com os resíduos no bloco **X**) *versus* os resíduos de Student (resíduos padronizados na propriedade de interesse, **y**).

4.5.2 Escolha do número de fatores no modelo

Finalmente, veremos como determinar o grau de complexidade quando construímos um modelo baseado na análise de fatores, *i.e.*, como definir o número de parâmetros independentes a serem estimados. Conforme indicado na Figura 38, um número excessivo de fatores conduz ao superajuste do modelo. Por outro lado, se o número de fatores é insuficiente, temos um subajuste. Como determinar o grau de complexidade ótimo para que sejam evitados ambos, o sub ou o superajuste? Uma vez que o objetivo final da construção de um modelo de calibração é a previsão de novas amostras, é natural que a escolha do número de parâmetros no modelo de regressão seja feita pela validação com um conjunto de teste ou de validação externa. Os valores da propriedade de interesse são estimados e comparados com os valores reais calculando-se os resíduos ($y_i - \hat{y}_i$), que são úteis para o cálculo de outros parâmetros que são utilizados na avaliação da qualidade e confiabilidade dos modelos de regressão. Uma maneira de sumarizar os resíduos é pelo valor de sua soma quadrática *PRESS*[55] ou pela raiz da média quadrática, denominada *RMSEP*[56], ambos definidos na expressão 90. Nessa expressão, *P* é o número de amostras do conjunto de teste que deve ser grande o suficiente para refletir todas as fontes de variabilidade do conjunto de calibração.

$$PRESS = \sum_{p=1}^{P}(y_p - \hat{y}_p)^2 \qquad \text{e} \qquad RMSEP = \sqrt{\frac{PRESS}{P}}. \qquad (90)$$

São construídos modelos com um fator, com dois etc., e os erros da previsão são usados para calcular os diferentes valores de *RMSEP*. O número ótimo de fatores é aquele que produz o menor valor de *RMSEP*.

---

55 Do inglês: *Predicted Residual Error Sum of Squares*.
56 Do inglês: *Root Mean Squared Error Prediction*.

Outro parâmetro que também pode ser utilizado para avaliar a qualidade do modelo é o erro-padrão de previsão, SEP^{57}, definido na equação 91, em que o viés já foi definido na nota 21.

$$SEP = \sqrt{\frac{\sum_{p=1}^{P}(y_p - \hat{y}_p - viés)^2}{P-1}} \qquad (91)$$

Os parâmetros $RMSEP$ e SEP das equações 90 e 91, respectivamente, estão relacionados pela expressão[58]: $RMSEP^2 = SEP^2 + viés^2$.

No entanto, a maneira mais comum de escolher o número de parâmetros no modelo de regressão é através da validação interna cruzada. Nessa abordagem, uma ou mais amostras i do conjunto de calibração são excluídas, e os modelos PCR ou PLS são construídos sem essas amostras. A seguir os valores da propriedade de interesse das amostras excluídas são estimados e comparados com os respectivos valores experimentais, quando são calculados os resíduos. No processo de validação cruzada, cada amostra do conjunto de calibração é excluída uma única vez. De maneira semelhante à adotada anteriormente, definimos a soma quadrática $PRESS_{val}$ para os resíduos obtidos durante a validação cruzada (quando o modelo de regressão foi construído na ausência da i-ésima amostra) e a raiz da média quadrática de validação cruzada, $RMSECV$. Ambos são análogos à equação 90, apenas substituindo $PRESS$ por $PRESS_{val}$, $RMSEP$ por $RMSECV$ e P por I, que é o número de amostras usadas na validação interna cruzada.

$$PRESS_{val} = \sum_{i=1}^{I}(y_i - \hat{y}_i)^2 \qquad e \qquad RMSECV = \sqrt{\frac{PRESS_{val}}{I}}. \qquad (92)$$

---

57 Do inglês: *Standard Error of Prediction or of Performance*.

58 Elevando ao quadrado o termo dentro da raiz da expressão 91, temos:

$$\sum_{p=1}^{P}(y_p - \hat{y}_p - viés)^2 = \sum_{p=1}^{P}(y_p - \hat{y}_p)^2 - 2 \times viés \times \sum_{p=1}^{P}(y_p - \hat{y}_p) + P \times viés^2 = PRESS -$$

$P \times viés^2$, onde $\frac{1}{P}\sum_{p=1}^{P}(y_p - \hat{y}_p) = viés$. Portanto, $(P-1)SEP^2 = P \times RMSEP^2 - P \times viés^2$.
Supondo que $(P-1) \approx P$, pode-se dizer que $RMSEP^2 = SEP^2 + viés^2$.

Como as amostras que tiveram sua propriedade de interesse estimada não estavam presentes na construção dos modelos de regressão, *RMSECV* é um parâmetro que pode ser usado para avaliar a sua capacidade de previsão.

Os valores de *PRESS*$_{val}$ e *RMSECV* são calculados para modelos de regressão com um, dois etc., até um número máximo de fatores escolhido *a priori*, que, em geral, é o menor dentre o número de amostras e variáveis, se o modelo inclui o intercepto, ou esse número menos um, se os dados foram centrados na média. Se o número de variáveis é alto, usam-se 10 fatores ou no máximo 20. Durante a validação cruzada, determina-se o número apropriado de fatores a serem utilizados no modelo final, *A*, que será aquele correspondente ao menor valor de *PRESS*$_{val}$ ou de *RMSECV*. A metodologia de validação cruzada é fácil de ser implementada e utilizada, mas nem sempre é eficaz, pois com frequência o número de fatores sugerido produz modelos que são superajustados.

A raiz da média quadrática dos resíduos de calibração, *RMSEC*, ou simplesmente *SEC*[26], introduzida quando discutimos os métodos univariados de calibração, também pode ser estendida aos métodos multivariados. Nesse caso os valores da propriedade de interesse são estimados usando o modelo de regressão construído com a participação de todas as amostras do conjunto de calibração. Para os modelos bilineares, os valores de *SEC* são calculados de acordo com a expressão 93, para os dados centrados na média[59]. O número de graus de liberdade do denominador é o número de amostras *I* subtraído do número de parâmetros no modelo, que é (*A* + 1) para os dados que consideram o intercepto ou quando ele é calculado a partir dos valores médio em **X** e **y** (um grau de liberdade está associado ao termo constante). Como mencionado anteriormente, vários autores definem *RMSEC* como a raiz da razão *PRESS*$_{cal}$ pelo número de amostras do conjunto de calibração, *I*, ao invés

---

[59] Subtrai um no denominador porque um grau de liberdade foi usado ao calcular a média. Se os dados não foram pré-processados e não foi adicionada a coluna de unidades na matriz **X**, então $RMSEC = \sqrt{\dfrac{\sum_{i=1}^{I}(y_i - \hat{y}_i)^2}{I - A}}$.

de $(I - A - 1)$ ou $(I - A)$, em analogia com os parâmetros *RMSEP* e *RMSECV* definidos nas equações 90 e 92. Do ponto de vista numérico, pode ser que a diferença entre os valores de *SEC* e *RMSEC* não seja significativa quando o número de amostras é alto, mas, do ponto de vista estatístico, a expressão *RMSEC* da equação 93 é incorreta.

$$SEC = \sqrt{\frac{\sum_{i=1}^{I}(y_i - \hat{y}_i)^2}{I - A - 1}} \; ; \qquad RMSEC = \sqrt{\frac{\sum_{i=1}^{I}(y_i - \hat{y}_i)^2}{I}} \; . \qquad (93)$$

Em resumo, nas equações 90 a 93 foram introduzidas quatro figuras de mérito para estimar erros em *y*, *RMSEP*, *RMSECV*, *SEC* e *SEP*. A prática geral é utilizar o gráfico dos valores de *RMSECV* ou de ambos, *RMSEP* e *RMSECV*, *versus* o número de fatores no modelo para a determinação do número ótimo de fatores, *A*. Esses gráficos apresentam um mínimo no número ótimo de fatores, quando a capacidade preditiva do modelo é máxima. O gráfico de *SEC versus* o número de fatores no modelo não é utilizado, uma vez que o seu valor decresce continuamente com a adição de fatores no modelo. Por outro lado, *RMSECV* em geral superestima o número de fatores produzindo modelos superajustados e, portanto, os resultados devem ser analisados com cuidado. Avaliando mais de perto essas figuras de mérito, pode-se concluir que elas fornecem uma avaliação da tendência ou do viés do modelo com respeito aos erros de previsão. Na determinação do número ótimo de fatores no modelo de regressão pelos métodos indicados acima, nenhum parâmetro que considere a variância em **X** foi avaliado e, no entanto, a Figura 38 sugere que deve existir um balanço entre a variância e o viés. O superajuste pode ser evitado, se for considerado algum parâmetro para descrever a variância dos dados. Uma sugestão da literatura é determinar *A* fazendo um gráfico do módulo do vetor de regressão, $\|\mathbf{b}\|$ *versus SEC* ou *RMSEP*. O módulo do vetor de regressão pode ser considerado como um indicador da variância, uma vez que ele sempre aumenta com o aumento de fatores no modelo. Essa curva tem a forma de uma letra L e de alguma maneira lembra a curva desejada da Figura 38. O número ótimo de fatores ocorre no vértice, quando existe um balanço ótimo entre a variância e o viés.

A sequência de passos a ser seguida durante a validação interna cruzada e para o cálculo dos resíduos de Student introduzidos na seção anterior se encontra na caixa de texto abaixo. Nela estão os comandos do MATLAB para um modelo construído pelo método PCR com A fatores. Para o método PLS, basta substituir as linhas referentes à construção do modelo PCR pelas do modelo PLS.

```
for a = 1:A
   for i = 1:I
     X_i = [X(1:i - 1,:);X(i + 1:I,:)];      % A i-ésima amostra é excluída
     x = X(i,:);
     y_i = [y(1:i - 1);y(i + 1:I)];
     % Os dados são centrados na média
     MX = mean(X_i);
     MY = mean(y_i);
     X_icm = X_i - ones(I - 1,1) * MX;
     y_icm = y_i - ones(I - 1,1) * MY;
     xcm = x - MX;
     [u s v] =  svd(X_icm);
     t = u * s;
     XA = t(:,1:a) * v(:,1:a)';
     b = v(:,1:a) * inv(s(1:a,1:a)) * u(:,1:a)' * y_icm; % O vetor de regressão é estimado
     yest(i) = xcm * b + MY;        % y é estimado para a i-ésima amostra durante a VC
     EP(i) = (C(i,3) - yest(i));           % Cálculo do erro de previsão da i-ésima amostra
   end
Yest(:,a) = yest';
ECV(:,a) = EP';
PRESSVAL(a) = sum(ECV(:,a)' * ECV(:,a));            %Cálculo do PRESS de validação
RMSECV(a) = (sum(ECV(:,a)' * ECV(:,a)) / I) .^ 0.5;    % Cálculo do RMSECV
[U S V] = svd(X - ones(I,1) * mean(X));
T = U * S;
B = V(:,1:a) * inv(S(1:a,1:a)) * U(:,1:a)' * (y - ones(I,1) * mean(y));  %vetor de regressão
YEST = (X - ones(I,1) * mean(X)) * B + ones(I,1) * mean(y);     % y estimado na calibração
ERRO = y - YEST;                        % resíduo na calibração
PRESSCAL(a) = sum(ERRO' * ERRO);                  %PRESSCAL
SEC(a) = sqrt(sum(ERRO' * ERRO)/(I - a - 1));      %SEC
H = (X - ones(I,1) * mean(X)) * V(:,1:a) * inv(T(:,1:a)' * T(:,1:a)) * T(:,1:a)'; %MATRIZ H
h(:,a) = diag(H);    % vetor de influências (seção 4.5.1).
sy2(a) = ECV(:,a)' * ECV(:,a) / (I - a);
r(:,a) = ECV(:,a) ./ (sqrt(sy2(a)) * sqrt(ones(I,1) - h(:,a))); % Resíduo de Student
end
```

Finalmente, voltaremos aos dados dos nitrofenóis para fazer toda a validação do modelo de regressão. Vamos usar o método de regressão

PCR, mas o mesmo procedimento é válido para o método PLS. Apesar do tamanho reduzido do conjunto de calibração que contém apenas oito amostras e somente uma amostra de previsão, a Tabela 11 apresenta os resultados obtidos para as três figuras de mérito *SEC* e *RMSECV* e *RMSEP*, para que o leitor possa acompanhar o procedimento a ser seguido (os valores de *SEP* não foram incluídos porque há apenas uma amostra no conjunto de validação externa).

Tabela 11 – Valores de $RMSECV^a$, $RMSEP^b$, SEC^c e $RMSEC^d$ dos modelos construídos com um a seis fatores para o *o*-Nitrofenol utilizando o método PCR^e (mol L^{-1}) e os respectivos módulos do vetor de regressão

Parâmetros	Número de fatores no modelo					
	1	2	3	4	5	6
$RMSECV \times 10^{-3}$	2,832	1,723	0,094	0,088	0,080	0,076
$RMSEP \times 10^{-3}$	2,714	1,332	0,024	0,023	0,023	0,016
$SEC \times 10^{-3}$	2,406	1,432	0,028	0,033	0,040	0,027
$RMSEC \times 10^{-3}$	2,083	1,132	0,020	0,020	0,020	0,010
$\|\|b\|\|$	1,066	6,002	13,339	13,340	13,341	13,449

[a] Raiz da média quadrática dos erros de validação cruzada excluindo uma amostra por vez, calculada usando a equação 92.
[b] Raiz da média quadrática dos erros de previsão (uma amostra de ONF), conforme a equação 90.
[c] Erro-padrão de calibração, segundo a equação 93.
[d] Os valores de *RMSEC* calculados conforme a equação 93 foram incluídos apenas para comparação.
[e] Os dados foram centrados na média.

Os resultados na forma gráfica estão na Figura 41a. É visível que, para o modelo com três fatores, os desvios-padrões sofrem uma grande redução e então continuam estabilizados, indicando que três é o número ótimo, pois o ganho nesses valores é inexpressivo quando se incluem novos fatores no modelo. Na Tabela 11, estão indicados os valores do módulo do vetor de regressão $\|\|b\|\|$, que serão utilizados para fazer o gráfico dos valores de *RMSEP* versus os de $\|\|b\|\|$ como uma alternativa que considera o viés ao estimar o número de fatores (Figura 41b). Infelizmente, esse gráfico não apresentou a forma desejada de um L porque, a partir de três fatores, os valores de $\|b\|$ e de *RMSEP* praticamente não variam e o vértice não é visível. A inclusão de novos fatores no modelo não incorpora informação concreta suficiente para alterar os valores desses dois parâmetros, o que era esperado, uma vez que as amostras são misturas de três componentes químicos com ruído aleatório adicionado.

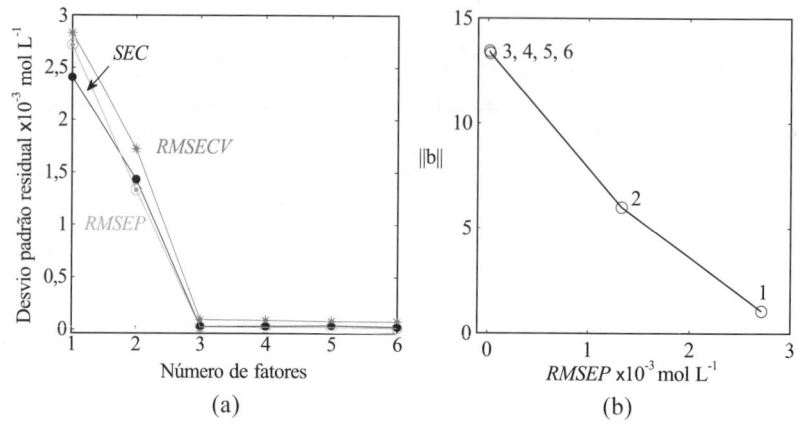

Figura 41 – (a) Gráfico do número de fatores *versus* os desvios-padrões residuais, *RMSECV* (∗), *SEC* (●) e *RMSEP* (☉). (b) Gráfico dos valores de *RMSEP versus* o módulo do vetor de regressão. Os modelos de regressão foram construídos para o *o*-Nitrofenol utilizando o método PCR com um a seis fatores. Os dados foram antecipadamente centrados na média.

A próxima etapa do processo de validação é a determinação e análise dos resíduos de Student. O algoritmo na página 374 nos mostra como eles foram calculados para o conjunto de calibração, e os resultados para um modelo de regressão com três fatores foram: 0,377; 3,423; – 0,207; – 1,326; –1,368; 0,235; – 0,635; e 0,172. Esses resultados são analisados, em conjunto com os valores de influência que já foram discutidos anteriormente, por meio do gráfico apresentado na Figura 42. Nesse gráfico são indicados os valores críticos dos resíduos determinados através de um teste *t* bilateral no nível de 95% de confiança para $\alpha = 0,05$ e $(I - A) = 5$ graus de liberdade, quando $t_{\alpha/2} = 2,571$. Já os valores críticos indicados para a influência se referem a $2A/I$ e $3A/I$. A amostra 2 apresenta um resíduo acima do valor crítico, mas não seria considerada uma amostra atípica. Ela apresenta influência próxima do valor crítico mais rigoroso.

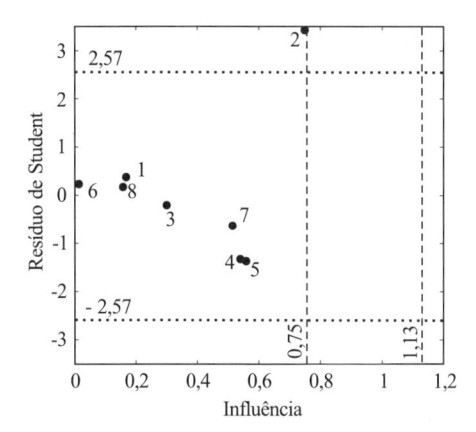

Figura 42 – Gráfico das influências das oito misturas de nitrofenóis *versus* os resíduos de Student calculados durante a validação cruzada. O modelo de regressão foi construído pelo método PCR com três fatores e os dados foram previamente centrados na média.

Tabela 12 – Valores experimentais da concentração do *o*-Nitrofenol ($\times 10^{-3}$ mol L^{-1}), valores estimados durante a validação cruzada, valores estimados com todas as amostras no modelo e os respectivos resíduos, e os coeficientes de determinação e de determinação ajustados[a].
O modelo PCR foi construído com três fatores e os dados foram previamente centrados na média

Amostra	Exp.	Validação		Calibração	
		Estimados	Resíduos[b]	Estimados	Resíduos
1	5,0	4,960	0,041	4,969	0,031
2	7,0	6,797	0,202	7,009	-0,009
3	1,0	1,021	-0,021	1,003	-0,003
4	1,0	1,106	-0,106	1,028	-0,028
5	3,0	3,108	-0,108	3,009	-0,009
6	4,0	3,972	0,028	3,972	0,028
7	8,0	8,052	-0,052	8,020	-0,020
8	2,0	1,981	0,019	1,989	0,011
		$R^2 = 0,93$ $R'^2 = 0,88$		$R^2 = 1,0$ $R'^2 = 1,0$	

[a] Ver a equação 18 e a nota 24 para a definição.

[b] Viés = $3,823 \times 10^{-4}$ mol L^{-1} (média dos resíduos de validação).

Os resíduos percentuais no modelo final de calibração estão abaixo de 0,7%, exceto para a amostra quatro, que apresentou um resíduo de 2,7%. O viés do modelo foi encontrado fazendo a média dos resíduos obtidos durante a validação cruzada quando a respectiva amostra se encontrava excluída. Os resultados da Tabela 12 costumam ser visualizados fazendo-se um gráfico (Figura 43) dos valores experimentais *versus* os valores estimados durante a validação cruzada e também com todas as amostras incluídas ao construir o modelo.

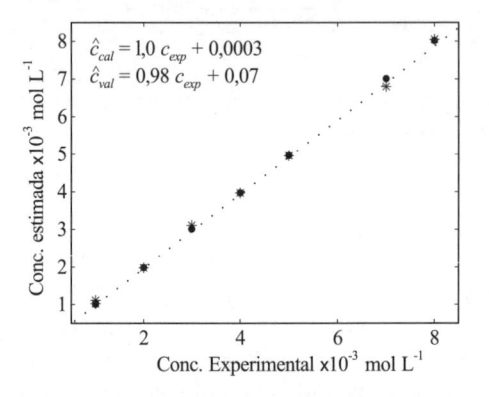

$$\hat{c}_{cal} = 1,0 \ c_{exp} + 0,0003$$
$$\hat{c}_{val} = 0,98 \ c_{exp} + 0,07$$

Figura 43 – Gráfico das concentrações experimentais de *o*-Nitrofenol *versus* as concentrações estimadas durante a validação cruzada (∗), quando a amostra não estava presente na construção do modelo de regressão, e durante a calibração, quando todas as amostras foram incluídas na construção do modelo (●). O modelo PCR foi construído com três fatores e os dados foram previamente centrados na média.

Encerramos aqui a construção e validação do modelo de regressão para a determinação do *o*-Nitrofenol.

4.6 Previsão

Todo o esforço investido na construção de um modelo de calibração só é compensado ao se fazer a previsão da propriedade de interesse em novas amostras. Comparado ao trabalho envolvido na construção e otimização do modelo, a etapa de previsão é bem simples. Deve-se cuidar para que as novas amostras sejam preparadas ou obtidas de modo semelhante às do conjunto de calibração e que os dados experimentais sejam coletados usando os mesmos procedimentos e instrumentos usados anteriormente. Finalmente, os dados obtidos devem ser pré-processados da mesma maneira que os do conjunto de calibração. Isso feito, basta aplicar o modelo de regressão final e prever a propriedade de interesse.

Se o objetivo é utilizar o modelo construído a longo prazo, ainda restam alguns cuidados. O desempenho do modelo e sua aplicabilidade podem mudar com o decorrer do tempo. Vai haver um momento em que o modelo deixa de prever bem, gerando informação imprecisa e, se o analista não estiver alerta, pode tomar decisões erradas a ponto de causar sérios prejuízos financeiros. Tais problemas podem ocorrer devido ao mau funcionamento do instrumento em uso ou com relação ao procedimento de amostragem. O modelo de regressão em utilização deve passar por manutenção periódica. Isso pode ser feito tomando um novo conjunto de amostras de referência, cuja propriedade de interesse foi determinada. Os dados instrumentais dessas amostras são coletados e as concentrações são estimadas e comparadas com os valores experimentais.

A frequência com que esse procedimento deve ser feito varia de uma aplicação para outra e vai depender da necessidade. Por exemplo, se as condições de amostragem e de medida flutuam diariamente, pode ser necessário checar uma vez por dia; caso contrário, esse período é maior.

Quando se faz uso dos métodos bilineares, PCR e PLS, o modelo final pode tomar diferentes formas, dependendo do objetivo a que se propõe. Por exemplo, se o objetivo é fazer previsões em curto prazo, o modelo final deve ser um modelo local e mais específico. Se o objetivo é fazer previsões em um prazo longo, sugere-se um modelo mais parcimonioso ou menos complexo. O que muda nesses modelos é o número de variáveis preditoras originais e o número de fatores, fazendo com que o vetor de regressão seja diferente de um modelo para outro.

A seguir enfatizamos alguns pontos importantes e que já foram comentados ao longo do texto, mas que o analista deve ter sempre em mente:

1) O modelo final obtido só é válido dentro da faixa de concentrações do conjunto de calibração. Isso quer dizer que a con-

centração prevista não pode estar fora dessa faixa (não se devem fazer extrapolações).

2) A presença de interferentes que não estavam presentes no conjunto de calibração pode afetar a qualidade da previsão e tornar o modelo inútil. Uma maneira simples de o analista detectar a presença de impurezas não modeladas é através da comparação do espectro medido com os do conjunto de calibração. Se a diferença for significativa, pode indicar a presença de algum interferente que não foi modelado. Se essa impureza estiver presente nas amostras futuras, sugere-se atualizar o modelo em uso para que incorpore a impureza detectada.

4.7 Figuras de mérito

A definição das figuras de mérito para os modelos multivariados (parâmetros que atestam a sua qualidade e confiabilidade) e a utilização dessas figuras na validação de um procedimento analítico já se encontram praticamente consolidadas. Algumas delas foram introduzidas em seções anteriores, como, por exemplo, a sensibilidade que foi generalizada para $SEN = \dfrac{1}{\|\mathbf{b}\|} = \dfrac{1}{\sqrt{\mathbf{b}^T\mathbf{b}}}$ na equação 50. Da mesma maneira, podem-se generalizar os parâmetros que dependem do vetor de regressão. O limite de detecção e o limite de quantificação são dois deles. Assumindo que o número de amostras é maior do que 20, o limite de detecção que foi definido para o método inverso na equação 47 como $LD = \hat{b}_0 + 2z_\alpha \sigma_{br} \hat{b}_1$ toma a forma $LD = 3{,}29 \sigma_{br} \|\mathbf{b}\|$ para os dados centrados na média. Assumiu-se igual probabilidade de cometer os erros do tipo I e do tipo II e que z_α para a distribuição normal padrão no nível de confiança $\alpha = \beta = 0{,}05$ é igual a 1,645. Adotando os mesmos critérios, o limite de quantificação definido na equação 46 é generalizado para os métodos multivariados como $LQ = 10 \sigma_{br} \|\mathbf{b}\|$.

A seguir, vamos introduzir uma nova metodologia que pode ser empregada no cálculo de algumas das figuras de mérito para os modelos de regressão bilineares, PCR e PLS, que acabamos de discutir. Essa proposta inovadora foi sugerida inicialmente por Morgan[60] na década de 1970 e se consolidou dez anos mais tarde com o trabalho de Lorber[61]. O primeiro trabalho de Lorber era bastante limitado, do ponto de vista prático, mas o seu impacto está no fato de que nele foi introduzido o conceito do sinal analítico líquido, NAS^{62}, de um constituinte na forma vetorial e escalar.

De acordo com a definição dada por Lorber, considera-se que todo espectro medido experimentalmente possa ser representado pela soma de dois vetores ortogonais entre si. Um deles é o vetor NAS, que é exclusivo do constituinte de interesse (sinal analítico), e o outro é o vetor dos interferentes, que contém as informações de todos os outros constituintes presentes (todas as outras fontes de variabilidade). Essa é uma definição intuitiva e natural, uma vez que o espectro de uma amostra contém contribuições de outros constituintes além daquele de interesse. A Figura 44 mostra a decomposição do espectro de uma amostra i em duas contribuições ortogonais: uma, que contém informação apenas do constituinte de interesse k (o vetor NAS), e outra, que contém informação conjunta de todos os outros constituintes.

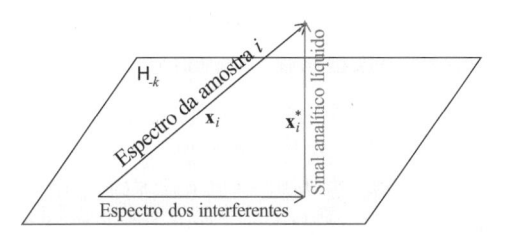

Figura 44 – Representação geométrica do vetor NAS, que é ortogonal ao espaço gerado pelos espectros dos outros constituintes ativos (interferentes).

Em termos matemáticos, a matriz $\mathbf{X}$ das variáveis preditoras do conjunto de calibração é decomposta nas duas matrizes

---

60 Morgan, D. R. 'Spectral absorption pattern detection and estimation. I. Analytical Techniques', *Appl. Spectrosc.* **51** (1977), 404-415.
61 Lorber, A. 'Error propagation and figures of merit for quantification by solving matrix equations', *Anal. Chem.* **58** (1986) 1167-1172.
62 Do inglês: *Net Analyte Signal*.

$$X = X_k + X_{-k}, \qquad (94)$$

em que X_k é a contribuição exclusiva do constituinte de interesse e X_{-k} é a matriz que descreve a contribuição dos interferentes. Para fazer essa decomposição, voltaremos às matrizes de projeção definidas nas equações 11 e 12. Aqui, a matriz chapéu, H, projeta os espectros no espaço dos interferentes H_{-k}, enquanto a matriz P (de dimensões $J \times J$) faz a projeção dos espectros no espaço ortogonal, $H_{-k}^{\perp}$, no qual se encontra o vetor NAS. A matriz chapéu nesse caso é dada pelo produto $H_{-k} = X_{-k} X_{-k}^{+}$. Fazendo a projeção da i-ésima amostra, representada por x_i, no espaço ortogonal, $H_{-k}^{\perp}$, temos como resultado a equação 95 (ver equação 11).

$$P = [I - X_{-k} X_{-k}^{+}] \qquad Px_i = \hat{x}_{k,i} = [I - X_{-k} X_{-k}^{+}] x_i = x_i - \hat{x}_{-k,i} \qquad (95)$$

Pode-se demonstrar teoricamente que, para modelos em que o erro está presente apenas na propriedade de interesse e não nos espectros, o vetor de regressão e o vetor NAS são colineares, diferindo entre si apenas por uma constante. Essa proporcionalidade entre os dois vetores é previsível, pois ambos representam a parte do sinal que é ortogonal aos interferentes. Como o vetor de regressão, o vetor NAS é específico para o modelo proposto e não descreve o espectro verdadeiro do constituinte de interesse.

Para o cálculo do vetor NAS quando se usam os métodos de regressão PCR e PLS, a matriz X das variáveis preditoras é projetada no subespaço H_A de dimensão reduzida A (dos fatores), em que a matriz de projeção H_A é dada pelo produto da matriz de pesos $L_A L_A^{+}$, resultando na matriz[63]

$$H_A X = X L_A L_A^{+} = \hat{X}_A. \qquad (96)$$

A matriz de projeção no espaço ortogonal $H_A^{\perp}$ é $P = [I - L_A L_A^{+}]$, e o resultado da projeção da matriz original X nesse espaço é a matriz

---

63 O operador que transforma X em X_A é a multiplicação à direita por $L_A L_A^{+}$.

$\hat{\mathbf{X}}_{A,e} = \mathbf{PX} = \mathbf{X}[\mathbf{I} - \mathbf{L}_A \mathbf{L}_A^+]$ (ver Figura 35 ou Figura 12 do capítulo 3). Essa é a matriz de resíduos, que foi considerada irrelevante e foi eliminada como sendo ruído ao filtrarmos ou truncarmos os dados. Para a definição do vetor NAS, vamos decompor, então, a matriz reconstruída com A fatores, $\hat{\mathbf{X}}_A$, em duas contribuições ortogonais, $\hat{\mathbf{X}}_{A,k}$ e $\hat{\mathbf{X}}_{A,-k}$, tal que $\hat{\mathbf{X}}_A = \hat{\mathbf{X}}_{A,k} + \hat{\mathbf{X}}_{A,-k}$[64].

Os vetores *NAS* (um para cada amostra) e o vetor $\hat{\mathbf{b}}_A$ dos coeficientes de regressão estimados para um modelo com A fatores, pertencem ao espaço-coluna de $\mathbf{X}$, $\mathbf{H}_A$, e têm a mesma direção. O espaço ortogonal à direção desses dois vetores, $\mathbf{H}_{b,NAS}^\perp$, é equivalente ao espaço gerado pelos interferentes, $\mathbf{H}_{A,-k}$. Então, podemos escrever que

$$\mathbf{P}\hat{\mathbf{X}}_A = \hat{\mathbf{X}}_A \left[\mathbf{I} - \hat{\mathbf{b}}_A \hat{\mathbf{b}}_A^+ \right] = \hat{\mathbf{X}}_{A,-k}. \tag{97}$$

Usando as expressões 96 e 97, as matrizes $\hat{\mathbf{X}}_{A,k}$ e $\hat{\mathbf{X}}_{A,-k}$ podem ser encontradas.

$$\hat{\mathbf{X}}_{A,-k} = \mathbf{XL}_A \mathbf{L}_A^+ \left[\mathbf{I} - \hat{\mathbf{b}}_A \hat{\mathbf{b}}_A^+ \right] \quad \text{e} \tag{98}$$

$$\hat{\mathbf{X}}_{A,k} = \mathbf{XL}_A \mathbf{L}_A^+ \hat{\mathbf{b}}_A \hat{\mathbf{b}}_A^+ \tag{99}$$

Como o vetor **b** está no espaço-coluna de **X**, então $\mathbf{L}_A \mathbf{L}_A^+ \hat{\mathbf{b}}_A = \hat{\mathbf{b}}_A$ e, finalmente, temos que

$$\hat{\mathbf{X}}_{A,k} = \mathbf{X}\hat{\mathbf{b}}_A \hat{\mathbf{b}}_A^+. \tag{100}$$

Concluindo, o vetor NAS do constituinte k em uma amostra i, que representaremos como $\hat{\mathbf{x}}_{ki}^*$, é encontrado projetando seu espectro no espaço gerado pelo vetor de regressão

---

64 Na realidade, a matriz original é decomposta em três contribuições, todas ortogonais entre si, $\mathbf{X} = \hat{\mathbf{X}}_{A,k} + \hat{\mathbf{X}}_{A,-k} + \hat{\mathbf{X}}_{A,e}$, sendo que $\hat{\mathbf{X}}_{A,e}$ foi considerada irrelevante e, então, eliminada.

$$\hat{x}_{ki}^* = \hat{b}_A \hat{b}_A^+ x_i = \hat{b}_A \left(\hat{b}_A^T \hat{b}_A\right)^{-1} \hat{b}_A^T x_i . \tag{101}$$

Agora, resta definir o valor do sinal analítico líquido, que é um escalar. Uma proposição seria usar a norma Euclideana do vetor *NAS*. No entanto, adotaremos aqui a estratégia sugerida por Bro[65], em que a previsão da propriedade de interesse para uma nova amostra *p* é dada pela equação

$$\hat{y}_{kp} = x_p^T \hat{b}_A = \hat{x}_{kp}^{*T} \hat{b}_A, \tag{102}$$

que provém da multiplicação à esquerda de ambos os lados da equação 101 por $\hat{b}_A^T$, quando se obtém que $\hat{b}_A^T \hat{x}_{ki}^* = \hat{b}_A^T x_i$.

Uma equação explícita para o escalar *NAS* é obtida multiplicando a equação 101 à esquerda de ambos os lados por $\hat{x}_{ki}^{*T}$, tal que $\hat{x}_{kp}^{*T} \hat{x}_{kp}^* = \left\|\hat{x}_{kp}^*\right\|^2 = \left(x_{kp}^*\right)^2$. O resultado dessa multiplicação é

$$\left\|\hat{x}_{kp}^*\right\|^2 = \left(x_{kp}^*\right)^2 = \frac{\left(\hat{b}_A^T x_p\right)^T \left(\hat{b}_A^T x_p\right)}{\left\|\hat{b}\right\|^2} = \frac{\hat{y}_{kp}^2}{\left\|\hat{b}\right\|^2}. \tag{103}$$

Usando a equação 102, chega-se ao resultado desejado: ao valor estimado do escalar *NAS*:

$$\hat{x}_{kp}^* = \frac{\hat{x}_{kp}^{*T} \hat{b}_A}{\left\|\hat{b}\right\|} \quad \text{ou} \quad \hat{x}_{kp}^* = \frac{\hat{y}_{kp}}{\left\|\hat{b}\right\|}. \tag{104}$$

De acordo com essa definição, tem-se um vetor e um escalar *NAS* para cada amostra do conjunto de calibração. Esses parâmetros serão usados para o cálculo de algumas figuras de mérito e, para evitar imprecisões nos cálculos, sugere-se remover antes as amostras anômalas do conjunto de calibração.

---

65 Bro, R. e Andersen, C. M. 'Theory of Net Analyte Signal Vectors in Inverse Regression', *J. Chemom.* **17** (2003) 646–652.

A seguir está o algoritmo para o cálculo dos vetores e escalares *NAS* do constituinte de interesse k para as amostras do conjunto de calibração, segundo as definições das equações 101 e 104, respectivamente. Como, em geral, os dados são centrados na média para a construção dos modelos de calibração, todos os algoritmos indicados para o cálculo das figuras de mérito já consideram esse pré-processamento.

```
nas = b * (b \ Xcm');   % cálculo dos vetores NAS (eq. 101)
% Xcm = matriz X centrada na média
nnas = (1 / norm(b)) * nas' * b   % cálculo dos escalares NAS (eq. 104)
```

O vetor *NAS* também pode ser calculado usando o lado direto da equação 101.

```
nas = b * (inv(b' * b) * b') * Xcm'
```

A sensibilidade (uma medida da variação do sinal como função da concentração) é facilmente determinada em termos do vetor *NAS*, a partir da equação 104. Ela é dada, então, pelo módulo do próprio vetor *NAS* multiplicado pelo inverso da concentração estimada do constituinte de interesse k nessa amostra, como indicado na equação 105.

$$SEN_{ki} = \frac{\hat{x}^*_{ki}}{\hat{y}_{ki}} \qquad (105)$$

```
sen = nnas ./ yestcm;
%yestcm = os valores estimados centrados na média
SEN = mean(sen);
```

Note-se que, empregando esse formalismo, tem-se um valor de sensibilidade para cada amostra, ao contrário da definição anterior, que produz um único valor para o modelo construído. A sensibilidade do método pode ser obtida fazendo a média dos escalares SEN_{ki} para todas as amostras. Utilizando os valores estimados pelo modelo, como indicado na expressão 105, o valor médio obtido para a sensibilidade é igual ao calculado pelo método tradicional, pela própria definição na equação 104, em que $\dfrac{\hat{x}^*_{ki}}{\hat{y}_{ki}} = \dfrac{1}{\|\mathbf{b}\|}$. Chamamos a atenção aqui para o fato de que vários autores utilizam os dados experimentais da concentração do constituinte de interesse no cálculo da sensibilidade, ao invés dos valores estimados.

A sensibilidade analítica, $SEN_{analítica}$, como já foi comentado anteriormente, é dada pela razão entre a sensibilidade do método e o desvio-padrão da resposta instrumental do branco e tem unidade de concentração^{-1}.

$$SEN_{analítica} = \dfrac{SEN}{s_{br}} \qquad (106)$$

Considerando que o ruído aleatório é a única fonte de erro experimental, o inverso da sensibilidade analítica pode ser interpretado de maneira mais clara, uma vez que apresenta uma relação direta com a concentração. O parâmetro $1/SEN_{analítica}$ indica a menor diferença na concentração que pode ser distinguida por um método analítico. Por exemplo, para duas amostras com concentrações 2,00 mg mL^{-1} e 2,27 mg mL^{-1}, se o inverso da sensibilidade analítica for igual a 0,27 mg mL^{-1}, o método analítico em questão é capaz de distinguir estas duas amostras

A seletividade é outra figura de mérito derivada do sinal analítico líquido. Sendo uma medida do quanto o sinal do constituinte de interesse se encontra sobreposto ao sinal dos interferentes, ela fornece uma descrição da parte do sinal medido que é útil para previsão (o vetor NAS). Não havendo outros constituintes presentes além do constituinte de interesse k, 100% do sinal medido é útil para previsão. Portanto, uma definição adequada de seletividade pode ser a razão entre os módulos dos dois vetores NAS: da amostra i $\|\hat{\mathbf{x}}^*_{ki}\|$ na presença do interferente e da amostra contendo somente o constituinte de interesse, quando $\|\mathbf{x}^*_k\| = \|\mathbf{x}_k\|$.

$$SEL_{ki} = \dfrac{\|\hat{\mathbf{x}}^*_{ki}\|}{\|\mathbf{x}_k\|} \qquad (107)$$

Essa é uma figura de mérito adimensional e cada amostra tem a sua seletividade. Como o *NAS* é uma fração do sinal total, a seletividade varia sempre entre zero e um. Infelizmente, raros são os casos em que se conhece o espectro do constituinte de interesse, e o denominador da equação 107 é desconhecido. Para resolver essa situação, usa-se uma aproximação grosseira substituindo o módulo do espectro do constituinte de interesse pelo módulo do espectro da amostra *i*. A seletividade do método é obtida fazendo a média para todas a amostras do conjunto de calibração.

$$SEL_{ki} = \frac{\left\|\hat{\mathbf{x}}^*_{ki}\right\|}{\left\|\mathbf{x}_i\right\|} \tag{108}$$

```
sel = sqrt(diag(nas' * nas)) ./ sqrt(diag(Xcm * Xcm'));
SEL = mean(sel)
```

A Tabela 13 resume as figuras de mérito que são mais utilizadas para aferir os métodos de regressão PCR e PLS.

Tabela 13 – Figuras de mérito usadas na validação de métodos multivariados de projeção (bilineares), do constituinte de interesse k

Figuras de mérito	Métodos tradicionais	Métodos que utilizam o NAS^a
Sensibilidade[b]	$SEN = \dfrac{1}{\|\mathbf{b}\|} = \dfrac{1}{\sqrt{\mathbf{b}^T\mathbf{b}}}$	$SEN_{ki} = \dfrac{1}{\|\mathbf{b}\|} = \dfrac{\hat{x}^*_{ki}}{\hat{y}_{ki}}$ $SEN_k = \dfrac{1}{I}\sum_{i=1}^{I} SEN_{ki}$
Sensibilidade Analítica[c]	$SEN_{analítica} = \dfrac{SEN}{s_{br}}$	$SEN_{analítica} = \dfrac{SEN_k}{s_{br}}$
Seletividade[d]		$SEL_{ki} = \dfrac{\|\hat{\mathbf{x}}^*_{ki}\|}{\|\mathbf{x}_i\|}$ $SEL_k = \dfrac{1}{I}\sum_{i=1}^{I} SEL_{ki}$
Limite de Detecção[e]	$LD = 2z_\alpha \sigma_{br}\|\mathbf{b}\| = 3{,}29\sigma_{br}\|\mathbf{b}\|$	
Limite de Quantificação[f]	$LQ = 10\sigma_{br}\|\mathbf{b}\|$	
Desvio-Padrão Relativo[g]	$RSD = 100\dfrac{RMSEP}{\bar{y}}\%$	

[a] Sinal analítico líquido $\hat{\mathbf{x}}^*_{ki}$ definido nas equações 101 e 104.
[b] Equações 50 e 105.
[c] Equação 106.
[d] Equação 107 ou 108.
[e] Equações 40 e 47.
[f] Equação 47.
[g] Equação 44; pode-se usar também *SEP*, ou mesmo *RMSECV*.

Para exemplificar o cálculo das figuras de mérito, vamos utilizar um conjunto de dados reais oriundos de uma indústria de aditivos[66], que nesse caso é o óleo de soja epoxidado. A modificação química do óleo de soja comercial enriquece as suas propriedades para uso como matéria-prima na indústria plástica. Por exemplo, o óleo de soja epoxidado é adicionado para minimizar a decomposição de produtos de PVC expostos à luz solar, quando ocorre a eliminação de ácido clorídrico. O processo de degradação pode ser inibido pela reação do anel epóxido (oxirana) do óleo epoxidado com o ácido clorídrico.

Introduzindo o problema, o óleo de soja é um triglicerídeo que contém em média 14% de ácido esteárico, 23% de ácido oleico, 55% de ácido linoleico e 8% de ácido linolênico. Três dentre eles são insaturados: o ácido oleico com uma instauração (18:1), o linoleico com duas (18:2) e o linolênico com três (18:3).

O processo de epoxidação do óleo de soja comercial é controlado pela quantificação dos seguintes parâmetros relacionados à qualidade do produto:

1) Pelo índice de epoxidação, que está diretamente relacionado às propriedades estabilizantes do produto. Quanto maior o grau de epoxidação, mais eficiente será o aditivo.
2) Pelo índice de iodo, que é um indicador da quantidade de insaturações presentes no óleo epoxidado.
3) Pela porcentagem de água (% água), resultante da lavagem do produto final. A quantidade de água deve ser mínima, uma vez que a água pode causar a degradação do anel epóxido.

O objetivo original deste trabalho foi construir modelos de calibração para os três parâmetros de qualidade mencionados acima, utilizando como variáveis preditoras os espectros de absorbância na região

---

[66] Parreira, T. F.; Ferreira, M. M. C.; Sales, H. J. S. e Almeida, W. B. de 'Quantitative Determination of Epoxidized Soybean Oil Using Near Infrared Spectroscopy and Multivariate Calibration', *Appl. Spectrosc.*, **56** (2002) 1607-1614.

do infravermelho próximo. Mostraremos aqui apenas o modelo de regressão para a determinação do percentual de água com o objetivo de ilustrar o cálculo das figuras de mérito e, a seguir, como o procedimento de seleção de variáveis pode influenciar os resultados. Os espectros de absorbância na região do NIR de 61 amostras de óleo de soja epoxidado foram registrados na faixa de 9.300 cm^{-1} a 4.500 cm^{-1}, com um incremento de 2 cm^{-1} em um espectrofotômetro BOMEM – MB160 – FTIR, e um deles é apresentado na figura 45. Os teores de água (em porcentagem) no óleo foram determinados por titulação Karl Fischer e variam entre 0,02% e 0,45%, enquanto o limite aceitável para a indústria é de 0,3%. As amostras estão distribuídas em três grupos. A grande maioria delas contém água na faixa de 0,02% a 0,1%, quatro duplicatas estão na faixa de 0,1% a 0,2%, e apenas duas amostras apresentam teores de água acima de 0,4%, que estão acima do nível aceitável, que é de 0,3%. Essas duas últimas amostras representam uma situação que não é comum, mas que pode ocorrer na indústria e, portanto, elas não devem ser consideradas anômalas.

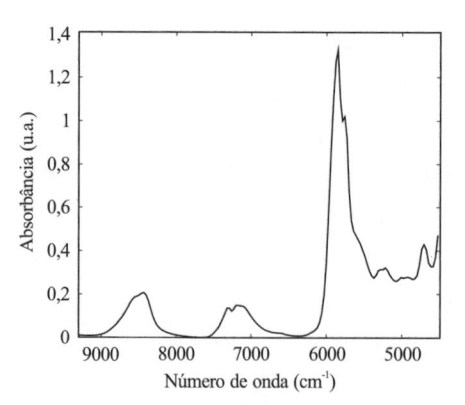

Figura 45 – Espectro de uma amostra de óleo de soja epoxidado, registrado na região do NIR.

Inicialmente, foi aplicado um alisamento pela média com uma janela de 15 pontos ($m = 7$), e o número original de variáveis preditoras, que era 2.400, foi reduzido para 160. A matriz **X** (61 × 160) resultante foi, então, dividida em dois conjuntos menores, sendo o conjunto de calibração formado por 41 amostras e o conjunto de validação externa ou conjunto de teste, pelas 20 restantes. A seleção das amostras constituintes desses dois conjuntos pode ser feita aleatoriamente. Para tal, gera-se um vetor de números aleatórios de dimensão igual ao número de amostras. Elas são, então, ordenadas de acordo com esse vetor e a seguir, selecionam-se as 20 primeiras ou do final para formar o conjunto de validação externa. Nos estudos de QSAR, é comum utilizar a análise de agrupamentos, HCA, e selecionar as amostras de validação uniformemente de todos os subgrupos. Neste estudo, empregaremos um algoritmo que é utilizado com frequência para selecionar os conjuntos de treinamento e de validação e que é baseado no método de Kennard e Stone[67]. Nesse método, as amostras do conjunto de validação são selecionadas sequencialmente (uma a cada etapa do processo) através de um planejamento experimental e satisfazendo à restrição de que estejam uniformemente distribuídas no espaço definido por todas elas. Um dendrograma foi construído com os dados centrados na média e usando o método do vizinho mais distante (Figura 46), para que o leitor tenha uma ideia da distribuição das amostras selecionadas para serem usadas na validação externa do modelo de calibração. De um modo geral elas cobrem a região experimental uniformemente e representam todos os subgrupos. As amostras das extremidades, que estão em duplicatas, foram selecionadas, mas não foram incluídas no conjunto de validação. Elas estão destacadas no dendrograma da Figura 46.

---

67 Kennard, R. W. e Stone, L. A. 'Computer Aided Design of Experiments', *Technometrics*, **11** (1969) 137-148.

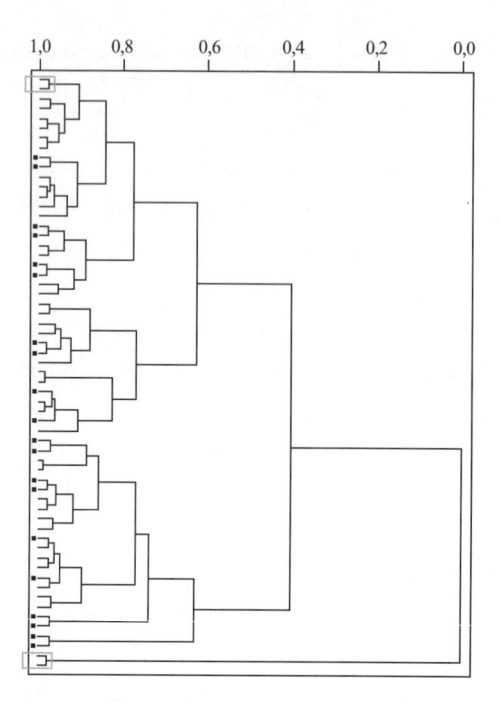

Figura 46 – Dendrograma ilustrando as amostras que foram selecionadas pelo método de Kennard-Stone para formar o conjunto externo de validação. As duplicatas de maior e menor % água estão destacadas nas extremidades.

Os dados do conjunto de calibração ($\mathbf{X}$ (41 × 160)) foram centrados na média e foi construído um modelo de regressão empregando o método PLS. O modelo foi validado internamente para verificar a presença de amostras anômalas e para determinar o número de fatores no modelo final. As duas amostras da extremidade, com percentual de água acima do normal (0,45%), apresentam influência acima do valor crítico, mas foram mantidas no modelo. A tabela 14 contém os parâmetros estatísticos dos modelos PLS com diferentes números de variáveis latentes. A norma do vetor de regressão também foi incluída, para nos auxiliar na determinação do número de fatores do modelo final.

Tabela 14 – Parâmetros estatísticos para os modelos PLS com o
número de variáveis latentes variando de um a oito.

No. VL	SEC	RMSECV	RMSEP	SEP[a]	Viés	$\|b\|$
1	0,036	0,038	0,042	0,038	0,018	0,972
2	0,012	0,012	0,013	0,013	0,0003	1,310
3[b]	**0,011**	**0,011**	**0,012**	**0,011**	**0,002**	**1,357**
4	0,011	0,011	0,011	0,011	0,003	1,409
5	0,010	0,011	0,012	0,011	0,004	2,818
6	0,008	0,011	0,011	0,011	0,001	5,035
7	0,007	0,011	0,013	0,011	0,005	8,485
8	0,006	0,011	0,013	0,012	0,005	12,44

[a] O erro-padrão de previsão corrigido pelo viés foi calculado de acordo com a equação 91.
[b] Os coeficientes de determinação R^2 e R'^2 (R^2 ajustado) do modelo final foram iguais a 0,99.

A Figura 47a apresenta o gráfico dos valores de *SEC* e de *RMSEP* para os modelos com diferentes números de fatores. A Figura 47b apresenta o gráfico da norma do vetor de regressão *versus* os desvios-padrões residuais *SEC* e *RMSEP*, que consideram ambas as contribuições: da variância e do viés (ou influência). Visualizando o vértice das curvas, o modelo mais indicado é aquele com três fatores. A inclusão do quarto fator torna o modelo mais complexo e não contribui para sua qualidade, pois os valores de $\|b\|$, de *SEC* e de *RMSEP* são praticamente os mesmos.

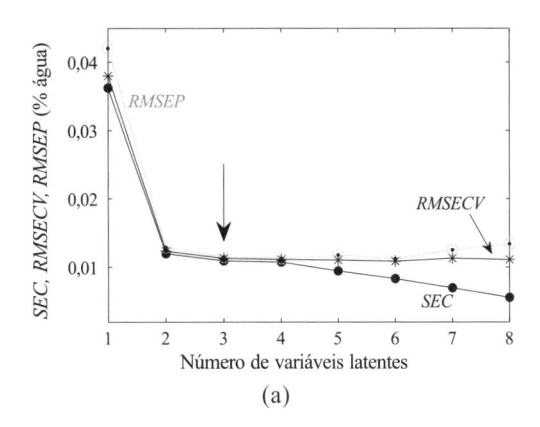

(a)

(b)

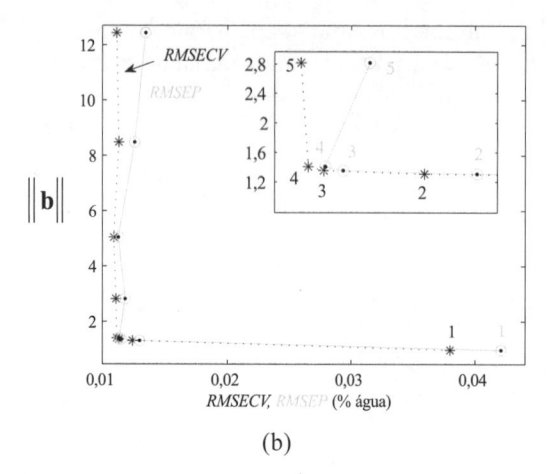

Figura 47 – Gráficos de *RMSECV* (∗) e *RMSEP* (⊙). (a) *versus* o número de fatores no modelo. Os valores de *SEC* (•) foram incluídos para mostrar que eles decrescem com o aumento no número de fatores. (b) *versus* o módulo do vetor de regressão, $\|\mathbf{b}\|$. Ambos os gráficos indicam que o número ótimo de fatores no modelo PLS é três.

As porcentagens de água para as amostras do conjunto de validação externa estão na Tabela 15. Conclui-se que o modelo PLS final com três fatores apresenta uma boa capacidade de previsão para esse conjunto real de dados, quando previsões da ordem de 10% a 20% são aceitáveis. Em negrito estão as duplicatas que apresentaram resíduos acima de 10%. Ao final dessa Tabela, incluímos os valores médios e desvios-padrões dos valores experimentais, estimados e dos resíduos. Esses resultados podem ser comparados com os valores de *RMSEP* que estão na Tabela 14 e nos dão informações valiosas a respeito do modelo final proposto. Se o valor de *RMSEP* é semelhante ao desvio-padrão dos dados de referência, significa que o instrumento não está prevendo os valores de referência nada melhor do que o desvio-padrão dos dados originais. Para um modelo adequado, ele deveria ser bem menor. No nosso caso, a razão entre o desvio-padrão dos dados experimentais do conjunto de validação (0,047) e o valor de *RMSEP* da Tabela 14 (0,012) é igual a 4,0, indicando que o instrumento é capaz de fazer previsões satisfatoriamente melhores. O ideal seria que essa razão fosse ao redor de 10,0.

Tabela 15 – Valores experimentais do percentual de água, os respectivos valores estimados pelo modelo PLS com três fatores e os resíduos

	% Água				% Água		
	Exp.	Prev.	Res.		Exp.	Prev.	Res.
1	**0,06**	**0,045**	**0,015**	36	0,06	0,062	−0,002
2	**0,06**	**0,044**	**0,016**	37	0,06	0,060	0,0
14	0,07	0,064	0,006	42	0,06	0,057	0,003
15	0,07	0,061	0,009	43	0,06	0,059	0,001
18	0,05	0,047	0,003	44	**0,19**	**0,217**	**−0,027**
19	0,05	0,048	0,002	45	**0,19**	**0,220**	**−0,030**
26	0,08	0,077	0,003	52	0,16	0,155	0,005
27	0,08	0,076	0,004	53	0,16	0,155	0,005
32	**0,07**	**0,057**	**0,013**	58	0,06	0,056	0,004
33	**0,07**	**0,058**	**0,012**	59	0,06	0,055	0,005
			Exp.	Prev.	Res.		
	Média		0,086	0,084	0,002 (viés)		
	desvio-padrão		0,047	0,055	0,012		

Os resultados do modelo final podem ser visualizados na Figura 48, que contém o gráfico dos valores experimentais da porcentagem de água *versus* os valores estimados para todas as amostras dos conjuntos de calibração e de validação, que foram definidos pelo algoritmo de Kennard e Stone[67]. Nessa figura, as duas amostras com concentração alta (0,45% de água) estão bem distantes das restantes e poderiam ser consideradas como atípicas, mas como já foi comentado anteriormente, elas foram mantidas no modelo pois são informativas especialmente para as previsões.

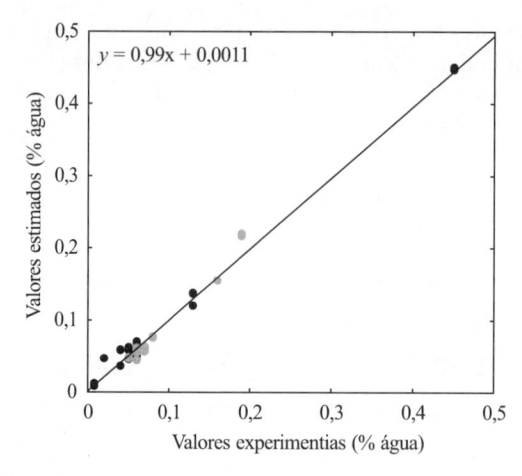

Figura 48 – Gráfico dos valores experimentais do percentual de água *versus* os valores estimados, para o conjunto de calibração (●) e de validação externa (○), pelo modelo PLS com três fatores. Os dados foram previamente centrados na média.

Uma vez obtido o modelo final, passaremos ao cálculo das figuras de mérito. A sensibilidade, a sensibilidade analítica e o seu inverso, os limites de detecção e de quantificação podem ser calculados utilizando as equações estatísticas tradicionais, conforme indicado na Tabela 13, e os resultados estão na segunda coluna da Tabela 16.

Trataremos a seguir das figuras que fazem uso dos vetores *NAS*. Eles foram estimados de acordo com a equação 101 (41 vetores com 160 elementos cada um). A Figura 49 mostra o vetor *NAS* para duas das amostras do conjunto de calibração e o seu espectro experimental, para comparação. Os dados foram centrados na média para a modelagem e também para o cálculo dos vetores *NAS*. As duas regiões mais proeminentes nos vetores *NAS* são exatamente as regiões em que se espera que a água absorva, comprovando que eles foram capazes de extrair essa informação desejada. Comparando os 41 vetores *NAS*, eles são muito semelhantes aos apresentados na Figura 49. Os vetores NAS originados de amostras com concentrações abaixo da concentração média se assemelham ao da Figura 49a e aqueles com concentrações acima, se assemelham ao da Figura 49b. Na Figura 49c incluímos o vetor de regressão para comparação (ele não foi incluído nas Figuras 49 a ou b devido à diferença na escala). Vê-se claramente que todos eles, a menos do sinal, têm características muito semelhantes.

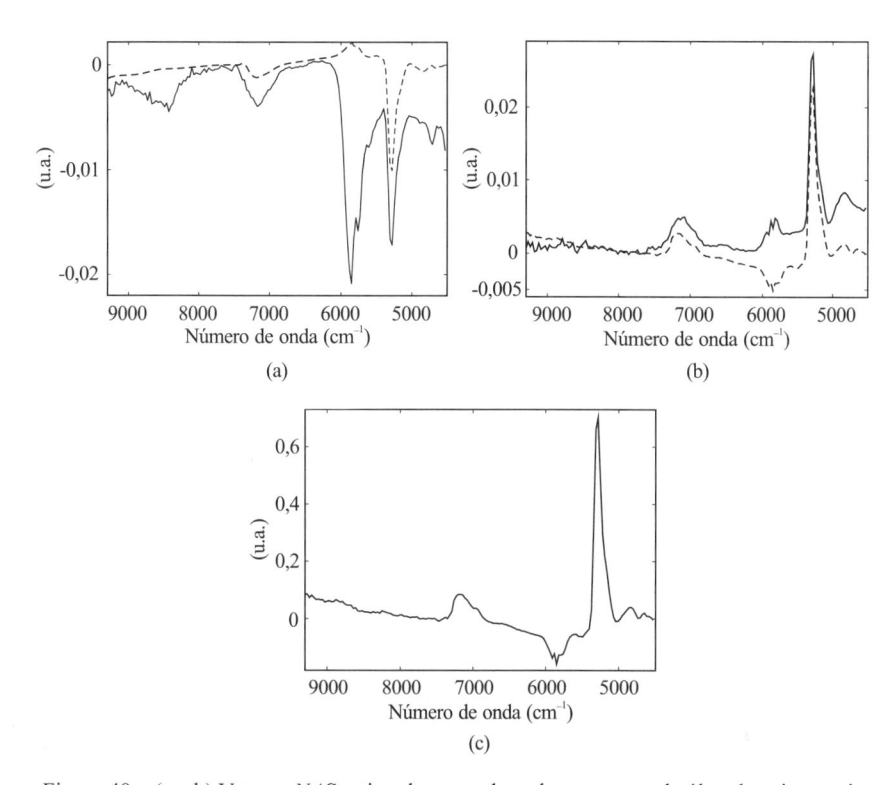

Figura 49 – (a e b) Vetores *NAS* estimados para duas das amostras de óleo de soja epoxidado (---) e o respectivo espectro experimental (——). Ambos estão centrados na média. (c) Vetor de regressão para o modelo PLS com três VL.

Como não existem medidas do branco, o desvio-padrão do branco foi estimado selecionando regiões dos espectros do conjunto de calibração que representam a linha de base e não contêm informação visível. A faixa de comprimentos de onda entre 7.710 cm^{-1} e 7.650 cm^{-1} é adequada para o cálculo de s_{br}. Foi calculado um desvio-padrão das intensidades para cada número de onda da faixa mencionada acima, e o valor final obtido $s_{br} = 2{,}43 \times 10^{-4}$ é a média dos desvios-padrões. Alertamos o leitor para o fato de que os mesmos pré-tratamentos aplicados às amostras do conjunto de calibração são aplicados para o cálculo do *NAS* e do desvio-padrão do branco.

Tabela 16 – Figuras de mérito obtidas para a determinação do percentual de água nas amostras de óleo de soja epoxidado, segundo as definições dadas na Tabela 13

Figuras de mérito	Métodos tradicionais	Métodos que utilizam o NAS
Sensibilidade[a] (u.a. intensidade) (% água^{-1})	$SEN = 0{,}737$	$SEN = 0{,}737$
Sensibilidade analítica (% água^{-1})	$3{,}03 \times 10^3$	$3{,}03 \times 10^3$
Seletividade[b]		$SEL = 0{,}438$
Limite de detecção[c]	$LD = 5{,}50 \times 10^{-4}$ % água	
Limite de quantificação[d]	$LQ = 0{,}0017$ % água	
Desvio-padrão relativo[e]	$RSD = 100 \dfrac{RMSEP}{\bar{y}} \% = 100 \dfrac{0{,}012}{0{,}086} = 14\%$ ou $RSD = 100 \dfrac{RMSECV}{\bar{y}} \% = 100 \dfrac{0{,}011}{0{,}086} = 13\%$	

[a] Estimado como a média das sensibilidades (Tabela 13).
[b] Estimado como a média das seletividades (Tabela 13).
[c] Equações 40 e 47.
[d] Equação 47.
[e] Equação 44 e $\bar{y}$ exp. da Tabela 15.

Analisando os resultados da Tabela 16, vê-se que as sensibilidades calculadas pelo método tradicional e pelo método que utiliza o NAS são iguais. Os resultados dessa Tabela indicam um modelo de boa qualidade para ser aplicado nas previsões. O inverso da sensibilidade analítica é igual a 0,0003%. Essa é a menor diferença na percentagem de água que pode ser distinguida pelo método analítico. Todas as amostras estão acima do limite de detecção e de quantificação, e o desvio-padrão relativo é aceitável.

Não podemos encerrar este capítulo sem apresentar uma breve discussão sobre o processo de seleção de variáveis, que pode ser crucial na construção dos modelos de regressão.

4.8 Seleção de variáveis

No exemplo das amostras de óleo de soja epoxidado, após o alisamento pela média, o modelo de regressão foi construído com todas as variáveis restantes, sem a preocupação de fazer uma seleção das melhores. É certo que os métodos de regressão bilineares, como, por exemplo, os que discutimos aqui, PLS e PCR, funcionam bem quando o número de variáveis é muito maior do que o número de amostras e consequentemente muitas delas são altamente correlacionadas. No entanto, a experiência nos mostrou ao longo do tempo que a construção de modelos de regressão com um conjunto ótimo de variáveis, que sejam mais representativas do problema em questão, pode produzir modelos com melhor capacidade preditiva. Por exemplo, em estudos de QSAR, é desejável que o modelo de regressão proposto seja interpretado do ponto de vista químico, contribuindo, assim, para a proposição do mecanismo de ação dos fármacos. Entretanto, se o modelo for construído com um número excessivo de variáveis, é pouco provável que possa ser interpretado. Outro exemplo é encontrado quando se pretende utilizar o modelo de regressão obtido para fazer previsões ao longo do tempo. Nesse caso é preferível construir um modelo de caráter mais geral, com um número menor de variáveis, em que são consideradas apenas as regiões espectrais de interesse. Esse modelo é por natureza menos complexo e, portanto, ele estará menos susceptível às amostras de previsão não pertencentes ao domínio do conjunto de calibração.

Existem vários métodos disponíveis na literatura[68] que podem ser utilizados para fazer a seleção das variáveis, e pode-se dizer que um dos mais utilizados, se não o mais utilizado, é o método de algoritmos genéticos, e a literatura sobre o assunto é vasta[69,70]. Esse método apresenta algumas desvantagens, como, por exemplo, a tendência de selecionar

---

68 Forina, M.; Lanteri, S.; Oliveros, M. e Millan, C. P. 'Selection of useful predictors in multivariate calibration', *Anal. Bioanal. Chem.* **380** (2004) 397-418.
69 Goldberg, D. E. *Genetic Algorithms in Search, Optimization and Machine Learning*, Addison-Wesley, MA, 1989.
70 Leardi, R. 'Genetic Algorithms in chemometrics and chemistry: a review', *J.Chemom.* **15** (2001) 559-570.

variáveis que produzam excelentes resultados na validação cruzada, mas, não na previsão externa, *i.e.*, produzindo modelos superajustados. Outra desvantagem é que nem sempre o subconjunto ótimo de variáveis selecionadas tem significado físico, podendo ser constituído de comprimentos de onda que representam linha de base ou de variáveis que não podem ser interpretadas quimicamente, como nos estudos de QSAR.

Vamos nos concentrar, neste capítulo, nos métodos simples e intuitivos que qualquer analista de dados pode aplicar. O conjunto de dados do óleo de soja epoxidado será utilizado como exemplo.

O método mais simples para identificar as regiões espectrais de interesse é através do gráfico dos espectros para os quais os valores da porcentagem de água sejam o menor (0,008%) e o maior (0,45%), ou um gráfico da diferença entre esses dois espectros. Para o exemplo estudado, o gráfico que identifica as diferenças espectrais se encontra na Figura 50. Comparando as regiões identificadas pelo sinal analítico líquido e pelo vetor de regressão que estão na Figura 49, vê-se que ambos identificam uma região semelhante à encontrada aqui e que é a de interesse para a determinação da porcentagem de água. Os números de onda selecionados na Figura 50 compreendem as regiões: 7.320 cm^{-1} a 7.080 cm^{-1} e 5.370 cm^{-1} a 5.100 cm^{-1}. Analisando mais detalhadamente a Figura 50, nota-se que a região com número de onda abaixo de 5.000 cm^{-1} apresenta pequenas diferenças nos espectros.

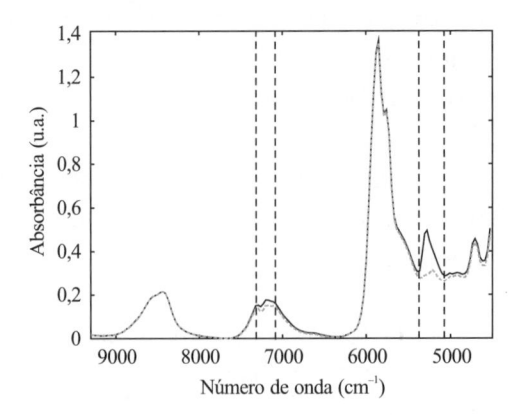

Figura 50 – Espectros superpostos das amostras com a maior (—) e a menor (---) porcentagem de água, indicando as regiões em que eles diferem entre si.

Outra maneira simples de selecionar variáveis é através do correlograma, também conhecido como espectro de correlação. Nesse método, é calculado o coeficiente de correlação entre cada variável preditora e a variável dependente, produzindo um conjunto de J coeficientes de correlação. Os resultados são apresentados na forma gráfica, como na Figura 51. Novamente, as regiões indicadas como significativas para a construção do modelo de calibração são aquelas que apresentam coeficientes de correlação com a propriedade de interesse mais altos. Para o exemplo do óleo de soja expoxiado, essas regiões se assemelham àquelas já identificadas anteriormente pelo vetor NAS (Figura 49) e pela diferença espectral (Figura 50). Os números de onda nesse caso são: 7.260 cm^{-1} a 7.110 cm^{-1}, 6.960 cm^{-1} a 6.930 cm^{-1} e 5.340 cm^{-1} a 5.130 cm^{-1}.

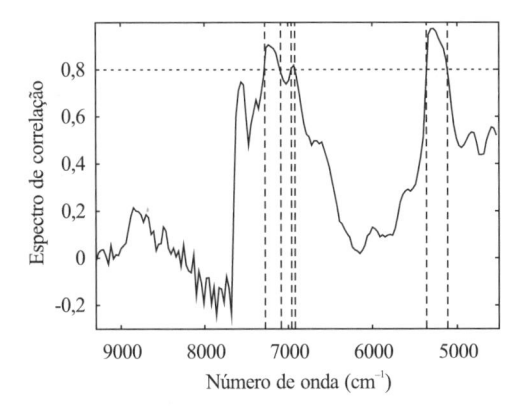

Figura 51 – Espectro de correlação indicando as variáveis cujos coeficientes de correlação com a porcentagem de água foi acima de 0,8%.

Por último, vamos introduzir um método que foi proposto recentemente na literatura[71], que é de fácil utilização e que produz excelentes resultados. É o método de seleção dos preditores ordenados[72], OPS®, e que se encontra disponível para utilização no endereço eletrônico www.lqta.unicamp.br. Esse método usa vetores informativos que devem

---

71 Teófilo, R. F.; Martins, J. P. A. e Ferreira, M. M. C. 'Sorting variables by using informative vectors as a strategy for feature selection in multivariate regression', *J. Chemom.* **23** (2009) 32-48.
72 Do inglês: *Ordered Predictors Selection.*

estar bem relacionados com a variável dependente. Assume-se que os elementos de um vetor informativo cujos valores são altos contêm mais informação relevante da propriedade de interesse (variável dependente). O vetor *NA*S mostrado na Figura 49 e o espectro de correlação apresentado na Figura 51 são vetores informativos. As variáveis do vetor *NAS* que apresentam respostas mais intensas e as variáveis do vetor de correlação que apresentam melhor correlação com o percentual de água são consideradas as mais importantes e informativas, de acordo com o método OPS.Do ponto de vista matemático, o método OPS foi formulado da seguinte maneira: dada a matriz **X** ($I \times J$) das variáveis preditoras e o vetor **y** ($I \times 1$) da variável dependente, deseja-se encontrar um subconjunto de variáveis que forneça o menor valor de *RMSECV* durante a validação cruzada. A Figura 52 ilustra o funcionamento do método.

O gráfico de barras da Figura 52a representa uma matriz de dados originais com 29 variáveis, em que cada barra representa uma variável preditora. Uma vez selecionado o vetor informativo, também representado por um gráfico de barras na Figura 52b (uma para cada variável), os valores absolutos de seus elementos são encontrados (Figura 52c). Vê-se que, na Figura 52c, as variáveis finais são as mais intensas e, portanto, as que mais devem contribuir para a propriedade de interesse (variáveis de número 24, 23, 25, 22, 26...). Para selecionar um subconjunto ótimo de variáveis, basta ordená-las em ordem decrescente. As variáveis da matriz **X** também são ordenadas na mesma sequência (Figura 52d). Seleciona-se, então, um conjunto delas (janela inicial), como indicado na Figura 52e, constrói-se o modelo PLS e, durante a validação cruzada, determina-se o valor de *RMSECV*. A seguir, adiciona-se um determinado número de variáveis (incremento na Figura 52e) e repete-se o processo. Esse procedimento de inclusão de novos incrementos continua até que o valor de *RMSECV* seja mínimo. O conjunto de variáveis – da janela inicial mais aquelas dos incrementos, que produz o modelo PLS com o menor valor de *RMSECV* – é o conjunto ótimo. Essas são as variáveis selecionadas para a construção do modelo de regressão final. A estratégia de usar um vetor informativo é interessante porque nos direciona naturalmente para a seleção de variáveis que são mais facilmente interpretáveis. O método OPS dispõe de uma série de vetores informativos. Todos eles e suas combinações são testados para, no final, selecionar-se aquele que produz menores valores de *RMSECV*. Dentre os vetores informativos, os mais promissores e mais utilizados são o vetor de regressão, o espectro de correlação e a combinação entre eles, que consiste na multiplicação, elemento a elemento, desses dois vetores.

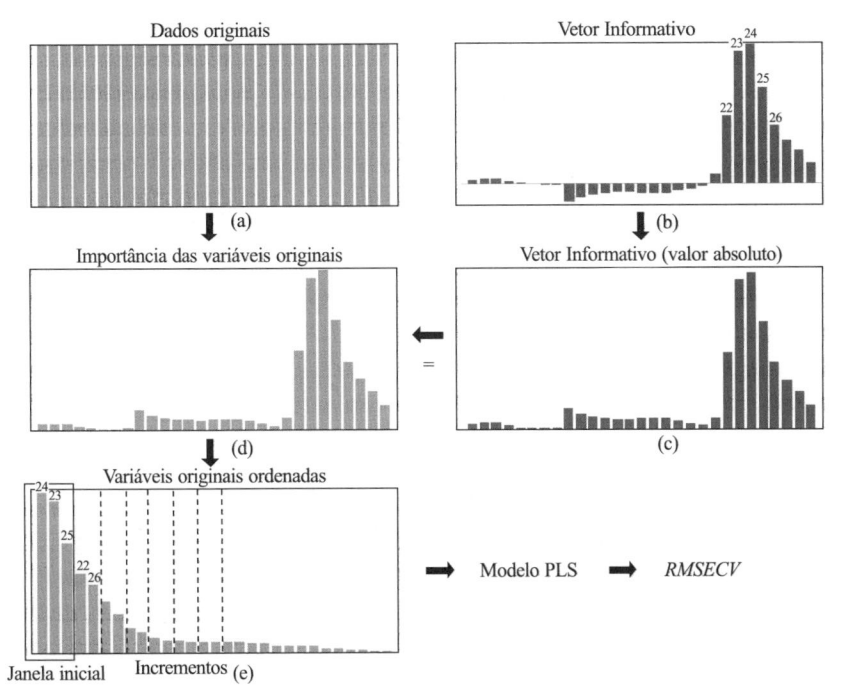

Figura 52 – Metodologia de funcionamento do algoritmo OPS®, que utiliza vetores informativos. (a) Gráfico de barras dos dados originais. (b) Vetor informativo indicando as variáveis mais informativas para a variável dependente. (c) Valores absolutos dos elementos do vetor informativo. (d) Importância das variáveis originais, conforme indicação do vetor informativo. (e). Variáveis originais ordenadas conforme a sua importância.

A seguir, vamos aplicar o método OPS ao conjunto de dados de óleo de soja. Foram feitas duas seleções, uma delas definindo o vetor de regressão como vetor informativo e a outra definindo o vetor-produto dos elementos dos vetores de correlação e de regressão. Os melhores resultados foram obtidos para o vetor-produto. A tabela 17 resume os resultados produzidos. A primeira linha corresponde ao modelo original (modelo A), com o espectro alisado antes da seleção das variáveis. Ao usar a diferença espectral e o espectro de correlação (modelos B e C), as regiões selecionadas são semelhantes e o número de variáveis latentes, VL, para esses dois modelos, foi igual a dois. A aplicação do método OPS usando como vetor informativo o vetor de regressão seleciona um número elevado de variáveis, e o modelo não foi de qualidade inferior aos anteriores (resultados não incluídos na Tabela 17). Já a combinação entre o espectro de correlação e o vetor de regressão produziu um modelo de boa qualidade. As variáveis selecionadas incluem as seguintes regiões: 7.590 cm^{-1} – 7.530 cm^{-1}; 5.490 cm^{-1} – 5.190 cm^{-1} e 4.620 cm^{-1} – 4.560 cm^{-1}. A primeira região é coincidente com o pico à esquerda dos selecionados na Figura 51. A segunda região se assemelha à região de mais alta correlação dessa mesma figura, e a última região se refere ao final do espectro. Para encerrar, esse modelo (D) foi utilizado para fazer a validação externa, e os resultados que estão na última linha da Tabela 17 nos mostram que o modelo final selecionado é de boa qualidade e pode ser utilizado para novas previsões.

Tabela 17 – Resultados das seleções de variáveis dos modelos PLS para a água

Modelo	Método de seleção	N. Var.	N. VL	*PRESS*	*RMSECV*
A	Alisamento pela média	160	3	0,005	0,011
B	Diferença espectral	19	2	0,006	0,012
C	Espectro de correlação[a]	16	2	0,007	0,013
D	**Seleção OPS[b]**	**19**	**3**	**0,004**	**0,010**
E	Prev. Externa[c]	19	3	0,003	0,012[d]

[a] Seleção de variáveis feita pelo espectro de correlação para um corte feito em 0,80.
[b] Vetor informativo: combinação do vetor de regressão e do espectro de correlação.
[c] Previsão para o conjunto-teste. Modelo PLS com variáveis selecionadas em D.
[d] *RMSEP* (raiz da média quadrática dos erros de previsão eq. 90).

Esses métodos que discutimos acima são de grande valia na seleção das variáveis e têm a vantagem de produzir modelos factíveis de interpretação.

Neste capítulo, introduzimos os métodos de regressão e apresentamos vários exemplos. No capítulo a seguir, discutiremos os métodos supervisionados de reconhecimento de padrões.

CAPÍTULO 5

MÉTODOS DE CLASSIFICAÇÃO OU MÉTODOS SUPERVISIONADOS DE RECONHECIMENTO DE PADRÕES

5.1 Introdução

Já foi discutido no capítulo 3 que a análise de reconhecimento de padrões pode ser supervisionada ou não supervisionada e que os métodos lá introduzidos, PCA e HCA, se aplicam à análise não supervisionada de reconhecimento de padrões. Nesse mesmo capítulo (seção 3.5), foi feita uma análise exploratória com o objetivo de verificar a origem de amostras de água mineral com base nas medidas experimentais da sua composição. Além disso, exploramos também as relações existentes entre 14 propriedades estruturais que foram calculadas para uma série de inibidores da protease peptídica HIV-1 e as respectivas atividades biológicas. Nesse exemplo, as amostras definidas no espaço de dimensão 14 foram projetadas no subespaço bidimensional das componentes principais. As duas componentes principais foram suficientes para discriminar os inibidores biologicamente ativos dos não ativos tendo em mente que a informação a respeito da atividade do inibidor não foi utilizada ao fazer a projeção dos dados. Em ambos os exemplos citados, ao analisar os pesos foi possível ter uma ideia dos minerais presentes na água de uma determinada fonte ou qual propriedade estrutural estaria diretamente envolvida na ação biológica dos inibidores.

No presente capítulo trataremos dos métodos de classificação, também conhecidos como métodos supervisionados de reconhecimento de padrões[1]. O alvo neste caso é a construção de modelos de classificação em que a propriedade de interesse é categórica (discreta), ao contrário do que vimos no capítulo anterior, em que ela era contínua. Nos estudos de classificação, cada uma das amostras é descrita por um conjunto de medidas experimentais, que chamamos de "padrão" e são classificadas de acordo com uma propriedade de interesse (bom/ruim; falso/verdadeiro; ativo/não ativo etc.). A determinação da propriedade de interesse ao atribuir uma amostra à sua respectiva classe é o que chamamos de "reconhecimento".

Na análise supervisionada, seleciona-se uma série de amostras representativas de cada classe e para as quais as medidas experimentais são coletadas e o padrão de cada uma delas é definido. Esse conjunto de amostras, cuja propriedade de interesse, *i.e.*, a classe à qual cada uma delas pertence, é conhecida *a priori*, constitui o "conjunto de treinamento". A seguir, utilizando as informações do conjunto de treinamento, construímos um modelo empírico ou uma regra de classificação. Exatamente por isso, esses métodos de análise são denominados "supervisionados", pois as informações a respeito das classes é que supervisionam o desenvolvimento dos critérios de discriminação que serão utilizados posteriormente para fazer o reconhecimento de novas amostras. O problema a ser resolvido pode ser resumido da seguinte maneira: Dado um número de classes, cada uma definida por um conjunto de amostras e os valores das J medidas feitas para cada uma delas, deseja-se encontrar as regras para classificar novas amostras para as quais serão adquiridas as mesmas J medidas.

Antes de sua utilização, o modelo empírico obtido deve ser testado para verificar sua capacidade de prever com sucesso a classe de novas amostras. Recomenda-se, para isso, a utilização de um conjunto de amostras externas, que denominamos de "conjunto de teste" ou "conjunto de validação". Se o resultado for satisfatório, ele pode, então, ser utilizado para identificar a propriedade de interesse (a classe) de novas amostras.

---

1 Wold, S. e Sjöström, M. 'SIMCA: A Method for Analyzing Chemical Data in Terms of Similarity and Analogy', em *Chemometrics: Theory and Application*. ACS Symp. Ser., 52, Ed. Kowalski, B. R., American Chemical Society, Washington, D.C., 1977. Cap. 12, 243-282.

Há na literatura uma grande variedade de metodologias que podem ser utilizadas para o tratamento de problemas dessa natureza. Os métodos mais utilizados na química são o do k-ésimo Vizinho mais Próximo, k-NN[2], o método SIMCA[3] e os dois métodos de análise discriminante: LDA[4] e, PLS – DA[5].

Inicialmente daremos uma breve visão do método LDA e a seguir apresentaremos em detalhes os dois primeiros métodos, k-NN e SIMCA. Para encerrar, o método de regressão PLS, que foi introduzido no capítulo anterior, será estendido para a construção de modelos de classificação. Todos esses métodos são baseados na suposição de que quanto mais as amostras se assemelham entre si em relação às variáveis medidas, mais próximas elas estarão no espaço multidimensional gerado por tais variáveis. É interessante salientar que, embora o método k-NN seja bem mais simples matematicamente do que o método SIMCA, ambos apresentam resultados igualmente bons. Por outro lado, o método PLS – DA é basicamente o método de regressão PLS com uma variação na representação e abordagem das variáveis dependentes.

5.2 Métodos de classificação

Resumidamente, os métodos de classificação podem ser agrupados em duas categorias, de acordo com as suposições usadas na construção dos modelos.

Eles podem ser: paramétricos ou probabilísticos e não paramétricos ou não probabilísticos (determinísticos).

Os métodos paramétricos ou probabilísticos têm como base a estatística Bayesiana, que assume o conhecimento da função de densidade de probabilidade de cada classe. Eles consideram, por exemplo, que as variáveis satisfazem a uma distribuição normal e usam a homogeneidade da matriz de variância-covariância das classes para definir e posicio-

---

2 Do inglês: *Kth Nearest Neighbor*.
3 Do inglês: *Soft Independent Modeling of Class Analogy*.
4 Do inglês: *Linear Discriminant Analysis*.
5 Do inglês: *Partial Least Squares – Discriminant Analysis*.

nar o hiperplano ou a região limitada de classificação. Os métodos SIM-CA e de análise discriminante, LDA, se encaixam nessa categoria. A Figura 1a ilustra o método LDA para um conjunto de dados bidimensional em que a reta de classificação discrimina as duas classes. Foi fixada uma fronteira entre as duas classes e as amostras pertencem a uma e somente a uma classe. Na Figura 1b, cada classe é delimitada por uma elipse de confiança, como acontece no método SIMCA, e elas podem se interceptar. As amostras podem pertencer a nenhuma das classes, a apenas uma classe ou a duas (ou mais) classes simultaneamente.

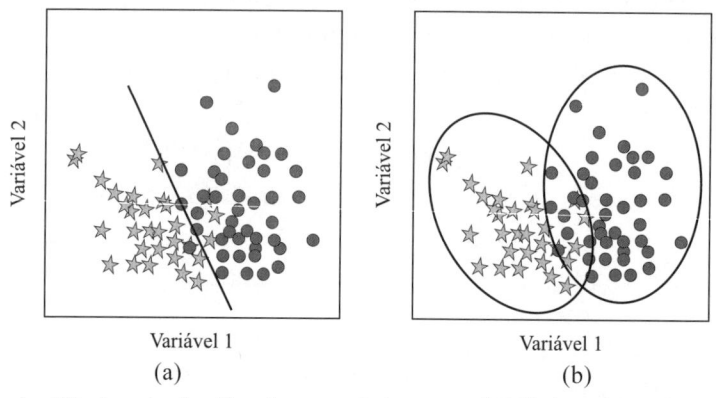

Figura 1 – Técnicas de classificação paramétricas ou probabilísticas. (a) Método LDA, que particiona o plano em duas regiões distintas. (b) Método SIMCA, que gera uma elipse para cada classe.

Se a distribuição dos dados de cada classe não é conhecida, não pode ser estimada ou quando se sabe que não é normal, utilizam-se os métodos não paramétricos ou não probabilísticos. Esses métodos geram discriminantes baseados na matriz dos dados **X** e no conhecimento *a priori* da classe de cada amostra, sem considerar qualquer informação a respeito de medidas estatísticas e de suas distribuições. Um exemplo é o método *k*-NN.

5.3 Análise Discriminante Linear – LDA

Para introduzir o método LDA[6], vamos considerar o exemplo da Figura 2, em que cada amostra é representada por um ponto no espaço tridimensional. Nesse exemplo temos duas classes de objetos, **A** e **B**, sendo que as amostras de cada uma delas estão agrupadas em duas regiões limitadas e distintas. O ideal é que as amostras de cada classe sejam semelhantes entre si e estejam distantes das amostras da outra classe, como nesse exemplo.

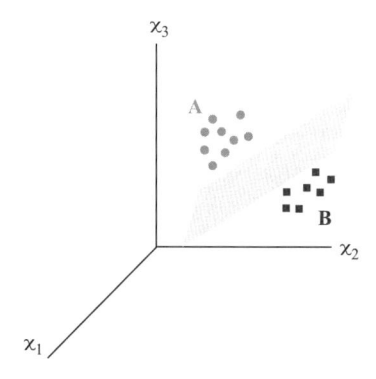

Figura 2 – Conjunto de amostras definidas no espaço 3D pelas variáveis x_1, x_2 e x_3 e distribuídas em duas classes distintas **A** e **B** e a superfície de classificação que discrimina essas duas classes.

Deseja-se definir uma superfície de decisão nesse espaço, de modo que as amostras de uma classe estejam de um lado do plano e as amostras da outra classe estejam do outro lado. A superfície de decisão ou o classificador é o plano que satisfaz à equação 1 quando $k(x) = 0$.

$$k(x) = a_0 + a_1 x_1 + a_2 x_2 + a_3 x_3 = 0 \qquad (1)$$

As amostras da classe **A**, que estão acima do plano, devem ter coordenadas tais que $k(x) > 0$, enquanto as amostras x pertencentes à

---

6 Lachenbruch, P. A. *Discriminant Analysis*, Hafner Press, New York, 1975.

classe **B** (amostras que estão abaixo do plano) devem ter coordenadas tais que $k(x) < 0$.

Generalizando, para um espaço de dimensão J, o classificador LDA da equação 1 pode ser representado na forma matricial como

$$k(x) = \begin{bmatrix} a_0 & a_1 & a_2 & \cdots & a_J \end{bmatrix} \begin{bmatrix} 1 \\ x_1 \\ x_2 \\ \vdots \\ x_J \end{bmatrix}. \qquad (2)$$

Para o exemplo da Figura 2, os coeficientes a_j podem ser obtidos pelo método de regressão linear múltipla, MLR, que foi introduzido no capítulo 4. É atribuído o valor +1 à variável dependente das amostras da classe **A** do conjunto de treinamento, enquanto o valor –1 é atribuído às amostras da classe **B**. Aplicando o método de regressão MLR, obtém-se uma expressão matemática para cada classe, dada pela combinação linear das variáveis originais $(x_1, x_2, ..., x_J)$, que representa um hiperplano de dimensão $J - 1$, no espaço de dimensão J. Para o exemplo da Figura 2, a equação 1 representa um simples plano no espaço 3D das variáveis.

O método LDA, apesar de ser muito empregado e historicamente o primeiro a ser utilizado na química, não é hoje a melhor opção para o tratamento de dados instrumentais, especialmente aqueles com um grande número de variáveis.

Como mencionamos a seguir, ele apresenta uma série de desvantagens:

1) Pode ser aplicado somente quando o número de variáveis é menor do que o número de objetos, $J < I$. Não pode ser utilizado nos casos em que $J > I$ e, além disso, é sensível às colinearidades na matriz **X**, produzindo bons resultados somente quando as variáveis são cuidadosamente selecionadas;
2) assume que as classes são linearmente separadas, o que muitas vezes não é verdade. Exemplo típico são os casos de dados assimétricos encontrados com certa frequência em estudos de

relações entre a estrutura molecular e a atividade biológica (SAR)[7];
3) é incapaz de identificar e lidar com amostras atípicas de maneira satisfatória; e, finalmente,
4) Apresenta dificuldades quando o número de classes se torna grande (maior que 5)[8].

5.4 Método dos k-ésimos Vizinhos mais Próximos – k-NN[9]

Este é um método conceitualmente bem simples e que produz excelentes resultados. Como vimos na seção anterior, ele é não paramétrico e não probabilístico, pois não considera a distribuição da população no espaço amostral; é um método determinístico. Uma vez definido o conjunto de treinamento, a próxima etapa é a construção propriamente dita do modelo de classificação k-NN. Durante a construção do modelo, cada amostra do conjunto de treinamento é excluída uma única vez e então classificada, usando-se, para isso, as amostras restantes. São calculadas as distâncias entre a amostra excluída e todas as outras amostras do conjunto de treinamento no espaço J-dimensional. Pode ser usada a distância Euclideana, que foi definida no capítulo 3 (equação 42), ou outra, como, por exemplo, a distância de Mahalanobis, também definida anteriormente (equação 44 do capítulo 3). As distâncias de todas as amostras à amostra em questão são colocadas em ordem crescente para facilitar a identificação dos seus k vizinhos mais próximos. Essa amostra,

---

7   Do inglês: Strucuture – Activity Relationships.
8   Wold, S.; Albano, C.; Dunn, W. J., III; Edlund, U.; Esbensen, K.; Geladi,P.; Hellberg, S.; Johansson, E.; Lindberg, W.; e Sjöström, M.; 'Multivariate Data Analysis in Chemistry', em *Chemometrics Mathematics and Statistics in Chemistry*, NATO ASI Series. C, Mathematical and physical sciences vol. 138, 17, Ed. Kowalski, B. R., D. Reidel Publ., Dardrecht, 1983.
9   Kowalski, B. R. e Bender, C. F. 'The K-Nearest Neighbor Classification Rule (Pattern Recognition) Applied to Nuclear Magnetic Resonance Spectral Interpretation', *Anal. Chem.* **44** (1972) 1405-1411.

que havia sido excluída, é então classificada de acordo com a maioria dos "votos" de seus vizinhos mais próximos. Os k vizinhos mais próximos são escolhidos para votar, e cada um dá um voto para a sua própria classe. A amostra é atribuída à classe mais votada e, em caso de empate, à classe com a menor distância acumulada. Se a classe designada para essa amostra coincidir com a sua classe verdadeira, a classificação foi bem-sucedida. O processo é aplicado a todas as amostras do conjunto de treinamento, e ao final teremos um resumo dos sucessos e dos erros cometidos. Note-se que a validação cruzada, deixando uma amostra de fora a cada vez, já é aplicada simultânea e naturalmente durante a construção do modelo.

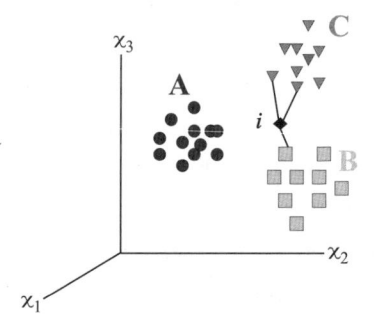

Figura 3 – Classificação da amostra i em uma das três classes **A**, **B** ou **C**, dependendo dos seus vizinhos mais próximos. Com dois vizinhos ela é classificada na classe **B** e com três, na classe **C**.

A Figura 3 pode ser usada para exemplificar a aplicação do método k-NN na construção de um modelo de classificação. A amostra i, pertencente à classe **B** do conjunto de treinamento, deve ser testada e alocada em uma das três classes, **A**, **B** ou **C**. Usando apenas um único vizinho ($k = 1$), a amostra mais próxima de i pertence à classe **B**, que recebe um voto e, portanto, ela será corretamente classificada como pertencente a essa classe. Se, ao invés de um, forem considerados os dois vizinhos mais próximos ($k = 2$), a classe **B** recebe o primeiro voto e a classe **C**, que contém o segundo vizinho mais próximo, recebe o segundo. Como houve um empate no número de votos das duas classes, a amostra i é atribuída à classe **B**, uma vez que a distância de i a esta classe é menor do que a sua distância à classe **C**. Indo além, ao considerar

$k = 3$, a amostra i é incorretamente classificada como sendo da classe **C**, que foi a mais votada, com dois votos contra um.

Ficou evidente com esse simples exemplo que a escolha do número de vizinhos mais próximos, k, é um ponto crucial no desenvolvimento do modelo de classificação. O procedimento mais adequado para a escolha do número ótimo de vizinhos do modelo final é construir vários modelos de classificação aumentando o número de vizinhos. O valor de k é escolhido com base no número de erros ocorridos na classificação das amostras do conjunto de treinamento, que deve ser, em princípio, o menor possível.

No entanto, é aconselhável usar de cautela na escolha de k. Por exemplo, se o valor selecionado para k for muito pequeno, há grandes chances de uma amostra ser incorretamente atribuída a uma classe próxima cujas amostras estejam bem espalhadas. Por outro lado, se k for muito grande, essa amostra poderá ser incorretamente designada como sendo de uma classe que contém um maior número de amostras. Se uma classe tem um número muito reduzido de objetos, a única opção é usar $k = 1$. Uma regra prática é manter os valores de k entre 3 e 5. O fato de ter uma boa classificação para valores de k iguais a 3, 4 ou 5 é uma forte indicação de que a distribuição dos membros da classe é homogênea e de que a distância entre as classes é maior do que o espalhamento das amostras dentro da classe. Mesmo que as classes se encontrem bem separadas, sugere-se utilizar, sempre que possível, um número de vizinhos $k > 1$, para não correr o risco de, durante a previsão, cometer erros quando elas são de tamanhos diferentes.

Uma vez definido o valor de k, o modelo selecionado deve ser testado, quanto à sua capacidade preditiva, utilizando um conjunto de teste ou de validação, constituído de amostras de classes conhecidas e que não participaram da construção do modelo. Para isso, basta calcularmos a distância de cada uma das amostras do conjunto de teste a todas as amostras do conjunto de treinamento e fazer a atribuição em uma das classes predefinidas. Essa classificação é feita por votos utilizando o número de vizinhos mais próximos definido durante a validação interna do modelo. Uma vez que o modelo foi otimizado e validado, ele já pode ser utilizado para estimar as classes de amostras de um conjunto de previsão.

O método k-NN apresenta uma série de vantagens sobre os outros métodos. Primeiramente, ele é interessante por ser computacionalmente muito simples. Ao contrário do método LDA, ele funciona bem com qualquer número de variáveis (J) e também quando o número de amostras em uma das classes é pequeno. Outra vantagem desse método é que ele é praticamente o único que funciona bem quando as classes no conjunto de treinamento estão fortemente subagrupadas ou parcialmente superpostas, como, por exemplo, no caso de os dados apresentarem um comportamento assimétrico.

O método k-NN também tem suas desvantagens. Por exemplo, se no conjunto de previsão estiver presente uma amostra com características distintas das demais, ela seria automaticamente alocada em uma das classes conhecidas. O método k-NN não é capaz de detectar amostras com comportamento atípico, nem mesmo no conjunto de treinamento. No entanto, esse problema pode ser contornado, se recorrermos a alguma técnica paralela, como, por exemplo, PCA, em que é possível verificar o comportamento geral das amostras e detectar se há alguma tendência diferente em alguma delas. Outra deficiência séria do método é que, dada sua estrutura, não é possível estimar o nível de confiança no resultado da classificação, *i.e.*, a probabilidade de uma amostra pertencer a uma determinada classe. Na realidade, nenhum método não paramétrico é capaz de fornecer tal estimativa. Além disso, o método k-NN praticamente não fornece informação a respeito da estrutura interna das classes e nem sobre a relevância de cada variável no modelo. Por último, com o método k-NN não é possível obter uma visualização gráfica dos resultados da classificação. Eles são simplesmente apresentados na forma de tabelas.

A seguir, apresentaremos um exemplo numérico para descrever o funcionamento do método k-NN e o cálculo das figuras de mérito.

5.4.1 Exemplo – Atividade biológica do lapachol e derivados contra o carcinossarcoma W-256[10]

A molécula de lapachol, cuja estrutura molecular 3D é apresentada na Figura 4a, é uma naftoquinona extraída da parte interna da casca de certas bignoniáceas da Ásia e da América do Sul. Um exemplo bastante comum de bignoniácea é o ipê roxo, que também é conhecido como pau d'arco[11].

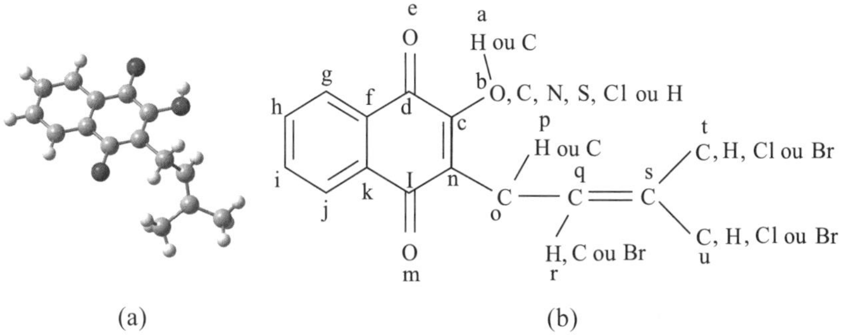

Figura 4 – (a) Estrutura molecular 3D do Lapachol. (b) Estrutura molecular 2D das 1,4-naftoquinonas estudadas indicando as posições de substituição e os respectivos substituintes.

Nesse exemplo, o lapachol e uma série de derivados da 1,4-naftoquinona (Figura 4b) foram estudados qualitativamente quanto à relação entre alguns dos seus parâmetros moleculares e as respectivas atividades biológicas em tumores do tipo carcinossarcoma de Walker 256 (W-256). O conjunto de dados consiste de 26 compostos cujos substituintes e as posições das substituições estão indicados na Figura 4b. Eles foram classificados em dois grupos distintos de acordo com a resposta farmacológica dada pela porcentagem de inibição da massa tumoral, porcentagem TWI[12]. O grupo A é formado pelos 11 compostos que apresentaram alta

---

10 Subramanian, S.; Ferreira, M. M. C.; e Trsic, M. 'A Structure – Activity Relationship Study of Lapachol and Some Derivatives of 1,4-Naphthoquinone Against Carcinosarcoma Walker 256', *Struct. Chem.* **9** (1998) 47-57.
11 Este é o nome dado à árvore pelos índios da Amazônia, que usam a madeira para fazer arcos.
12 Do inglês: *Tumor Weight Inhibition*.

porcentagem TWI e são biologicamente ativos, enquanto o grupo B é constituído pelos outros 15 compostos que apresentam uma baixa ou nenhuma atividade biológica (baixa porcentagem TWI.). O padrão de cada classe é caracterizado pelos coeficientes da função de onda do orbital molecular ocupado de mais alta energia, HOMO[13], dos centros atômicos nas posições: *b, c, m, n, o, p, q, s, t* e *u*, descritas na Figura 4b. Esses coeficientes foram obtidos a partir dos cálculos de orbitais moleculares em nível semiempírico, usando o método AM1, e podem ser encontrados na Tabela 1.

Tabela 1 – Conjunto de dados do lapachol e derivados. As amostras do conjunto de validação se encontram em negrito. As classes dos compostos ativos e não ativos estão indicadas como A e B, respectivamente

Compostos	Classe	Variáveis									
		b	*c*	*m*	*n*	*o*	*p*	*q*	*s*	*t*	*u*
1	A	0,002	0,005	0,001	0,010	0,028	0,036	0,276	0,248	0,198	0,184
2	**A**	**0,001**	**0,002**	**0,001**	**0,013**	**0,030**	**0,044**	**0,344**	**0,276**	**0,144**	**0,137**
3	A	0,007	0,009	0,003	0,051	0,015	0,020	0,405	0,329	0,024	0,028
4	A	0,000	0,001	0,001	0,002	0,038	0,048	0,365	0,341	0,023	0,020
5	A	0,002	0,005	0,000	0,003	0,018	0,026	0,417	0,329	0,027	0,028
6	A	0,010	0,010	0,004	0,035	0,041	0,032	0,376	0,335	0,025	0,025
7	A	0,002	0,008	0,004	0,003	0,018	0,026	0,409	0,319	0,024	0,028
8	**A**	**0,001**	**0,001**	**0,002**	**0,018**	**0,026**	**0,040**	**0,399**	**0,355**	**0,017**	**0,021**
9	**A**	**0,001**	**0,005**	**0,003**	**0,031**	**0,016**	**0,023**	**0,418**	**0,319**	**0,024**	**0,029**
10	A	0,000	0,000	0,001	0,004	0,029	0,040	0,364	0,306	0,018	0,166
11	A	0,012	0,013	0,004	0,045	0,016	0,020	0,397	0,327	0,022	0,026
12	B	0,033	0,061	0,017	0,073	0,253	0,004	0,229	0,011	0,004	0,022
13	**B**	**0,073**	**0,150**	**0,015**	**0,126**	**0,253**	**0,004**	**0,284**	**0,015**	**0,017**	**0,020**
14	B	0,090	0,155	0,023	0,161	0,214	0,006	0,243	0,022	0,006	0,032
15	**B**	**0,185**	**0,241**	**0,045**	**0,373**	**0,026**	**0,023**	**0,033**	**0,006**	**0,006**	**0,002**

→

---

13 Do inglês: *Highest Occupied Molecular Orbital*.

16	B	0,090	0,194	0,015	0,152	0,190	0,000	0,257	0,016	0,026	0,004
17	B	0,084	0,212	0,036	0,311	0,045	0,008	0,067	0,029	0,019	0,003
18	B	0,301	0,227	0,063	0,386	0,009	0,005	0,051	0,029	0,042	0,004
19	**B**	**0,185**	**0,231**	**0,044**	**0,363**	**0,033**	**0,005**	**0,046**	**0,008**	**0,007**	**0,001**
20	B	0,176	0,231	0,040	0,349	0,032	0,005	0,041	0,012	0,012	0,001
21	B	0,168	0,221	0,039	0,363	0,025	0,032	0,033	0,011	0,005	0,001
22	B	0,091	0,189	0,017	0,153	0,197	0,001	0,261	0,014	0,001	0,019
23	**B**	**0,161**	**0,212**	**0,032**	**0,331**	**0,022**	**0,007**	**0,076**	**0,069**	**0,005**	**0,002**
24	**B**	**0,096**	**0,187**	**0,018**	**0,152**	**0,203**	**0,002**	**0,251**	**0,017**	**0,023**	**0,020**
25	B	0,185	0,230	0,044	0,374	0,029	0,004	0,043	0,008	0,006	0,001
26[a]	B	0,007	0,009	0,003	0,041	0,015	0,020	0,409	0,333	0,024	0,028

[a] O composto 26 foi excluído da análise porque apresentou um comportamento distinto dos demais da sua classe (foi considerado atípico).

O pré-processamento indicado neste estudo é o autoescalamento dos dados, que minimiza a influência de uma variável dominante, dando o mesmo peso a todas elas. Como visto no capítulo 2, há duas maneiras de autoescalar os dados: em uma delas cada variável é escalada para ter uma variância igual a 1,0 e na outra a variância de cada variável será igual a $1/(I-1)$. Usaremos aqui o autoescalamento em que cada variável terá variância unitária (1,0). Ao fazer uma análise de componentes principais nos dados autoescalados, verificou-se, pelo gráfico de escores, que o composto 26 da classe B apresentou um comportamento totalmente distinto do restante da sua classe e, portanto, ele foi considerado atípico e excluído da análise.

O conjunto de dados com 25 amostras foi divido em um conjunto de treinamento contendo 8 amostras da classe A e 9 da classe B. As 8 amostras restantes formaram o conjunto de teste ou de validação externa. O dendrograma resultante da análise de agrupamentos HCA usando o método completo é apresentado na Figura 5 para mostrar a distribuição dos compostos nos dois conjuntos de dados, de treinamento e de teste. Nessa Figura, os 25 compostos formam dois grupos distintos com similaridade igual a zero. Em um deles estão os compostos do grupo A e no outro, os compostos do grupo B.

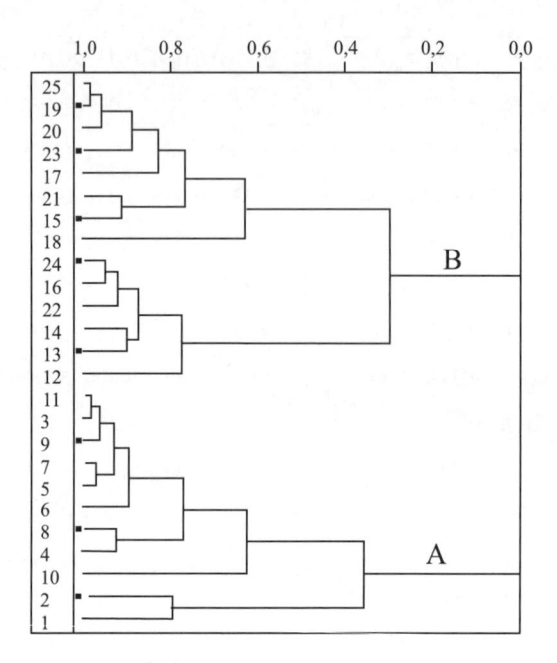

Figura 5 – Dendrograma mostrando as duas classes de compostos A e B e os compostos selecionados (pontos no final dos ramos) para formar o conjunto de teste.

A análise PCA dos 17 compostos do conjunto de treinamento mostra que PC1, descrevendo 63,60% da variância dos dados originais, discrimina as duas classes de compostos, conforme mostrado no gráfico de escores da Figura 6. Os pesos foram incluídos ao lado da figura, pois são eles que nos auxiliam na interpretação química do problema. Os compostos da classe A apresentam uma alta densidade eletrônica na dupla ligação da cadeia lateral e grupos terminais (alta contribuição das variáveis $p - u$, que têm pesos negativos em PC1). Os compostos da classe B apresentam alta contribuição dos átomos $b - n$, que têm pesos positivos e apresentam orbitais moleculares HOMO com uma densidade eletrônica pronunciada nos átomos b, c, m e n. Essa é uma indicação de que a quinona possivelmente participa de alguma reação de oxirredução como agente redutor, em que a dupla ligação age como um doador de elétrons π.

Em um caso como esse, em que as duas classes se encontram bem separadas no gráfico de escores (Figura 6), qualquer número razoável de vizinhos mais próximos (no máximo igual ao número mínimo de objetos de cada classe) irá fornecer bons resultados na classificação. Quando as classes estão próximas umas das outras ou não estão bem discriminadas, a determinação do número ótimo de vizinhos mais próximos é mais elaborada.

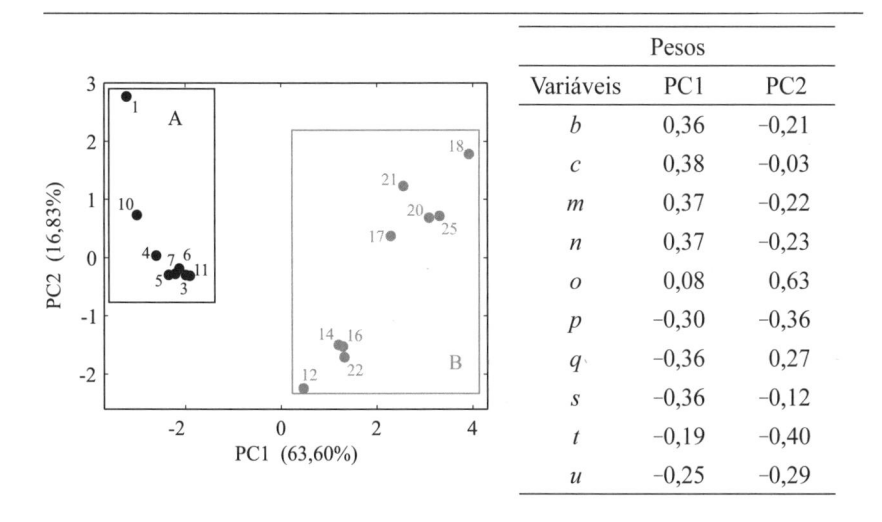

	Pesos	
Variáveis	PC1	PC2
b	0,36	–0,21
c	0,38	–0,03
m	0,37	–0,22
n	0,37	–0,23
o	0,08	0,63
p	–0,30	–0,36
q	–0,36	0,27
s	–0,36	–0,12
t	–0,19	–0,40
u	–0,25	–0,29

Figura 6 – Escores e pesos da análise PCA, para as duas primeiras componentes principais.

A análise dos dados inicia-se com o cálculo das distâncias entre todas as amostras que neste exemplo é feito usando a distância Euclidiana. A seguir estão os comandos na linguagem do MATLAB usados para tal e os resultados obtidos podem ser vistos na Tabela 2.

```
[I,J] = size(X); %X é a matriz do conjunto de treinamento
Xas = (X - ones(I,1) * mean(X)) ./ (ones(I,1) * std(X));
%Xas é a matriz dos dados autoescalados
X1 = Xas';
% Cálculo das distâncias
Dist = zeros(I,I);
for i = 1 : I - 1
  for j = i + 1 : I
    Dist(i,j) = sqrt(sum((X1(:,i) - X1(:,j)) .^ 2));
    Dist(j,i) = Dist(i,j);
  end
end
```

Tabela 2 – Distância Euclideana entre as amostras do conjunto de treinamento, calculada nos dados autoescalados

	1	3	4	5	6	7	10	11	12	14	16	17	18	20	21	22	25
1	0	5,05	5,06	**4,94**	**4,93**	4,97	**4,08**	5,09	6,54	6,51	6,55	6,82	8,08	7,43	7,23	6,77	7,66
3		0	1,90	0,54	0,87	0,51	2,91	**0,12**	3,99	4,04	4,04	4,52	6,40	5,24	5,19	4,07	5,44
4			0	1,50	1,09	1,50	2,76	1,89	4,66	4,76	4,90	5,25	7,07	5,97	5,36	4,91	6,18
5				0	0,64	0,23	2,75	0,57	4,18	4,29	4,30	4,86	6,73	5,59	5,42	4,34	5,79
6					0	0,59	2,69	0,85	4,02	4,08	4,18	4,64	6,50	5,36	5,06	4,20	5,58
7						0	2,74	0,51	4,08	4,17	4,21	4,72	6,59	5,44	5,27	4,24	5,65
10							0	2,94	5,07	5,07	5,44	5,76	7,44	6,42	6,01	5,30	6,61
11								0	3,94	3,97	3,98	4,45	6,32	5,16	5,11	4,01	5,36
12									0	1,41	1,85	3,70	5,72	4,36	4,74	1,68	4,54
14										0	1,01	2,77	4,62	3,29	3,74	0,67	3,47
16											0	2,71	4,62	3,23	3,89	0,64	3,44
17												0	2,96	1,17	1,92	2,76	1,39
18													0	2,01	2,76	4,69	1,85
20														0	1,77	3,25	**0,32**
21															0	3,86	1,85
22																0	3,44
25																	0

Uma vez calculadas as distâncias entre todas as amostras do conjunto de treinamento, a próxima etapa é a construção da matriz dos vizinhos, em que cada objeto excluído é classificado usando 1, 2,..., k vizinhos mais próximos. Iniciamos com um vizinho mais próximo, $k = 1$. A primeira amostra do conjunto de dados, 1, é excluída e então classificada como pertencente à classe que contém a amostra mais próxima, que nesse caso é a amostra 10, distante de 4,08 unidades (em negrito, na primeira linha da Tabela 2). Portanto, a classe A recebe um voto. A seguir, essa amostra é inserida novamente no conjunto de dados e a segunda amostra, 3, é excluída e então classificada. A amostra mais próxima agora é a de número 11, a uma distância de 0,12 unidades (em negrito, na segunda linha da Tabela 2) e novamente a classe A recebe um voto. De modo semelhante, as amostras seguintes serão todas excluídas, uma de cada vez e então classificadas com base no primeiro vizinho mais próximo. O processo continua, agora com dois vizinhos mais próximos, $k = 2$. Só que, nesse caso, os resultados serão todos idênticos aos anteriores, uma vez que, havendo empate, a classe que tiver a menor distância acumulada recebe o voto. Para três vizinhos mais próximos da amostra 1, $k = 3$, o segundo e o terceiro vizinhos mais próximos são as amostras 6 e 5 com distâncias 4,93 e 4,94, respectivamente, e a classe A recebe os três votos.

Quando o número de amostras é grande, não é simples e imediato analisar a matriz de distâncias e, para facilitar, as suas linhas são ordenadas, tomando-se cuidado em manter a identificação das amostras durante a permutação. É com a informação a respeito da identificação das amostras que a matriz de vizinhos mais próximos é obtida. Os resultados dessa matriz estão na Tabela 3, em que cada coluna representa uma amostra e nas linhas estão indicados o k-ésimo vizinho de cada amostra. Por exemplo, o vizinho mais próximo da amostra 25 é a amostra 20 (em destaque, na última coluna da Tabela 3). O segundo vizinho mais próximo dessa amostra é a amostra 17, e assim por diante. Ao considerar esses dois vizinhos mais próximos, a classe B recebe dois votos. A seguir, estão os comandos do MATLAB para a construção da matriz de vizinhos mais próximos:

```
[I,J] = size(X);
for i = 1 : I
    [Y,k] = sort(Dist(i,:)); % A matriz Dist deve estar completa
    K(:,i) = k; % As amostras vizinhas estão na matriz K
end
```

Vamos analisar os resultados listados na Tabela 3 para a amostra 12 da classe B, cuja coluna se encontra destacada. A amostra 14, também da Classe B (dist. = 1,41, conforme indicado na Tabela 2), é o seu vizinho mais próximo e dá um voto para essa classe. Com dois vizinhos mais próximos, a amostra 22 (dist. = 1,68) é a que dará o segundo voto para a sua classe e, assim, a classe B receberá dois votos. Essa situação não muda, até que sejam considerados os quatro vizinhos mais próximos. Com cinco vizinhos mais próximos, a amostra 11 (dist. = 3,94) dá um voto para a classe A, mas a amostra 12 continua sendo corretamente classificada, pois temos quatro votos contra apenas um. Ao considerarmos oito vizinhos mais próximos, há um empate quando a classe B recebe quatro votos e a classe A, os outros quatro. Nesse caso, a amostra 12 é classificada como sendo da classe B, que apresenta a menor distância acumulada. Considerando nove vizinhos mais próximos, a classe A recebe cinco votos, dados pelas amostras 11, 3, 6, 7 e 5, enquanto a classe B recebe apenas quatro e a amostra 12 é incorretamente classificada. As duas últimas linhas da Tabela 3 contêm as classes estimadas para um e nove vizinhos mais próximos. Para $k = 9$, a amostra 12 foi classificada como sendo da classe A (em negrito na Tabela). O número de objetos do conjunto de treinamento da classe A é oito e da classe B é nove. Portanto, o número de vizinhos mais próximos a ser escolhido para o modelo final não deve ultrapassar o valor oito, que é o menor dentre os dois. Para os valores de $k = 1, 2,..., 8$, nenhuma amostra foi classificada incorretamente, o que já era esperado, uma vez que no gráfico de escores da Figura 6 as duas classes estão totalmente separadas. O modelo final foi definido com três vizinhos mais próximos ($k = 3$), de acordo com a regra prática de mantê-lo, sempre que possível, entre três e cinco. Uma vez selecionado o número de vizinhos mais próximos do modelo final, a etapa seguinte é o cálculo das figuras de mérito.

Tabela 3 – Matriz dos vizinhos mais próximos de cada amostra, para k variando de 1 a 10, e das classes estimadas para $k = 1$ e $k = 9$. Cada coluna indica os vizinhos de uma amostra em ordem crescente de distância

								Amostras das classes A e B									
Vis.	1	3	4	5	6	7	10	11	12	14	16	17	18	20	21	22	25
1°	10	11	6	7	7	5	6	3	**11**	14	22	20	25	25	20	16	**20**
2°	6	7	7	3	5	11	7	7	14	22	20	25	20	17	25	14	17
3°	5	5	5	11	11	3	5	5	22	16	14	25	21	21	17	12	21
4°	7	6	11	6	3	6	4	6	16	12	12	21	16	17	18	17	18
5°	3	4	3	4	4	4	3	4	17	17	17	16	17	18	14	20	22
6°	4	10	10	10	10	10	11	10	**3**	20	20	22	16	16	22	25	16
7°	11	12	12	12	12	12	1	12	**6**	25	21	14	14	22	16	21	14
8°	14	14	14	14	14	14	12	14	**7**	21	18	22	22	14	12	**11**	12
9°	12	16	16	16	16	16	14	16	**5**	**11**	12	12	12	12	12	3	11
10°	16	22	22	22	22	22	22	22	20	3	3	11	11	11	6	6	3
								Classe estimada									
$k=1$	A	A	A	A	A	A	A	A	B	B	B	B	B	B	B	B	B
$k=9$	A	A	A	A	A	A	A	A	A	B	B	B	B	B	B	B	B

5.5 Figuras de mérito

Para calcular a taxa dos erros cometidos pelo classificador, os resultados são organizados na forma de uma tabela de contingência (Tabela 4), chamada de matriz de classificação ou matriz de confusão[14]. Nessa Tabela, a classe verdadeira é representada *versus* a classe estimada para duas classes genéricas, C e D. As classes verdadeiras das amostras estão representadas nas colunas, e nas linhas estão as classes estimadas pelo classificador (pela regra de classificação ou pelo modelo construído). No quadro interno, está um resumo de todos os resultados da classificação. Os elementos nesse quadro indicam o número de amostras de cada classe e onde elas foram classificadas. Por exemplo, CC é o número de amostras que são verdadeiramente da classe C e que foram corretamente classificadas. O elemento seguinte dessa linha é DC, que corresponde ao número de amostras da classe D, que foram incorretamente classificadas em C. A soma a seguir, CC + DC, é o número total de amostras previstas na classe C. Na linha seguinte estão as amostras previstas como sendo da classe D, em que CD são amostras de C, incorretamente classificadas como sendo da classe D, e DD, as amostras da classe D que foram corretamente classificadas. Resta, ainda, comentar a respeito da última linha da tabela de contingência (que se encontra fora do quadro interno). Nessa linha, CC + CD é o número total de amostras da classe C e DC+DD são todas as amostras conhecidamente como sendo da classe D. Resumindo, as amostras corretamente classificadas se encontram na diagonal principal, enquanto os insucessos aparecem fora da diagonal. Se houve sucesso total na classificação das amostras do conjunto de treinamento ou na validação, os elementos de fora da diagonal são iguais a zero.

---

14 Do inglês: *confusion matrix*.

Tabela 4 – Tabela de contingência ou matriz de confusão dos
resultados de uma classificação

	Classe verdadeira		
Classe prevista	C	D	
C	CC	DC	CC+DC
D	CD	DD	CD+DD
	CC+CD	DC+DD	

As figuras de mérito são calculadas a partir da tabela de confusão e, para tal, voltaremos ao teste de hipóteses introduzido no capítulo 4. As hipóteses nula e a alternativa são descritas como

H_0: o composto não apresenta atividade biológica (é da classe D) e

H_1: o composto apresenta atividade biológica (é da classe C).

Ao aplicar o teste de hipóteses, estamos analisando as chances de tomar a decisão incorreta. Ao rejeitar H_0 quando ela é verdadeira, *i.e.*, uma amostra da classe D é classificada erradamente como sendo da classe C, tomamos a decisão incorreta e cometemos um erro do tipo I, designado de falso positivo, *FP*, ou de falso alarme (DC na Tabela 4). Se ela é corretamente classificada na sua classe, temos um verdadeiro negativo, *VN* (DD na Tabela 4). De maneira semelhante, a hipótese alternativa é definida como: o composto apresenta atividade biológica e, portanto, é da classe C. Ao aceitarmos H_0 quando ela é falsa (se H_0 é falsa, a hipótese alternativa H_1 é verdadeira e está sendo rejeitada), incorremos no erro do tipo II, designado de falso negativo, *FN* (CD na Tabela 4). Ao aceitar H_1 quando ela é verdadeira, não cometemos erro e temos um verdadeiro positivo, *VP* (CC na Tabela 4).

Uma vez definidas as duas hipóteses, as quatro figuras de mérito que podem ser calculadas utilizando a informação da matriz de confusão são: a exatidão, *EXAT*, a sensibilidade, *SEN*, a taxa de falsos positivos, também conhecida como taxa de falso alarme, *TFP*, e a seletividade ou especificidade, *SEL*. Elas são expressas em porcentagem e estão definidas nas equações abaixo:

$$EXAT = \frac{CC + DD}{CC + CD + DC + DD} 100 = \frac{VP + VN}{VP + FN + FP + VN} 100 \qquad (3)$$

$$SEN = \frac{CC}{CC + CD} 100 = \frac{VP}{VP + FN} 100 \qquad (4)$$

$$TFP = \frac{DC}{DC + DD} 100 = \frac{FP}{FP + VN} 100 \qquad (5)$$

$$SEL = \frac{DD}{DC + DD} 100 = \frac{VN}{FP + VN} 100 \qquad (6)$$

Pelas definições acima, pode-se ver que a sensibilidade da classificação, também conhecida como precisão ou taxa de verdadeiros positivos, é uma medida de quão bem o modelo é capaz de classificar corretamente amostras da classe C (dos compostos biologicamente ativos). De maneira semelhante, a seletividade da classificação nos informa da habilidade do modelo em identificar amostras que não são da classe C e que foram corretamente classificadas como não sendo (percentual *VN*).

A matriz de confusão (ou Tabela de contingência) foi construída utilizando as informações contidas na Tabela 3 para as duas classes de derivados do lapachol, com três (modelo final) e com nove vizinhos mais próximos. Os resultados se encontram na Tabela 5.

Tabela 5 – Tabelas de contingência,
para três e nove vizinhos mais próximos

$k = 3$ Classe prevista	Classe verdadeira A	Classe verdadeira B	
A	8	0	8
B	0	9	9
	8	9	

$k = 9$ Classe prevista	Classe verdadeira A	Classe verdadeira B	
A	8	1	9
B	0	8	8
	8	9	

A tabela da esquerda nos informa que, ao considerar três vizinhos mais próximos, oito amostras pertencentes à classe A foram classificadas como sendo da classe A e nenhuma amostra dessa classe foi atribuída incorretamente à classe B. De modo semelhante, nenhuma amostra da classe B foi atribuída à classe A e, portanto, as nove amostras da classe B foram classificadas com sucesso. As figuras de mérito calculadas para o modelo da classe A, quando se usam três vizinhos mais próximos, foram as seguintes: 100% para a exatidão, a sensibilidade e a seletividade, enquanto a taxa de falsos positivos foi igual a zero. Para a tabela seguinte, cujos resultados foram obtidos considerando um número exagerado de nove vizinhos mais próximos, as oito amostras da classe A foram corretamente classificadas (primeira coluna da tabela de contingência), enquanto uma amostra da classe B foi incorretamente atribuída à classe A (segunda coluna da tabela). A última coluna da tabela de contingência resume o fato de que nove amostras foram previstas na classe A e oito foram classificadas como sendo da classe B. As Figuras de mérito nesse caso são bem diferentes das anteriores, pois foi cometido um erro. A exatidão foi de 94% ($EXAT = \frac{8+8}{8+0+1+8}100$), a sensibilidade igual a 100% ($SEN = \frac{8}{8+0}100$), a taxa de falsos positivos foi de 11% ($TFP = \frac{1}{1+8}100$) e a seletividade, igual a 89% ($SEL = \frac{8}{8+1}100$).

O modelo final ($k = 3$) foi, então, aplicado ao conjunto de teste constituído de oito amostras. Elas foram pré-processadas usando a informação da média e do desvio-padrão do conjunto de treinamento. A seguir, as distâncias entre as amostras do conjunto de teste e do conjunto de treinamento foram calculadas. Cada uma delas foi classificada de acordo com os votos dados pelos seus três vizinhos do conjunto de treinamento que estiverem mais próximos. Todas as amostras foram corretamente classificadas, e o modelo construído pode ser considerado como otimizado para prever qualitativamente a porcentagem TWI de novos derivados do lapachol. Os resultados obtidos para essas oito amostras de validação estão na Tabela 6.

Tabela 6 – Classe estimada para as amostras do conjunto de teste

Amostra	2	8	9	13	15	19	23	24
Classe	A	A	A	B	B	B	B	B

É visível pela própria estrutura do método k-NN que acabamos de introduzir que não é possível detectar se há alguma amostra com comportamento diferenciado no conjunto de treinamento. Para verificar a presença de tais amostras, o critério adotado nesse exemplo foi fazer uma análise exploratória dos dados *a priori* e verificar o comportamento geral das amostras. Nessa etapa, o composto 26 da Tabela 1 foi identificado como atípico e excluído do conjunto.

Em conclusão, o método k-NN produz excelentes resultados. O seu entendimento é simples e ele é fácil de ser implementado computacionalmente. No entanto esse método não é autossuficiente, pois requer o uso de alguma técnica paralela para detectar a presença de amostras com comportamento diferenciado ou dados incorretos, bem como não permite identificar os membros de uma classe que não esteja dentre aquelas predefinidas. Além disso, não é possível estimar o nível de confiança no resultado da classificação, *i.e.*, a probabilidade de uma amostra pertencer a uma determinada classe. Entretanto, essas deficiências podem ser contornadas com a utilização de outros métodos de classificação, como é o caso do método SIMCA, que será apresentado na seção seguinte.

5.6 Método *Soft Independent Modeling of Class Analogy* – SIMCA[15]

Esse método foi introduzido por Svante Wold nos anos 1970 e tem vários acrônimos além do mencionado acima: "Statistical Isolinear Multiple Component Analysis; SIMple Classification Algorithm and SIMilarographic Computer Analysis". A Quimiometria teve seu início na área de reconhecimento de padrões, e SIMCA foi o nome do primeiro pacote computacional de Quimiometria. Pelo fato de ser muito amigável, ele teve uma influência enorme na Química e acabou mascarando os outros métodos de classificação existentes. A palavra SIMCA era considerada um sinônimo de Quimiometria e assim foi por vários anos.

---

15 Wold, S. 'Pattern recognition by means of disjoint principal component models', *Pattern Recognition* **8** (1976) 127-139.

O método SIMCA assume que os valores medidos para um grupo de amostras parecidas tenderão para uma distribuição uniforme e modelável. Aumentando o número de amostras, essa distribuição uniforme se torna cada vez mais visível. Supõe-se de antemão que haja uma distribuição probabilística (com base no teorema de Bayes), o que permite estimar o grau de certeza na classificação. Ao contrário do método k-NN, que é baseado somente na distância entre as amostras, no método SIMCA um modelo de componentes principais é ajustado a cada classe do conjunto de treinamento, dando origem a um classificador para cada uma delas. O número de fatores, A, adequado para modelar cada classe, pode ser determinado fazendo uma validação cruzada para maximizar a capacidade preditiva dos modelos individuais em relação ao conjunto de treinamento. A figura 7 apresenta um conjunto de amostras no espaço 3D representado por suas classes. Duas componentes principais ($A = 2$) são necessárias para descrever a classe C, enquanto, para a classe D, uma PC ($A = 1$) é o suficiente.

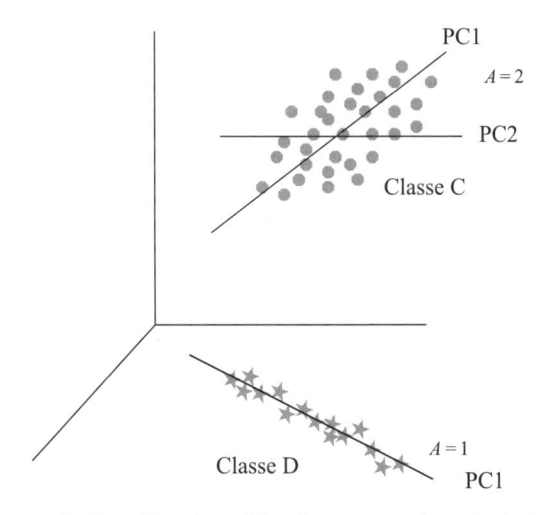

Figura 7 – Representação gráfica da análise de componentes principais aplicada a um conjunto de dados formado por duas classes diferentes.

A seguir, definem-se os limites de cada classe no subespaço H_A de dimensão A definido pelas componentes principais. Para tal, usa-se o valor absoluto do escore máximo de cada PC estendido de uma quantidade proporcional ao desvio-padrão das amostras na respectiva PC. Uma vez delimitado o hiperplano das PC, que para a classe C é um retângulo, constrói-se uma hipercaixa no subespaço complementar ao das PC, $H_A^\perp$, que contenha todas as amostras da classe. Essa hipercaixa é definida no espaço onde estão os resíduos **E**, que representam a informação em **X** que não foi modelada.

A matriz de resíduos **E** nos fornece uma medida de quão bem as componentes principais de cada classe descrevem os dados. A classificação de uma amostra *i* do conjunto de treinamento no método SIMCA é feita comparando a variação nos seus dados que não foi explicada pelo subespaço das PC, e que chamamos de variância residual, com a variância residual média da classe em questão. Essa comparação nos fornece uma medida direta da similaridade entre *i* e as amostras dessa classe e pode ser tomada como uma medida do seu ajuste à classe. A quantificação dessa comparação é feita por meio de um teste *F*. A estatística *F* também pode ser usada para determinar um valor-limite para a variância residual das amostras da classe em questão, definindo, assim, a hipercaixa no espaço complementar ao das PC. A representação geométrica do modelo SIMCA no espaço das variáveis da classe C é um paralelepípedo, enquanto o modelo da classe D é representado por um cilindro, como indicado na Figura 8.

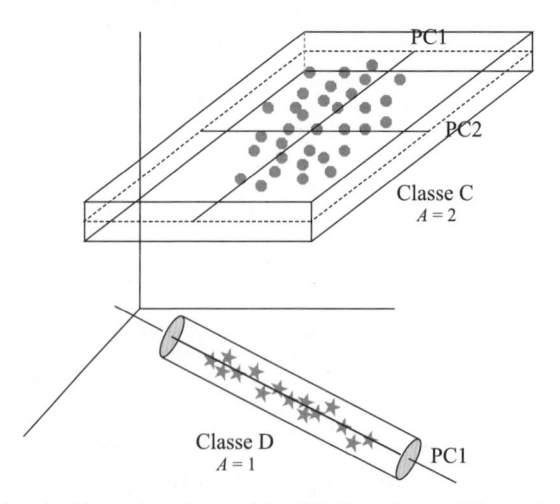

Figura 8 – Limites das hipercaixas dos modelos SIMCA. Um paralelepípedo para o modelo da classe C e um cilindro para o da classe D.

Uma vez obtidas as fronteiras de cada classe, a atribuição de uma amostra-teste a uma determinada classe é feita com base na projeção dessa amostra no espaço gerado pelas PC e na sua distância às fronteiras da classe em questão. O processo é repetido projetando a amostra em todas as outras classes para decidir com base em critérios estatísticos a que classe(s) ela pertence. Se as classes não estiverem bem separadas, a amostra-teste pode ser classificada em duas ou mais classes, dependendo do grau de sobreposição entre elas. O outro extremo também pode acontecer quando a amostra-teste for suficientemente distinta de todas aquelas do conjunto de treinamento. Nessas condições, sua variância residual excede o limite superior de todas as classes predefinidas e a amostra não pertence a nenhuma delas.

Uma característica interessante do método SIMCA é o fato de se construir um modelo independente para cada classe. Se for necessária a inclusão de uma nova classe, ela pode ser adicionada independentemente do modelo já existente, sem a necessidade de repetir todo o processo de modelagem.

Para ilustrar com detalhes o funcionamento do método SIMCA, vamos utilizar o mesmo exemplo dos derivados do lapachol, que foi discutido na seção anterior, adotando o mesmo pré-processamento. Como será construído um modelo para cada classe, optamos por autoescalar cada classe individualmente. Os comandos do MATLAB estão incluídos nas caixas de texto ao longo da análise, para que o leitor possa acompanhar todo o procedimento, passo a passo.

As oito primeiras linhas da matriz de dados do conjunto de treinamento (compostos 1, 3, 4, 5, 6, 7, 10 e 11 da Tabela 1) correspondem às amostras da classe A que apresentam atividade biológica, $\mathbf{X}^A$ $(I_A \times J)$ = $\mathbf{X}^A$ (8×10). A matriz de dados da classe B, $\mathbf{X}^B$ $(I_B \times J)$ = $\mathbf{X}^B$ (9×10), é formada por nove compostos que não apresentam atividade biológica (compostos 12, 14, 16, 17, 18, 20, 21, 22 e 25 da Tabela 1). As colunas das matrizes de cada classe, $\mathbf{X}^A$ e $\mathbf{X}^B$, foram individualmente centradas na média e escaladas pelos respectivos desvios-padrões. Assim, as colunas das matrizes $\mathbf{X}^A$ e $\mathbf{X}^B$ terão média zero e variância igual a 1,0. A caixa de texto a seguir define e pré-processa as duas classes.

```
XA = X(1:8,:); XB = X(9:17,:);
[IA,J] = size(XA); [IB,J] = size(XB);
XAm = mean(XA); XAstd = std(XA);
XAs = (XA - ones(IA,1) * XAm) ./ (ones(IA,1) * XAstd);
XBm = mean(XB); XBstd = std(XB);
XBs = (XB - ones(IB,1) * XBm) ./ (ones(IB,1) * XBstd);
% XAs e XBs são as matrizes pré-processadas das duas classes; XA e XB
```

Por uma questão didática, iniciaremos o tratamento dos dados pela classe B, cujo espaço-linha é de dimensão dois, como veremos a seguir. A matriz $\mathbf{X}^B$ dos dados pré-tratados[16] da classe B é projetada no subespaço H_{A_B} de dimensão reduzida A_B, em que a matriz de projeção $\mathbf{H}_{A_B}$ é dada pelo produto da matriz de pesos $\mathbf{L}_{A_B}\mathbf{L}_{A_B}^{+}$, resultando na matriz $\mathbf{X}_{A_B}^{B}$ [17]:

$$\mathbf{H}_{A_B}\mathbf{X}^B = \mathbf{X}^B\mathbf{L}_{A_B}\mathbf{L}_{A_B}^{+} = \mathbf{X}_{A_B}^{B}. \tag{7}$$

$\mathbf{X}_{A_B}^{B}$ é a matriz de dados da classe B reconstruída com apenas A_B fatores[18]. A matriz de projeção no espaço ortogonal $\mathsf{H}_{A_B}^{\perp}$ é $\mathbf{P} = \left[\mathbf{I} - \mathbf{L}_{A_B}\mathbf{L}_{A_B}^{+}\right]$ e o resultado da projeção da matriz original $\mathbf{X}^B$ nesse espaço complementar é a matriz de resíduos, $\mathbf{E}^B$ (9 × 10) (ver as Figuras 9 e 12 do capítulo 3). Essa matriz descreve a contribuição dos dados que não foi explicada pelas A_B componentes principais e contém os erros experimentais e as imperfeições na aproximação da classe B pelo modelo das PC. Cada linha dessa matriz indica o quanto a respectiva amostra está distante do hiperplano gerado pelas PC. Ao fazer a projeção dos dados da classe B no subespaço H_{A_B}, a matriz $\mathbf{X}^B$ é decomposta em duas contribuições ortogonais e independentes, $\mathbf{X}_{A_B}^{B}$ e $\mathbf{E}^B$. A questão seguinte diz respeito à dimensão do subespaço H_{A_B} ou ao número de fatores A_B necessários para descrever a classe B adequadamente.

---

16 As matrizes $\mathbf{X}^A$ e $\mathbf{X}^B$ pré-tratadas serão denominadas aqui simplesmente de $\mathbf{X}^A$ e $\mathbf{X}^B$, para evitar a inclusão de subíndices e facilitar a notação.

17 O operador que transforma uma matriz $\mathbf{X}$ em $\mathbf{X}_A$ é a multiplicação à direita por $\mathbf{L}_A\mathbf{L}_A^{+}$, conforme discutido no capítulo 4.

18 O símbolo de estimativa $\wedge$ não está sendo indicado, para simplificar a notação.

$$\mathbf{X}^B = \mathbf{H}_{A_B}\mathbf{X}^B + \mathbf{P}_{A_B}\mathbf{X}^B = \mathbf{X}^B_{A_B} + \mathbf{E}^B \tag{8}$$

Todo o procedimento que acabamos de discutir é efetivado fazendo a decomposição por valores singulares discutida no capítulo 3.

```
[uB sB vB]= svd(XBs);
TB = uB * sB;
diag(sB)' % valores singulares, tais que (saa)² = λ_a, a variância explicada em PCa
```

Normalmente, o número de fatores é determinado por validação cruzada, mas, para efeito didático, ele será determinado aqui por inspeção visual dos seis primeiros valores singulares (**7,04 3,80** 2,51 2,03 1,74 1,56) que estão relacionados à quantidade de informação contida em cada PC. Essas PC descrevem, respectivamente, 61,9%, 18,1%, 7,9%, 5,2% 3,8% e 3,0% da informação original dos dados. Comparando o decaimento dos valores listados, pode-se sugerir que o número de componentes principais igual a dois ($A_B = 2$) seja adequado para descrever essa classe (80% da informação original). Uma vez gerado o espaço-linha dessa classe, obtém-se a matriz de dados da Classe B, reconstruída com duas PC, $\mathbf{X}^B_{A_B} = \mathbf{T}_{A_B}\mathbf{L}^T_{A_B}$. Ao projetar matriz $\mathbf{X}^B$ no espaço complementar $\mathbf{H}^\perp_2$, calcula-se a matriz de resíduos, $\mathbf{E}^B$, cujos resultados estão indicados na Tabela 7.

As oito amostras da classe A também podem ser projetadas no subespaço H_{A_B} da classe B, também conhecido como espaço-linha da classe B, hiperplano das PC ou modelo da classe B. Vimos no gráfico de escores da Figura 6 que as amostras da classe A estão distantes das da classe B. Portanto, espera-se que, ao projetar as amostras da classe A no espaço-linha da classe B[19], os resíduos em cada variável sejam bem maiores do que os das próprias amostras dessa classe. Para fazer essa projeção, os dados originais da classe A são autoescalados utilizando os

---

19 Os termos "modelo", "subespaço H_A", "espaço-linha" e "hiperplano" das PC estão sendo utilizados indistintamente.

parâmetros da classe B, como indicado na caixa de texto abaixo. A matriz dos resíduos das oito amostras da classe A, $\mathbf{E}^{AB}$ (8 × 10), foi calculada fazendo a diferença entre os dados experimentais pré-processados da classe A e os resultados da projeção ortogonal das amostras da classe A no espaço-linha da classe B (ver caixa de texto abaixo). Os resultados da matriz $\mathbf{E}^{AB}$ também estão incluídos na Tabela 7. A Figura 9 ilustra a projeção de uma amostra i de uma classe genérica C no modelo de sua própria classe e no da classe D, em que os vetores dos resíduos são, respectivamente, $\mathbf{e}_i$ e $\mathbf{e}_i^{CD}$. A projeção da amostra k da classe D em ambos os modelos também está indicada na Figura 9. O resíduo obtido ao projetá-la no modelo de sua classe é $\mathbf{e}_k$ e, no da classe C, é dado por $\mathbf{e}_k^{DC}$.

```
EB = XBs - TB(:,1:2) * vB(:,1:2)';
%pré-processa dados de XA usando parâmetros de XB
XABas = (XA - ones(IA,1) * XBm) ./ (ones(IA,1) * XBstd);
%resíduos das amostras da classe A quando projetadas na classe B
EAB = XABas - XABas * vB(:,1:2) * vB(:,1:2)';
```

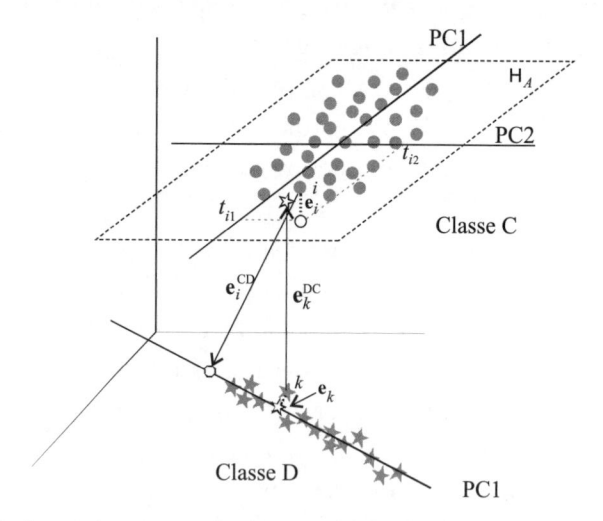

Figura 9 – Projeções da amostra i da classe genérica C, com escores t_{i1} e t_{i2}, e resíduo $\mathbf{e}_i$, no espaço-linha de sua classe e no espaço-linha da classe D, cujo resíduo é $\mathbf{e}_i^{CD}$. Projeções da amostra k da classe D em ambos os modelos, de sua classe e da classe C.

Tabela 7 – Matriz dos resíduos $\mathbf{E}^B$ da classe B para um modelo com dois fatores e a matriz dos resíduos das amostras da classe A quando projetadas no plano das componentes principais da classe B, $\mathbf{E}^{AB}$

	\multicolumn{10}{c}{Resíduos $\mathbf{E}^B$}
	b	c	m	n	o	p	q	s	t	u
12	0,065	-1,141	0,437	-0,100	-0,001	0,068	-0,434	-0,188	0,252	-0,096
14	0,206	0,170	0,238	0,223	0,019	0,514	-0,011	0,517	-0,402	1,065
16	-0,186	0,555	-0,669	-0,208	0,140	-0,108	0,426	-0,539	0,693	-1,071
17	-1,116	0,032	-0,277	0,088	-0,300	0,260	-0,389	0,976	-0,242	-0,315
18	0,543	-0,458	-0,354	-0,071	0,132	0,296	0,049	-0,185	0,091	0,356
20	0,014	0,157	-0,088	0,032	-0,073	-0,771	-0,162	-0,393	-0,081	-0,135
21	0,043	-0,159	-0,072	-0,142	0,131	1,222	0,189	0,478	0,321	0,165
22	0,262	0,718	-0,116	0,015	-0,015	-0,374	0,360	-0,058	-0,376	0,087
25	0,170	0,126	0,192	0,162	-0,032	-1,109	-0,028	-0,608	-0,257	-0,055
	\multicolumn{10}{c}{Resíduos $\mathbf{E}^{AB}$}
1	-4,347	-2,076	-3,972	1,527	-4,171	15,151	-4,388	13,817	-0,726	11,190
3	-4,799	-2,802	-4,465	0,769	-3,221	12,225	-1,963	25,054	-13,027	-1,311
4	-5,004	-3,147	-4,735	0,087	-2,716	14,797	-2,026	26,861	-12,887	-1,752
5	-4,781	-2,816	-4,570	0,434	-3,253	12,824	-1,897	25,142	-12,697	-1,357
6	-4,869	-2,903	-4,521	0,489	-2,813	13,375	-2,087	25,841	-12,965	-1,445
7	-4,654	-2,771	-4,215	0,354	-3,180	12,430	-1,818	24,408	-12,410	-1,260
10	-3,242	-1,619	-2,886	1,845	-4,562	14,224	-3,583	23,471	-11,734	9,460
11	-4,729	-2,760	-4,403	0,664	-3,157	12,098	-1,963	24,947	-13,046	-1,429

Os resíduos nos informam quão bem o modelo das PC ajustam os dados e eles devem seguir uma distribuição normal ou aproximadamente normal, que deve ser devidamente testada. Se o número de amostras em cada classe é pequeno (menor do que 20), qualquer teste de normalidade é altamente incerto, e o que se espera é que os resíduos apresentem uma distribuição ao menos próxima da normal.

O modelo SIMCA para uma determinada classe é construído estabelecendo primeiramente os limites no espaço-linha dessa classe, gerado pelas componentes principais (um subespaço do espaço das J variáveis). A seguir, a classe é delimitada no hiperplano complementar ortogonal $H_A^\perp$, onde se situam os resíduos. Por exemplo, para uma classe com apenas uma componente principal, determina-se o limite inferior e superior nessa PC e, para uma classe representada por duas componentes principais, é necessário delimitar o plano gerado por essas duas PC formando um retângulo, como indicado na Figura 9. Quantitativamente, os limites da caixa no hiperplano gerado pelas PC podem ser obtidos utilizando o desvio-padrão dos escores em cada componente principal. Para a a-ésima PC, esses limites são dados pela expressão 9, na qual $\|\mathbf{t}_a\|_\infty$ é a norma infinita do vetor de escores da a-ésima PC, $i.e.$, o máximo dentre os valores absolutos das coordenadas do vetor $\mathbf{t}_a$. s_a é o desvio-padrão dos escores nessa PC e t_α é o valor da distribuição t de *Student* com I graus de liberdade no nível de confiança α.

$$-\|\mathbf{t}_a\|_\infty - \frac{t_\alpha}{2}s_a \leq t_{ia} \leq \|\mathbf{t}_a\|_\infty + \frac{t_\alpha}{2}s_a \quad \text{onde} \quad s_a = \sqrt{\frac{\sum_{i=1}^{I}(t_{ia})^2}{I}}. \quad (9)$$

Para o modelo da classe B com duas PC, os escores máximos na primeira e na segunda componentes principais são $\|\mathbf{t}_1\|_\infty = 3{,}705$ e $\|\mathbf{t}_2\|_\infty = 2{,}345$. No nível de 95% de confiança ($\alpha = 0{,}05$), o valor de t_α para nove graus de liberdade é igual a 1,833. Os desvios-padrões calculados para as duas componentes principais foram $s_1^B = 2{,}346$ e $s_2^B = 1{,}267$, resultando nos valores-limites de escores $\pm 5{,}855$ em PC1 e $\pm 3{,}506$ em PC2.

Essa foi a metodologia proposta originalmente por Wold[1] para delimitar o hiperplano das PC. Há hoje outros métodos para encontrar esses limites, que já foram introduzidos no capítulo 3 (seção 3.4). Um deles utiliza a distância de Mahalanobis e o outro, a estatística T^2 de Hotelling. Em ambas as metodologias são definidos os elipsoides envolvendo o espaço multidimensional das PC. Na Figura 10 estão indicados o retângulo definido na equação 9 e que delimita a classe B, a elipse determinada usando a distância da Mahalanobis e a elipse determinada pela estatística T^2 de Hotelling. Os raios da elipse de Mahalanobis, $r_1 = \pm 6{,}089$ em PC1 e $r_2 = \pm 3{,}289$ em PC2, foram determinados no nível de 95% de confiança ($\alpha = 0{,}05$) usando a estatística $\chi^2_{0,05,A_B}$. A elipse da estatística T^2 de Hotelling para o mesmo nível de confiança e usando o valor tabelado da distribuição $F_{0,05,A_B,(I_B-A_B)}$, com A_B e (I_B-A_B) graus de liberdade, é ligeiramente maior, com $r_1 = \pm 8{,}633$ em PC1 e $r_2 = \pm 4{,}662$ em PC2. As amostras do conjunto de treinamento que são da classe A e que foram projetadas no modelo da classe B foram incluídas também neste gráfico para que se tenha uma ideia do quanto elas estão distantes do modelo.

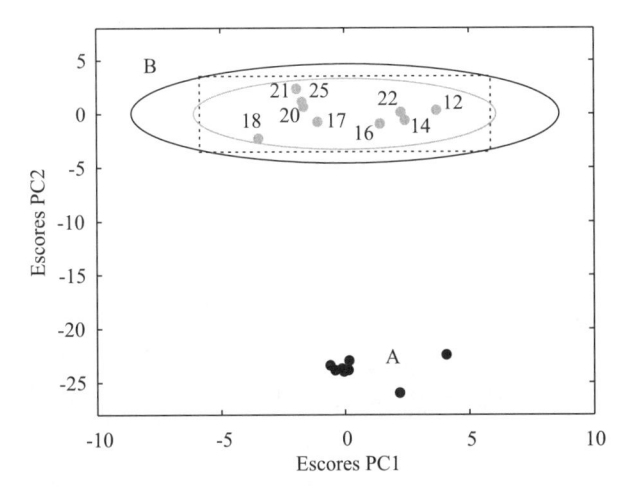

Figura 10 – Gráfico dos escores de PC1 *versus* PC2 com os limites da classe B modelada com duas componentes principais. Os limites do retângulo com 95% de confiança são resultantes da equação 9. As elipses interna (—) e externa (—) foram determinadas pela distância de Mahalanobis e pela estatística T^2, respectivamente (ver seção 3.4 para os detalhes dos cálculos).

Uma vez que todas as PC foram individualmente delimitadas e o tamanho da hipercaixa foi definido no subespaço, H_{A_B}, resta estabelecer os limites no espaço complementar ortogonal $H^{\perp}_{A_B}$, conforme indicado na Figura 8. Para o cálculo dos limites de uma classe genérica C, usa-se a matriz dos resíduos dessa classe, $\mathbf{E}^C$ ($I_C \times J$), cujas linhas podem ser convertidas em distâncias geométricas. Dispomos de dois parâmetros indicativos de quão bem as amostras são descritas pelo modelo proposto para a classe C. Um deles é o desvio-padrão residual de cada objeto i, que é designado como s_i^C, e o outro é o desvio-padrão residual médio dessa classe, s_0^C. Esses dois parâmetros estatísticos são denominados residuais porque têm a sua origem na variação dos dados, que não é explicada pelo modelo das PC (variância residual), e as suas definições se encontram nas equações 10 e 11.

$$s_i^C = \sqrt{\frac{\left(\mathbf{e}_i^C\right)^T \mathbf{e}_i^C}{(J - A_C)}} = \sqrt{\frac{\sum_{j=1}^{J}\left(e_{ij}^C\right)^2}{(J - A_C)}} \qquad (10)$$

$$s_0^C = \sqrt{\frac{Tr\left(\mathbf{E}^C\left(\mathbf{E}^C\right)^T\right)}{(I_C)(J - A_C)}} = \sqrt{\frac{\sum_{i=1}^{I_C}\sum_{j=1}^{J}\left(e_{ij}^C\right)^2}{(I_C)(J - A_C)}} = \sqrt{\frac{\sum_{i=1}^{I_C}\left(s_i^C\right)^2}{(I_C)}} \qquad (11)$$

O vetor $\left(\mathbf{e}_i^C\right)^T$ na equação 10 é o vetor-linha referente à i-ésima linha de $\mathbf{E}^C$, e o termo Tr na expressão 11 se aplica ao traço da matriz produto $\mathbf{E}^C\left(\mathbf{E}^C\right)^T$ [20]. Nessas duas equações, I_C é o número de amostras e J é o número de variáveis da classe genérica C; e_{ij} é o resíduo da i-ésima amostra na j-ésima variável e A_C é o número de fatores no modelo dessa classe. A soma indicada na equação 10 é o parâmetro Q definido no capítulo 3 como a soma quadrática dos elementos de cada linha da matriz de resíduos. Essa soma é feita apenas para as variáveis, enquanto na equação 11 ela é aplicada não somente às variáveis, mas também aos objetos. O denominador da equação 10, $(J - A_C)$, corresponde ao número de graus de liberdade, e $I_C (J - A_C)$ foi incluído na expressão 11 para o cálculo da média.

Os parâmetros s_i^C representam a distância de cada amostra i ao hiperplano das PC, enquanto s_0^C representa a distância média ou uma distância genérica de todos os objetos ao modelo proposto para essa classe. A variância residual média da classe C, $\left(s_0^C\right)^2$, é uma medida da compacidade das amostras nessa classe. Um valor pequeno de $\left(s_0^C\right)^2$ su-

---

20 O traço de uma matriz $\mathbf{A}$, representado por Tr, é igual à soma dos elementos da diagonal de $\mathbf{A}$.

gere que as amostras representantes da classe estão agrupadas em uma pequena região do espaço das medidas.

Uma amostra *i* é representativa da sua classe quando o seu desvio-padrão residual s_i^C for comparável a s_0^C, ou, quando a sua variância residual for menor ou igual à variância residual da classe como um todo, $\left(s_i^C\right)^2 \leq \left(s_0^C\right)^2$. Por outro lado, se $\left(s_i^C\right)^2$ for significativamente maior do que $\left(s_0^C\right)^2$, a amostra *i* está distante do modelo e pode até ser considerada atípica nessa classe. Se isso se repetir para todas as classes, ela deve ser excluída do conjunto de treinamento, pois ou essa amostra apresenta algum problema nas medidas ou ela não pertence a nenhuma das classes preestabelecidas. Um teste *F* é utilizado para determinar se $\left(s_i^C\right)^2$ é significativamente maior do que $\left(s_0^C\right)^2$. A razão entre as variâncias é calculada para cada uma das amostras da classe C de acordo com a expressão 12.

$$F_i^C = \frac{\left(s_i^C\right)^2}{\left(s_0^C\right)^2} \qquad (12)$$

A razão F^C segue uma distribuição F com $(J - A_C)$ graus de liberdade no numerador e $(I_C - A_C - 1)(J - A_C)$ graus de liberdade no denominador. O valor calculado pela expressão 12 pode ser comparado ao valor crítico tabelado, $F^C_{\alpha,(J-A_C;(I_C-A_C-1)(J-A_C))}$, para um dado nível de significância α, conforme sugerido por Wold[1]. Mais tarde, esses graus de liberdade foram questionados na literatura por não serem apropriados quando o número de variáveis relativo ao número de fatores é alto. Nesses casos, o denominador aumenta muito e o valor crítico tabelado é pequeno, fazendo com que amostras aceitáveis sejam rejeitadas. O teste *F* aplicado utilizando valores tabelados obtidos para 1 grau de liberdade no numerador e $(I_C - A_C - 1)$ graus de liberdade no denominador, $F^C_{\alpha,(1;I_C-A_C-1)}$ tem se mostrado aceitável[21].

---

21 Gemperline, J. P. e Webber, L. D. 'Raw materials using soft independent modeling of class analogy analysis of NIR-Infrared reflectance spectra', *Anal. Chem.* **61** (1989) 138-144.

Com o teste F temos uma base estatística para decidir quantitativamente se uma amostra está muito distante do hiperplano das PC ou não. O valor crítico tabelado, $F^C_{crítico}$, no nível de significância α é o valor máximo de F para que uma amostra seja classificada nessa classe. Se a razão F calculada para uma amostra do conjunto de treinamento for maior do que o valor $F^C_{crítico}$, ela pode ser considerada atípica.

Conhecendo o valor tabelado $F^C_{crítico}$ e a variância residual média da classe C, $\left(s_0^C\right)^2$, define-se a distância crítica para essa classe, $s^C_{crítico}$, de acordo com a expressão 13. Essa distância é considerada como o resíduo-limite da classe C com $(1 - \alpha)$ % de confiança e, assim, está definido o limite que faltava para delimitar o espaço complementar ortogonal, $H^{\perp}_{A_C}$, da classe C.

$$s^C_{crítico} = \sqrt{F^C_{crítico}\left(s_0^C\right)^2} = s_0^C \sqrt{F^C_{crítico}} \tag{13}$$

A Figura 11 mostra, a título de ilustração, as distâncias-limites para as duas classes genéricas, C e D, da Figura 7.

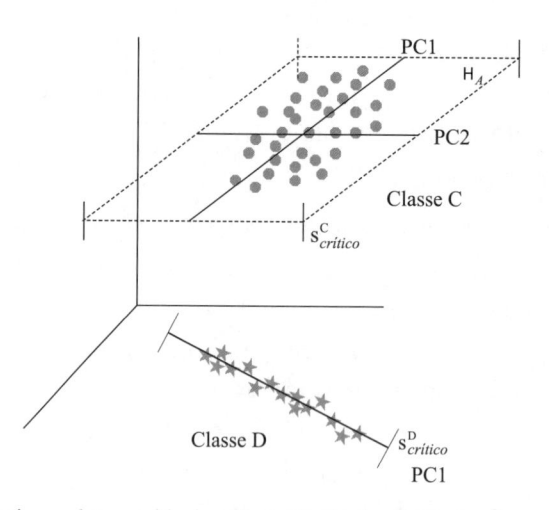

Figura 11 – Desvios-padrões residuais críticos (distâncias-limites), $s^C_{crítico}$ e $s^D_{crítico}$, para a hipercaixa da classe C, modelada com duas PC, e para a da classe D, modelada com uma PC.

Resta agora considerar os desvios-padrões residuais das amostras de outra classe, D, quando projetadas no modelo da classe C, *i.e.*, as suas distâncias à classe C. O desvio-padrão de uma amostra k da classe D projetada na classe C (ver Figura 9) e o respectivo desvio-padrão residual médio estão definidos nas equações 14 e 15, respectivamente.

$$s_k^{DC} = \sqrt{\frac{\left(\mathbf{e}_k^{DC}\right)^T \mathbf{e}_k^{DC}}{(J - A_C)}} = \sqrt{\frac{\sum_{j=1}^{J}\left(e_{kj}^{DC}\right)^2}{(J - A_C)}} \tag{14}$$

$$s_0^{DC} = \sqrt{\frac{Tr\left(\mathbf{E}^{DC}\left(\mathbf{E}^{DC}\right)^T\right)}{I_D(J - A_C)}} = \sqrt{\frac{\sum_{k=1}^{I_D}\left(s_k^{DC}\right)^2}{I_D}} \tag{15}$$

Retornando à classe B do exemplo do lapachol e derivados, na caixa de texto abaixo estão os comandos utilizados para o cálculo dos desvios-padrões residuais das amostras da classe B, s_i^B, de cada uma das amostras da classe A quando projetadas no modelo da classe B, s_k^{AB} e os desvios padrões residuais médios s_0^B e s_0^{AB}. O cálculo das razões F de cada amostra da classe B e da classe A quando projetada na classe B, F_i^B, F_k^{AB} e o valor $F_{crítico}^B$ também estão indicados, bem como a distância crítica $s_{crítico}^B$.

```
siB = diag(sqrt(EB * EB' / (J - 2)))
skAB = diag(sqrt((EAB * EAB' / (J - 2))))
s0B = sqrt(trace((EB * EB' / (J - 2))) / (IB))
s0AB = sqrt(trace((EAB * EAB' / (J - 2)) / IA))
FiB = siB .^ 2 ./ (ones(IB,1) * s0B ^ 2)
FkAB = skAB .^ 2 ./ (ones(IA,1) * s0B ^ 2)
% $F_{crítico}^C$ para 1 e (IB - 2 - 1) graus de lib., e α = 0,05, é igual a 5,99
scriticoB = sqrt(5.99 * s0B ^ 2)
```

Todos os parâmetros estatísticos definidos até o momento foram calculados para cada amostra da classe B e para as amostras da classe A quando ajustadas ao modelo da classe B, utilizando os comandos da caixa de texto acima. Os resultados obtidos se encontram nas duas primeiras colunas da Tabela 8.

Tabela 8 – Valores das distâncias s_i^B das amostras da classe B e das amostras da classe A ajustadas ao modelo da classe B, s_k^{AB}, valores calculados das razões F_i^B, F_k^{AB} e o valor de $F_{crítico}^B$, desvio-padrão residual médio da classe B, s_0^B, desvio-padrão residual médio da classe A quando ajustada ao modelo da classe B, s_0^{AB}, e a distância crítica da classe B, $s_{crítico}^B$. Os mesmos parâmetros são apresentados para a classe A nas duas últimas colunas, s_k^A, s_i^{BA}, s_0^A, s_0^{BA}, $s_{crítico}^A$, os valores das razões F, F_k^A e F_i^{BA} e o valor de $F_{crítico}^A$

	Classe B		Classe A	
	s_i^B	F_i^B	s_i^{BA}	F_i^{BA}
12	0,476	1,016	7,186	457,14
14	0,501	1,126	9,593	814,67
16	0,609	1,664	12,300	1339,31
17	0,586	1,543	11,083	1087,31
18	0,338	0,512	14,564	1877,62
20	0,324	0,470	11,640	1199,30
21	0,495	1,099	11,364	1143,09
22	0,357	0,572	11,946	1263,36
25	0,471	0,998	11,461	1162,81
	s_k^{AB}	F_k^{AB}	s_k^A	F_k^A
1	8,833	350,364	0,145	0,186
3	11,260	569,335	0,343	1,040
4	12,137	661,531	0,247	0,539
5	11,323	575,778	0,349	1,076
6	11,629	607,337	0,165	0,240
7	10,991	542,538	0,545	2,632
10	11,396	583,182	0,477	2,012
11	11,206	563,913	0,176	0,275

$s_0^B = 0,472$ $s_0^A = 0,336$

$s_0^{AB} = 11,134$ $s_0^{BA} = 11,395$

$F_{crítico}^B = 5,99$ $F_{crítico}^A = 7,71$

$s_{crítico}^B = 1,155$ $s_{crítico}^A = 0,934$

O valor $F_{crítico}^B$ tabelado no nível de significância $\alpha = 0{,}05$ (95% de confiança), com 1 e 6 graus de liberdade para a classe B, é igual a 5,99, que é bem maior do que todos os valores calculados de F_i^B, quando o valor máximo é igual a 1,66 para a amostra 16. O maior desvio-padrão residual foi de 0,61 para a mesma amostra. Ele é próximo do desvio-padrão residual médio (0,47) e está bem abaixo do resíduo-limite da classe B, que é 1,16. Pode-se afirmar, então, que todas as amostras são características dessa classe e que não há amostras atípicas. Além da magnitude do desvio-padrão residual e da razão F, o gráfico de escores também pode ser usado para detectar amostras atípicas. Com respeito às amostras da classe A ajustadas ao modelo da classe B, os desvios-padrões residuais encontrados são em média 20 vezes maiores do que o desvio-padrão médio da classe (0,47), e o mesmo acontece com o desvio-padrão residual médio $s_0^{AB} = 11{,}13$. Além disso, os valores da razão F_k^{AB} estão acima do valor crítico dessa classe, confirmando que essas amostras da classe A definitivamente não pertencem à classe B. Resumindo, de acordo com os resultados das duas primeiras colunas da Tabela 8, pode-se dizer que a classe B é compacta (valores pequenos de F_i^B e de s_0^B) e que a classe A se encontra distante da classe B (altos valores de s_k^{AB}, de s_0^{AB} e de F_k^{AB}).

Acabamos de construir o modelo SIMCA para a classe B. O mesmo procedimento deve ser repetido para a Classe A.

```
[uA sA vA] = svd(XAs);
TA = uA * sA;
diag(sA)'
```

Verificando os seis primeiros valores singulares (**6,08 4,16 3,07** 1,67 1,53 0,93) e as respectivas variâncias percentuais (52,8%, 24,7%, 13,5%, 4,0%, 3,4% e 1,2%), é visível que três componentes principais, descrevendo 91,0% da informação original nos dados, é o número adequado para descrever essa classe. O leitor pode argumentar que o número de amostras da classe A é menor que o da classe B e, no entanto foi necessária uma PC a mais para descrever adequadamente essa classe. Isso ocorreu porque na classe B as amostras estão homogeneamente distribuídas ao redor do plano, e isso não ocorreu com as amostras da classe A. As amostras 1, 4 e 6 estão mais distantes do plano (PC1 × PC2) do que as outras.

```
EA = XAs - TA(:,1:3) * vA(:,1:3)';
XBAas = (XB - ones(IB,1) * XAm) ./ (ones(IB,1) * XAstd);
EBA = XBAas - XBAas * vA(:,1:3) * vA(:,1:3)';
skA = diag(sqrt(EA * EA' / (J - 3)))
siBA = diag(sqrt((EBA * EBA' / (J - 3))))
s0A = sqrt(trace((EA * EA' / ( J - 3))) / (IA))
s0BA = sqrt(trace((EBA * EBA' / (J - 3)) / IB))
FkA = skA .^ 2 ./ (ones(IA,1) * s0A ^ 2)
FiBA = siBA .^ 2 ./ (ones(IB,1) * s0A ^ 2)
%Fcrítico com 1 e (IA - 3 - 1) graus de lib. e α = 0,05 = 7,71
scriticoA = sqrt(7.71 * s0A ^ 2)
```

Todos os resultados obtidos para a classe A já estão disponíveis nas duas últimas colunas da Tabela 8. Para essa classe, apenas duas amostras apresentaram valores da razão F_k^A acima de 2,00, mas como o valor $F_{crítico}^A$ tabelado para $\alpha = 0,05$ com 1 e 4 graus de liberdade é 7,71, concluímos que as oito amostras são representativas dessa classe. Além disso, somente as amostras 7 e 10 apresentaram desvio-padrão residual ligeiramente acima de s_0^A. O valor $s_{crítico}^A$ que delimita a classe também se encontra na Tabela 8. Comparando os desvios-padrões residuais médios das duas classes, s_0^A e s_0^B, vê-se que as amostras da classe B estão ligeiramente mais espalhadas do que as da classe A. É interessante comparar as quatro distâncias médias, s_0^A, s_0^B, s_0^{AB} e s_0^{BA}, simultaneamente. Pode-se afirmar que os desvios-padrões residuais médios intraclasse (da ordem de 0,5 para as duas classes) são bem menores do que os desvios-padrões residuais médios interclasse quando se ajustam amostras que não são da própria classe. Por exemplo, o desvio-padrão residual médio das amostras da classe A ajustadas ao modelo da classe B é 11,13, aproximadamente 20 vezes maior. Além disso, o desvio-padrão residual médio das amostras da classe B ajustadas ao modelo da classe A, além de ser alto, não é igual ao anterior (11,40), o que era de esperar, pois estamos projetando diferentes amostras em diferentes modelos de classes.

Pode-se definir a distância entre duas classes e neste caso elas devem ser iguais: a distância da classe A à classe B deve ser igual à distância da classe B à classe A. Essa é uma quantificação da separação entre as duas classes e está definida na equação 16. Distâncias menores do que 1,0 correspondem a diferenças pequenas entre as classes e, se elas forem menores do que 0,5, as duas classes são praticamente coincidentes. A separação interclasses melhora à medida que a distância entre as classes aumenta.

$$d^{AB} = \sqrt{\frac{(s_0^{AB})^2 + (s_0^{BA})^2}{(s_0^{A})^2 + (s_0^{B})^2} - 1} \qquad (16)$$

dAB = sqrt((s0AB ^ 2 + s0BA ^ 2) / (s0A ^ 2 + s0B ^ 2)) - 1

Fazendo o cálculo da separação entre as duas classes, A e B, do lapachol e derivados com os resultados indicados na Tabela 8, o valor encontrado é 26,50 e a separação entre elas é muito grande.

Os modelos SIMCA finais das classes A e B podem ser visualizados em um único gráfico, o que é uma grande vantagem desse método. Os desvios-padrões residuais de todas as amostras do conjunto de treinamento, que afinal representam a distância dos diversos objetos aos modelos ajustados pelas componentes principais, são colocados em um gráfico, conhecido como gráfico de Coomans[22]. Nesse gráfico, o eixo das abscissas representa uma classe e o das ordenadas, a outra.

Na Figura 12 está o gráfico de Coomans para as amostras das classes A e B. Ele foi construído utilizando as distâncias ou desvios-padrões residuais que se encontram na primeira e na terceira coluna da Tabela 8. No eixo das abscissas estão os resultados referentes à classe A, em que representamos os desvios-padrões residuais das amostras dessa classe, s_k^A, e os das amostras da classe B, quando ajustadas ao modelo dessa classe, s_i^{BA} (terceira coluna da Tabela 8). A distância-limite

---

[22] Derde, M. P.; Coomans, D. e Massart, D. L. 'Effect of scaling on class modeling with the SIMCA method', *Anal Chim Acta* **141**(1982) 187-192.

dessa classe, $s^A_{crítico}$, determinada com 95% de confiança, corresponde à linha vertical. Todas as amostras da classe A têm coordenadas próximas de zero no eixo das abscissas (ver $s^A_1 = 0,15$), enquanto as amostras da classe B apresentam altos desvios, que variam de 7,0 a 15,0 (ver $s^{BA}_{12} = 7,19$). No eixo das ordenadas estão representadas as distâncias de todas as amostras do conjunto de treinamento ao modelo da classe B (primeira coluna da Tabela 8). As distâncias das amostras da classe B ao hiperplano das PC são bem pequenas, com valores entre 0,3 e 0,6 (ver $s^B_{12} = 0,48$). Nesse mesmo eixo podem-se ver as distâncias das amostras da classe A ao modelo da classe B que nesse caso apresentam altos valores, como se pode ver para a amostra 1 com desvio residual igual a $s^{AB}_1 = 8,83$. O desvio-padrão residual crítico dessa classe, $s^B_{crítico}$ determinado com 95% de confiança é indicado pela linha horizontal cinza.

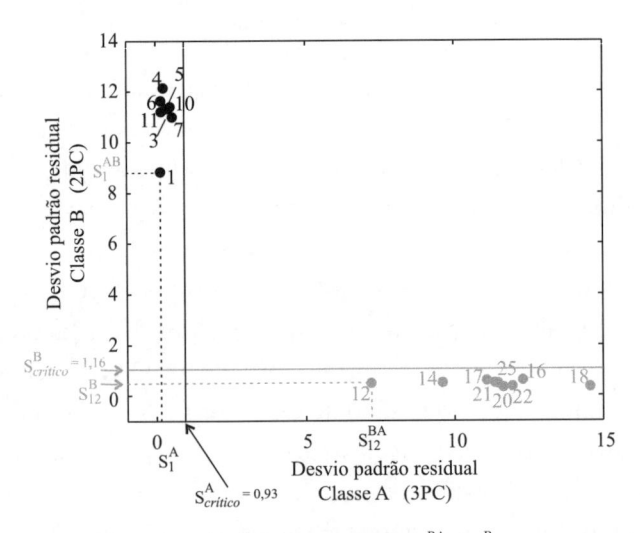

Figura 12 – Gráfico de Coomans das duas classes, A e B. s^{BA}_{12} e s^B_{12} representam as distâncias da amostra 12 às classes A e B, respectivamente (dados na Tabela 8). s^A_1 e s^{BA}_1 representam as distâncias da amostra 1 às classes A e B, respectivamente. As linhas contínuas, vertical e horizontal, mostram os limites das classes A e B, $s^A_{crítico}$ e $s^B_{crítico}$, respectivamente, no nível de 95% de confiança.

Esse gráfico está dividido em quatro quadrantes delimitados pelas linhas preta e cinza indicativas dos limites críticos de cada classe. No segundo quadrante estão representadas as amostras da classe A, cujo limite é igual a 0,93 com 95% de confiança. No quarto quadrante se encontram as amostras da classe B, em que o valor-limite é igual a 1,16 com 95% de confiança. O primeiro quadrante, o maior deles e que está vazio deveria conter aquelas amostras que estão fora dos limites de cada classe e, portanto, não pertencem a nenhuma dessas duas classes. Se tivéssemos mais uma classe distinta neste estudo, as suas amostras deveriam aparecer nessa região. O terceiro quadrante, localizado no canto inferior à esquerda, também se encontra vazio. Nesse quadrante encontraríamos as amostras cujas distâncias a ambos os modelos estão abaixo dos limites críticos e, portanto, estariam na região de superposição entre as duas classes. As amostras que aparecem nessa região pertencem a ambas as classes.

Terminada a construção dos modelos das classes A e B, o método SIMCA ainda explora outros dois parâmetros estatísticos que podem ser extraídos da matriz de resíduos definida no espaço complementar, $H_A^\perp$, só que agora, para as variáveis. O primeiro deles nos informa o quanto cada variável medida é importante na construção do modelo de cada classe individualmente, e é denominado poder de modelagem da variável j. O outro parâmetro estatístico é o poder de discriminação de cada variável j e diz respeito à importância das variáveis na discriminação entre duas classes. Para definir os poderes de modelagem e de discriminação, é necessário calcular o desvio-padrão residual de cada variável, conforme definido na equação 17, para uma classe genérica C e o desvio-padrão das variáveis originais pré-processadas para os objetos dessa classe, que se encontra na equação 18. Note-se a semelhança do numerador da equação 17 com o da equação 10, em que a soma dos mesmos resíduos foi feita para as variáveis, e aqui está sendo feita para as amostras da classe C.

$$s_j^C = \sqrt{\frac{\left(\mathbf{e}_j^C\right)^T \mathbf{e}_j^C}{I_C - A_C - 1}} = \sqrt{\frac{\sum_{i=1}^{I_C} \left(e_{ij}^C\right)^2}{I_C - A_C - 1}} \qquad (17)$$

$$s_{j,x}^C = \sqrt{\frac{\sum_{i=1}^{I_C} \left(x_{ij}^C - \overline{x}_j\right)^2}{I_C - 1}} \qquad (18)$$

O desvio-padrão residual da variável j na classe C, s_j^C, mede o quanto de informação dessa variável foi considerado "ruído", pois os elementos da matriz $\mathbf{E}^C$ foram utilizados no cálculo. Dividindo s_j^C pelo desvio-padrão da coluna correspondente da matriz $\mathbf{X}^C$, que contém os dados pré-processados dessa classe (expressão 18), $s_{j,x}^C$, tem-se uma medida da razão ruído/sinal da variável j.

À medida que a razão $\dfrac{s_j^C}{s_{j,x}^C}$ cresce, diminui o conteúdo de informação da variável j no modelo. O poder de modelagem da variável j para a classe C, PM_j^C, é definido com base nessa razão ruído/sinal, de acordo com a expressão 19. Conforme a definição proposta, o poder de modelagem varia sempre entre zero e um. Se ele é alto, próximo de 1,0, indica que a variável é altamente relevante para o modelo da classe C. Variáveis com PM abaixo de 0,5 já não são tão importantes e, à medida que esse valor cai, elas se tornam cada vez menos úteis.

$$PM_j^C = 1 - \frac{s_j^C}{s_{j,x}^C} \qquad (19)$$

Se os dados originais da classe C foram autoescalados, o desvio-padrão $s_{j,x}^C$ é igual a 1,0 para todas as variáveis, e o cálculo dos desvios-padrões e o do poder de modelagem das variáveis são simplificados, pois o denominador da equação 19 é igual a 1,0. Ainda com respeito ao poder de modelagem, pode-se definir o poder de modelagem global de cada variável do conjunto de treinamento, PM_j. Para a variável j o poder de modelagem global inclui todas as classes predefinidas e está definido na equação 20 para duas classes, C e D; os desvios-padrões das somas das classes estão indicados nas equações 21 e 22. Nessas duas últimas equações, s_j e $s_{j,x}$ já foram definidos nas equações 17 e 18, respectivamente.

$$PM_j = 1 - \frac{s_j^{C+D}}{s_{j,x}^{C+D}} \qquad (20)$$

$$s_j^{C+D} = \sqrt{\frac{1}{2}\left(\left(s_j^C\right)^2 \times \frac{J}{J - A_C} + \left(s_j^D\right)^2 \times \frac{J}{J - A_D} \right)} \qquad (21)$$

$$s_{j,x}^{C+D} = \sqrt{\left(s_{j,x}^{C}\right)^2 + \left(s_{j,x}^{D}\right)^2} \qquad (22)$$

Mais uma vez, se os dados originais das classes C e D foram autoescalados separadamente, cada termo dentro do sinal da raiz na equação 22 é igual a 1,0.

Retornando ao nosso exemplo do lapachol e derivados, a caixa de texto abaixo contém os comandos para o cálculo do poder de modelagem de cada variável em cada classe e do poder de modelagem global de cada variável. Os resultados obtidos estão na Tabela 9.

```
sjA = diag(sqrt((EA' * EA) /(IA - 3 - 1)));
sjB = diag(sqrt((EB' * EB) /(IB - 2 - 1)));
SjxA = std(XAs);
SjxB = std(XBs);
PMA = ones(J,1) - sjA ./ std(XAs)'
PMB = ones(J,1) - sjB ./ std(XBs)'
PM = ones(J,1) - sqrt((J / (J - 3) * sjA .^ 2 + J / (J - 2) * sjB .^ 2) / 2) ./ sqrt(std(XAs)'
.^ 2 + std(XBs)' .^ 2)
```

Tabela 9 – Poder de modelagem de cada variável das classes A e B, PM_j^A e PM_j^B, e os respectivos poderes de modelagem global e de discriminação, PM_j e PD_j. Em negrito estão as variáveis que mais se destacam, favorável e desfavoravelmente, nos poderes de modelagem e de discriminação

	PM_j^A	PM_j^B	PM_j	PD_j
b	0,670	0,464	0,642	16,223
c	0,709	0,364	0,604	32,856
m	0,339	0,600	0,546	**9,005**
n	0,423	**0,835**	0,643	24,758
o	**0,778**	**0,842**	0,841	31,416
p	**0,800**	**0,195**	0,534	21,758
q	**0,841**	0,654	**0,785**	12,374
s	**0,843**	0,376	0,639	**42,925**
t	0,597	0,574	0,661	26,394
u	0,438	0,345	0,503	**6,648**

Os resultados indicam que, para a classe A, dos compostos biologicamente ativos, as variáveis o, p, q e s, referentes ao coeficiente da função de onda nesses átomos e que representam a densidade eletrônica na cadeia lateral, junto à dupla ligação (Figura 4), são as mais importantes para o modelo dessa classe. Para a classe B, dos compostos de baixa ou nenhuma atividade, os coeficientes da função de onda nos átomos n e o que estão mais próximos da quinona (Figura 4) são os mais significativos, enquanto a variável p é a menos importante. As variáveis o e q são as que mais se destacam no poder de modelagem global.

A matriz de resíduos $\mathbf{E}^{AB}$ da Tabela 7 foi utilizada como indicado na equação 14 para o cálculo do desvio padrão residual da i-ésima amostra da classe A quando projetada no espaço-linha da classe B, ao se fazer o somatório das variáveis. Ela também pode ser utilizada para calcular os desvios-padrões residuais das variáveis, fazendo o somatório nas amostras, como indicado na equação 23. Note-se que a matriz $\mathbf{E}^{AB}$ contém os resíduos das amostras da classe A quando projetadas no modelo da classe B e, portanto, o somatório é feito apenas para as I_A amostras da classe A, $\left(\mathbf{e}_j^{AB}\right)^T \left(\mathbf{e}_j^{AB}\right) = \sum_{k=1}^{I_A} \left(e_{kj}^{AB}\right)^2$, resultando em um desvio-padrão residual para cada variável, s_j^{AB}. O desvio-padrão s_j^{BA} também pode ser calculado usando a matriz de resíduos $\mathbf{E}^{BA}$ e uma equação semelhante à 23, cujo denominador é igual a $I_B(J - A_A)$.

$$s_j^{AB} = \sqrt{\frac{J\left(\mathbf{e}_j^{AB}\right)^T \left(\mathbf{e}_j^{AB}\right)}{I_A (J - A_B)}} \qquad (23)$$

Esses parâmetros são importantes porque com eles se pode calcular o poder discriminatório de cada variável, conforme definido na equação 24,

$$PD_j = \sqrt{\frac{\left(s_j^{BA}\right)^2 + \left(s_j^{AB}\right)^2}{\left(s_j^{A}\right)^2 + \left(s_j^{B}\right)^2}} - 1 \qquad \text{onde} \qquad (24)$$

s_j^A e s_j^B já foram introduzidos na equação 17.

O poder de discriminação é usado para testar a influência das diferentes variáveis na discriminação das classes. No cálculo do poder de discriminação da variável *j* (expressão 24), temos no numerador as variâncias dos resíduos das amostras da classe A ajustadas à classe B e vice-versa. Além disso, no denominador estão as variâncias residuais das amostras ajustadas às suas devidas classes. É natural que os dois termos do numerador sejam maiores do que os do denominador. Portanto, quanto maior o numerador, maior será o poder discriminatório da variável *j*.

```
sjAB = sqrt((J / (J - 2)) * diag(EAB' * EAB) / IA)
sjBA = sqrt((J / (J - 3)) * diag(EBA' * EBA) / IB)
PD = sqrt((sjBA .^ 2 + sjAB .^ 2) ./ (sjA .^ 2 + sjB .^ 2)) - 1
```

Os valores do poder de discriminação obtidos para cada variável também foram inseridos na Tabela 9. Vê-se através dos resultados a importância das variáveis ao redor da dupla ligação da cadeia lateral, com valores altos de PD nos átomos *o*, *p*, *s* e *t*, para discriminar os compostos ativos dos inativos (com valores altos de PD nos átomos *c* e *n*). A variável *s* é a que apresenta o melhor poder discriminatório, enquanto as variáveis *m* e *u* são as que têm o menor poder de discriminação. As variáveis *o* e *p* têm altos poderes de modelagem na classe A e de discriminação. Do ponto de vista de seleção de variáveis, podem-se excluir aquelas que apresentam baixos poderes de modelagem e também de discriminação, uma vez que elas contribuem para o resíduo. Nesse caso, as variáveis *m* e *u* poderiam ser excluídas, pois têm um poder de modelagem baixo ou moderado e os menores poderes de discriminação.

5.6.1 Figuras de mérito

As figuras de mérito já foram definidas quando discutimos o método KNN, nas equações 3 a 6. Para o método SIMCA daremos um enfoque ligeiramente diferente ao utilizar o gráfico de Coomans[21], que já foi introduzido na Figura 12. Para ilustrar os cálculos das figuras de mérito, usaremos o gráfico de Coomans apresentado na Figura 13 para as classes genéricas C e D.

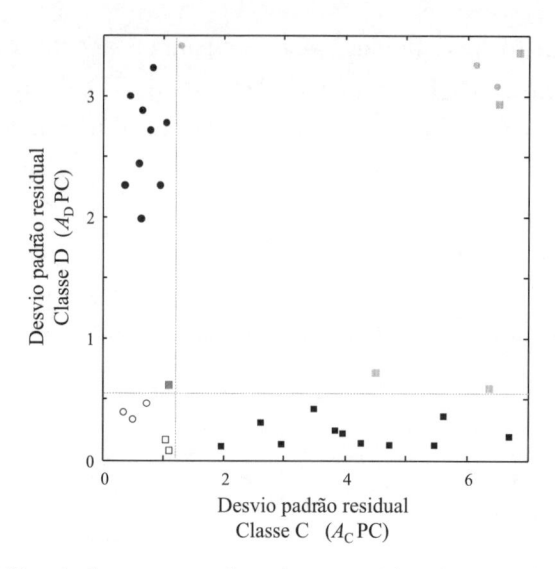

Figura 13 – Gráfico de Coomans para duas classes genéricas C e D modeladas com A_C e A_D componentes principais. Este gráfico nos auxilia no cálculo das figuras de mérito. As amostras da classe C estão representadas por círculos e as da D por quadrados.

Observando o exemplo indicado na Figura 13, há 15 amostras pertencentes à classe C (●, ○, ●) e 18, à classe D (■, □, ■, ■). As nove amostras (●) localizadas no segundo quadrante pertencem exclusivamente à classe C e foram reconhecidas como sendo dessa classe. O mesmo acontece com as 11 amostras no quarto quadrante, porém pertencentes à classe D (■). Uma amostra da classe D (■) foi incorretamente classificada na classe C. As três amostras da classe C e as duas da classe D que se encontram no terceiro quadrante (□,○) pertencem a uma das duas classes, mas foram reconhecidas por ambas. Essas amostras são classificadas na classe em que se ajustam melhor, *i.e.*, naquela cujo desvio-padrão residual, s_i, é menor. Por fim, há sete amostras localizadas no primeiro quadrante (■, ●). Destas, três são da classe C e quatro da D, porém não foram reconhecidas por nenhuma delas. Em alguns casos, as amostras encontradas nesse quadrante podem ser anômalas e devem ser examinadas uma a uma, como é o caso das quatro amostras que se encontram no canto superior à direita. Nesse quadrante também podem ser encontradas as amostras de alguma outra classe que não está sendo modelada. Através da localização das amostras nesse gráfico de distâncias, calcularemos as figuras de mérito.

Transportando a matriz de confusão definida na Tabela 4 para esse contexto, deve-se incluir uma linha a mais nessa tabela, pois agora existe a opção de a amostra não pertencer a nenhuma das duas classes. A Tabela 10 é a nova tabela de contingência ou a matriz de confusão a ser utilizada no método SIMCA. As figuras de mérito serão calculadas assumindo as mesmas hipóteses e as mesmas equações definidas anteriormente (equações 3 a 6). A sensibilidade para o modelo da classe C, por exemplo, é calculada como a porcentagem de amostras pertencentes a essa classe (*VP*) e que foram corretamente classificadas. Nesse caso é a razão entre o número de amostras reconhecidas pelo modelo (●,○) e o número total de amostras da classe C (●, ○, ●). Já a seletividade do modelo da classe C é a porcentagem de amostras pertencentes à outra classe (*VN*) e que foram realmente consideradas como sendo desta ou alocadas em nenhuma das classes. Nesse caso, é a razão entre as amostras pertencentes e reconhecidas pela classe D mais as amostras da classe D que estão no primeiro quadrante (■, □, ■) e todas as amostras da classe D (■, □, ■, ■). Há uma amostra da classe D que foi incorretamente classificada na classe C (■) e três amostras da classe C que não estão em nenhuma das classes (●); portanto, temos um falso positivo e três falsos negativos.

Caso haja amostras de uma classe E que não estejam sendo modeladas, elas deverão, em princípio, estar no primeiro quadrante no gráfico de Coomans. Se isso ocorrer, uma coluna a mais será acrescentada à matriz de confusão, para representar essa classe. Tais amostras serão designadas como EE na Tabela de contingência e consideradas como verdadeiros negativos. Se, por acaso, alguma delas for incorretamente classificada na classe C, teremos um falso positivo, EC. Amostras da classe E que forem erroneamente alocadas na classe D, ED, continuarão sendo consideradas como verdadeiros negativos.

Vamos, a seguir, fazer o cálculo das figuras de mérito para o exemplo do lapachol. A tabela de contingência está na Tabela 11.

Tabela 10 – Tabela de contingência ou matriz de confusão dos resultados da classificação para duas classes genéricas C e D[a]

		Classe verdadeira		
		C	D	
Classe prevista	C	CC	DC	CC+DC
	D	CD	DD	CD+DD
	Nenhuma	X	XX	X+XX
		CC+CD+X	DC+DD+XX	

[a] CC+DC são todas as amostras classificadas como sendo da classe C. CD+DD são todas as amostras classificadas na classe D. CC+CD+X são todas as amostras verdadeiramente da classe C e DC+DD+XX são todas as amostras conhecidamente como sendo da classe D. X+XX são todas as amostras que não foram classificadas em nenhuma classe. CD+X são falsos negativos. DD+XX são verdadeiros negativos.

Tabela 11 – Tabela de contingência ou matriz de confusão dos resultados da classificação das amostras de lapachol e derivados

		Classe verdadeira		
		A	B	
Classe prevista	A	8	0	8
	B	0	9	9
	Nenhuma	0	0	0
		8	9	

Com base nessa tabela, as porcentagens obtidas para a sensibilidade e seletividade são iguais a 100%, e a taxa de falsos positivos é zero.

Até aqui vimos como encontrar a regra de classificação (o classificador) usando um conjunto de amostras em que se conhece *a priori* a classe de cada uma delas (conjunto de treinamento). A próxima etapa é validar esse modelo, usando-o para estimar a classe das amostras do conjunto de validação para as quais se conhece também a verdadeira classificação, mas que não participaram em momento algum do processo de modelagem. Para isso, é necessário preprocessar os dados (com os parâmetros já conhecidos do conjunto de treinamento), calcular os escores, os resíduos e os desvios-padrões residuais das amostras do conjunto de validação em cada uma das classes do conjunto de treinamento. A Figura 14 ilustra a classificação de uma amostra p do conjunto de validação ou de previsão em duas classes C e D modeladas com apenas uma PC. Os seus escores, $\hat{t}_p^C$ e $\hat{t}_p^D$, nos modelos das classes, e as suas distâncias a cada classe, s_p^C e s_p^D, também estão incluídos na figura. As expressões para o cálculo do vetor de escores da amostra p na classe C, do respectivo vetor de resíduo, $\mathbf{e}_p$, e da variância residual estão indicadas na equação 25.

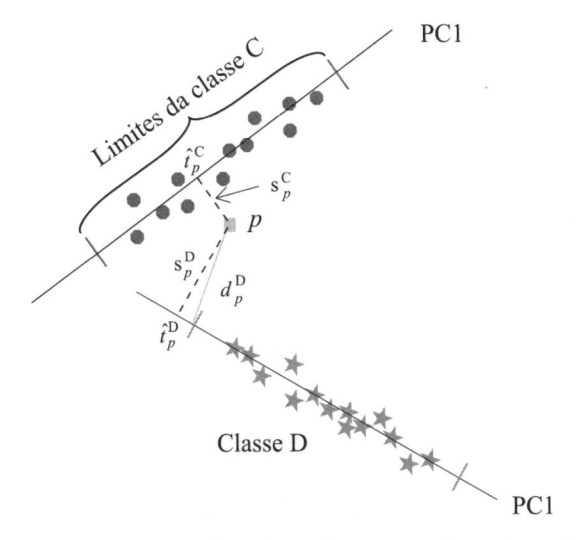

Figura 14 – Representação gráfica da projeção da amostra p do conjunto de validação ou de previsão nas duas classes C e D, seus escores e distâncias.

$$\hat{\mathbf{t}}_p^T = \mathbf{x}_p^T \mathbf{v}(:,1:A_C); \quad \mathbf{e}_p^T = \mathbf{x}_p^T - \hat{\mathbf{t}}_p^T \mathbf{v}(:,1:A_C)^T; \quad \left(s_p^C\right)^2 = \sum_{j=1}^{J} \frac{\left(e_{pj}^C\right)^2}{(J - A_C)}. \quad (25)$$

Vê-se nessa figura que o escore estimado para a amostra p está dentro dos limites definidos pelo modelo da classe C. Se a razão $\dfrac{\left(s_p^C\right)^2}{\left(s_0^C\right)^2}$ for menor do que $F_{crítico}^C$ determinado para o conjunto de treinamento, indica que a amostra pertence à classe C.

Entretanto, pode acontecer que, ao projetar o objeto p, no modelo de uma das classes, ele caia fora dos limites da hipercaixa, e o vetor de escores, $\hat{t}_p$, apresente elementos que ultrapassem os limites da classe, como ocorreu ao projetar p na classe D da Figura 14. O escore $\hat{t}_p^D$ está além do limite determinado durante a construção do modelo da classe D. Para decidir se essa amostra pertence a essa classe ou não, deve-se calcular a sua distância ao modelo da classe D. Uma maneira viável de fazer isso seria calculando a distância, d_p^D, da amostra p até a fronteira da classe D, como indicado pela linha cinza contínua na Figura 14. Essa fronteira é o escore que delimita a componente principal PC1, conforme descrito na equação 9, e que designaremos aqui como $t_{\lim}$, apenas para simplificar a notação. A equação a seguir mostra como é feito o cálculo da distância da amostra p à fronteira da classe D.

$$\left(d_p^D\right)^2 = \left(s_p^D\right)^2 + \left(t_{\lim}\right)^2 \tag{26}$$

Uma vez determinada a distância do objeto p à classe D, d_p^D, deve-se verificar se a razão F, dada por $\dfrac{\left(d_p^D\right)^2}{\left(s_0^D\right)^2}$, é menor do que o valor crítico $F_{crítico}^D$. Se essa condição for satisfeita, conclui-se que o objeto p pertence a mais de uma classe (C e D). Mas, ao final, o objeto p é classificado na classe em que melhor se ajusta, $i.e.$, naquela que estiver mais próxima. De acordo com a Figura 14, a amostra p é classificada como sendo da classe C, pois $s_p^C < d_p^D$. Se a razão $\dfrac{\left(d_p^D\right)^2}{\left(s_0^D\right)^2}$ for maior que o valor $F_{crítico}^D$, o objeto p pertencerá a uma única classe (que é a classe C).

Uma última possibilidade pode ocorrer quando $\dfrac{s_p^2}{s_0^2}$ ou, se for o caso, $\dfrac{d_p^2}{s_0^2}$ estiver além do valor crítico de F para todas as classes, e nesse caso, a mostra p não se encaixa em nenhuma das classes avaliadas.

Retornando ao exemplo dos derivados de lapachol, foram feitos os cálculos dos desvios-padrões residuais e da razão F para as amostras do conjunto de validação formado por 3 compostos biologicamente ativos (da classe A) e 5 compostos com baixa ou nenhuma atividade (da classe B). Os resultados obtidos se encontram na Tabela 12.

Tabela 12 – Resultados da projeção das amostras do conjunto de validação nos modelos das classes A e B, juntamente com alguns parâmetros calculados anteriormente para o conjunto de treinamento

	Classe B		Classe A	
	s_p^{AB}	F_p^{AB}	s_p^A	F_p^A
2	9,366	393,967	0,377	1,260
8	12,557	708,096	0,419	1,551
9	10,952	538,663	0,437	1,689
	s_p^B	F_p^B	s_p^{BA}	F_p^{BA}
13	0,295	0,391	10,626	999,51
15	0,259	0,301	12,326	1.344,84
19	0,433	0,842	11,549	1.180,70
23	**2,002**	**17,992**	10,748	1.022,57
24	0,352	0,556	11,752	1.222,55
$s_0^B = 0,472$			$s_0^A = 0,336$	
$F_{crítico}^B = 5,99$			$F_{crítico}^A = 7,71$	
$s_{crítico}^B = 1,155$			$s_{crítico}^A = 0,934$	

Analisando os resultados da Tabela 12, conclui-se que as três amostras da classe A se encaixam bem em sua classe, com valores pequenos tanto de s_p^A (menores do que $s_{crítico}^A = 0,934$) quanto de F_p^A, que também são menores do que $F_{crítico}^A = 7,71$. Essas três amostras estão distantes da classe B (altos valores de s_p^{AB} e de F_p^{AB}). Concluindo, as amostras 2, 8 e 9 definitivamente não pertencem à classe B. Quanto às cinco amostras da classe B, seus desvios-padrões residuais, s_p^B, são todos pequenos e próximos de s_0^B, exceto para a amostra 23. Novamente, exceto para essa amostra, as razões F_p^B estão todas abaixo do limite crítico para essa classe, pois $F_{crítico}^{B} = 5{,}99$. Por outro lado, os valores de s_p^{BA} são bastante altos e as razões F_p^{BA} estão todas muito distantes do limite crítico $F_{crítico}^{A} = 7{,}71$, indicando que essas amostras não pertencem à classe A.

A Figura 15 apresenta os escores das amostras do conjunto de treinamento e das amostras de teste da classe B, que são: 13, 15, 19, 23 e 24.

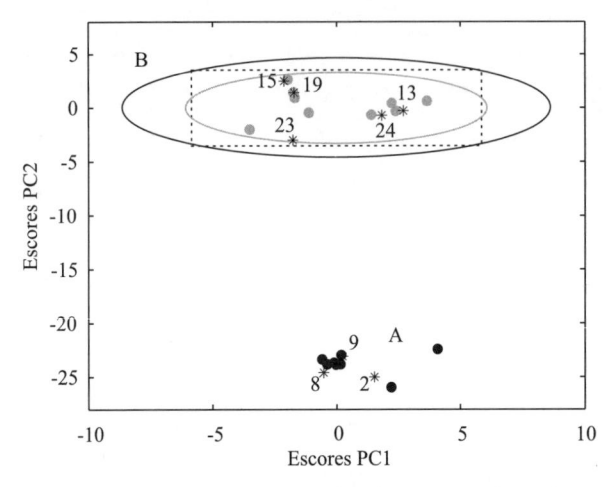

Figura 15 – Gráficos dos escores das amostras das classes A e B do conjunto de validação (∗) quando projetadas no modelo da classe B.

Excetuando a amostra 23, que, ao considerar a distância de Mahalanobis como limite no plano definido por essa classe, se encontra próxima à fronteira, todas as outras se encaixam perfeitamente nessa classe. As amostras de teste da classe A (2, 8 e 9), quando projetadas no modelo da classe B, também foram incluídas para mostrar que elas estão bem distantes da classe B e apresentam comportamento semelhante ao das amostras da sua classe.

A seguir, as amostras do conjunto de validação serão incluídas no gráfico de Coomans para averiguar visualmente seu comportamento em relação ao espaço das PC. Podem-se ver na Figura 16 os resultados da Tabela 12. As amostras de número 13, 15, 19 e 24 do conjunto de validação estão dentro do limite crítico da sua classe (B). A única amostra que é dessa classe e que foi classificada incorretamente, por estar fora dos limites da classe, é a 23, que foi classificada como não pertencente a nenhuma das classes. Portanto, essa é uma amostra que possui características ligeiramente diferentes das outras de sua classe, apesar de estar próxima à fronteira. Na Figura 15, quando se considera a distância de Mahalanobis, ela se encontra muito próxima da fronteira. Para a classe A, as amostras de validação 2, 8 e 9 são classificadas corretamente.

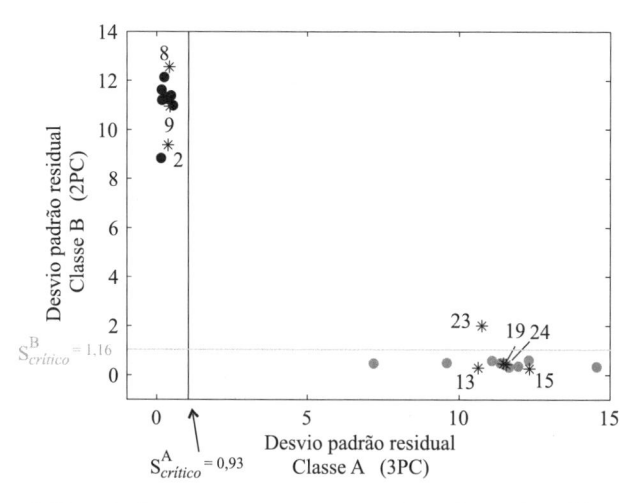

Figura 16 – Gráfico de Coomans com as amostras do conjunto de validação indicadas em asterisco.

A tabela de contingência que será utilizada para o cálculo das figuras de mérito do conjunto de validação está na Tabela 13. Os cálculos das Figuras de mérito estão indicados nas equações de 27 a 30.

Tabela 13 – Tabela de contingência dos resultados da classificação das amostras de teste[a]

		Classe verdadeira		
		A	B	
Classe prevista	A	3	0	3+0
	B	0	4	0+4
	Nenhuma	0	1	0+1
		3+0+0	0+4+1	

[a] $VN = (BB + XX)$; $FN = (AB + X)$; $FP = BA$; $VP = AA$.

$$EXAT = \frac{AA + BB}{AA + AB + X + BA + BB + XX} 100 = \frac{3+4}{8} 100 = 87,5\% \quad (27)$$

$$SEN = \frac{AA}{AA + AB + X} 100 = \frac{3}{3} 100 = 100\% \quad (28)$$

$$TFP = \frac{BA}{BA + BB + XX} 100 = \frac{0}{5} 100 = 0 \quad (29)$$

$$SEL = \frac{BB + XX}{BA + BB + XX} 100 = \frac{5}{5} 100 = 100\% \quad (30)$$

O modelo construído para a classificação de derivados do lapachol foi validado e se encontra pronto para ser utilizado na previsão de novas amostras.

Algumas dificuldades podem ser encontradas quando se utilizam os modelos de classificação. Por exemplo, é necessária atenção ao fazer previsões, pois podem aparecer novas amostras que não pertencem a nenhuma das classes modeladas e, na medida do possível, elas devem ser detectadas, para não serem classificadas incorretamente. Isso pode ser crítico, por exemplo, em análises clínicas e forenses. Por outro lado, temos que estar atentos também aos resultados experimentais, que podem variar de um dia para outro, para não rotular falsamente uma amostra como anômala.

5.7 Análise discriminante pelo método de quadrados mínimos parciais – PLS-DA

Para finalizar este capítulo, vamos discutir a análise discriminante utilizando o método de regressão PLS, que já foi introduzido no capítulo anterior. Para isso, é necessário definir o bloco das variáveis dependentes do conjunto de treinamento, **Y**, que consiste de um conjunto de vetores **y** contendo números inteiros que codificam a classe da amostra, sendo um vetor para cada classe. Por exemplo, se temos L classes envolvidas (l = 1, 2,..., L), a matriz **Y** tem dimensões ($I \times L$). Para a primeira classe, correspondente a l = 1, o número um (1) é atribuído às amostras dessa classe, e o zero (0) é atribuído a todas as outras amostras, não pertencentes a essa classe. Já na próxima coluna da matriz **Y**, quando l = 2, são as amostras dessa classe que são designadas por um, e todas as outras por zero, e assim por diante, até que cada uma das classes tenha sido representada pelo número 1. A Figura 17a ilustra a definição da matriz **Y** para um conjunto de dados com duas classes, C e D. Uma alternativa interessante, quando se trata de apenas duas classes, é utilizar uma única variável dependente representada pelos números um (1) para as amostras de uma classe e menos um (−1) para as amostras da outra classe, como representado pelo vetor **y** na Figura 17b.

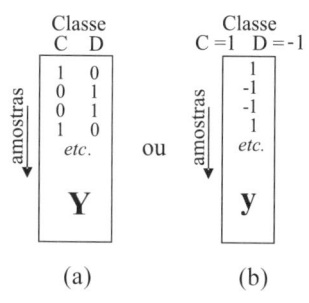

	Classe C D		Classe C=1 D=-1
amostras	1 0 0 1 0 1 1 0 etc. **Y**	ou amostras	1 -1 -1 1 etc. **y**
(a)		(b)	

Figura 17 – Definição da matriz ou vetor das variáveis dependentes para duas classes C e D, utilizando (a) uma coluna para cada classe ou (b) uma única coluna para as duas classes.

Uma vez que as variáveis dependentes foram definidas, a etapa seguinte é a construção do modelo de regressão utilizando o método PLS, introduzido no capítulo 4. É nessa etapa da análise que as amostras atípicas devem ser identificadas e excluídas, e o número de fatores no modelo é determinado. Como o método PLS maximiza a relação entre a variável dependente e os escores, pode-se afirmar que as variáveis latentes representam as direções que melhor discriminam as classes, *i.e.*, que definem a máxima separação entre elas. Os valores da variável dependente estimados pelo modelo final, $\hat{y}_i$ não são os números inteiros atribuídos originalmente, mas valores reais que devem estar próximos dos números originais. Por exemplo, quando se usa a matriz da Figura

17a, esses valores reais estimados se aproximam de 1,0 e 0,0 e, com base neles, as classes estimadas são atribuídas. Para isso, deve-se estabelecer um valor de corte entre zero e um, para delimitar as duas classes. A escolha mais simples seria adotar arbitrariamente o valor 0,5 como o limite entre as duas classes. Nessas condições, uma amostra é prevista como sendo da classe C (primeira coluna da Figura 17a), se o valor estimado, $\hat{y}_i$, pelo modelo PLS construído para essa classe for maior do que 0,5. Por outro lado, se o valor de $\hat{y}_i$ estiver abaixo do limite, ela é classificada como sendo da classe D (ou de alguma outra classe, se houver mais do que duas). No entanto essa solução, em geral, não é adequada, especialmente quando uma classe está sendo comparada com todas as outras. Portanto, é necessário utilizar algum critério mais refinado para definir o limite entre duas classes.

Combinando as funções de densidade de probabilidade e a teoria Bayesiana, pode-se ter uma estimativa mais confiável do limite entre as duas classes. Se $p(\hat{y}_i | C)$ e $p(\hat{y}_i | D)$ são as funções de densidade de probabilidade das classes C e D, respectivamente, a probabilidade $P(C | \hat{y}_i)$ de que a amostra *i* pertença à classe C, dado que $\hat{y}_i$ seja o valor estimado para essa amostra pelo modelo PLS, de acordo com a teoria Bayesiana, é dada pela equação 31. Uma expressão semelhante também foi formulada para a classe D.

$$P(C | \hat{y}_i) = \frac{p(\hat{y}_i | C) \times P(C)}{p(\hat{y}_i | C) \times P(C) + p(\hat{y}_i | D) \times P(D)};$$

$$P(D | \hat{y}_i) = \frac{p(\hat{y}_i | D) \times P(D)}{p(\hat{y}_i | C) \times P(C) + p(\hat{y}_i | D) \times P(D)}.$$

(31)

Nessa expressão, $P(C | \hat{y}_i)$ é a probabilidade de a amostra *i* pertencer à classe C, e $P(D | \hat{y}_i)$ é a probabilidade de ela pertencer à classe D (que engloba todas as outras classes). P(C) e P(D) são as probabilidades *a priori* de ocorrência de objetos pertencerem às classes C e D, respectivamente. Essas probabilidades são calculadas como indicado na expressão 32, assumindo que o número de amostras de cada classe do conjunto de treinamento é representativo da população, tal que P(C) + P(D) = 1.

$$P(C) = \frac{I_C}{I_C + I_D} \qquad \text{e} \qquad P(D) = \frac{I_D}{I_C + I_D}. \qquad (32)$$

As duas funções de densidade de probabilidade $p(\hat{y}_i | C)$ e $p(\hat{y}_i | D)$ são calculadas a partir dos valores estimados $\hat{y}_i$ para cada classe do conjunto de treinamento, supondo que elas sejam próximas da distribuição populacional esperada para cada classe. Assumindo, ainda, que as distribuições dessas funções sejam normais (tenham a forma de gaussianas), a média $\bar{\hat{y}}$ e o desvio-padrão, s, dos valores previstos pelo modelo PLS para cada classe podem ser usados para estimá-las, de acordo com as expressões 33.

$$p(\hat{y}_i | C) = \frac{1}{s_C \sqrt{2\pi}} e^{-\frac{1}{2}\left(\frac{\hat{y}_i - \bar{\hat{y}}}{s_C}\right)^2} \quad \text{para a classe C};$$

$$p(\hat{y}_i | D) = \frac{1}{s_D \sqrt{2\pi}} e^{-\frac{1}{2}\left(\frac{\hat{y}_i - \bar{\hat{y}}}{s_D}\right)^2} \quad \text{para a classe D}. \qquad (33)$$

A regra de decisão de Bayes minimiza o risco de cometer erros ao atribuir uma amostra a uma classe, e é representada como:

Se $P(C | \hat{y}_i) > P(D | \hat{y}_i)$, decidir que a amostra i é da classe C; caso contrário, decidir que ela é da classe D. $\qquad (34)$

O denominador indicado na expressão 31 assegura que a soma das probabilidades $P(C | \hat{y}_i)$ e $P(D | \hat{y}_i)$ é normalizada para um. Como ele está presente em ambos os lados da desigualdade acima, não irá afetar a decisão, podendo ser eliminado. Assim, a regra de decisão de Bayes, que compara os valores das probabilidades $p(\hat{y}_i | C) \times P(C)$ e $p(\hat{y}_i | D) \times P(D)$ no ponto $\hat{y}_i$, é simplificada para

Se $p(\hat{y}_i \mid C) \times P(C) > p(\hat{y}_i \mid D) \times P(D)$, decidir que a amostra i é
da classe C; caso contrário, decidir que ela é da classe D. (35)

Finalmente, obtém-se o limite entre as duas classes, que é o valor de $\hat{y}$ para o qual as probabilidades indicadas na equação 31 para as duas classes se igualam, *i.e.*,

$$p(\hat{y} \mid C) \times P(C) = p(\hat{y} \mid D) \times P(D). \qquad (36)$$

O número de fatores do modelo de regressão é selecionado pela validação cruzada, excluindo as amostras uma a uma. Na análise discriminante, uma maneira de determinar o número de fatores é através dos resultados da sensibilidade (% *VP*) e da seletividade (% de *VN*). O número ótimo corresponde ao do modelo que apresentar a maior sensibilidade e a maior seletividade, já definidas nas expressões 4 e 6.

Uma vez introduzida a base teórica do método PLS-DA, apresentaremos a seguir os detalhes da aplicação desse método em um estudo de metabolômica.

5.7.1 Exemplo – Classificação de extratos de tumores cerebrais usando a espectroscopia de ressonância magnética nuclear de próton de alta resolução e o método PLS-DA[23]

A aplicação clínica *in vivo* da espectroscopia de ressonância magnética nuclear de próton (RMN ^{1}H *in vivo*) permite o diagnóstico seguro e a detecção precoce de lesões em regiões selecionadas do cérebro. Essa é uma técnica não invasiva importante na medicina, apesar de ser limitada, uma vez que utiliza campos magnéticos de baixa intensidade e produz espectros de baixa resolução com bandas alargadas e sobrepostas. Entretanto, com a técnica RMN ^{1}H *in vitro*, espectros de alta resolução de extratos de tecido cerebral podem ser adquiridos utilizando campos

---

23 Faria, A. V.; Macedo, F. C. Jr.; Marsaioli, A. J.; Ferreira, M. M. C. e Cendes, F. 'Classification of brain tumor extracts by high resolution ^{1}H MRS using partial least squares discriminant analysis', *Braz. J. Med. Biol. Res.* **44** (2011) 149-164.

magnéticos de alta intensidade. Tais espectros, além de serem semelhantes àqueles *in vivo* (indicando que a maioria da informação bioquímica foi preservada), nos permitem melhor caracterização da composição metabólica dos extratos.

Veremos nessa aplicação como os espectros de RMN ^{1}H de alta resolução podem ser utilizados para distinguir diferentes patologias e refinar a identificação dos perfis metabólicos e de possíveis marcadores de diferentes extratos de tumores cerebrais. O material usado para a preparação dos extratos é o tecido vivo extraído de pacientes durante uma cirurgia ou quando foi feita uma biópsia, sendo que parte dele foi encaminhada para análise histológica. Os pacientes são de ambos os sexos e com idades que variam entre 29 e 66 anos. A preparação das amostras e a aquisição dos espectros foram apresentadas em detalhes na referência 23. De acordo com os resultados da análise histológica e as características clínicas dos tumores, eles foram divididos em quatro grupos: neuroglial de alto grau de agressividade, neuroglial de baixo grau de agressividade, tumores não neurogliais e metástase (de seio, pulmão e rins). Há também um conjunto de quatro pacientes que não eram portadores de tumor cerebral e que foram utilizados como grupo de controle. Para exemplificar como é feita a classificação utilizando o método PLS-DA, serão considerados apenas os dois tipos de tumores com maior número de amostras: o não neuroglial, que será representado por NN, e o neuroglial de alto grau, representado por NAG. Ao final, esses dois grupos serão comparados com o grupo de controle.

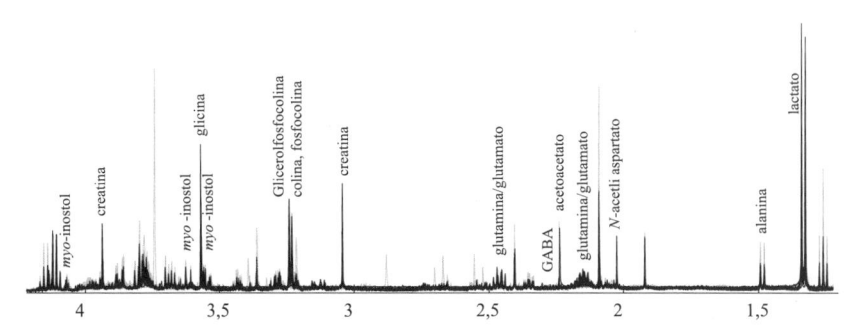

Figura 18 – Espectros dos extratos de tumores cerebrais dos tipos NN (—) e NAG (—), em que são indicados vários metabólitos.

Os espectros se referem à região compreendida entre 4,25 e 1,22 ppm com intervalo de $6,10 \times 10^{-4}$ ppm, resultando em 4.964 variáveis. Os espectros foram, então, corrigidos para eliminar pequenos deslocamentos na linha de base. Isso foi feito ajustando um polinômio de grau definido a cada espectro dando origem a uma linha de base, que foi, então, subtraída do respectivo espectro original. Nesse exemplo, foi utilizado um polinômio de grau três e o procedimento foi aplicado a todos os espectros do conjunto de dados. A seguir, os espectros foram normalizados pela soma das intensidades para minimizar os efeitos de necrose nas amostras. Com esse pré-tratamento, todos eles passam a ter a mesma área sob a curva, que é igual a 1,0. São no total 29 pacientes, 13 portadores de tumores do tipo NAG e 16 do tipo NN. Para a visualização dos dados, foi feita uma figura com os espectros das amostras de extratos de ambas as classes, sobrepostos em cores distintas (Figura 18).

Nessa Figura é possível identificar vários metabólitos, e alguns deles se mostraram importantes na discriminação dos dois tipos de tumores, como veremos a seguir. Foi feita uma análise de componentes principais nos dados espectrais pré-tratados e centrados na média para verificar as tendências com respeito às duas classes de pacientes. Como mostra a Figura 19a, as amostras de ambas as classes se encontram dispersas no gráfico de escores de PC1 *versus* PC2, descrevendo 50% da variância total dos dados. Traçando uma linha vertical na origem, parece haver alguma tendência na distribuição; as amostras do tipo NN tendem a ter escores positivos (10 delas) e as do tipo NAG, negativos (10 delas). Analisando as outras PC, nenhuma delas se relaciona especificamente com a discriminação entre as classes. Foram testados os outros três pré-processamentos definidos na seção 2.4.2 e que são sugeridos para o tratamento de dados metabolômicos: o escalamento de Pareto, o escalamento por nivelamento, e o escalamento segundo a estabilidade da variável (VAST). Destes três, o único que produziu resultados interessantes na análise de componentes principais, foi o escalamento de Pareto. O gráfico de escores de PC1 × PC3 descrevendo 20,7% e 9,4% da informação dos dados originais, respectivamente, foi incluído na Figura 19b para que se veja efeito do pré-processamento na análise dos dados. A maioria dos extratos de pacientes com tumor do tipo NAG apresentaram escores negativos e, ao inspecionar os pesos destas duas PC é possível inferir que a creatina (3,04 ppm e 3,94 ppm), a glicina (3,57 ppm) e o *N*-acetil aspartato (2,02 ppm) são metabólitos que apresentam maiores concentrações neste tipo de tumor cerebral.

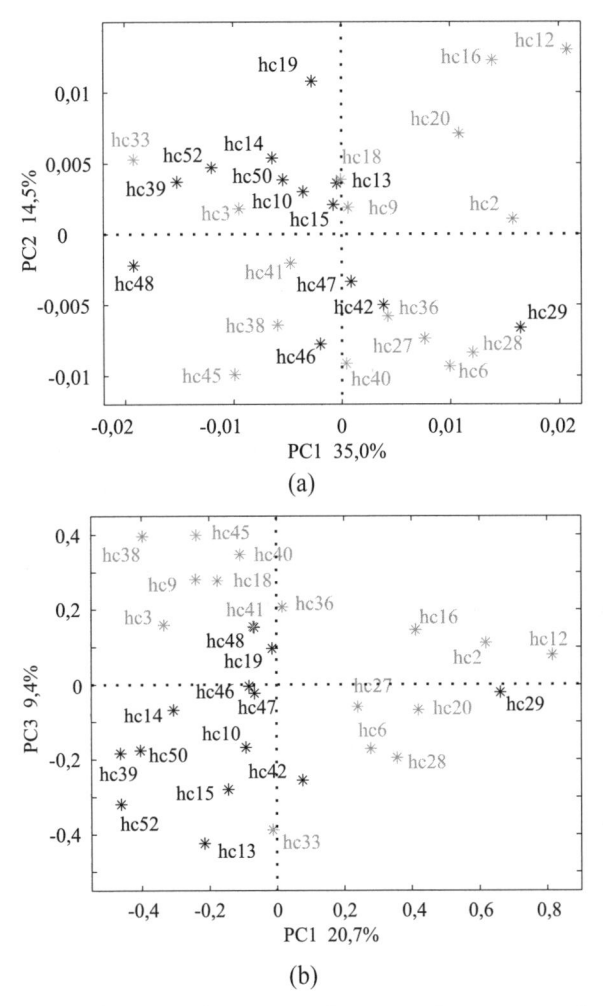

Figura 19 – Gráficos de escores das amostras de extratos de tumores cerebrais dos tipos NN (∗) e NAG (*). (a) PC1 × PC2 quando os dados foram centrados na média. (b) PC1 × PC3 para os dados pré-processados pelo escalamento de Pareto.

Devemos lembrar que as PC são definidas maximizando a variância com base na informação contida nas variáveis. Portanto, uma PC não estará obrigatoriamente relacionada com as diferenças entre as duas classes. Essa é uma consequência da inabilidade da análise de componentes principais de dividir a variância do conjunto de dados em uma contribuição que descreve as classes e outra que descreve a diferença entre elas.

A seguir, o método PLS-DA será usado para construir um modelo de classificação quando os dados foram centrados na média e então o mesmo tratamento será aplicado aos dados escalados pelo método de Pareto.

Para a utilização do método PLS-DA, devem-se definir as variáveis dependentes. Temos as duas opções propostas na Figura 17 e utilizaremos aqui aquela que considera um único vetor para representar as duas classes. Aos pacientes com tumor cerebral neuroglial de alto grau foram atribuídos valores iguais a (+1) e àqueles com tumor não neuroglial, valores (–1). Os espectros pré-tratados foram integralmente utilizados e a matriz de dados foi centrada na média. Modelos de regressão foram construídos pelo método PLS com o número de variáveis latentes variando de um a seis. Os valores atribuídos (± 1) e os estimados pelos modelos PLS durante a validação cruzada para cada classe, juntamente com os respectivos parâmetros estatísticos de cada uma delas (média e desvio-padrão), se encontram na Tabela 14.

Tabela 14 – Valores originais atribuídos (±1) e previstos pelos modelos PLS com 1 a 6 variáveis latentes para os dois tipos de tumores cerebrais, durante a validação cruzada[a]. A média e o desvio-padrão dos valores estimados se encontram ao final de cada classe. Os valores-limites que discriminam as duas classes estão no final da Tabela[b]

Amostras	Classe	Valores estimados pelo modelo na validação cruzada					
		1VL	2VL	3VL	4VL	5VL	6VL
hc15	+1	0,15	0,72	0,78	0,87	0,99	0,84
hc50	+1	0,50	1,22	0,94	0,83	0,75	0,88
hc52	+1	0,94	1,55	1,37	1,30	1,20	1,36
hc10	+1	0,22	0,49	0,24	0,15	**–0,019**	**–0,015**
hc39	+1	0,93	0,94	1,00	1,01	0,78	0,69
hc46	+1	**–0,13**	**–0,23**	0,17	0,13	0,44	0,41
hc19	+1	**–0,12**	**–0,48**	**–0,75**	**–0,38**	**–0,35**	**–0,36**

→

hc47	+1	-0,17	-0,15	-0,36	-0,53	-0,37	-0,19
hc48	+1	0,21	**-1,01**	**-0,31**	0,15	0,17	**0,12**
hc13	+1	0,29	1,42	1,74	1,96	2,15	2,01
hc14	+1	0,35	0,47	0,29	0,37	0,23	0,15
hc29	+1	**-1,17**	**-1,14**	**-1,06**	**-1,19**	**-1,28**	**-1,34**
hc42	+1	**-0,22**	**0,19**	0,43	0,39	0,90	0,94
Média		0,14	0,31	0,35	0,39	0,43	0,42
Desvio-padrão		0,54	0,88	0,82	0,83	0,86	0,85
hc3	-1	**0,46**	0,23	**0,17**	**0,22**	**0,26**	**0,33**
hc36	-1	-0,54	-1,03	-1,38	-1,72	-1,82	-1,85
hc16	-1	-0,72	-0,56	-1,19	-0,77	-0,55	-0,40
hc9	-1	-0,10	-0,14	-0,43	-0,49	-0,55	-0,47
hc38	-1	0,010	-0,67	-0,83	-0,99	-0,83	-0,76
hc45	-1	**0,13**	-0,83	-0,42	-0,45	-0,87	-1,01
hc18	-1	-0,04	-0,09	-0,55	-0,60	-0,69	-0,54
hc33	-1	**1,04**	**1,01**	**1,26**	**1,42**	**1,19**	**1,29**
hc12	-1	-1,01	-0,78	-0,95	-0,60	-0,76	-0,82
hc2	-1	-0,92	-0,56	-0,59	-0,52	-0,56	-0,72
hc27	-1	-0,61	-0,73	-0,81	-1,10	-1,09	-1,10
hc40	-1	-0,32	-0,81	-0,73	-0,90	-0,72	-0,75
hc20	-1	-0,51	-0,12	-0,35	-0,17	-0,29	-0,54
hc28	-1	-0,70	-0,40	-0,25	-0,43	-0,18	-0,16
hc41	-1	0,07	-0,29	-0,39	-0,51	-0,58	-0,58
hc6	-1	-0,58	-0,37	-0,45	-0,78	-0,62	-0,61
Média		-0,27	-0,38	-0,49	-0,52	-0,54	-0,54
Desvio-padrão		0,54	0,50	0,60	0,67	0,64	0,67
$\hat{y}$ limite da classe[c]		0,09	0,24	0,14	0,13	0,14	0,13

[a] Os dados foram centrados na média

[b] Amostras em negrito foram incorretamente classificadas.

[c] $p(\hat{y}, \text{NN}) \times P(\text{NN}) = p(\hat{y}, \text{NAG}) \times P(\text{NAG})$.

Os valores de $\hat{y}_i$ na Tabela acima não indicam a classe estimada para cada amostra, mas apenas os valores previstos pelo modelo PLS, que são, na realidade, números reais que variam ao redor de – 1 e + 1. Para definir a classe à qual cada amostra pertence, é necessário determinar o limite de separação entre elas. Poderíamos selecionar arbitrariamente o ponto central entre as duas classes, que seria o valor zero (0,0), mas essa divisão é subjetiva e sem embasamento estatístico. Nosso objetivo é mostrar como se utiliza a regra de decisão Bayesiana (equação 36) para a determinação de limites mais seguros e confiáveis.

A caixa de texto a seguir contém os comandos do MATLAB para o cálculo das funções de densidade de probabilidade (equação 33) do seu produto pela probabilidade *a priori* (equação 32) e do cálculo do valor de ŷ, que delimita as duas classes (equação 36). Os valores da média e do desvio-padrão das classes que serão usados no cálculo das funções de densidade de probabilidade estão indicados na Tabela 14. Ao resolver a equação 36, chega-se a uma equação do segundo grau, que está indicada na expressão 37 e pode ser resolvida analiticamente por meio do *software* MATLAB.

$$\left(s_B^2 - s_A^2\right)^2 y^2 + \left(2\bar{y}_B s_A^2 - 2\bar{y}_A s_B^2\right) y + \bar{y}_A^2 s_B^2 - \bar{y}_B^2 s_A^2 - 2 s_B^2 s_A^2 \ln\left(\frac{P(A)}{P(B)} \frac{s_B}{s_A}\right) = 0 \quad (37)$$

As soluções dessa equação são obtidas por meio da função *solve* do MATLAB, e os resultados para um modelo com quatro variáveis latentes estão indicados na última linha da caixa de texto (– 4,60 e 0,13). Apenas uma das soluções obtidas (0,13) está dentro dos limites aceitáveis para esse modelo.

```
%Para um modelo PLS com 4 variáveis latentes
%Funções de densidade de probabilidade de duas classes A e B e do produto pelas
%probabilidades a priori
% mean_A(4) = 0,3898  std_A(4) = 0,8283  mean_B(4) = - 0.5246  std_B(4) = 0,6687
%yest_A e yest_B são os valores estimados que se encontram na Tab.14, coluna 4.
[IA,JA] = size(yest_A);  [IB,JB] = size(yest_B);
mean_A=mean(yest_A); mean_B=mean(yest_B); std_A=std(yest_A); std_B=std(yest_B)
I0 = IA + IB;
PA = IA / (IA + IB);    PB = IB / (IA + IB);
dist_A4 = 1 ./ (sqrt(2 * pi) * ones(IA,1) * std_A(4)) .* exp(-0.5 * ((yest_A(:,4) - ones(IA,1)
* mean_A(4)) ./ (ones(IA,1) * std_A(4))) .^ 2);
dist_B4 = 1 ./ (sqrt(2 * pi) * ones(IB,1) * std_B(4)) .* exp(-0.5 * ((yest_B(:,4) - ones(IB,1)
* mean_B(4)) ./ (ones(IB,1) * std_B(4))).^ 2);
%Cálculo das funções gaussianas
eixoA = [-1.:.05:2.]; eA = size(eixoA); eixoB = [-2.:.05:.5]; eB = size(eixoB);
GA4 = 1 ./ (sqrt(2 * pi) * ones(eA,1) * std_A(4)) .* exp( - 0.5 * ((eixoA - ones(eA,1) *
mean_A(4)) ./ (ones(eA,1) * std_A(4))) .^ 2);
GB4 = 1 ./ (sqrt(2*pi) * ones(eB,1) * std_B(4)) .* exp( - 0.5 * ((eixoB - ones(eB,1) *
mean_B(4)) ./ (ones(eB,1) * std_B(4))) .^ 2);
%Cálculo do limite entre as classes
[y] = solve('y ^ 2 * (std_B(4) ^ 2 - std_A(4) ^ 2) + y * (2 * mean_B(4) * std_A(4) ^ 2 -
2*mean_A(4) * std_B(4) ^ 2) + (mean_A(4) ^ 2 * std_B(4) ^ 2 - mean_B(4) ^ 2 * std_A(4)
^ 2) - std_B(4) ^ 2 * std_A(4) ^ 2 * 2 * log((PA / PB) * std_B(4) / (std_A(4)))= 0')
%Solução analítica da equação do segundo grau.
%
1 / 2 / (std_B(4) ^ 2-std_A(4) ^ 2) * (-2 * mean_B(4) * std_A(4) ^ 2 + 2 * mean_A(4) *
std_B(4) ^ 2 + 2 * (-2 * mean_B(4) * std_A(4) ^ 2 * mean_A(4) * std_B(4) ^ 2 + 2 *
std_B(4) ^ 4 * std_A(4) ^ 2 * log(PA/PB * std_B(4)/std_A(4)) + std_B(4) ^ 2 * mean_B(4)
^ 2 * std_A(4) ^ 2 - 2 * std_A(4) ^ 4 * std_B(4) ^ 2 * log(PA/PB * std_B(4) / std_A(4)) +
std_A(4) ^ 2 * mean_A(4) ^ 2 * std_B(4) ^ 2) ^ (1/2))
%
1 / 2 / (std_B(4) ^ 2 - std_A(4) ^ 2) * (-2 * mean_B(4) * std_A(4) ^ 2 + 2 * mean_A(4) *
std_B(4) ^ 2 - 2 * (-2 * mean_B(4) * std_A(4) ^ 2 * mean_A(4) * std_B(4) ^ 2 + 2 *
std_B(4) ^ 4 * std_A(4) ^ 2 * log(PA/PB * std_B(4)/std_A(4)) + std_B(4) ^ 2 * mean_B(4)
^ 2 * std_A(4) ^ 2 - 2 * std_A(4) ^ 4 * std_B(4) ^ 2 * log(PA/PB * std_B(4) / std_A(4)) +
std_A(4) ^ 2 * mean_A(4) ^ 2 * std_B(4) ^ 2) ^ (1/2))
%Os dois valores obtidos são: - 4,5995  e  0,1255
```

Os valores determinados para os limites entre as classes se encontram na última linha da Tabela 14. Eles são todos positivos e variam de 0,09 a 0,24, de acordo com o número de variáveis latentes no modelo. Com base nos limites calculados, as amostras incorretamente classificadas em cada modelo estão destacadas em negrito. Nota-se uma ocorrência maior de erros na classe NAG(+1) e que apenas dois pacientes com tumor do tipo NN (−1) foram sistematicamente classificados como sendo do tipo NAG (+1).

Tomando a Hipótese nula como sendo: o tumor é do tipo NN (−1) e a Hipótese alternativa como: o tumor é do tipo NAG (+1), podem-se identificar os verdadeiros positivos e negativos e os falsos positivos e negativos. Por exemplo, para o modelo com uma VL, cinco amostras da classe NAG (+1) estão abaixo do valor-limite, que é 0,09, e são classificadas como sendo de tumores não neurogliais (−1). Temos, neste caso, cinco falsos negativos e oito verdadeiros positivos. Três amostras de tumor do tipo NN estão acima do limite ($\hat{y} > 0,09$) e foram classificadas como sendo da classe NAG. Para esse modelo com uma VL os resultados indicam 3 *FP* e 13 *VN*. Para o modelo com 4 variáveis latentes, cujo limite entre as classes é igual a 0,13, duas amostras da classe NN, hc3 e hc33, estão além do limite de sua classe, resultando em 2 *FP* e 14 *VN*. Por outro lado, 3 amostras da classe NAG, hc19, hc47 e hc29, são indicadas como sendo da classe NN, pois os valores estimados para essas amostras são $\hat{y} < 0,13$, de modo que se tem 3 *FN* e 10 *VP*. Note-se que o valor estimado para a amostra hc46 é $\hat{y} = 0,132$ e o limite da classe foi informado como sendo igual a 0,13, se bem que esse valor é na realidade 0,126. Portanto, essa amostra foi corretamente classificada, apesar de estar bem próxima da fronteira. As 5 amostras que foram mal classificadas para o modelo com quatro VL são as mesmas que também foram incorretamente classificadas em todos os outros modelos. Os números de falsos positivos mais os de falsos negativos para os 6 modelos (VL = 1, 2, ..., 6) são, respectivamente, 8, 7, 6, 5, 6, 7.

Como sugerido anteriormente, o número ótimo de variáveis latentes no modelo final será determinado através das figuras de mérito: sensibilidade e seletividade. A sensibilidade (equação 4) e a seletividade (equação 6) foram, então, calculadas para os seis modelos e os resultados estão resumidos na Tabela 15, para a determinação do número de fatores no modelo final.

De acordo com os resultados obtidos, o número ótimo de variáveis latentes no modelo de classificação PLS-DA é quatro, quando a sensibilidade é máxima e a seletividade é alta. Esse modelo que descreve 56,3% da variância dos dados originais, foi o que apresentou o menor número de $FP + FN$, que é igual a cinco.

Tabela 15 – Sensibilidade e seletividade[a] (em %) dos modelos PLS[b]

	1VL	2VL	3VL	**4VL**	5VL	6VL
Sensibilidade[c]	62	54	69	**77**	69	62
Seletividade[d]	81	94	88	**88**	88	88

[a] Hipótese nula: O tumor é do tipo NN (–1). Hipótese alternativa: O tumor é do tipo NAG (+1).

[b] Os dados foram centrados na média.

[c] Porcentagem de verdadeiros positivos, $\frac{NAG_{estimado}}{NAG}100$. NAG = número de amostras dessa classe (16). $NAG_{estimado}$ = número de amostras dessa classe que foram corretamente classificadas.

[d] Porcentagem de verdadeiros negativos, $\frac{NN_{estimado}}{NN}100$. NN = número de amostras dessa classe (13). $NN_{estimado}$ = número de amostras dessa classe que foram corretamente classificadas.

Vale a pena ressaltar que os resultados da sensibilidade e seletividade listados na Tabela 15 são idênticos àqueles obtidos quando definimos a variável dependente como sendo (0) e (1) ao invés de (–1) e (+1).

Uma vez selecionado o modelo final para os dados centrados na média, iremos trabalhar com os dados pré-processados pelo escalamento de Pareto. Na Tabela 16 estão os resultados obtidos para os modelos PLS durante a validação cruzada excluindo uma amostra por vez e outros parâmetros estatísticos pertinentes.

Tabela 16. Valores originais atribuídos (±1) e previstos pelos modelos PLS com 1 a 6 variáveis latentes para os dois tipos de tumores cerebrais, durante a validação cruzada[a]. A média e o desvio-padrão dos valores estimados se encontram ao final de cada classe. Os valores-limites que discriminam as duas classes estão no final da Tabela[b]

Amostras	Classe	Valores estimados pelo modelo durante a validação cruzada					
		1VL	2VL	3VL	4VL	5VL	6VL
hc15	+1	0,65	0,78	0,65	0,68	0,82	0,93
hc50	+1	1,19	1,17	1,19	1,23	1,22	1,34
hc52	+1	1,51	1,50	1,41	1,38	1,44	1,62
hc10	+1	0,42	0,47	0,31	0,36	0,43	0,52
hc39	+1	1,28	1,17	1,16	1,06	0,89	0,83
hc46	+1	**-0,04**	**-0,03**	**0,23**	**0,17**	**0,33**	**0,38**
hc19	+1	**-0,06**	**-0,20**	**-0,24**	**0,08**	**0,29**	**0,45**
hc47	+1	**0,10**	**0,03**	**0,07**	**0,13**	**0,32**	0,52
hc48	+1	**-0,10**	**-0,15**	**0,24**	0,55	0,86	0,92
hc13	+1	1,29	1,88	1,91	1,99	2,07	2,10
hc14	+1	**0,70**	0,50	0,44	0,53	0,52	0,51
hc29	+1	**-0,94**	**-0,40**	**-0,13**	**0,01**	0,46	0,79
hc42	+1	**0,23**	0,71	0,98	1,06	1,36	1,42
Média		0,48	0,57	0,63	0,71	0,85	0,95
Desvio-padrão		0,71	0,71	0,65	0,60	0,54	0,52
hc3	-1	**0,42**	0,02	0,07	0,17	0,13	0,15
hc36	-1	-0,64	-1,09	-1,11	-1,30	-1,31	-1,25
hc16	-1	-0,43	-0,30	-0,50	-0,08	0,01	0,08
hc9	-1	0,14	-0,30	-0,34	-0,14	-0,08	0,00
hc38	-1	0,05	-0,77	-0,46	-0,51	-0,55	-0,44
hc45	-1	-0,20	-0,75	-0,30	-0,37	-0,31	-0,30
hc18	-1	-0,01	-0,46	-0,50	-0,31	-0,28	-0,23
hc33	-1	**0,47**	**0,85**	**1,01**	**0,95**	**1,00**	**1,16**
hc12	-1	-0,64	-0,14	-0,22	0,19	0,18	0,38
hc2	-1	-0,48	0,03	0,02	0,26	0,25	0,40
hc27	-1	-0,61	-0,57	-0,58	-0,77	-0,57	-0,49
hc40	-1	-0,31	-0,68	-0,36	-0,38	-0,40	-0,30

hc20	-1	-0,24	0,13	-0,07	0,13	0,14	0,12
hc28	-1	-0,44	-0,07	0,07	-0,10	0,13	0,12
hc41	-1	-0,19	-0,51	-0,57	-0,60	-0,63	-0,52
hc6	-1	-0,49	-0,36	-0,36	-0,55	-0,22	-0,12
Média		-0,22	-0,31	-0,26	-0,21	-0,16	-0,08
Desvio-padrão		0,46	0,45	0,51	0,51	0,52	0,35
$\hat{y}$ limite da classe[c]		0,27	0,25	0,28	0,33	0,40	0,49

[a] Os dados foram pré-processados pelo método de Pareto.
[b] Amostras em negrito foram incorretamente classificadas.
[c] $p(\hat{y}, \text{NN}) \times P(\text{NN}) = p(\hat{y}, \text{NAG}) \times P(\text{NAG})$.

Ao utilizarmos o escalamento de Pareto, três pacientes foram incorretamente classificados em todos os modelos PLS com o número de variáveis latentes variando de 1 a 6. Dois destes pacientes também foram mal classificados ao centrarmos os dados na média: hc19 e hc33. Além disto, o paciente hc46 também foi incorretamente classificado em todos os modelos. Voltando ao gráfico de escores da Figura 19b, vimos que com o escalamento de Pareto as amostras da classe NAG se encontram razoavelmente agrupadas com escores negativos em PC1 e PC3 e as que foram mal classificadas, ou têm escores positivos ou escores negativos próximos da origem em PC3 (hc19, hc29, hc46, hc47 e hc48). Comparando os resultados das Tabelas 14 e 16, o número de amostras incorretamente classificadas com 4VL é o mesmo, sendo que, na Tabela 14 temos 2 *FP* e 3 *FN* enquanto que na Tabela 16 são 1 *FP* e 4 *FN*. A grande diferença com respeito aos pré-processamentos é que no escalamento pelo método de Pareto, à medida que o número de VL do modelo aumentou, o número de classificações errôneas caiu sistematicamente e com 6 VL temos apenas 1 *FP* e 2 *FN*. A grande semelhança entre os dois modelos com o menor número de erros é que 56,3% de informação é descrita quando os dados estão centrados na média e 53,1% quando escalados pelo método de Pareto,*i.e.*, ambos consideram basicamente a mesma quantidade da informação original dos dados. Na Tabela 17 se encontram os parâmetros estatísticos obtidos quando se usou o escalamento de Pareto. O modelo PLS com 4 fatores apresenta sensibilidade menor (69%) que o anterior (77%) mas uma seletividade (especificidade) maior (94% comparado a 88%)

Tabela 17. Sensibilidade e seletividade (em %) dos modelos PLS[a]

	1VL	2VL	3VL	4VL	5VL	**6VL**
Sensibilidade	46	62	62	69	77	**85**
Seletividade	88	94	94	94	94	**94**

[a] Os dados foram escalados pelo método de Pareto.

O melhor modelo, com 6VL, sensibilidade e seletividade de 85% e 94%, respectivamente, é visivelmente superior ao obtido com os dados centrados na média. Mais uma vez enfatizamos a escolha do pré-processamento utilizado, que pode afetar sensivelmente as conclusões.

Os resultados das Tabelas 14 e 16 também podem ser visualizados através de gráficos de $\hat{y}$ *versus* a função de densidade de probabilidade e a função de densidade de probabilidade multiplicada pela respectiva probabilidade *a priori* de cada classe como apresentados na Figura 20. Ambas as figuras incluem as funções de densidades de probabilidade $p(\hat{y}|NN)$ e $p(\hat{y}|NAG)$ em linha tracejada e as funções de densidades de probabilidade multiplicadas pelas respectivas probabilidades *a priori*, $p(\hat{y}|NN) \times P(NN)$ e $p(\hat{y}|NAG) \times P(NAG)$, em linha contínua. Os pontos indicam os valores de $\hat{y}_i$ estimados pelo modelo PLS-DA para as amostras do conjunto de treinamento, que se encontram nas Tabelas 14 e 16.

Na Figura 20a estão os resultados para o modelo final PLS-DA com quatro fatores e os dados centrados na média. O limite entre as classes é dado pela intersecção das duas curvas gaussianas representadas por linhas contínuas e está indicado no gráfico ($\hat{y} = 0,13$). Para uma amostra *i*, de acordo com a regra de decisão Bayesiana (equação 36), se $\hat{y}_i < 0,13$, então $p(\hat{y}_i|NN) \times P(NN) > p(\hat{y}_i|NAG) \times P(NAG)$ e se decide pela classe NN. Caso contrário, decide-se que a amostra *i* pertence à classe NAG. Pelo gráfico, é visível que duas amostras de tumores do tipo NN do conjunto de treinamento (pontos cinzas) estão acima do limite (0,13) e foram incorretamente classificadas (2 *FP*). O mesmo ocorre para 3 amostras de tumores do tipo NAG (pontos pretos) que estão abaixo do valor-limite (3 *FN*). A Figura 20b representa graficamente o modelo PLS-DA com 4 VL para os dados escalados pelo método de Pareto. Ao utilizar a equação 36, que é sugerida pela teoria Bayesiana para discriminar as classes cujo limite é 0,33, resulta em 5 classificações incorretas, sendo 4 falsos negativos e 1 falso positivo. A seletividade já não é mais 88% como indicado na Tabela 15, mas 94%, enquanto a sensibilidade caiu de 77% para 69%. Gráficos como esses da Figura 20 são interessantes porque indicam visualmente as amostras mal classificadas.

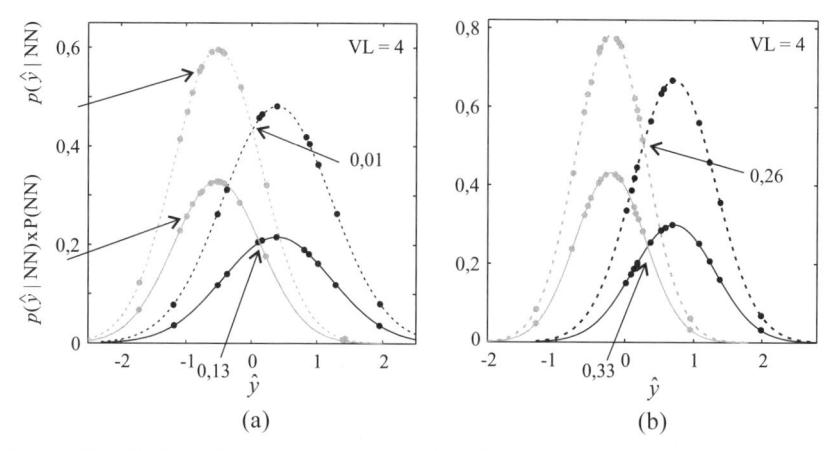

Figura 20 – Gráficos de $\hat{y}$ *versus* as funções densidade de probabilidade para as classes NN (-1), (---) e NAG (+1), (---), e as funções de densidade de probabilidade multiplicadas pelas respectivas probabilidades *a priori*, para os tumores NN (-1), (—) e para os tumores NAG (+1) (—). Os pontos se referem aos valores de y estimados pelos modelos PLS (Tabelas 14 e 16). (a) Para os dados centrados na média. (b) Para os dados escalados pelo método de Pareto.

Também foram calculados e incluídos nas Figuras 20a e 20b, os gráficos das funções de densidade de probabilidade $p(\hat{y} \mid NN)$ e $p(\hat{y} \mid NAG)$. Os limites entre as classes são dados, nesses casos, pelas intersecções das curvas gaussianas tracejadas, como indicado na expressão 38.

$$p(\hat{y} \mid NN) = p(\hat{y} \mid NAG) \tag{38}$$

Para o modelo com os dados centrados na média da Figura 20a, esse novo limite é 0,01, enquanto para o modelo ao qual foi aplicado o escalamento de Pareto, o valor encontrado foi 0,26. Eles são ligeiramente inferiores aos obtidos com a equação 36 e que estão listados nas Tabelas 14 e 16. Esses resultados estão sendo mencionados aqui porque se encontram na literatura autores que utilizam esse critério de decisão e não o sugerido na equação 36. Na Figura 20 os resultados foram os mesmos, utilizando um ou outro critério(equações 36 ou 38), se bem que algumas diferenças nas classificações podem ocorrer.

Uma diferença que pode ocorrer ao utilizar esses dois critérios na determinação dos limites entre as classes está exemplificado na Figura 21para o melhor modelo PLS-DA com 6VL e construído nos dados pré-processados pelo escalamento de Pareto. A amostra da classe NAG em destaque (hc19) e que se encontra bem próxima à fronteira foi incorretamente classificada ao utilizar a regra de decisão de Bayes, mas foi corretamente reconhecida pela sua classe ao utilizar as funções de densidade de probabilidade como critério de decisão. Evidentemente, a sensibilidade da classificação já não é a mesma listada na última coluna da Tabela 15. Ao usar a equação 38 para determinar o limite entre as classes, o valor-limite que era 0,49 (ver Tabela 16) caiu ligeiramente e agora é 0,44. Consequentemente houve um decréscimo no número de falsos negativos, de dois para um, e um acréscimo na sensibilidade de 85% para 92%.

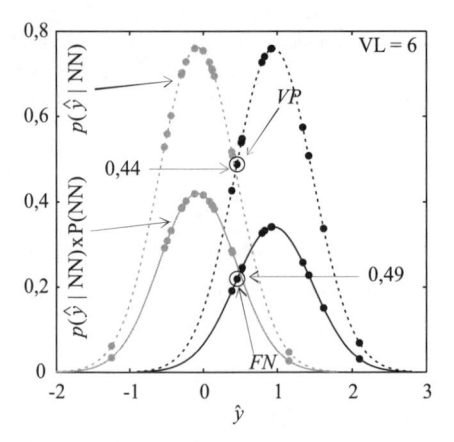

Figura 21 – Gráfico de $\hat{y}$ *versus* as funções de densidade de probabilidade das classes NN (–1) (---) e NAG (+1) (---), e as respectivas funções de densidade de probabilidade multiplicadas pelas respectivas probabilidades *a priori*, (—) e (—) para o modelo com seis VL. Os dados foram escalados pelo método de Pareto.

Outro gráfico importante para interpretar os resultados da classificação se encontra na Figura 22. Nele, o eixo das abscissas representa as amostras e o das ordenadas contém os valores estimados pelo modelo PLS-DA com seis VL. Os valores atribuídos a cada classe (± 1) e os dois valores-limites que dividem as classes (0,49 e 0,44) foram incluídos. O comportamento de uma amostra nos chama a atenção nessa figura: hc33 da classe NN com valor estimado maior do que +1 quando deveria ser negativo. Essa mesma amostra pode ser evidenciada nas Figuras 20a, 20b e 21.

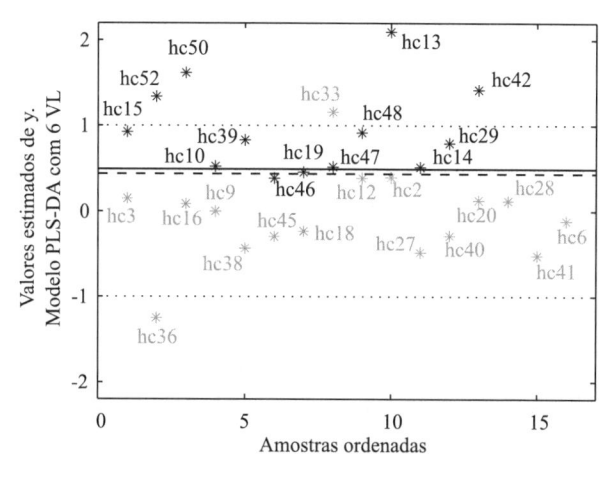

Figura 22 – Gráfico dos resultados da classificação para o modelo PLS-DA com seis VL e os dados escalados pelo método Pareto. Estão incluídos: o limite entre as classes (0,49 — e 0,44 ---) e os valores originalmente atribuídos a cada uma delas (+ 1 e – 1, ---). No eixo das abscissas está a numeração das amostras (13 da classe NAG e 16 da NN).

Fazendo um gráfico da influência *versus* os resíduos de Student para o modelo PLS com seis VL, pode-se ter uma ideia do comportamento geral das amostras (Figura 23). Duas delas nos chamam a atenção: hc29, hc33. A amostra hc33 apresentou um alto resíduo, como vimos anteriormente, mas o valor da sua influência está dentro do limite aceitável, $h_{crit} = \dfrac{2A}{I} = 0{,}41$, para $A = 6$ e $I = 29$. A amostra hc29 tem uma influência acima do normal, mas foi corretamente classificada.

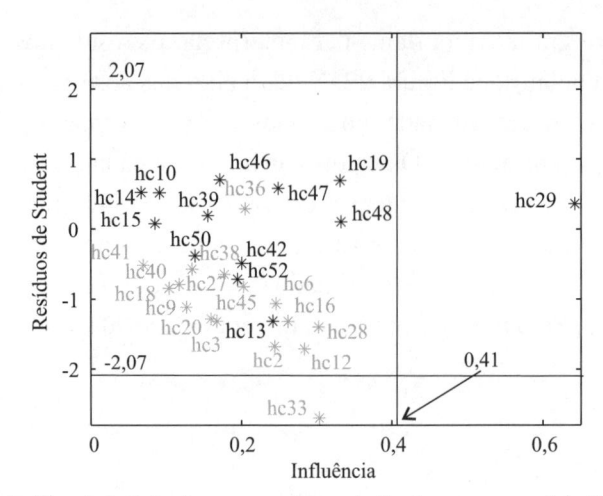

Figura 23 – Gráfico da influência *versus* resíduos de Student para o modelo final PLS com 6 VL. Os dados foram escalados pelo método de Pareto.

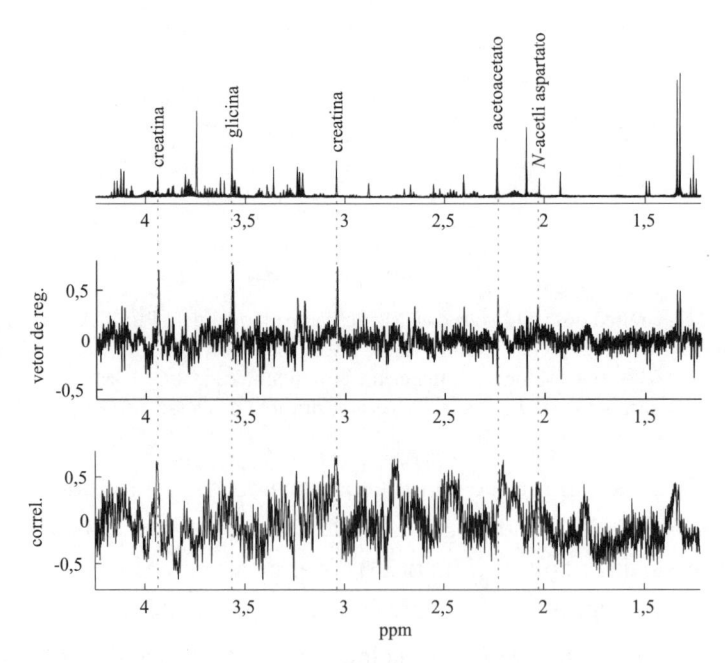

Figura 24 – Identificação dos metabólitos importantes na discriminação das duas classes através do vetor de regressão e do correlograma. (a) Espectros originais; (b) Vetor de regressão; (c) Correlograma.

Através do vetor de regressão e do correlograma é possível detectar quais dos metabólitos são importantes na discriminação desses dois tipos de tumores. Na Figura 24 estão o vetor de regressão e o correlograma, além dos espectros originais com alguns metabólitos em destaque, para comparação.

Os picos indicados pelas linhas tracejadas verticais se referem aos compostos que se mostraram importantes na discriminação dos dois tipos de tumores. Eles foram selecionados visualizando os picos mais intensos do vetor de regressão, os valores dos coeficientes de correlação mais significativos e o comportamento geral dos espectros das amostras em cada pico selecionado. Aqueles picos com altos coeficientes de regressão (+ ou –) e/ou coeficientes de correlação, mas que, ao visualizar os dados originais, não se mostraram eficientes para diferenciar os tipos de tumores, não foram selecionados, como, por exemplo, os picos de lactato (1,2 ppm e 4,1 ppm). Com base nessa seleção, pode-se dizer que os metabólitos mais importantes neste caso foram: a creatina (3,04 ppm e 3,94 ppm), a glicina (3,56 ppm), o acetoacetato (2,24 ppm) e o *N*-acetil aspartato (2,02 ppm). Esses resultados concordam plenamente com as suposições feitas ao inspecionar os pesos da análise de componentes principais quando se considerou o pré-processamento de escalar os dados pelo método de Pareto. O correlograma indica, ainda, algumas regiões de alta correlação ao redor de 2,7 ppm e 3,8 ppm, mas elas não foram identificadas no espectro original. Fazendo uma comparação com os espectros da Figura 18, conclui-se que os tumores do tipo NAG em geral apresentam níveis maiores de creatina, glicina e de *N*-acetil aspartato, e menores níveis de acetoacetato.

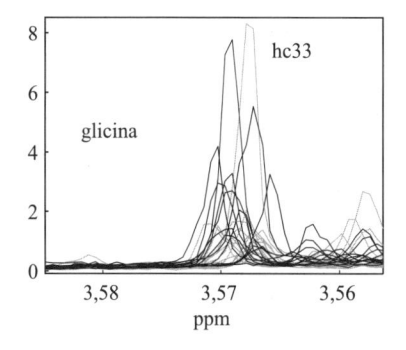

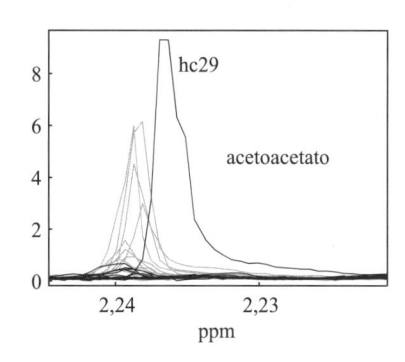

Figura 25 – Picos de glicina e de acetatoacetato das 29 amostras das duas classes. NN (———) e NAG (———).

A Figura 25 mostra a expansão da região espectral de dois dos metabólitos selecionados na Figura 24, a da glicina e a do acetoacetato, em que é possível justificar o comportamento atípico das amostras hc33 e hc29, que apresentaram alto resíduo e alta influência, respectivamente. O paciente hc33 apresenta alto nível de glicina, ao contrário dos outros de sua classe, e o paciente hc29 tem alta concentração de acetoacetato, que é praticamente inexistente para os outros pacientes com tumor neuroglial de alto grau, se bem que o pico se encontra bem deslocado.

A classificação de amostras com perfis complexos como os da Figura 18 não é simples, e, como vimos, dependendo do pré-processamento aplicado, os modelos tendem a apresentar baixa sensibilidade e seletividade. O modelo PLS final com 6 LV é de boa qualidade. Os dois *FN* determinados pela teoria Bayesiana estão muito próximos da fronteira e a única amostra com comportamento atípico é hc33.

Para construir modelos de melhor qualidade seria necessário fazer algum pré-tratamento nos espectros originais e/ou uma seleção de variáveis, *i.e.*, o número de picos deve ser significativamente reduzido, pois, como vimos, poucos deles estão relacionados com a discriminação desejada. Um pré-tratamento que pode ser aplicado com êxito é a correção dos desalinhamentos nos espectros de RMN (variabilidade nos deslocamentos químicos) que são visíveis nos picos expandidos da Figura 25. Uma maneira bem simples de fazer essa correção é dividir o espectro em janelas e somar as intensidades pertencentes a cada uma delas. Essa metodologia é conhecida na literatura como *bining* ou *bucketing*. Foi proposto recentemente na literatura o método de *buckets* otimizados, no qual o tamanho de cada janela é otimizado e, portanto, produz melhores resultados, uma vez que evita a divisão de um mesmo pico em duas janelas subsequentes[24]. Com a aplicação desse método ao conjunto de dados atual e centrando-os na média, o número de amostras incorretamente classificadas caiu para quatro em um modelo PLS-DA com apenas dois fatores.

---

24 Sousa S. A. A.; Magalhães A. e Ferreira, M. M. C. 'Optimized bucketing for NMR spectra: three case studies', *Chemometr. Intell. Lab. Syst.* **122** (2013) 93-102.

Como comentado há pouco, um modelo de classificação também pode ser otimizado por meio da seleção de variáveis. Com o intuito de exemplificar, foi feita uma seleção de variáveis incluindo no modelo final apenas as variáveis cujo coeficiente de correlação com a variável dependente fosse maior do que ± 0,5 e cujo coeficiente de regressão fosse alto (picos proeminentes selecionados na Figura 24b). O número de variáveis foi reduzido de 4.964 para apenas 138. Foi feita uma nova análise de componentes principais, agora com os dados autoescalados (se o espectro é integralmente utilizado, sugere-se outro tipo de pré-processamento para não dar ênfase aos efeitos de linha de base) e os novos escores estão na Figura 26.

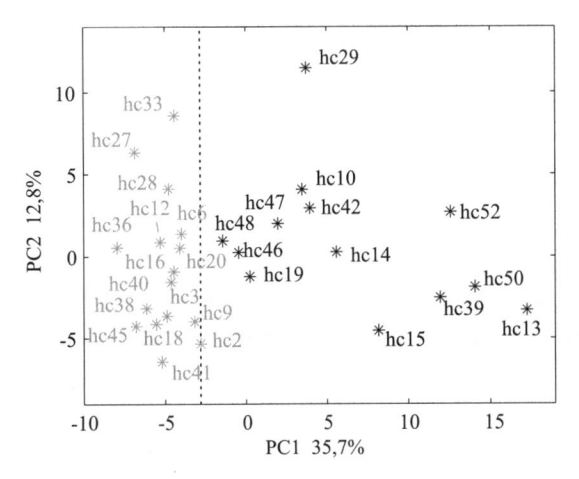

Figura 26 – Gráfico de escores das amostras de extratos de tumores cerebrais dos tipos NN (∗) e NAG (∗) após a seleção de variáveis. Os dados foram autoescalados.

Note-se que as amostras de tumores NN formam um grupo mais compacto e homogêneo do que o grupo formado pelas amostras NAG e que a amostra hc29 se apresenta ligeiramente deslocada das demais de seu grupo na PC2. Como os dois grupos estão bem discriminados, é de esperar que um modelo PLS-DA com apenas um fator seja o suficiente para discriminar as duas classes. Esse modelo foi construído com apenas uma VL e o limite entre as classes foi determinado (−0,29). Fazendo um gráfico dos resultados (Figura 27), confirma-se que esse modelo classifica corretamente todas as amostras. Não há falsos positivos ou negativos, a sensibilidade do modelo é 100% e a seletividade também.

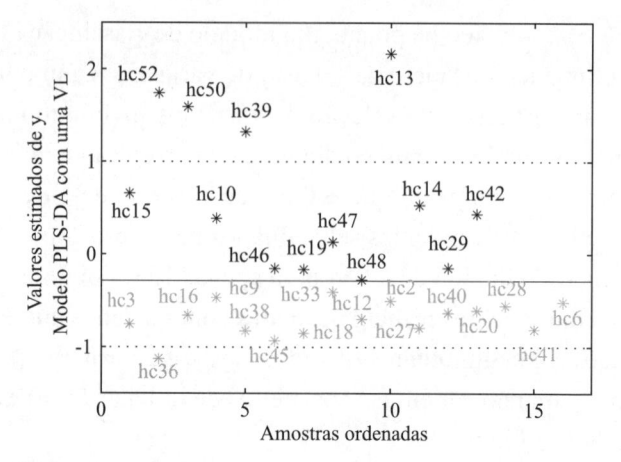

Figura 27 – Gráfico dos resultados da classificação para o modelo PLS-DA com uma VL, após a seleção de variáveis. Estão incluídos: o limite entre as classes (-0,28) e os valores originalmente atribuídos a cada uma delas (+ 1 e − 1). No eixo das abscissas está a numeração das amostras (13 da classe NAG e 16 da NN). Os dados foram autoescalados.

Encerramos, assim, a construção do modelo PLS-DA para a classificação das amostras de tumores cerebrais. O modelo com seis variáveis latentes foi o que se mostrou mais adequado quando se utilizam os espectros completos e o escalamento de Pareto. Foram apresentadas algumas sugestões de otimização desse modelo como o alinhamento dos espectros e a seleção de variáveis. O modelo final com apenas uma variável latente e que foi construído usando os dados autoescalados após a seleção de variáveis, é de qualidade excelente.

A etapa seguinte seria a validação do modelo, que deve ser testado para um conjunto de amostras que não participaram da construção do modelo. O conjunto de dados disponível inicialmente não foi separado nos dois conjuntos: de treinamento e de validação externa, porque o intuito principal aqui foi mostrar como é feita a discriminação entre as classes, ao considerar a teoria Bayesiana em vez do valor arbitrário igual a zero para classes com valores + 1 e − 1 ou 0,5 para classes com valores 0 e 1. O processo de validação já foi considerado anteriormente no exemplo dos derivados de lapachol e nos exemplos do capítulo anterior. O segundo objetivo nesse exemplo é apresentar ao leitor uma metodologia para a identificação de metabólitos característicos de cada tipo de tumor.

Para finalizar, faremos uma comparação dos espectros dos extratos dos tumores neurogliais, de alto e baixo grau, com os das amostras de controle. Esta é apenas uma análise visual dos dados originais e não serão construídos modelos de classificação. Os resultados podem ser vistos na Figura 28. Há vários metabólitos que têm suas concentrações aumentadas ou diminuídas pelo aparecimento da doença.

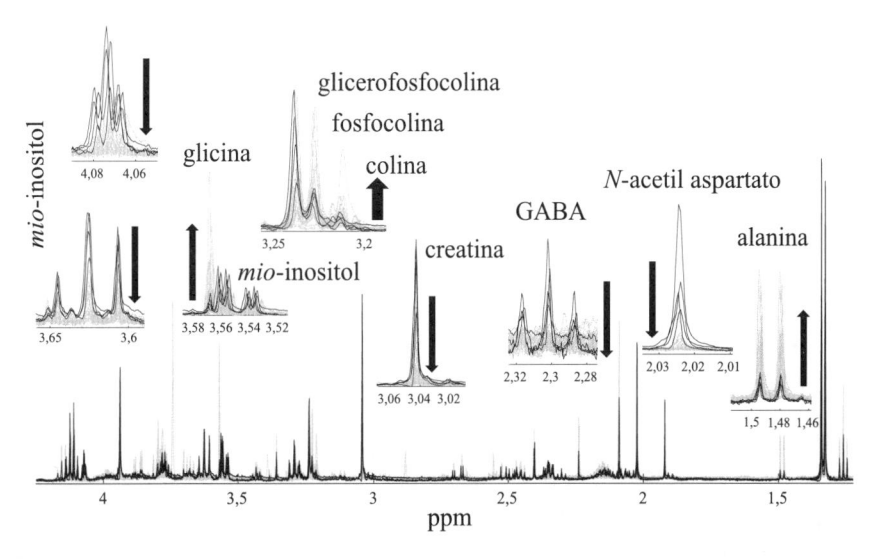

Figura 28 – Espectros de RMN de extratos de tecido cerebral para a comparação entre as amostras de pacientes com tumores (—) e controle (—). Os picos mais significativos foram expandidos.

As amostras dos tumores têm maiores níveis de glicina e ausência ou baixos níveis de *mio*-inositol, como indicado pelas setas verticais. As quantidades de creatina e *N*-acetil aspartato também aparecem em menores quantidades nos tecidos tumorais. Por outro lado, a alanina no cérebro normal é praticamente inexistente. Outro metabólito importante na diferenciação tumor/controle é o ácido γ-aminobutírico, GABA, que está ausente nos extratos de tumores. Um fato interessante observado é a razão entre fosfocolina e glicerofosfocolina, que é alta nos tecidos tumorais, enquanto as células normais têm uma alta predominância de glicerofosfocolina. Apesar de termos apenas quatro amostras no grupo de controle, foi possível construir um modelo de classificação que confirma as nossas observações feitas ao explorar os dados.

Após introduzir os métodos k-NN, SIMCA e PLS-DA, apresentar os algoritmos e discutir alguns exemplos, consideramos que o leitor tenha informação suficiente para construir modelos de classificação e analisar seus próprios conjuntos de dados.

"Demais, filho meu, atenta: não há limite para fazer livros, e o muito estudar é enfado da carne" (Eclesiastes 12:12).

ÍNDICE

A

Alisamento, 46-47, 81
  com filtros de Fourier, 57-60
  pela média móvel, 51-52, 57
  pela média, 48-51, 81-82
    algoritmo, 51
  pelo método de Savitzky-Golay, 53-57
Amostras anômalas, 100, 169, 258, 290, 359-361, 369, 384
Análise de agrupamentos, 110, 153-155, 173-174, 184, 391, 405, 417
  algoritmo, 176-183
  exemplos, 162-165, 175-184, 202-237, 391, 417
  fundamentos matemáticos, 155-162
  método centroide, 171-173
  método da média, 169-171, 173, 181
  método de Ward, 171-173, 182-183
  método do vizinho mais distante (completo), 168-169, 173, 179-180
  método do vizinho mais próximo (simples), 166-168, 173, 177-178
Análise de componentes principais, 110-111, 114, 126-130, 140-141, 145, 153, 184, 339, 341-342, 405, 414, 417-418, 429-430
  algoritmo, 131, 141-142, 150
  exemplos, 115-116, 122-126, 131-135, 202-250, 415-418, 446-447, 468, 483
  fundamentos matemáticos, 116-121, 126-130
Análise de variância, 270-282
Análise discriminante linear, 409-412
Análise discriminante PLS, 407, 460-461
  algoritmo, 470-471
  fundamentos matemáticos, 462-464
Análise exploratória, 27, 109-110, 153, 184, 202, 250, 405, 428
Autoescalamento; *ver* pré-processamento
Autovalores, 129-130, 136, 139-143, 149-151, 194-195, 198-199, 341, 362

B

Bayes, 407, 429, 462, 477
  regra de decisão, 463-464, 470, 476, 478
Bias; *ver* tendência
Buckets (*bining*), 90, 482

C

Calibração univariada, 261
　algoritmo, 271, 276
　erro-padrão dos coeficientes, 285
　figuras de mérito, 278, 293, 302-305
　intervalo de confiança, 282, 287, 290, 292-293
　método clássico, 261-266
　método inverso, 275-278
　previsão, 277, 290, 292
Calibração multivariada, 306, 312-314
CLS; *ver* Regressão por quadrados mínimos – clássico
Coeficiente de correlação, 39, 150-160, 186-187, 272-273, 278, 356, 401
Coeficiente de determinação, 280-282
Coeficiente de determinação ajustado, 281-282
Coeficientes de regressão; *ver* vetor de regressão
Componente principal, 114-116, 125, 131
Conjunto de calibração, 253, 255-261, 336-338, 370
Conjunto de treinamento, 406, 417-418, 454-456
Conjunto de validação, 359, 390-391, 406, 454-456
Contribuição determinística, 44-45
Contribuição estocástica, 44-45
Coomans; *ver* gráfico Coomans
Correção da linha de base, 61, 63
Correção multiplicativa de espalhamento (sinal), 74-77, 82-84
　algoritmo, 76
Correção ortogonal de sinal, 84-85
Correlograma, 401-402, 480-481
COW; *ver* Método COW

D

Dados faltantes, 34-37
Decomposição por valores singulares, 126-129, 190, 193, 341-342, 364, 433
Dendrograma, 154, 162, 165, 174-175, 391, 417
Derivadas, 61-68, 80-83
Desvio-padrão, 78, 91-100
Desvio-padrão relativo, 302-303, 388
Desvio-padrão residual, 437-439, 441, 444
Desvio-padrão residual, médio, 437--441, 444
Dimensão intrínseca; *ver* posto químico
Distância, 155-156, 411-413, 445
Distância Euclideana, 156-161, 176, 192-194, 411
Distância de Mahalanobis, 156, 159-161, 184-190, 192-200, 411, 436-437
　algoritmo, 188, 193
　elipses de confiança, 194-202, 436-437
Distância de Manhattan, 158
Distância entre classes, 445
Distribuição chiquadrado, 196-197, 281, 437
Distribuição F, 197-201, 281, 439-440
Distribuição normal, 196-201, 294-296, 299-301, 367-369, 380, 435
Distribuição *t* de Student, 285, 295, 301, 369, 436

E

Erro-padrão, 285, 287, 289-290, 292
Erro-padrão de calibração, 283, 288, 367, 372-374
Erro-padrão de previsão, 370-371, 373, 388

Erros do tipo I e do tipo II, 296-299, 304-306

Escalamento pela amplitude; *ver* pré--processamento

Escalamento pela variância; *ver* pré-processamento

Escores, 120, 117-118, 126, 141, 347-351

Espaço-coluna, 33, 127, 317, 331, 339, 433-434

Espaço-linha, 32-33, 119, 127, 137, 339, 363, 365, 433-434

Estatística F, 281-282, 430, 439-441, 456

EXAT; *ver* exatidão

Exatidão, 278, 425-426

Exemplos,
   calibração multivariada (porfirinas), 307-311
   calibração univariada (porfirinas), 270-274
      método clássico, 270-274, 282, 287--289, 291-293
      método inverso, 275-278, 282, 287--289, 291-293
      figuras de mérito, 282, 285-293, 302-306
   classificação k-NN (naftoquinonas), 415-423, 426-427
   classificação PLS-DA (metabolômica), 464-486
   classificação SIMCA (naftoquinonas), 431-460
   figuras de mérito (óleo de soja), 389-398
   PCA (prazo de validade), 238-250
   PCA; HCA (Água mineral), 202-215
   PCA; HCA (enaminocetonas), 231-238
   PCA; HCA (inibidores da protease HIV-1), 215-221
   PCA; HCA (sucos de frutas), 222-230
   regressão CLS (cinética de reação), 318-323
   regressão CLS (nitrofenóis), 323-327
   regressão MLR (nitrofenóis), 331-334
   regressão PCR (nitrofenóis), 343-345
   regressão PLS (nitrofenóis), 355-356
   regressão PLS (óleo de soja), 389, 404
   seleção de variáveis (óleo de soja), 399-404
   validação de modelos de regressão (nitrofenóis), 364-366, 374-378

F

Falso negativo, 296-297, 425-426, 472--475

Falso positivo, 296-299, 425-426, 453--354, 472-475

Fator, 114, 338-339, 358, 370, 429, 464

Figuras de mérito, 278, 366, 373, 380, 388, 396, 424, 459
   classificação, 424-428, 451-454, 459--460
   regressão, 278-306, 384-388, 396-398

Função de densidade de probabilidade, 407, 462-463, 476-478

G

Gráfico de Coomans, 445-446, 452-453, 459

H

HCA; *ver* análise de agrupamentos

Homoscedástico, 263, 274, 283, 368

I

ILS; *ver* método inverso de quadrados mínimos

Índice de similaridade, 162, 164-165

Influência, 269, 272, 276, 287-292, 295, 361-364, 368, 374, 376-377

   algoritmo, 364, 374

   exemplo, 365-366

Intercepto, 99, 265, 267, 273, 285-287, 295, 311-312, 330, 333, 345-346, 362--363, 368, 372

Interferente, 266, 306, 317, 327, 329, 331, 334-339, 366, 381-383

K

Kennard-Stone, 391

k-ésimo vizinho mais próximo, 407-408, 411-414, 1, 428

   algoritmo, 419, 422

k-NN; *ver* k-ésimo vizinho mais próximo

Kubelka-Munk, 72-74

L

LD; *ver* limite de detecção

LDA; *ver* análise discriminante linear

Lei de Beer, 69, 257, 261-262, 270, 273, 314

Leverage; *ver* influência

Limite de detecção, 37, 264-265, 278, 293, 299-306, 380, 388

Limite de determinação; *ver* limite de quantificação

Limite de quantificação, 278, 294, 302--304, 380, 388

LQ; *ver* limite de quantificação

M

Matriz chapéu; *ver* matriz de projeção

Matriz de confusão, 424-427, 453-454

Matriz de correlação, 124, 126, 129--130, 159

Matriz de dados, 30-31, 116, 233-234, 243

Matriz de escores, 117-118, 128, 132-135, 146, 189, 195, 318, 339-340, 353

Matriz de pesos, 117-118, 128, 133-135, 145-146, 149-151, 318, 339-340, 382, 432

Matriz de projeção, 268-269, 272, 276, 361-362, 367-368, 382, 432-433

Matriz de resíduos, 133-135, 137, 145, 315, 339, 351, 430, 432-435, 437-438, 441, 447, 450

Matriz de variância-covariância, 124, 159, 188-190, 193, 284-286, 368, 407

Média quadrática da regressão, 280-281

Média quadrática dos resíduos, 280-281, 283, 285-286, 357, 367

Média, 90-95, 99, 311-312, 330, 340, 344-346

Método COW (*Correlation Optimized warping*), 87-89

Método de quadrados mínimos clássico, 120, 275, 314

Método inverso de quadrados mínimos, 328

MLR; *ver* regressão linear múltipla

MQreg; *ver* média quadrática da regressão

MQres; *ver* média quadrática dos resíduos

MSC; *ver* correção multiplicativa de espalhamento

MSE; *ver* média quadrática dos resíduos

N

NAS; *ver* sinal analítico líquido

Nipals, 126, 140-145, 348-349, 354
  algoritmo, 141-145
Nível crítico, 294-301, 304
Norma,
  dois, 70-71, 384
  infinita (sup), 70-71, 436
  um, 70-71
Normalização, 70-72, 142, 150-151, 466

O

OPS; *ver* seleção de variáveis
OSC; *ver* correção ortogonal de sinal
Outlier; *ver* amostras anômalas

P

Padronização normal de sinal, 78, 82-83,
Parâmetro Q, 137-139, 438
PC; *ver* componente principal
PCA; *ver* análise de componentes principais
PCR; *ver* regressão por componentes principais
Pesos, 117-118, 120, 126, 131, 133, 140--143, 339-341, 344, 348-351, 355-356
PLS; *ver* regressão por quadrados mínimos parciais
PLS-DA; *ver* análise discriminante PLS
Poder de modelagem, 447-448
Poder de modelagem global, 448-449
Poder discriminatório, 447, 450-451
Posto químico, 113-114, 118, 126, 133--134, 136, 145
Pré-processamento, 90-100
  algoritmo, 94, 96-98
  autoescalamento, 91-92, 97-98, 99, 100
  centragem na média, 90, 94-95, 99, 129, 311-312, 340

escalamento de Pareto, 92, 100, 466--467, 475
escalamento pela amplitude, 92, 100
escalamento pela variância, 91, 95--97, 99
escalamento por nivelamento, 92, 100
escalamento Vast, 92, 100
exemplos 101-105
Pré-tratamento, 44
Press, 370-371, 374
Pressval; *ver* soma quadrática dos erros de validação
Previsão, 256-257, 259-260, 277, 290--293, 326-327, 332-334, 357-359, 365--366, 370-375, 378, 384, 455
Probabilidade *a priori*, 462-463, 470, 476-477
Pseudoposto; *ver* posto químico

Q

Q; *ver* parâmetro Q
QSAR; *ver* relações quantitativas estrutura-atividade
Quimiometria,
  definição, 23-25
  introdução histórica, 17-23

R

R2; *ver* coeficiente de determinação
Raiz da média quadrática dos erros de validação, 371-372, 374, 388
Raiz da média quadrática dos resíduos de calibração, 372-374
Raiz da média quadrática dos resíduos de previsão, 370-374, 388, 404
Regra de decisão de Bayes; *ver* Bayes
Regressão linear; *ver* calibração univariada, 75

Regressão linear múltipla, 312-314, 328-331, 335-337, 339-340, 342-343, 356-357, 363, 410,

algoritmo, 331

Regressão por componentes principais, 312-314, 346, 357-358, 399

algoritmo, 342

fundamentos matemáticos, 339-342

Regressão por quadrados mínimos – clássico, 312-313, 314-318, 336-337

algoritmo, 317

Regressão por quadrados mínimos inverso – ILS; *ver* regressão linear múltipla

Regressão por quadrados mínimos parciais, 312-313, 338-339, 346-348, 357-358, 399, 407, 460-461

algoritmo, 354, 471

fundamentos matemáticos, 349-354

Relações quantitativas estrutura-atividade, 40-42, 69-70, 99, 313, 391, 399-400

Resíduo de Student, 367-370, 376-377

algoritmo, 374

Resíduos, 118-119, 134-135, 137-139, 262-264, 266-267, 269, 277, 309, 351-352, 374, 432-438, 455

Rotação, 115, 145-146

Rotação varimax, 146-153

RMSEC; *ver* raiz da média quadrática dos resíduos de calibração

RMSECV; *ver* raiz da média quadrática dos erros de validação

RMSEP; *ver* raiz da média quadrática dos resíduos de previsão

RSD, 278, 302-303, 311, 388, 398

RSD; *ver* desvio-padrão relativo

Ruído, 44-47, 57-61, 79-81, 86, 90, 119, 259-260, 282, 304, 320-322, 344-346, 355

S

Savitzky-Golay, 53-57, 56, 64-66, 80-82

SEC; *ver* erro-padrão de calibração

SEL; *ver* seletividade

Seleção de variáveis, 42, 314, 331-334, 399-404, 451, 482-484

algoritmo genético, 399

correlograma, 401, 480-481

método OPS (dos preditores ordenados), 401-404

Seletividade, 386-388, 425-426, 453--454, 464

algoritmo, 387

SEN; *ver* sensibilidade

Sensibilidade, 264-265, 276, 308, 380, 385-386, 388, 425-426, 453-454, 464

algoritmo, 385

Sensibilidade analítica, 265, 386-388, 396

SEP; *ver* erro-padrão de previsão

SNV; *ver* padronização normal de sinal

Simca, 407-408, 428-431

algoritmo, 432-434, 441, 443-445, 449, 451

fundamentos matemáticos, 432-443, 447-451

Sinal analítico liquido, 381-388, 396-398,

algoritmo, 385

Soft Independent Modeling of Class Analogy; *ver* Simca

Soma quadrática dos erros de validação, 371-372, 374

Soma quadrática dos resíduos, 137-139, 262-263, 279-283, 316, 339

Soma quadrática média, 279-280

Soma quadrática total, 279-280

Soma quadrática total corrigida, 279-280

SQM; *ver* soma quadrática média

SQres; *ver* soma quadrática dos resíduos

SQT; *ver* soma quadrática total

SQTcor; *ver* soma quadrática total corrigida

Subajuste, 358, 370

Superajuste, 358, 370, 373

SVD; *ver* decomposição por valores singulares

T

T^2 de Hotelling, 185, 197-201, 436-437

Tabela de contingência; *ver* matriz de confusão

Taxa de falsos positivos, 425-427, 454, 472-477

Tendência, 60, 67, 70, 107, 184, 264, 283, 339, 343, 357-358, 371, 373, 375

   definição, 274

Teste de hipóteses, 296-297, 425, 472

TFP; *ver* taxa de falsos positivos

Transformação de ondaleta TW, 84-86

Transformação dos dados, 44-45, 46

V

Validação, 260-261, 359-360, 370, 406

Validação cruzada, 137, 260, 360, 369, 371-372, 377-378, 412, 429, 464, 468, 473-476

   algoritmo, 374

Validação externa, 260, 359, 370

Valor singular, 127-130, 132, 341

Variância, 91, 95-100, 114, 121-122, 124, 129, 132-134, 139, 146-147, 159-160, 185-188, 193, 263, 279-281, 328, 347-350, 352, 355, 357-358, 362, 367-369, 373

Variável dependente, 253, 261-262, 275, 278, 311, 328, 410, 461

Variável latente, 338, 347, 349-352, 362, 451, 472-473

Variáveis colineares, 39, 184, 314, 335-336, 410

Variáveis independentes, 253, 262, 275, 278

Variáveis preditoras, 253, 255, 278, 311, 328, 362, 381-382

Verdadeiro negativo, 425-426, 453-454, 472-473

Verdadeiro positivo, 425-426, 453-454, 472-473

Vetor de regressão, 266, 271, 284-286, 307-308, 311-312, 329-332, 340-343, 349, 353-354, 361, 373, 379-380, 383-384, 480-481

Viés; *ver* tendência

VL; *ver* variável latente

W

Wavelet; *ver* transformação de ondaleta

Título	Quimiometria – Conceitos, Métodos e Aplicações
Autora	Márcia Miguel Castro Ferreira
Coordenador editorial	Ricardo Lima
Secretário gráfico	Ednilson Tristão
Preparação dos originais	Grazia Maria Quagliara
Revisão	Gustavo Menassi
Editoração eletrônica	Silvia Helena P. C. Gonçalves
Design de capa	Ana Basaglia
Formato	16 x 23 cm
Papel	Pólen soft g/m² – miolo
	Cartão supremo 250 g/m² – capa
Tipologia	Times New Roman
Número de páginas	496

ESTA OBRA FOI IMPRESSA NA GRÁFICA CS
PARA A EDITORA DA UNICAMP EM DEZEMBRO DE 2020.